MACHADO
DE ASSIS

Editor **Edson Manoel de Oliveira Filho**
Produção editorial **Editora Filocalia**
Capa e projeto gráfico **Mauricio Nisi Gonçalves | Nine Design**
Preparação e Revisão **Valdiney Valente Lobato de Castro**
Felipe Pereira Rissato

Dados Internacionais de Catalogação na Publicação (CIP) de acordo com ISBD

A848c

Assis, Machado de

Contos (quase) esquecidos / Machado de Assis ; organizado por João Cezar de Castro Rocha. - 2. ed. - São Paulo, SP : Editora Filocalia, 2020.

440 p. : il. ; 16cm x 23cm.

ISBN: 978-85-69677-37-6

1. Literatura brasileira. 2. Contos. 3. Machado de Assis. I. Rocha, João Cezar de Castro. II. Título.

2020-287 CDD 869.8992301
CDU 821.134.3(81)-34

Elaborado por Vagner Rodolfo da Silva - CRB-8/9410
Índice para catálogo sistemático:
1. Literatura brasileira : Contos 869.8992301
2. Literatura brasileira : Contos 821.134.3(81)-34

Editora Filocalia Ltda.
Rua França Pinto, 509 • São Paulo • SP • 04016-032 • Telefone: (5511) 5572 5363
atendimento@filocalia.com.br • www.editorafilocalia.com.br

Este livro foi impresso pela Pancrom Indústria Gráfica em fevereiro de 2020. Os tipos são da família Athelas e Proxima Nova. O papel do miolo é o Lux Cream 70 g, e o da capa, couché fosco 150 g.

MACHADO DE ASSIS

CONTOS (QUASE) ESQUECIDOS

João Cezar de Castro Rocha (organizador)

FILOCALIA

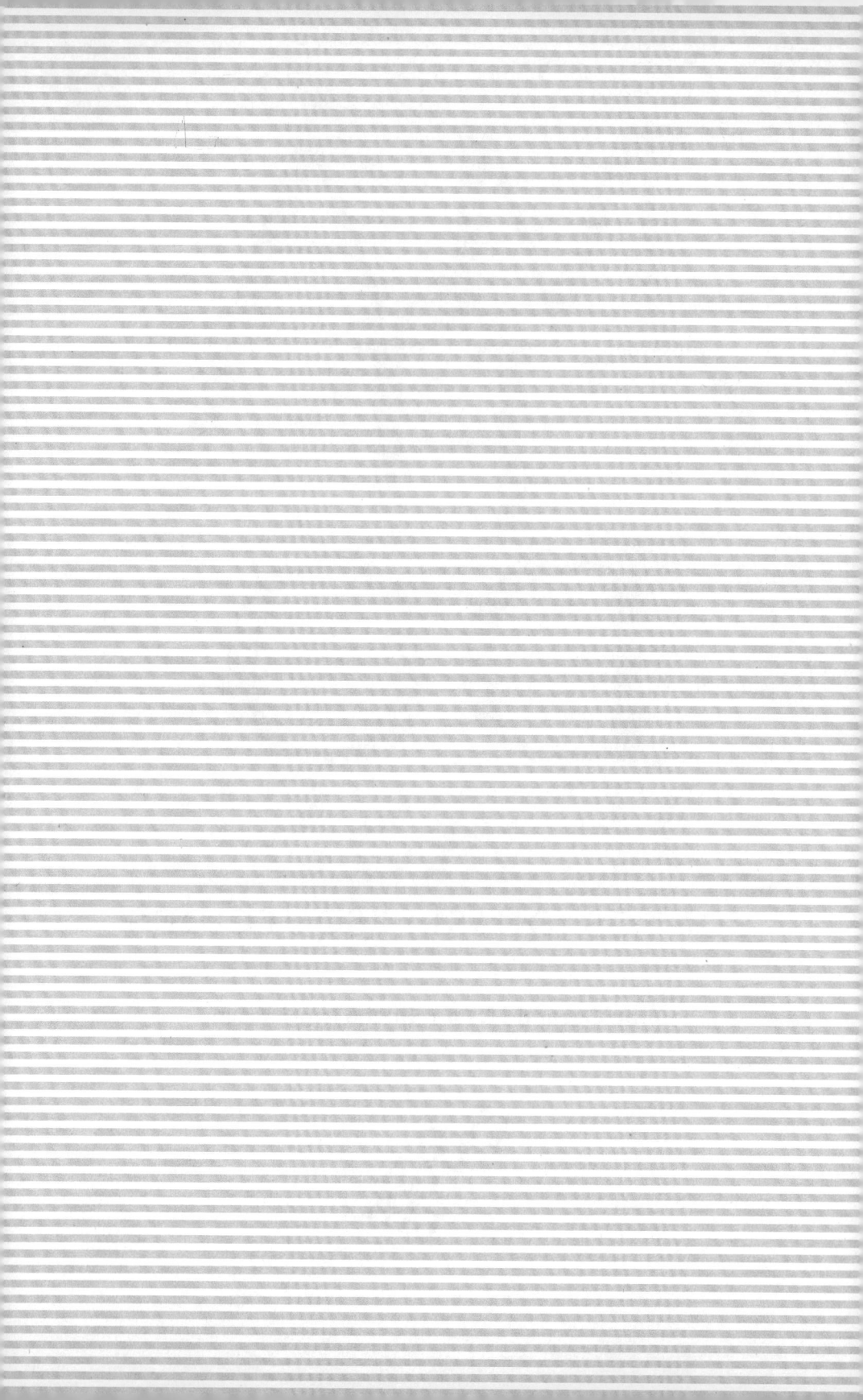

Sumário

Prefácio
Um Machado de Assis pouco lembrado: contos (quase) esquecidos
João Cezar de Castro Rocha 11

Música e Literatura
Música e Literatura: formas de reflexão 27

O machete (1878) – *Música* 33
O anel de Polícrates (1882) – *Literatura* 47
O programa (1882-1883) – *Literatura* 57
Cantiga de esponsais (1883) – *Música* 81
Habilidoso (1885) – *Literatura* 87
Trio em lá menor (1886) – *Música* 95
Um homem célebre (1888) – *Música* 105
Um erradio (1894) – *Literatura* 117

Política e Escravidão
Política e Escravidão: dilema nacional: país ou nação? 139

Virginius (Narrativa de um advogado) (1864) – *Escravidão* 145
Mariana (1871) – *Escravidão* 163
Tempo de crise (1873) – *Política* 183
A sereníssima República (conferência do cônego Vargas) (1882) – *Política* 199
O caso da vara (1891) – *Escravidão* 209
Canção de piratas (1894) – *Política* 219
Pai contra mãe (1906) – *Escravidão* 223
Suje-se gordo! (1906) – *Política* 235

Desrazão

Desrazão: o chiaroscuro como residência 243

Três tesouros perdidos (1858) 249
Frei Simão (1864) 253
O Anjo Rafael (1869) 263
A ideia do Ezequiel Maia (1883) 311
O lapso (1883) 321
Conto Alexandrino (1883) 331
Evolução (1884) 341

Filosofia

Filosofia: perguntas sem resposta 351

Na Arca – Três capítulos inéditos do Gênesis (1878) 357
O segredo do bonzo (Capítulo inédito de Fernão Mendes Pinto) (1882) 365
História comum (1883) 375
A igreja do diabo (1883) 381
Adão e Eva (1885) 391
Como se inventaram os almanaques (1889) 399
O sermão do diabo (1892) 405

Posfácios

Os (in) esquecíveis contos de Machado de Assis: da circulação à recepção
Valdiney Valente Lobato de Castro 411

A pesquisa enquanto revisão bibliográfica de Machado de Assis
Felipe Pereira Rissato 425

Índice das ilustrações 438

Prefácio

18

Um Machado de Assis pouco lembrado: contos (quase) esquecidos

João Cezar de Castro Rocha

A plasticidade do clássico

As definições do conceito de clássico não são vastas como o mundo – e felizmente nem sempre rimam. Contudo, são inúmeras e, apesar de suas diferenças, apontam para um horizonte comum, delineiam um ponto de fuga: toda obra clássica favorece apropriações que inventam novos significados.

Difícil, nessa seara, fugir do lugar-comum ou do mero inventário de definições anteriores – e muitas são exemplarmente agudas. E certamente você conhece todas as suas nuances. Arrisquemos, pois, outra vereda: pensemos por meio da imersão no prólogo dum texto clássico por antonomásia.

(Estamos no teatro e a peça está prestes a começar.)

Em *Henrique V*, William Shakespeare ofereceu uma fascinante reflexão acerca da centralidade da recepção no ato estético. Machado de Assis, leitor atento, sintetizou a lição no fecho emblemático de "A chinela turca". Nas palavras do narrador: "o melhor drama está no espectador e não no palco".[1]

[1] Machado de Assis. "A chinela turca". In: *Papéis avulsos*. Rio de Janeiro: Lombaerts & C., 1882, p. 125.

(Primeiro passo para redefinir o clássico.)

Escrita em 1599, *Henrique V* celebra a façanha militar do rei homônimo, que, em 1415, ao triunfar contra os franceses na Batalha de Azincourt, embora lutasse em condições muito adversas, liderando um exército consideravelmente menor do que as forças do adversário, Henrique V tornou possível supor o advento do futuro Reino Unido, congregando ingleses, escoceses, irlandeses e gauleses. Tarefa hercúlea e à época improvável: basta recordar o jogo de cena com a diversidade de formas de uso do inglês conforme as nacionalidades dos personagens; aliás, diversidade habilmente explorada pelo dramaturgo, com efeitos tanto cômicos, a diferença em si mesma favorece diálogos divertidíssimos, quanto sérios, a liderança justa e firme do rei propicia a coordenação dos esforços numa única direção.

Portanto, o tema da peça, propriamente um *history play* (drama histórico), implicava um desafio. Como colocar em cena a dimensão épica do conflito, com seus milhares de soldados? Como dar a ver a disparidade de forças em combate e o consequente heroísmo das tropas inglesas? O "coro" encarece a complexidade da tarefa na abertura do prólogo:

> O, for a muse of fire that would ascend
> The brightest heaven of invention!
> A kingdom for a stage, princes to act,
> And monarchs to behold the swelling scene!
> Then should the warlike Harry, like himself,
> Assume the port of Mars (...).[2]

[2] William Shakespeare. *King Henry V*. In: *The Globe Shakespeare*. The Complete Works Annotated. New York: Greenwich House, 1979, p. 813. Na tradução de Carlos Alberto Nunes: "Se de musa de fogo eu dispusesse / para escalar o céu mais rutilante / da invenção! Por teatro, um grande reino, / príncipes como atores, e monarcas / para a cena admirável

Imaginação crítica: teria o dramaturgo elisabetano antecipado em alguns séculos a transmissão, por assim dizer, ao vivo de acontecimentos históricos? Veríamos, assim, e, num palco que rivalizaria com a geografia da própria ilha, o rei Henrique desempenhar uma e outra vez o papel de líder inspirador. Ou, por que não?, Shakespeare lançou a ideia duma mescla inesperada do dispositivo imaginado por Adolfo Bioy Casares em *Invención de Morel* com o perspectivismo vislumbrado por Jorge Luis Borges no conto-ensaio "Del rigor en la ciência".

Em todo caso, o desafio era ainda maior porque a Batalha de Azincourt se encontrava solidamente inscrita na memória coletiva britânica. No famoso discurso do "Dia de São Crispiniano" (Ato IV, cena III), o Henrique V shakespeariano plasmou a moderna ideia de nação, e não apenas para a Inglaterra, mas também, e sobretudo, para futuro o Reino Unido – ainda inexistente no momento de escrita da peça:

> We few, we happy few, we band of brothers;
> For he today that sheds his blood with me
> Shall be my brother; be he ne'er so vile,
> This day shall gentle his condition;(...)[3]

Como estar à altura do repto? Hábil no emprego de recursos retóricos, o "coro", antes de propor uma saída, aumenta o tamanho da encrenca:

contemplarem! / Então viria o belicoso Henrique / tal como é mesmo: qual um novo Marte". William Shakespeare. *A vida do Rei Henrique V*. In: *Teatro Completo*. Dramas Históricos. Rio de Janeiro: Agir, 2008. P. 217. Nas próximas ocorrências, somente mencionarei o número da página citada.

[3] Idem, p. 850. Na tradução: "Nós, poucos; nós, os poucos felizardos; / nós, pugilo de irmãos! Pois quem o sangue / comigo derramar, ficará sendo / meu irmão. Por mais baixo que se encontre / confere-lhe nobreza o dia de hoje" (p. 250).

(...) But pardon, gentles all,
The flat unraised spirits that hath dared
On this unworthy scaffold to bring forth
So great an object. Can this cockpit hold
The vasty fields of France? Or may we cram
Within this wooden O the very casques
That did affright the air at Agincourt?[4]

A dificuldade se torna adequadamente dramática se recordarmos o principal obstáculo a ser vencido pelo próprio Henrique, o personagem histórico, não apenas a criação shakespeariana. Em outras palavras – pois é só delas que aqui se trata –, a juventude do futuro rei nada prenunciava de bom, muito menos de espetacular. Boêmio, impulsivo, sempre distante do estudo, avesso à disciplina, como se não estivesse destinado a suceder seu pai. Na lembrança do Arcebispo de Cantuária:

Since his addiction was to courses vain,
His companies unlettered, rude, and shallow,
His hours filled up with riots, banquets, sports,
And never noted in him any study,
Any retirement, any sequestration
From open haunts and popularity.[5]

[4] Idem, p. 813. Na tradução: "(...) Mas meus amáveis / espectadores, perdoai o espírito / pouco altanado que a ousadia teve / de evocar tal assunto em tão ridícula / armação. Poderá esta pequena/rinha de galos abranger os vastos / campos da França? Ou nos será possível / pôr neste O de madeira os capacetes / que os ares de Azincourt aterroraram?" (p. 217).

[5] Idem, p. 815. Na tradução: "(...) as tendências / dispersivas de então, os companheiros / superficiais, ignaros e grosseiros. / Passava as horas todas em banquetes / orgias e desportos, sem que nunca / mostrasse aplicação ou procurasse / recolher-se, ou evitar os logradouros / públicos e o bafejo da gentalha" (p. 218).

Luís, o Delfim da França, cometeu seu maior erro ao confiar imprudentemente no êxito militar porque sua imagem de Henrique V foi moldada no comportamento do jovem impetuoso, indiferente à condição de herdeiro do trono. Por isso, em seu juízo, um reino por ele governado não poderia opor resistência séria ao exército francês; logo, não haveria motivos para temer a Inglaterra:

> For, my good liege, she is so idly kinged,
> Her scepter so fantastically borne
> By a vain, giddy, shallow, humorous youth,
> That fear attends her not.[6]

Repare na impecável carpintaria: o Delfim emprega duas das palavras usadas pelo Arcebispo da Cantuária na caracterização do jovem Henrique: *shallow* e *vain*. Cartesiano *avant la lettre*, o Delfim montou um silogismo rigoroso: a Inglaterra é governada por Henrique V; Henrique V; ele foi um tolo em sua juventude; logo, a Inglaterra será necessariamente derrotada. Faltou ao príncipe francês compreender que, heraclitianos involuntários, os homens mudam, para melhor ou para pior, claro está, mas o ponto é que ninguém pode ser aprisionado ao passado – ainda que seja um passado para chamar de seu. No diálogo do Bispo de Ely com o Arcebispo de Cantuária, destaca-se precisamente a transformação do jovem impetuoso no rei sereno:

> BISHOP OF CANTERBURY
> The King is full of grace and fair regard.
>
> BISHOP OF ELY
> And a true lover of the holy Church.

[6] Idem, p. 829. Na tradução: "(...) Sim, meu soberano / de tal modo ela se acha governada / tão fantasticamente empunha o cetro / um moço vão, leviano e extravagante / que em seu rasto não segue o frio medo" (p. 230).

BISHOP OF CANTERBURY
The courses of his youth promised it not.
The breath no sooner left his father's body
But that his wildness, mortified in him,
Seemed to die too. (...)[7]

As coisas começam a ficar mais claras; não é mesmo? Vejamos.

(Feche os olhos – adiante esclareço.)

A companhia teatral shakespeariana estava diante de um impasse, quase uma impossibilidade, qual seja, como metamorfosear o acanhado palco do *The Globe* num cenário crível da mais importante vitória militar da história inglesa? Como superar os limites intransponíveis da encenação, a fim de seduzir a plateia?

De igual modo, Henrique V, pelo menos o personagem shakespeariano, deparou-se com dilema similar. Por mais que tivesse mudado de atitude e finalmente tivesse entendido a natureza de sua função, ainda assim ainda não havia enfrentado um adversário da magnitude do reino francês. Como reagiria na hora decisiva?

Você me acompanha: Shakespeare surpreendeu uma homologia estrutural inesperada entre Henrique V, e seu exército, e o próprio dramaturgo, e sua companhia teatral. Num e noutro caso, incerto era o êxito da tarefa, pois as adversidades eram consideráveis.

Como superá-las?

A resposta foi dada por Hamlet em seu diálogo em aparência incoerente, mas cheio de método, com Polônio. Ao ser perguntado

[7] Idem, p. 815. Na tradução: "CANTUÁRIA: O rei é bem intencionado e cheio / de boas qualidades. // ELY: E um sincero / admirador da nossa santa Igreja. // CANTUÁRIA: Não prometiam isso as estroinices / de sua mocidade. Só parece / que ao exalar seu pai o último alento, / sua selvajaria também nele / viesse a morrer (...)" (p. 218).

sobre o que lia; livro aberto ostensivamente, o Príncipe da Dinamarca não hesitou: "Words, words, words".

Na irreverência de Hamlet, encontra-se parte da resposta.

De um lado, a palavra precisa suprir deficiências objetivas, de outro, é indispensável que ouvidos atentos potencializem e mesmo completem o sentido. E isso vale para os soldados no campo de batalha, mas também para os espectadores no teatro: assim como os soldados deveriam acreditar no discurso de Henrique V como a imagem de um possível Reino Unido, os espectadores da peça precisavam aceitar o pacto especial proposto pelo dramaturgo.

Retornemos ao prólogo e escutemos o apelo do "coro":

> O pardon, since a crooked figure may
> Attest in little place a million,
> And let us, ciphers to this great account,
> On your imaginary forces work.[8]

Eis o pacto: fechar os olhos para melhor assistir ao espetáculo! O palco do The Globe – *this wooden O* – é sem dúvida incapaz de rivalizar com o panorama grandioso da Batalha de Azincourt. Por isso mesmo, se o espectador mantiver os olhos bem fechados, então a impossibilidade cênica converte-se na potência máxima da experiência literária. E, ao mesmo tempo, permite que se formule o conceito de clássico que mais importa ao projeto desta nova antologia de contos de Machado de Assis.

Aceito o pacto, o "coro" explicita a tarefa inédita concedida à recepção:

[8] Idem, p. 813. Na tradução: "Oh, mil perdões, que uma figura curva / representa milhões em pouco espaço. / Por isso, permiti que nós, os zeros / desta importância imensa, trabalhemos / por excitar a vossa fantasia" (p. 217).

> Piece out our imperfections with your thoughts.
> Into a thousand parts divide one man,
> And make imaginary puissance.
> Think, when we talk of horses, that you see them
> Printing their proud hoofs i' th' receiving earth,
> For 'tis your thoughts that now must deck our kings,
> Carry them here and there, jumping o'er times,
> Turning th' accomplishment of many years
> Into an hourglass; (...)[9]

O pulo do gato shakespeariano leva longe: *supri com o pensamento nossas imperfeições*. No vocabulário machadiano, em diálogo muito provável com o "coro" de *Henrique V*, trata-se da enorme distância, mais do que simples diferença, entre livros confusos e livros omissos. Bento Santiago esclarece a distinção:

> Nada se emenda bem nos livros confusos, mas tudo se pode meter nos livros omissos. Eu, quando leio algum desta outra casta, não me aflijo nunca. O que faço, em chegando ao fim, é cerrar os olhos e evocar todas as coisas que não achei nele. Quantas ideias finas me acodem então! Que de reflexões profundas! (...) Assim preencho as lacunas alheias; assim podes também preencher as minhas.[10]

[9] Idem, p. 813. Na tradução: "(...) Supri com o pensamento / nossas imperfeições. Cortai cada homem / em mil partes e, assim, formai exércitos / imaginários. Quando vos falarmos / em cavalos, pensai que à vista os tendes / e que eles as altivas ferraduras / na terra batida imprimem, pois são vossos / pensamentos que a nossos reis, agora, / hão de vestir, levando-os para todos / os lados, dando saltos pelo tempo, / concentrando numa hora de relógio / fatos que demandaram muitos anos" (p. 217).

[10] Machado de Assis. *Dom Casmurro*. Rio de Janeiro/Paris: H. Garnier, [1899], p. 177.

Se não exagero no otimismo, esta nova antologia de contos é um esforço para desenvolver um conceito de clássico que pode ser formulado por meio da leitura lenta, reiterada e intensa de autores como William Shakespeare e Machado de Assis. O clássico, nessa acepção, define-se por uma radical plasticidade, ou seja, por uma estrutura intrinsecamente moldável – e isso de formas múltiplas, e sempre de acordo com a pluralidade da recepção, que nunca é redutível a uma interpretação determinada.

Esta antologia

Autores fundamentais como William Shakespeare e Machado de Assis favorecem um paradoxo que salvo engano tem passado despercebido.

Explico.

A força de seus textos demanda leituras que também sejam potentes; originando correntes interpretativas que precisam ser levadas em consideração por sua capacidade de iluminar ângulos específicos da obra estudada.

Ângulos específicos – eu escrevi.

E aí mora o problema.

A interpretação forte torna-se frágil, isto é, narcisista, ao cingir a potência do texto ao metro exclusivo de sua hermenêutica. Nesse caso, multiplicam-se os textos analisados, porém os resultados analíticos tendem a repetir-se, numa autorreferência que termina por negligenciar cada vez mais o texto, pois a ênfase recai na própria corrente interpretativa.

Esse paradoxo sobressai na edição dos contos de Machado de Assis, e, em boa medida, esta nova antologia pretende superar o impasse.

De um lado, seguimos editando os livros de contos publicados pelo próprio autor: *Contos fluminenses* (1870); *Histórias da meia-noite* (1873); *Papéis avulsos* (1882); *Histórias sem data* (1884); *Várias histórias* (1896); *Páginas recolhidas* (1899); *Relíquias de casa velha* (1906). Naturalmente, nada a objetar! Algumas edições recentes inclusive resgatam a primeira publicação, em jornal ou em revista,[11] a fim de cotejar a versão saída em livro, obtendo desse modo um entendimento mais aprofundado do processo de reescrita machadiano.

De outro lado, e aqui o paradoxo vem à tona, as antologias realizam uma redução, provavelmente involuntária, do universo de sua contística a um conjunto necessariamente limitado de interpretações de sua obra. A consequência dessa operação salta aos olhos: as antologias de contos de Machado de Assis gravitam em torno de um mesmo eixo, composto por aproximadamente duas dezenas de contos, certamente notáveis, obras-primas do gênero – e isso em qualquer latitude. Substitui-se, imaginemos, "A chinela turca" por "O espelho", ou "Teoria do medalhão" por "A cartomante" e, *fiat lux*!, uma "nova" antologia vem à luz, preservando porém o mesmo núcleo básico de textos selecionados.

Reitero, pois por certo não se trata de inventar a roda uma e outra vez: o cânone da contística machadiana foi muito bem escolhido. Contudo, sua reiteração automática produz um efeito paradoxal, pois nega o caráter plástico que identificamos no texto clássico. Os mais de duzentos contos escritos ao longo de cinco décadas de exercício contínuo são assim congelados num universo de 20, talvez 30 contos.

Essa circunstância impõe a pergunta necessária: o que se perde com tal operação?

A resposta não é difícil: muito, praticamente tudo.

Perde-se a própria razão de ser do autor Machado de Assis. A canonização negligencia o verdadeiro alcance de sua presença

[11] Há também casos de contos publicados diretamente em livro; por exemplo, "Miss Dollar" em *Contos fluminenses*.

na cultura brasileira. Procedimento limitador que condena o *autor* Machado a ser "apenas" o maior *escritor* das "letras pátrias"; nesse contexto, não há como evitar um vocabulário divertido.

Esta nova antologia de *contos* (*quase*) *esquecidos*, pelo contrário, propõe que esqueçamos a imagem do *escritor consagrado* e nos concentremos no *autor em formação* – tarefa infinita, bem entendido. Nesse caso, é necessário, obrigatório até, ler, reler e tresler *todos os contos* machadianos, pois somente assim é possível vislumbrar um retrato de texto inteiro do autor.

O que revela tal instantâneo?

A obsessão com uma série de temas que estruturam a visão de mundo e moldam os exercícios ficcionais de Machado. Nesta antologia, 4 eixos ou pares foram selecionados: Música e Literatura; Política e Escravidão; Desrazão; Filosofia. Os contos aqui coligidos elaboram esses tópicos a partir de perspectivas diversas. E, numa espécie de olhar cubista *avant la lettre*, ora aprofundando análises, ora mudando radicalmente o ponto de vista.

(Machado foi mesmo um leitor agudo de Shakespeare: em sua trilogia, *Othello*, *Cymbeline* e *The Winter's Tale*, o dramaturgo esmiuçou a epistemologia do ciúme, alterando o ângulo de observação do (anti)herói ciumento.)

Nesta antologia adota-se o critério cronológico na apresentação dos contos. Se tudo der certo, dessa maneira a leitora será capaz de apreender as transformações do autor em relação aos temas-chave de sua obra. Somente um *escritor consagrado* é idêntico à imagem que dele se projeta. Um *autor em formação* altera suas concepções, mescla gêneros, realiza experimentos, nem sempre bem-sucedidos, muda sua literatura na exata proporção em que lê intensamente outros autores.

Mais não direi: o convite está feito: hora de passar aos contos.

Coda

Esta edição apresenta um aparato documental inédito fornecido por dois talentosos pesquisadores.

Valdiney Valente Lobato de Castro concluiu recentemente uma brilhante Tese de Doutorado, *Entre críticas e aplausos: os caminhos da consagração dos contos machadianos*,[12] na qual principiou a rever o perfil tradicionalmente atribuído a Machado de Assis por meio de uma pesquisa minuciosa nos periódicos oitocentistas em busca de pistas para reconstruir a presença do nome do autor no imaginário da época. Os resultados de seu trabalho são surpreendentes, identificando um Machado, por assim dizer, ubíquo na imprensa desde muito jovem – e não apenas como homem de letras, mas também como personalidade!

Graças à generosidade de Valdiney esta edição oferece imagens

das edições de muitos dos contos aqui recolhidos.

Felipe Pereira Rissato é um pesquisador independente cuja contribuição à história literária brasileira é considerável, especialmente no tocante às obras de Machado de Assis e de Euclides da Cunha. Seu trabalho diligente em arquivos levou a descobertas de fôlego: imagens e textos inéditos dos dois autores, a par de uma intepretação sempre cuidadosa.

Devo à gentileza de Felipe as fotografias de Machado de Assis, que tanto ilustram a capa quanto o miolo desta nova antologia de contos.

A Valente e a Felipe, portanto, um agradecimento especial.

E triplo: pelas imagens, pelos posfácios que enriquecem este livro e pela cuidadosa revisão dos originais.

[12] Em breve, a Tese será publicada em livro pela Alameda Editorial.

Mandolinata

Já solto debalde ao vento
Os sons do meu bandolim
Minha voz a teus ouvidos
Já não é de seraphim.

Debalde! Já nem te acordo
De nosso amor a lembrança!
De reviver o passado
Já perdi toda a esperança!

Boletim Bibliographico

O Sr. Garnier acaba de editar mais um livro util.

Referimo-nos á *Corographia do Brasil* pelo illustrado Sr. Dr. Joaquim Manoel de Macedo.

O novo livro do distincto fluminense é um compendio para uso de classes escolasticas, e extrahido da precisa e abundante *Corographia*, que foi publicada ha um anno em dois volumes, e que figurou na exposição de Philadelphia.

O *Compendio* que agora vem á lume é um importante livro didactico escripto com methodo, clareza, e grande copia de noticias.

E' para uso do collegio de Pedro II, e muito necessario em qualquer curso de humanidades.

— Foi distribuida a segunda caderneta da *Creação*, o notavel trabalho de Edgard Quinet tão lindamente vertido pelo Sr. Emilio Zaluar.

Esse fasciculo da *Creação* é de um interesse extraordinario, sobretudo as paginas que se intitulam *As lições do centauro*, e nas quaes Quinet pretende refazer a obra perdida de Hesiodo.

O Sr. Zaluar faz um grande serviço ás lettras patrias vertendo tão formosa e substancial producção, e pelo modo elegante por que o vae fazendo.

— Recebemos um exemplar da parodia que com o titulo de *Abel, Helena* fez o Sr. Arthur de Azevedo da opereta *La belle Hélène*.

E' um libretto gracioso, onde ha muitas originalidades e engenhosos trocadilhos que são felizes invenções do intelligente escriptor.

— E por fallar em libretto, não posso encerrar esta resenha sem noticiar a promptificaçao de um trabalho de folego, e que vae ser fonte de inspiração para uma nova opera de Carlos Gomes.

Sylvio Dinarte, pseudonymo que occulta um distincto romancista nacional, escreveu e já remetteu para Italia a opera *Paraguassú*, verdadeiro primor, independente da collaboração musical.

E' um drama de enredo, de lances fortes, de sentimento, no qual os typos se achão perfeitamente desenhados, e onde se falla uma linguagem poetica, e ardente de paixão.

Representado o libretto em qualquer theatro dramatico, seria a peça applaudida com enthusiasmo; imaginemos o que não será depois que Carlos Gomes juntar a sua á inspiração de *Sylvio Dinarte*.

Preparemo-nos para um novo *Guarany*.

E' quanto tenho nos meus apontamentos de noticias para o boletim d'este numero.

Correio dos theatros

Furtado Coelho fez o milagre de converter em theatro digno de boa sociedade a antiga sala, ou antes, o antigo quintal do Cassino.

Póde-se hoje ir ao theatrinho da rua do Espirito Santo. Além das maravilhas artisticas que encontra-se na scena, o edificio é outro, e outros os frequentadores do Cassino.

Ainda bem: foi uma rehabilitação completa.

Inaugurou a serie de seus espectaculos dando-nos o Furtado a excellente comedia de Dumas Filho intitulada *O pae prodigo*.

Peça de inquestionavel valor litterario, que é tida como uma das mais bem imaginadas pelo distincto dramaturgo francez, essa comedia tem por si a consagração de todas as platei[...]s da Europa.

N[...]*odigo* desempenha Furtado Coelho um d'esses [...]is, a que elle consagra todo a penetração do [...] talento.

[...]auou com inspiração, verdade e consciencia a admiravel parte que tão bem vae ao seu genio artistico, e deu nos uma creação esplendida, verdadeira joia do seu já tão vasto repertorio.

Lucinda Simões foi tambem admiravel interprete de Dumas, e comprehendeu com rara felicidade o seu papel.

Delicadeza de sentir e de expressar-se, energia, doçura, mimo e posição, tudo soube ella traduzir na voz, nos gestos, e no olhar.

Artista de um grande futuro, Lucinda Simões cada vez se mostra mais perfeita, e faz realçar mais os grandes predicados que possue.

O resto da companhia é muito regular, sendo já nossos conhecidos alguns dos artistas.

Bem ensaiados, dirigidos magistralmente pelo actual empresario do Cassino, todos elles secundarão sempre bem as peças que ali forem representadas.

O *Pae prodigo* por muito tempo se sustentará em scena: além de ser peça de valor real, e de ter o optimo desempenho que tem, está montada com o esmero que o sabe fazer Furtado Coelho.

— No S. Pedro de Alcantara continúa a eximia artista Emilia Adelaide a receber merecidos applausos. Entre muitas das peças que tem ultimamente representado, sobresahio com grande esplendor o seu merito artistico no drama de Octave Feuillet intitulado *Julia*.

Já n'estas columnas expendemos o nosso juizo sobre as peregrinas qualidades da distincta artista portugueza.

A companhia do Sr. Guilherme da Silveira, em quanto se acha em ferias, deixando funccionar a da Sra. Emilia Adelaide, prepara a grande peça de Julio Verne, e uma excellente traducção do festejado Sr. Arthur de Azevedo.

A peça por elle traduzida é a *Jerusalem libertada*, drama phantastico, espectaculoso, e que por força ha de chamar concurrencia ao theatro.

— No S. Luiz prepara-se a *Estrangeira*, uma das ultimas producções de Dumas Filho, comedia que fez sensação em Pariz e sobre a qual Victorien Sardou calcou a sua *Dora*.

Tambem está em ensaios no mesmo theatro a *Joanna do Arco*, opera lyrica do professor portuguez Cardim.

Tanto o maestro como a composição chegou-nos precedidos da melhor reputação.

— Estreiou no Gymnasio a companhia do Sr. Simões.

Sem fallar no artista empresario e na artista Ismenia, ambos bem conhecidos e apreciados do publico, o resto do pessoal é bastante mediocre.

A peça da estreia foi o *Botão de Ancora*, onde o Sr. Simões tem um papel no genero d'aquelle que tão originalmente interpretou na *Probidade*.

A peça foi bem desempenhada e seguramente a companhia terá a protecção do publico.

— O Alcazar deu-nos a opera *Jeanne, Jeannette et Jeanneton*, onde as Sras. Ida de la Roche e Hassani cantam e representam agradavelmente.

A musica da opereta é viva e graciosa; o libretto é pouco interessante, se bem que tenha algumas scenas bem urdidas.

No mesmo theatro tivemos a *reprise* da *Filha do Regimento*, que tem sido bem cantada e representada.

Nada mais durante a quinzena.

O jogo do xadrez

No proximo numero daremos a continuação do nosso artigo « Carlos XII no acampamento de Bender ».

CORRESPONDENCIA

Toda a correspondencia sobre este assumpto deverá ser dirigida ao « Imperial Instituto Artistico » 61, rua da Ajuda. Com as palavras «Secção de Xadrez» bem legiveis. Todos os problemas, etc., que nos forem remettidos para publicação serão attentamente analysados por uma commissão especial, e só se darão a lume depois de serem devidamente approvados pela mesma commissão. Não nos responsabilisamos pela entrega dos originaes remettidos.

Mendes Pereira, Pará. — A sua duvida a respeito do Problema N. 6, era fundada em um erro de impressão que foi desfeito no numero seguinte.

Quanto a sua observação sobre a posição dos piões, devemos dizer-lhe que em problemas, toda a posição é licita, logo que ella não va propriamente contra os principios do jogo, como por exemplo, um pião na primeira casa do seu rei, etc. N'um livro especialmente sobre esta materia, encontrará o nosso distincto correspondente posições muito mais extraodinarias do que aquella em questão; mas como temos dito, um problema não é um final de partida; é uma posição inventada para dar certo e determinado resultado.

O GREMIO DE XADREZ

As reuniões desta associação têm estado muito animadas e folgamos de vêr que o numero de amadores deste scientifico jogo vai em consideravel augmento.

O *match* que esta sendo effectuado actualmente, é o dos Srs. Machado de Assis e Arthur Napoleão, dando este ao primeiro o cavallo da rainha. Até esta data o Sr. A. N. tem ganho 4 partidas, e o Sr. M. de A. 2.

As condições são que o primeiro que ganhar 7 partidas será considerado vencedor.

SOLUÇÕES RECEBIDAS DO PROBLEMA 9

Srs. Machado de Assis, Miguez, Smith, A de Mello, Cyriaco de Cardoso, Y. Z.

SOLUÇÕES RECEBIDAS DO ENIGMA

Nenhuma.

NOTA

Recommendamos aos amadores o bonito problema do numero de hoje, que é a primeira producção, neste genero, puramente brasileira.

SOLUÇÃO DO PROBLEMA 9

Brancas	*Pretas*
1. D. 4 BD. (ch.)	1. R×D. (a)
2. B×B. (ch.)	2. R. 5 C.
3. P. 3 T. (mate).	

a

1. ———	1. R. 4 R.
2. D×B. (ch.)	2. R. 5 B.
3. D×C. (mate).	

SOLUÇÃO DO ENIGMA 9

Brancas	*Pretas*
1. T 5 CR.	1. T. 8 T. (a)

(Está claro que se a torre preta fôr para 6 T., as brancas dão mate na seguinte jogada.)

2. T. 2 CR.	2. Qualquer cousa.
3. Uma das torres dá mate.	

a

1. ———	1. T. 7 C. ou 7 B.
2. T×P. da T. (ch.)	2. R×T.
3. T. dá mate.	

Este enigma excepcionalmente difficil já tem sido publicado (se bem nos recordamos), como problema, e sempre achou muito poucos decifradores.

PROBLEMA 10

(POR MACHADO DE ASSIS)

Pretas

Brancas

As brancas jogam e dão mate em 2 lances.

Música e **Literatura**

O machete (1878) – Música

O anel de Polícrates (1882) – Literatura

O programa (1882-1883) – Literatura

Cantiga de esponsais (1883) – Música

Habilidoso (1885) – Literatura

Trio em lá menor (1886) – Música

Um homem célebre (1888) – Música

Um erradio (1894) – Literatura

Música e Literatura: formas de reflexão

João Cezar de Castro Rocha

Os contos reunidos nesta seção delineiam um esboço inesperado do *autor* Machado de Assis; inesperado porque o retrato é desenhado pelo avesso.

Explico.

Melhor: salte sem pudor estas notas iniciais, leia (e sobretudo releia) os contos com olhos maliciosos e só então volte aqui para rematar nossa conversa.

(Pronto?)

Na segunda leitura tudo ficou mais claro, não é mesmo?

Em contos como "O anel de Polícrates" (1882), "O programa (1882-1883), "Habilidoso" (1885) e "Um erradio" (1894) o autor sugeriu o que se pode denominar a *lição Machado de Assis*; ainda hoje deliberadamente negligenciada na cultura brasileira.

E nesses contos Machado não foi exatamente sutil – acredite se quiser.

Os protagonistas desses 4 contos são sujeitos talentosos, capazes de improvisar com grande facilidade, encantando suas pequenas plateias com a naturalidade de um suspiro romântico.

Xavier, personagem de "O anel de Polícrates", é um autêntico prodígio no uso das palavras e na conquista de mulheres. Contudo, desperdiçou seu dom sem jamais pensar em aperfeiçoá-lo. Um dia a inspiração o abandonou e Xavier morreu à míngua, mendigando lugares-comuns como se fossem pérolas.

Em "O programa", o malogrado Romualdo olha-se no espelho e, dominado pela interpretação apressada das palavras ligeiras de um mestre-escola, concebe um plano desmesurado; bem ao gosto de certo tipo de intelectual à brasileira: "Era muito governar os homens ou escrever *Hamlet*; mas por que não reuniria a alma dele ambas as glórias, por que não seria um Pitt e um Shakespeare?"

É preciso mesmo responder?

Em alguma medida, a trajetória humilde de João Maria, o pintor de "Habilidoso", elabora o mesmo tema. Ele tinha muito jeito para desenhar e especialmente para "copiar tudo o que lhe caía nas mãos". Chegou até a considerar uma carreira na Academia de Belas-Artes. Mas tinha uma pedra no meio do caminho: "Toda arte tem uma técnica; ele aborrecia a técnica, era avesso à aprendizagem, aos rudimentos das coisas". Não surpreende que terminasse seus dias repetindo os mesmos quadros, colhendo a indiferença geral.

(E certamente não por se encontrar na periferia do capitalismo, mas simplesmente porque não se aplicou no necessário estudo das regras do ofício.)

E o que dizer de Elisiário, esse gênio fracassado de "Um erradio"? Midas de si mesmo, tudo que ele tocava, abracadabra!, como num passe de mágica, se convertia em ouro. Ouro bruto, que ele nunca pensou em garimpar, simplesmente aflorava em veios aparentemente inesgotáveis. Mas, e você sabe muito bem aonde eu vou, sem disciplina árdua e trabalho diário, não há ginga que consiga driblar o inevitável: Elisiário "era também um talento de pouca dura; tinha de acabar".

Pois bem: vire pelo avesso a atitude desses habilidosos, *ma non troppo*, e você terá fotografado a *lição Machado de Assis*: o artista deve manter seu talento sob rédea curta, pois lapidá-lo exige controle sobre a facilidade favorecida pelo dom.

Melômano conhecido, participante assíduo do Clube Beethoven, Machado recorreu à música para aprofundar, por efeito de contraste, sua reflexão acerca da experiência estética.

"Um homem célebre" (1888) introduz a leitora a Pestana, um involuntário compositor de polcas. Involuntário porque no fundo ele desejava escrever sinfonias. O êxito imediato de suas composições populares somente aumentava sua angústia, pois, num piscar de olhos, compunha uma canção e rapidamente "ia chegando à consagração do assobio e da cantarola noturna". O que fazer? Pestana preparava-se para compor música "séria", mas, mal encostava os dedos no teclado, e zás!, "em pouco tempo a polca estava feita". Desconfio que Machado pintou em Pestana a imagem de José de Alencar, que redigia literalmente ao correr da pena, quase a galope, num fluxo de imaginação ficcional que não tem paralelo no século XIX brasileiro. Pelo contrário, Machado, desde muito jovem, dedicou-se a disciplinar seu potencial, exercitando-se numa miríade de gêneros, ampliando ao máximo seu repertório, convertendo o ato de leitura no gesto definidor da escrita.

Ora, nesse horizonte, haverá metro mais criterioso do que descobrir-se em primeiro lugar um leitor intenso de outros autores, um intérprete do alheio, por assim dizer?

Infelizmente, Romão Pires, o mestre de música de "Cantiga de esponsais", não entendeu a força da arte de traduzir partituras em música propriamente dita. Ele não era capaz de compor, embora muito o desejasse, e tentasse uma e outra vez, e ainda mais uma.

Porém: nada!

Os acordes lhe escapavam mal os concebia.

Já ao reger, a alquimia era puro êxtase: "então a vida derramava-se por todo o corpo e todos os gestos do mestre: o olhar acendia-se, o rosto iluminava-se: era outro". Literalmente, claro está! A tal ponto se entregava à reinvenção da missa de José Maurício, que era como "se a missa fosse sua". E não seria mesmo? Pelo menos, em alguma medida?

Se o mestre Romão tivesse compreendido que a regência é uma forma de compor com a batuta, assim como a leitura é um modo de escrita, então, não somente ele espelharia o próprio Machado de Assis, como também, e muito especialmente, ele teria antecipado o intérprete mais importante da música brasileira, aquele que a lançou a novos planos sem precisar se afirmar como compositor.

Isso mesmo: a potência do mestre Romão conheceu seu ato no século seguinte: João Gilberto.

(Machado de Assis: leitor-autor, que sendo outros, descobriu suas múltiplas vozes.)

Entre os abaixo assignados Joaquim Maria Machado de Assis, autor, e B. L. Garnier, editor, foi contractado o seguinte:

1º

Joaquim Machado de Assis vende a B. L. Garnier a propriedade plena e inteira não só da primeira edição como de todas as seguintes das suas duas obras: "Contos Fluminenses" e "Phalenas" a razão de duzentos réis por cada exemplar de ambas obras que o editor mandar imprimir; pagaveis pela primeira edição no acto de assignar o presente contracto e para as segundas e seguintes no dia em que forem expostas á venda.

2º

A primeira edição de ambas as obras acima mencionadas serão de mil exemplares cada uma e as seguintes como julgar conveniente o editor.

3º

Em fé de que passarão as partes dois contractos de igual theor por cujo comprimento se obrigarão por si e seus bens, como por seus herdeiros e successores, os quaes trocarão entre si depois de assignados.

Rio de Janeiro 11 de maio de 1869.

Joaqm. Mª Machado de Assis.

B. L. Garnier

O MACHETE.

Ignacio Ramos contava apenas dez annos quando manifestou decidida vocação musical. Seu pae, musico da imperial capella, ensinou-lhe os primeiros rudimentos da sua arte, de envolta com os da grammatica, de que pouco sabia. Era um pobre artista cujo unico merito estava na voz de tenor e na arte com que executava a musica sacra. Ignacio, conseguintemente, aprendeu melhor a musica do que a lingua, e aos quinze annos sabia mais dos bemoes que dos verbos. Ainda assim sabia quanto bastava para ler a historia da musica e dos grandes mestres. A leitura seduzio-o ainda mais; atirou-se o rapaz com todas as forças da alma á arte do seu coração, e ficou dentro de pouco tempo um rabequista de primeira categoria.

A rabeca foi o primeiro instrumento escolhido por elle, como o que melhor podia corresponder ás sensações de sua alma. Não o satisfazia, entretanto, e elle sonhava alguma cousa melhor. Um dia veio ao Rio de Janeiro um velho allemão, que arrebatou o publico tocando violoncello. Ignacio foi ouvil-o. Seu enthusiasmo foi immenso; não sómente a alma do artista communicava com a sua como lhe dera a chave do segredo que elle procurára.

Ignacio nascera para o violoncello.

O machete[1]

Inácio Ramos contava apenas dez anos quando manifestou decidida vocação musical. Seu pai, músico da imperial capela, ensinou-lhe os primeiros rudimentos da sua arte, de envolta com os da gramática de que pouco sabia. Era um pobre artista cujo único mérito estava na voz de tenor e na arte com que executava a música sacra. Inácio conseguintemente, aprendeu melhor a música do que a língua, e aos quinze anos sabia mais dos bemóis que dos verbos. Ainda assim sabia quanto bastava para ler a história da música e dos grandes mestres. A leitura seduziu-o ainda mais; atirou-se o rapaz com todas as forças da alma à arte do seu coração, e ficou dentro de pouco tempo um rabequista de primeira categoria.

A rabeca foi o primeiro instrumento escolhido por ele, como o que melhor podia corresponder às sensações de sua alma. Não o satisfazia, entretanto, e ele sonhava alguma coisa melhor. Um dia veio ao Rio de Janeiro um velho alemão, que arrebatou o público tocando violoncelo. Inácio foi ouvi-lo. Seu entusiasmo foi imenso; não somente a alma do artista comunicava com a sua como lhe dera a chave do segredo que ele procurara.

Inácio nascera para o violoncelo.

Daquele dia em diante, o violoncelo foi o sonho do artista fluminense. Aproveitando a passagem do artista germânico, Inácio recebeu dele algumas lições, que mais tarde aproveitou quando, mediante economias de longo tempo, conseguiu possuir o sonhado instrumento.

Já a esse tempo seu pai era morto. – Restava-lhe sua mãe, boa e santa senhora, cuja alma parecia superior à condição em que nascera, tão elevada tinha a concepção do belo. Inácio contava vinte anos, uma figura artística, uns olhos cheios de vida e de futuro. Vivia de algumas

[1] Publicado em *Jornal das Famílias* (fevereiro e março de 1878).

lições que dava e de alguns meios que lhe advinham das circunstâncias, tocando ora num teatro, ora num salão, ora numa igreja. Restavam-lhe algumas horas, que ele empregava ao estudo do violoncelo.

Havia no violoncelo uma poesia austera e pura, uma feição melancólica e severa que casavam com a alma de Inácio Ramos. A rabeca, que ele ainda amava como o primeiro veículo de seus sentimentos de artista, não lhe inspirava mais o entusiasmo antigo. Passara a ser um simples meio de vida; não a tocava com a alma, mas com as mãos; não era a sua arte, mas o seu ofício. O violoncelo sim; para esse guardava Inácio as melhores das suas aspirações íntimas, os sentimentos mais puros, a imaginação, o fervor, o entusiasmo. Tocava a rabeca para os outros, o violoncelo para si, quando muito para sua velha mãe.

Moravam ambos em lugar afastado, em um dos recantos da cidade, alheios à sociedade que os cercava e que os não entendia. Nas horas de lazer, tratava Inácio do querido instrumento e fazia vibrar todas as cordas do coração, derramando as suas harmonias interiores, e fazendo chorar a boa velha de melancolia e gosto, que ambos estes sentimentos lhe inspirava a música do filho. Os serões caseiros quando Inácio não tinha de cumprir nenhuma obrigação fora de casa, eram assim passados; sós os dois, com o instrumento e o céu de permeio.

A boa velha adoeceu e morreu. Inácio sentiu o vácuo que lhe ficava na vida. Quando o caixão, levado por meia dúzia de artistas seus colegas, saiu da casa, Inácio viu ir ali dentro todo o passado, e presente, e não sabia se também todo o futuro. Acreditou que o fosse. A noite do enterro foi pouca para o repouso que o corpo lhe pedia depois do profundo abalo; a seguinte porém foi a data da sua primeira composição musical. Escreveu para o violoncelo uma elegia que não seria sublime como perfeição de arte, mas que o era sem dúvida como inspiração pessoal. Compô-la para si; durante dois anos ninguém a ouviu nem sequer soube dela.

A primeira vez que ele troou aquele suspiro fúnebre foi oito dias depois de casado, um dia em que se achava a sós com a mulher, na mesma casa em que morrera sua mãe, na mesma sala em que ambos costumavam passar algumas horas da noite. Era a primeira vez que a mulher o ouvia tocar violoncelo. Ele quis que a lembrança da mãe se casasse àquela revelação que ele fazia à esposa do seu coração: vinculava de algum modo o passado ao presente.

— Toca um pouco de violoncelo, tinha-lhe dito a mulher duas vezes depois do consórcio; tua mãe me dizia que tocavas tão bem!

— Bem, não sei, respondia Inácio; mas tenho satisfação em tocá-lo.

— Pois sim, desejo ouvir-te!

— Por hora, não, deixa-me contemplar-te primeiro.

Ao cabo de oito dias, Inácio satisfez o desejo de Carlotinha. Era de tarde, – uma tarde fria e deliciosa. O artista travou do instrumento, empunhou o arco e as cordas gemeram ao impulso da mão inspirada. Não via a mulher, nem o lugar, nem o instrumento sequer: via a imagem da mãe e embebia-se todo em um mundo de harmonias celestiais. A execução durou vinte minutos. Quando a última nota expirou nas cordas do violoncelo, o braço do artista tombou, não de fadiga, mas porque todo o corpo cedia ao abalo moral que a recordação e a obra lhe produziam.

— Oh! lindo! lindo! exclamou Carlotinha levantando-se e indo ter com o marido.

Inácio estremeceu e olhou pasmado para a mulher. Aquela exclamação de entusiasmo destoara-lhe, em primeiro lugar porque o trecho que acabava de executar não era lindo, como ela dizia, mas severo e melancólico e depois porque, em vez de um aplauso ruidoso, ele preferia ver outro mais consentâneo com a natureza da obra, – duas lágrimas que fossem, – duas, mas exprimidas do coração, como as que naquele momento lhe sulcavam o rosto.

Seu primeiro movimento foi de despeito, – despeito de artista, que nele dominava tudo. Pegou silencioso no instrumento e foi pô-lo a um canto. A moça viu-lhe então as lágrimas; comoveu-se e estendeu-lhe os braços.

Inácio apertou-a ao coração.

Carlotinha sentou-se então, com ele, ao pé da janela, donde viam surdir no céu azul as primeiras estrelas. Era uma mocinha de dezessete anos, parecendo dezenove, mais baixa que alta, rosto amorenado, olhos negros e travessos. Aqueles olhos, expressão fiel da alma de Carlota, contrastavam com o olhar brando e velado do marido. Os movimentos da moça eram vivos e rápidos, a voz argentina, a palavra fácil e correntia, toda ela uma índole, mundana e jovial. Inácio gostava de ouvi-la e vê-la; amava-a muito, e, além disso, como que precisava às vezes daquela expressão de vida exterior para entregar-se todo às especulações do seu espírito.

Carlota era filha de um negociante de pequena escala, homem que trabalhou a vida toda como um mouro para morrer pobre, porque a pouca fazenda que deixou, mal pôde chegar para satisfazer alguns empenhos. Toda a riqueza da filha era a beleza, que a tinha, ainda que sem poesia nem ideal. Inácio, conhecera-a ainda em vida do pai, quando ela ia com este visitar sua velha mãe; mas só a amou deveras, depois que ela ficou órfã e quando a alma lhe pediu um afeto para suprir o que a morte lhe levara.

A moça aceitou com prazer a mão que Inácio lhe oferecia. Casaram-se a aprazimento dos parentes da moça e das pessoas que os conheciam a ambos. O vácuo fora preenchido.

Apesar do episódio acima narrado, os dias, as semanas e os meses correram tecidos de ouro para o esposo artista. Carlotinha era naturalmente faceira e amiga de brilhar; mas contentava-se com pouco, e não se mostrava exigente nem extravagante. As posses de Inácio Ramos eram poucas; ainda assim ele sabia dirigir a vida de modo que nem o necessário lhe faltava nem deixava de satisfazer algum dos desejos mais modestos da moça. A sociedade deles não era certamente dispendiosa nem vivia de ostentação; mas qualquer que seja o centro social há nele exigências a que não podem chegar todas as bolsas. Carlotinha vivera de festas e passatempos; a vida conjugal exigia dela hábitos menos frívolos, e ela soube curvar-se à lei que de coração aceitara.

Demais, que há aí que verdadeiramente resista ao amor? Os dois amavam-se; por maior que fosse o contraste entre a índole de um e outro, ligava-os e irmanava-os o afeto verdadeiro que os aproximara. O primeiro milagre do amor fora a aceitação por parte da moça do famoso violoncelo. Carlotinha não experimentava decerto as sensações que o violoncelo produzia no marido, e estava longe daquela paixão silenciosa e profunda que vinculava Inácio Ramos ao instrumento; mas acostumara-se a ouvi-lo, apreciava-o, e chegara a entendê-lo alguma vez.

A esposa concebeu. No dia em que o marido ouviu esta notícia sentiu um abalo profundo; seu amor cresceu de intensidade.

— Quando o nosso filho nascer, disse ele, eu comporei o meu segundo canto.

— O terceiro será quando eu morrer, não? perguntou a moça com um leve tom de despeito.

— Oh! não digas isso!

Inácio Ramos compreendeu a censura da mulher; recolheu-se durante algumas horas, e trouxe uma composição nova, a segunda que lhe saía da alma, dedicada à esposa. A música entusiasmou Carlotinha, antes por vaidade satisfeita do que porque verdadeiramente a penetrasse. Carlotinha abraçou o marido com todas as forças de que podia dispor, e um beijo foi o prêmio da inspiração. A felicidade de Inácio não podia ser maior; ele tinha tido o que ambicionava: vida de arte, paz e ventura doméstica, e enfim esperanças de paternidade.

— Se for menino, dizia ele à mulher, aprenderá violoncelo; se for menina, aprenderá harpa. São os únicos instrumentos capazes de traduzir as impressões mais sublimes do espírito.

Nasceu um menino. Esta nova criatura deu uma feição nova ao lar doméstico. A felicidade do artista era imensa; sentiu-se com mais força para o trabalho, e ao mesmo tempo como que se lhe apurou a inspiração.

A prometida composição ao nascimento do filho foi realizada e executada, não já entre ele e a mulher, mas em presença de algumas pessoas de amizade. Inácio Ramos recusou a princípio fazê-lo; mas a mulher alcançou dele que repartisse com estranhos aquela nova produção de um talento. Inácio sabia que a sociedade não chegaria talvez a compreendê-lo como ele desejava ser compreendido; todavia cedeu. Se acertara aos seus receios não o soube ele, porque dessa vez, como das outras, não viu ninguém; viu-se e ouviu-se a si próprio, sendo cada nota um eco das harmonias santas e elevadas que a paternidade acordara nele.

A vida correria assim monotonamente bela, e não valeria a pena escrevê-la, a não ser um incidente, ocorrido naquela mesma ocasião.

A casa em que eles moravam era baixa, ainda que assaz larga e airosa. Dois transeuntes, atraídos pelos sons do violoncelo, aproximaram-se das janelas entrefechadas, e ouviram do lado de fora cerca de metade da composição. Um deles, entusiasmado com a composição e a execução, rompeu em aplausos ruidosos quando Inácio acabou, abriu violentamente as portas da janela e curvou-se para dentro gritando.

— Bravo, artista divino!

A exclamação inesperada chamou a atenção dos que estavam na sala; voltaram-se todos os olhos e viram duas figuras de homem, um tranquilo, outro alvoroçado de prazer. A porta foi aberta aos dois estranhos. O mais entusiasmado deles correu a abraçar o artista.

— Oh! alma de anjo! exclamava ele. Como é que um artista destes está aqui escondido dos olhos do mundo?

O outro personagem fez igualmente cumprimentos de louvor ao mestre do violoncelo; mas, como ficou dito, seus aplausos eram menos entusiásticos; e não era difícil achar a explicação da frieza na vulgaridade de expressão do rosto.

Estes dois personagens assim entrados na sala eram dois amigos que o acaso ali conduzira. Eram ambos estudantes de direito, em férias; o entusiasta, todo arte e literatura, tinha a alma cheia de música alemã e poesia romântica, e era nada menos que um exemplar daquela falange acadêmica fervorosa e moça animada de todas as paixões, sonhos, delírios e efusões da geração moderna; o companheiro era apenas um espírito medíocre, avesso a todas essas coisas, não menos que ao direito que aliás forcejava por meter na cabeça.

Aquele chamava-se Amaral, este Barbosa.

Amaral pediu a Inácio Ramos para lá voltar mais vezes. Voltou; o artista de coração gastava o tempo a ouvir o de profissão fazer falar as cordas do instrumento. Eram cinco pessoas; eles, Barbosa, Carlotinha, e a criança, o futuro violoncelista. Um dia, menos de uma semana depois, Amaral descobriu a Inácio que o seu companheiro era músico.

— Também! exclamou o artista.

— É verdade; mas um pouco menos sublime do que o senhor, acrescentou ele sorrindo.

— Que instrumento toca?

— Adivinhe.

— Talvez piano...

— Não.

— Flauta?

— Qual!

— É instrumento de cordas?

— É.

— Não sendo rabeca... disse Inácio olhando como a esperar uma confirmação.

— Não é rabeca; é machete.

Inácio sorriu; e estas últimas palavras chegaram aos ouvidos de Barbosa, que confirmou a notícia do amigo.

— Deixe estar, disse este baixo a Inácio, que eu o hei de fazer tocar um dia. É outro gênero...

— Quando queira.

Era efetivamente outro gênero, como o leitor facilmente compreenderá. Ali postos os quatro, numa noite da seguinte semana, sentou-se Barbosa no centro da sala, afinou o machete e pôs em execução toda a sua perícia. A perícia era, na verdade grande; o instrumento é que era pequeno. O que ele tocou não era Weber nem Mozart; era uma cantiga do tempo e da rua, obra de ocasião. Barbosa tocou-a, não dizer com alma, mas com nervos. Todo ele acompanhava a gradação e variações das notas; inclinava-se sobre o instrumento, retesava o corpo, pendia a cabeça ora a um lado, ora a outro, alçava a perna, sorria, derretia os olhos ou fechava-os nos lugares que lhe pareciam patéticos. Ouvi-lo tocar era o menos; vê-lo era o mais. Quem somente o ouvisse não poderia compreendê-lo.

Foi um sucesso, – um sucesso de outro gênero, mas perigoso, porque, tão depressa Barbosa ouviu os cumprimentos de Carlotinha e Inácio, começou segunda execução, e iria a terceira, se Amaral não interviesse, dizendo:

— Agora o violoncelo.

O machete de Barbosa não ficou escondido entre as quatro paredes da sala de Inácio Ramos; dentro em pouco era conhecida a forma dele no bairro em que morava o artista, e toda a sociedade deste ansiava por ouvi-lo.

Carlotinha foi a denunciadora; ela achara infinita graça e vida naquela outra música, e não cessava de o elogiar em toda a parte. As famílias do lugar tinham ainda saudades de um célebre machete que ali tocara anos antes o atual subdelegado, cujas funções elevadas não lhe permitiram cultivar a arte. Ouvir o machete de Barbosa era reviver uma página do passado.

— Pois eu farei com que o ouçam, dizia a moça.

Não foi difícil.

Houve dali a pouco reunião em casa de uma família da vizinhança. Barbosa acedeu ao convite que lhe foi feito e lá foi com o seu instrumento. Amaral acompanho-o.

— Não te lastimes, meu divino artista; dizia ele a Inácio; e ajuda-me no sucesso do machete.

Riam-se os dois, e mais do que eles se ria Barbosa, riso de triunfo e satisfação porque o sucesso não podia ser mais completo.

— Magnífico!

— Bravo!

— Soberbo!

— Bravíssimo!

O machete foi o herói da noite. Carlota repetia às pessoas que a cercavam:

— Não lhes dizia eu? é um portento.

— Realmente, dizia um crítico do lugar, assim nem o Fagundes...

Fagundes era o subdelegado.

Pode-se dizer que Inácio e Amaral foram os únicos alheios ao entusiasmo do machete. Conversavam eles, ao pé de uma janela, dos grandes mestres e das grandes obras da arte.

— Você por que não dá um concerto? perguntou Amaral ao artista.

— Oh! não.

— Por quê?

— Tenho medo...

— Ora, medo!

— Medo de não agradar...

— Há de agradar por força!

— Além disso, o violoncelo está tão ligado aos sucessos mais íntimos da minha vida, que eu o considero antes como a minha arte doméstica...

Amaral combatia estas objeções de Inácio Ramos; e este fazia-se cada vez mais forte nelas. A conversa foi prolongada, repetiu-se daí a dois dias, até que no fim de uma semana, Inácio deixou-se vencer.

— Você verá, dizia-lhe o estudante, e verá como todo o público vai ficar delirante.

Assentou-se que o concerto seria dali a dois meses. Inácio tocaria uma das peças já compostas por ele, e duas de dois mestres que escolheu dentre as muitas.

Barbosa não foi dos menos entusiastas da ideia do concerto. Ele parecia tomar agora mais interesse nos sucessos do artista, ouvia com prazer, ao menos aparente, os serões de violoncelo, que eram duas vezes por semana. Carlotinha propôs que os serões fossem três; mas Inácio nada concedeu além dos dois. Aquelas noites eram passadas somente em família; e o machete acabava muita vez o que o violoncelo começava. Era uma condescendência para com a dona da casa e o artista! – o artista do machete.

Um dia Amaral olhou Inácio preocupado e triste. Não quis perguntar-lhe nada; mas como a preocupação continuasse nos dias subsequentes, não se pôde ter e interrogou-o. Inácio respondeu-lhe com evasivas.

— Não, dizia o estudante; você tem alguma coisa que o incomoda certamente.

— Coisa nenhuma!

E depois de um instante de silêncio:

— O que tenho é que estou arrependido do violoncelo; se eu tivesse estudado o machete!

Amaral ouviu admirado estas palavras; depois sorriu e abanou a cabeça. Seu entusiasmo recebera um grande abalo. A que vinha aquele ciúme por causa do efeito diferente que os dois instrumentos tinham produzido? Que rivalidade era aquela entre a arte e o passatempo?

— Não podias ser perfeito, dizia Amaral consigo; tinhas por força um ponto fraco; infelizmente para ti o ponto é ridículo.

Daí em diante os serões foram menos amiudados. A preocupação de Inácio Ramos continuava; Amaral sentia que o seu entusiasmo ia cada vez a menos, o entusiasmo em relação ao homem, porque bastava ouvi-lo tocar para acordarem-se-lhe as primeiras impressões.

A melancolia de Inácio era cada vez maior. Sua mulher só reparou nela quando absolutamente se lhe meteu pelos olhos.

— Que tens? perguntou-lhe Carlotinha.

— Nada, respondia Inácio.

— Aposto que está pensando em alguma composição nova, disse Barbosa que dessas ocasiões estava presente.

— Talvez, respondeu Inácio; penso em fazer uma coisa inteiramente nova; um concerto para violoncelo e machete.

— Por que não? disse Barbosa com simplicidade. Faça isso, e veremos o efeito que há de ser delicioso.

— Eu creio que sim, murmurou Inácio.

Não houve concerto no teatro, como se havia assentado; porque Inácio Ramos de todo se recusou. Acabaram-se as férias e os dois estudantes voltaram para S. Paulo.

— Virei vê-lo daqui a pouco, disse Amaral. Virei até cá somente para ouvi-lo.

Efetivamente vieram os dois, sendo a viagem anunciada por carta de ambos.

Inácio deu a notícia à mulher, que a recebeu com alegria.

— Vêm ficar muitos dias? disse ela.

— Parece que somente três.

— Três!

— É pouco, disse Inácio; mas nas férias que vêm, desejo aprender o machete.

Carlotinha sorriu, mas de um sorriso acanhado, que o marido viu e guardou consigo.

Os dois estudantes foram recebidos como se fossem de casa. Inácio e Carlotinha desfaziam-se em obséquios. Na noite do mesmo dia, houve serão musical; só violoncelo, a instâncias de Amaral, que dizia:

— Não profanemos a arte!

Três dias vinham eles demorar-se, mas não se retiraram no fim deles.

— Vamos daqui a dois dias.

— O melhor é completar a semana, observou Carlotinha.

— Pode ser.

No fim de uma semana, Amaral despediu-se e voltou a S. Paulo; Barbosa não voltou; ficara doente. A doença durou somente dois dias, no fim dos quais ele foi visitar o violoncelista.

— Vai agora? perguntou este.

— Não, disse o acadêmico; recebi uma carta que me obriga a ficar algum tempo.

Carlotinha ouvira alegre a notícia; o rosto de Inácio não tinha nenhuma expressão.

Inácio não quis prosseguir nos serões musicais, apesar de lho pedir algumas vezes Barbosa, e não quis porque, dizia ele, não queria ficar mal com Amaral, do mesmo modo que não quereria ficar mal com Barbosa, se fosse este o ausente.

— Nada impede, porém, concluiu o artista, que ouçamos o seu machete.

Que tempo duraram aqueles serões de machete? Não chegou tal notícia ao conhecimento do escritor destas linhas. O que ele sabe apenas é que o machete deve ser instrumento triste, porque a melancolia de Inácio tornou-se cada vez mais profunda. Seus companheiros nunca o tinham visto imensamente alegre; contudo a diferença entre o que tinha sido e era agora entrava pelos olhos dentro. A mudança manifestava-se até no trajar, que era deleixado, ao contrário do que sempre fora antes. Inácio tinha grandes silêncios, durante os quais era inútil falar-lhe, porque ele a nada respondia, ou respondia sem compreender.

— O violoncelo há de levá-lo ao hospício, dizia um vizinho compadecido e filósofo.

Nas férias seguintes, Amaral foi visitar o seu amigo Inácio, logo no dia seguinte àquele em que desembarcou. Chegou alvoroçado à casa dele; uma preta veio abri-la.

— Onde está ele? Onde está ele? perguntou alegre e em altas vozes o estudante.

A preta desatou a chorar.

Amaral interrogou-a, mas não obtendo resposta, ou obtendo-a intercortada de soluços, correu para o interior da casa com a familiaridade do amigo e a liberdade que lhe dava a ocasião.

Na sala do concerto, que era nos fundos, olhou ele Inácio Ramos, de pé, com o violoncelo nas mãos preparando-se para tocar. Ao pé dele brincava um menino de alguns meses.

Amaral parou sem compreender nada. Inácio não o viu entrar; empunhara o arco e tocou, – tocou como nunca, – uma elegia plangente, que o estudante ouviu com lágrimas nos olhos. A criança, dominada ao que parece pela música, olhava quieta para o instrumento. Durou a cena cerca de vinte minutos.

Quando a música acabou, Amaral correu a Inácio.

— Oh! meu divino artista! exclamou ele.

Inácio apertou-o nos braços; mas logo o deixou e foi sentar-se numa cadeira com os olhos no chão. Amaral nada compreendia; sentia porém que algum abalo moral se dera nele.

— Que tens? disse.

— Nada, respondeu Inácio.

E ergueu-se e tocou de novo o violoncelo. Não acabou porém; no meio de uma arcada, interrompeu a música, e disse a Amaral.

— É bonito, não?

— Sublime! respondeu o outro.

— Não; machete é melhor.

E deixou o violoncelo, e correu a abraçar o filho.

— Sim, meu filho, exclamava ele, hás de aprender machete; machete é muito melhor.

— Mas que há? articulou o estudante.

— Oh! nada, disse Inácio, *ela* foi-se embora, foi-se com o machete. Não quis o violoncelo, que é grave demais. Tem razão; machete é melhor.

A alma do marido chorava mas os olhos estavam secos. Uma hora depois enlouqueceu.

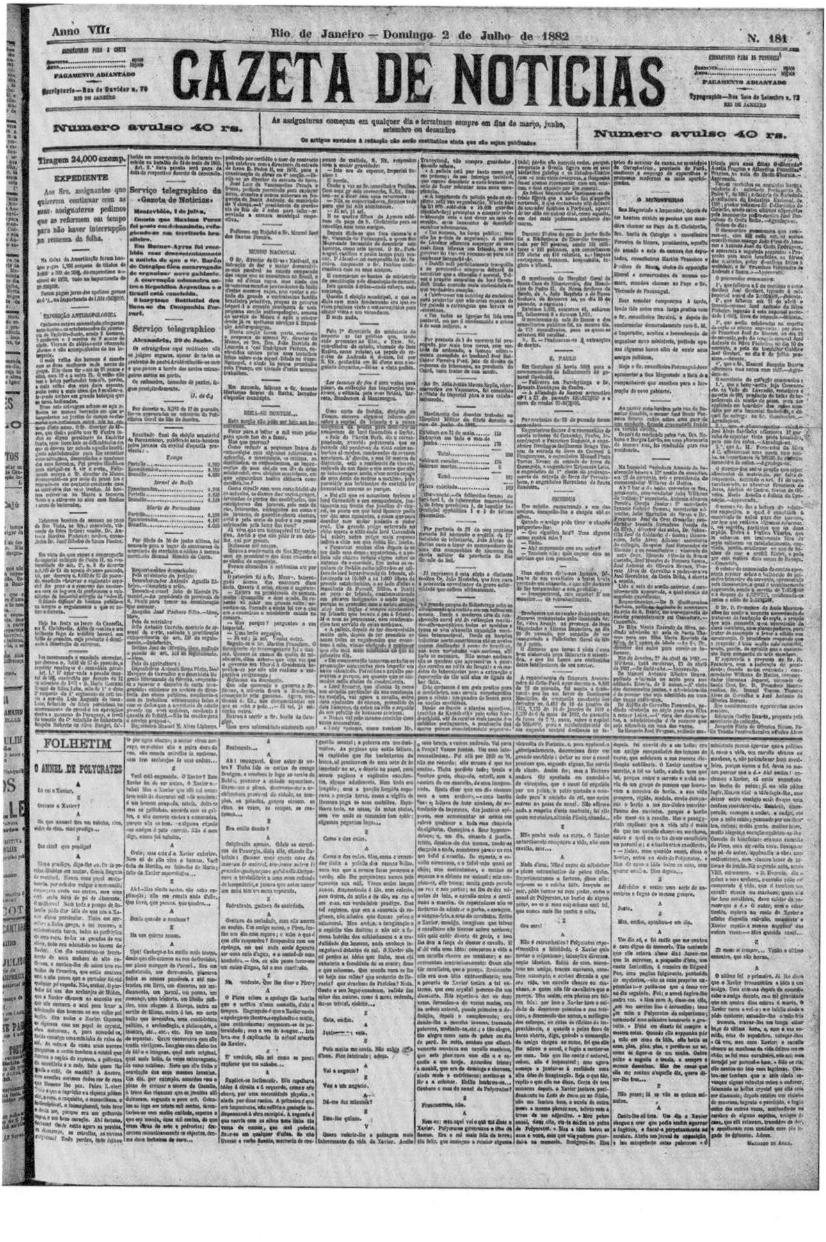

Anno VIII — Rio de Janeiro — Domingo 2 de Julho de 1882 — N. 181

GAZETA DE NOTICIAS

PAGAMENTO ADIANTADO

Escriptorio—Rua do Ouvidor n. 70
RIO DE JANEIRO

PAGAMENTO ADIANTADO

Typographia—Rua Sete de Setembro n. 73
RIO DE JANEIRO

Numero avulso 40 rs.

As assignaturas começam em qualquer dia e terminam sempre em fins de março, junho, setembro ou dezembro

Numero avulso 40 rs.

Tiragem 24,000 exemp.

EXPEDIENTE

Aos Srs. assignantes que quizerem continuar com as suas assignaturas pedimos que as reformem em tempo para não haver interrupção na remessa da folha.

EXPOSIÇÃO ANTHROPOLOGICA

Serviço telegraphico da «Gazeta de Noticias»

Montevidéo, 1 de julho.

Serviço telegraphico

Alexandria, 29 de Junho.

(J. do C.)

MUSEU NACIONAL

DEIXA-SE HONTEM...

O MINISTERIO

S. PAULO

FOLHETIM

O ANNEL DE POLYCRATES

A

Lá vai o Xavier.

Z

Conhece o Xavier?

Z

Que vício? que prodigo?

A

Ha uns quinze annos.

Extrahindo, gastava da sociedade.

O anel de Polícrates[1]

A

Lá vai o Xavier.

Z

Conhece o Xavier?

A

Há que anos! Era um nababo, rico, podre de rico, mas pródigo...

Z

Que rico? que pródigo?

A

Rico e pródigo, digo-lhe eu. Bebia pérolas diluídas em néctar. Comia línguas de rouxinol. Nunca usou papel mata-borrão, por achá-lo vulgar e mercantil; empregava areia nas cartas, mas uma certa areia feita de pó de diamante. E mulheres! Nem toda a pompa de Salomão pode dar ideia do que era o Xavier nesse particular. Tinha um serralho: a linha grega, a tez romana, a exuberância turca, todas as perfeições de uma raça, todas as prendas de um clima, tudo era admitido no harém do Xavier. Um dia enamorou-se loucamente de uma senhora de alto coturno, e enviou-lhe de mimo três estrelas do Cruzeiro, que então contava sete, e não pense que o portador foi aí qualquer pé-rapado. Não, senhor. O portador foi um dos arcanjos de Milton, que o Xavier chamou na ocasião em que ele cortava o azul para levar a admiração dos homens ao seu velho pai inglês. Era assim o Xavier. Capeava os cigarros com um papel de cristal, obra finíssima, e, para acendê-los, trazia consigo uma caixinha de raios do sol. As colchas da cama eram nuvens purpúreas, e assim também a esteira que forrava o sofá de repouso, a poltrona da secretária e a rede. Sabe quem lhe fazia o café, de manhã? A Aurora, com aqueles mesmos dedos cor-de-rosa, que Homero lhe pôs. Pobre

[1] Publicado em *Gazeta de Notícias* (2 de julho de 1882). Reunido pelo autor em *Papéis avulsos* (1882).

Xavier! Tudo o que o capricho e a riqueza podem dar, o raro, o esquisito, o maravilhoso, o indescritível, o inimaginável, tudo teve e devia ter, porque era um galhardo rapaz, e um bom coração. Ah! fortuna, fortuna! Onde estão agora as pérolas, os diamantes, as estrelas, as nuvens purpúreas? Tudo perdeu, tudo deixou ir por água abaixo; o néctar virou zurrapa, os coxins são a pedra dura da rua, não manda estrelas às senhoras, nem tem arcanjos às suas ordens...

Z

Você está enganado. O Xavier? Esse Xavier há de ser outro. O Xavier nababo! Mas o Xavier que ali vai nunca teve mais de duzentos mil-réis mensais; é um homem poupado, sóbrio, deita-se com as galinhas, acorda com os galos, e não escreve cartas a namoradas, porque não as tem. Se alguma expede aos amigos é pelo correio. Não é mendigo, nunca foi nababo.

A

Creio; esse é o Xavier exterior. Mas nem só de pão vive o homem. Você fala de Marta, eu falo-lhe de Maria; falo do Xavier especulativo...

Z

Ah! – Mas ainda assim, não acho explicação; não me consta nada dele. Que livro, que poema, que quadro...

A

Desde quando o conhece?

Z

Há uns quinze anos.

A

Upa! Conheço-o há muito mais tempo, desde que ele estreou na Rua do Ouvidor, em pleno marquês de Paraná. Era um endiabrado, um derramado, planeava todas as coisas possíveis, e até contrárias, um livro, um discurso, um medicamento, um jornal, um poema, um romance, uma história, um libelo político, uma viagem à Europa, outra ao sertão de Minas, outra à lua, em certo balão que inventara, uma candidatura política, e arqueologia, e filosofia, e teatro, etc., etc., etc.

Era um saco de espantos. Quem conversava com ele sentia vertigens. Imagine uma cachoeira de ideias e imagens, qual mais original, qual mais bela, às vezes extravagante, às vezes sublime. Note que ele tinha a convicção dos seus mesmos inventos. Um dia, por exemplo, acordou com o plano de arrasar o morro do Castelo, a troco das riquezas que os jesuítas ali deixaram, segundo o povo crê. Calculou-as logo em mil contos, inventariou-as com muito cuidado, separou o que era moeda, mil contos, do que eram obras de arte e pedrarias; descreveu minuciosamente os objetos, deu-me dois tocheiros de ouro...

Z

Realmente...

A

Ah! impagável! Quer saber de outra? Tinha lido as cartas do cônego Benigno, e resolveu ir logo ao sertão da Bahia, procurar a cidade misteriosa. Expôs-me o plano, descreveu-me a arquitetura provável da cidade, os templos, os palácios, gênero etrusco, os ritos, os vasos, as roupas, os costumes...

Z

Era então doido?

A

Originalão apenas. Odeio os carneiros de Panúrgio, dizia ele, citando Rabelais: *Comme vous sçavez estre du mouton le naturel, tousjours suivre le premier, quelque part qu'il aille*. Comparava a trivialidade a uma mesa redonda de hospedaria, e jurava que antes comer um mau bife em mesa separada.

Z

Entretanto, gostava da sociedade.

A

Gostava da sociedade, mas não amava os sócios. Um amigo nosso, o Pires, fez-lhe um dia esse reparo; e sabe o que é que ele respondeu? Respondeu com um apólogo, em que cada sócio figurava ser uma cuia d'água, e a sociedade uma banheira. – Ora, eu não posso lavar-me em cuias d'água, foi a sua conclusão.

Z

Nada modesto. Que lhe disse o Pires?

A

O Pires achou o apólogo tão bonito que o meteu numa comédia, daí a tempos. Engraçado é que o Xavier ouviu o apólogo no teatro, e aplaudiu-o muito, com entusiasmo; esqueceru-se da paternidade; mas a voz do sangue... Isto leva-me à explicação da atual miséria do Xavier.

Z

É verdade, não sei como se possa explicar que um nababo...

A

Explica-se facilmente. Ele espalhava ideias à direita e à esquerda, como o céu chove, por uma necessidade física, e ainda por duas razões. A primeira é que era impaciente, não sofria a gestação indispensável à obra escrita. A segunda é que varria com os olhos uma linha tão vasta de coisas, que mal poderia fixar-se em qualquer delas. Se não tivesse o verbo fluente, morreria de congestão mental; a palavra era um derivativo. As páginas que então falava, os capítulos que lhe borbotavam da boca, só precisavam de uma arte de os imprimir no ar, e depois no papel, para serem páginas e capítulos excelentes, alguns admiráveis. Nem tudo era límpido; mas a porção límpida superava a porção turva, como a vigília de Homero paga os seus cochilos. Espalhava tudo, ao acaso, às mãos cheias, sem ver onde as sementes iam cair; algumas pegavam logo...

Z

Como a das cuias.

A

Como a das cuias. Mas, o semeador tinha a paixão das coisas belas, e, uma vez que a árvore fosse pomposa e verde, não lhe perguntava nunca pela semente sua mãe. Viveu assim longos anos, despendendo à toa, sem cálculo, sem fruto, de noite e de dia, na rua e em casa, um verdadeiro pródigo. Com tal regime, que era a ausência de regime, não admira que ficasse pobre e miserável. Meu amigo, a imaginação e o espírito têm limites; a não ser a famosa botelha dos saltimbancos e a credulidade dos homens, nada conheço inesgotável debaixo do sol. O Xavier não só perdeu as ideias que tinha, mas até exauriu a faculdade de as criar; ficou o que sabemos. Que moeda rara se lhe vê hoje nas mãos? que sestércio de Horácio? que dracma de Péricles? Nada. Gasta o seu lugar-comum, rafado das mãos dos outros, come à mesa redonda, fez-se trivial, chocho...

Z

Cuia, enfim.

A

Justamente: cuia.

Z

Pois muito me conta. Não sabia nada disso. Fico inteirado; adeus.

A

Vai a negócio?

Z

Vou a um negócio.

A

Dá-me dez minutos?

Z

Dou-lhe quinze.

A

Quero referir-lhe a passagem mais interessante da vida do Xavier. Aceite o meu braço, e vamos andando. Vai para a Praça? Vamos juntos. Um caso interessantíssimo. Foi ali por 1869 ou 70, não me recordo; ele mesmo é que me contou. Tinha perdido tudo; trazia o cérebro gasto, chupado, estéril, sem a sombra de um conceito, de uma imagem, nada. Basta dizer que um dia chamou rosa a uma senhora, – "uma bonita rosa"; falava do luar saudoso, do sacerdócio da imprensa, dos jantares opíparos, sem acrescentar ao menos um relevo qualquer a toda essa chaparia de algibebe. Começara a ficar hipocondríaco; e, um dia, estando à janela, triste, desabusado das coisas, vendo-se chegado a nada, aconteceu passar na rua um taful a cavalo. De repente, o cavalo corcoveou, e o taful veio quase ao chão; mas sustentou-se, e meteu as esporas e o chicote no animal; este empina-se, ele teima; muita gente parada na rua e nas portas; no fim de dez minutos de luta, o cavalo cedeu e continuou a marcha. Os espectadores não se fartaram de admirar o garbo, a coragem, o sangue-frio, a arte do cavaleiro. Então o Xavier, consigo, imaginou que talvez o cavaleiro não tivesse ânimo nenhum; não quis cair diante de gente, e isso lhe deu a força de domar o cavalo. E daí veio uma ideia: comparou a vida a um cavalo xucro ou manhoso; e acrescentou sentenciosamente: Quem não for cavaleiro, que o pareça. Realmente, não era uma ideia extraordinária; mas a penúria do Xavier tocara a tal extremo, que esse cristal pareceu-lhe um diamante. Ele repetiu-a dez ou doze vezes, formulou-a de vários modos, ora na ordem natural, pondo primeiro a definição, depois o complemento; ora dando-lhe a marcha inversa, trocando palavras, medindo-as, etc.; e tão alegre, tão alegre como casa de pobre em dia de peru. De noite, sonhou que efetivamente montava um cavalo manhoso, que este pinoteava com ele e o sacudia a um brejo. Acordou triste; a manhã, que era de domingo e chuvosa, ainda mais o entristeceu; meteu-se a ler e a cismar. Então lembrou-se... Conhece o caso do anel de Polícrates?

Z

Francamente, não.

A

Nem eu; mas aqui vai o que me disse o Xavier. Polícrates governava a ilha de Samos. Era o rei mais feliz da terra; tão feliz, que começou a recear alguma viravolta da Fortuna, e, para aplacá-la antecipadamente, determinou fazer um grande sacrifício: deitar ao mar o anel precioso que, segundo alguns, lhe servia de sinete. Assim fez; mas a Fortuna andava tão apostada em cumulá-lo de obséquios, que o anel foi engolido por um peixe, o peixe pescado e mandado para a cozinha do rei, que assim voltou à posse do anel. Não afirmo nada a respeito desta anedota; foi ele quem me contou, citando Plínio, citando...

Z

Não ponha mais na carta. O Xavier naturalmente comparou a vida, não a um cavalo, mas...

A

Nada disso. Não é capaz de adivinhar o plano estrambótico do pobre-diabo. Experimentemos a fortuna, disse ele; vejamos se a minha ideia, lançada ao mar, pode tornar ao meu poder, como o anel de Polícrates, no bucho de algum peixe, ou se o meu caiporismo será tal, que nunca mais lhe ponha a mão.

Z

Ora essa!

A

Não é estrambótico? Polícrates experimentara a felicidade; o Xavier quis tentar o caiporismo; intenções diversas, ação idêntica. Saiu de casa, encontrou um amigo, travou conversa, escolheu assunto, e acabou dizendo o que era a vida, um cavalo xucro ou manhoso, e quem não for cavaleiro que o pareça. Dita assim, esta frase era talvez fria; por isso o Xavier teve o cuidado de descrever primeiro a sua tristeza, o desconsolo dos anos, o malogro dos esforços, ou antes os efeitos da imprevidência, e quando o peixe ficou de boca aberta, digo, quando a comoção do amigo chegou ao cume, foi que ele lhe atirou o anel, e fugiu a meter-se em casa. Isto que lhe conto é natural, crê-se, não é impossível; mas agora começa a juntar-se à realidade uma alta dose de imaginação. Seja o que for, repito o que ele me disse. Cerca de três semanas depois, o Xavier jantava pacificamente no *Leão de Ouro* ou no *Globo*, não me lembro bem, e ouviu de outra mesa a mesma frase sua, talvez com a troca de um adjetivo. "Meu pobre anel, disse ele, eis-te enfim no peixe de Polícrates." Mas a ideia bateu as asas e voou, sem que ele pudesse guardá-la na memória. Resignou-se. Dias depois, foi convidado a um baile: era um antigo companheiro dos tempos de rapaz, que celebrava a sua recente distinção nobiliária. O Xavier aceitou o convite, e foi ao baile, e ainda bem que foi, porque entre o sorvete e o chá ouviu de um grupo de pessoas que louvavam a carreira do barão, a sua vida próspera, rígida, modelo, ouviu comparar o barão a um cavaleiro emérito. Pasmo dos ouvintes, porque o barão não montava a cavalo.

Mas o panegirista explicou que a vida não é mais do que um cavalo xucro ou manhoso, sobre o qual ou se há de ser cavaleiro ou parecê-lo, e o barão era-o excelente. "— Entra, meu querido anel, disse o Xavier, entra no dedo de Polícrates." Mas de novo a ideia bateu as asas, sem querer ouvi-lo. Dias depois...

Z

Adivinho o resto: uma série de encontros e fugas do mesmo gênero.

A

Justo.

Z

Mas, enfim, apanhou-o um dia.

A

Um dia só, e foi então que me contou o caso digno de memória. Tão contente que ele estava nesse dia! Jurou-me que ia escrever, a propósito disto, um conto fantástico, à maneira de Edgard Poe, uma página fulgurante, pontuada de mistérios, – são as suas próprias expressões; – e pediu-me que o fosse ver no dia seguinte. Fui; o anel fugira-lhe outra vez. "Meu caro A, disse-me ele, com um sorriso fino e sarcástico; tens em mim o Polícrates do caiporismo; nomeio-te meu ministro honorário e gratuito." Daí em diante foi sempre a mesma coisa. Quando ele supunha pôr a mão em cima da ideia ela batia as asas, plás, plás, plás, e perdia-se no ar, como as figuras de um sonho. Outro peixe a engolia e trazia, e sempre o mesmo desenlace. Mas dos casos que ele me contou naquele dia, quero dizer-lhe três...

Z

Não posso; lá se vão os quinze minutos.

A

Conto-lhe só três. Um dia, o Xavier chegou a crer que podia enfim agarrar a fugitiva, e fincá-la perpetuamente no cérebro. Abriu um jornal de oposição, e leu estupefato estas palavras: "O ministério parece ignorar que a política é, como a vida, um cavalo xucro ou manhoso, e, não podendo ser bom cavaleiro, porque nunca o foi, devia ao menos parecer que o é." – "Ah! enfim! exclamou o Xavier, cá estás engastado no bucho do peixe; já me não podes fugir." Mas, em vão! a ideia fugia-lhe, sem deixar outro vestígio mais do que uma confusa reminiscência. Sombrio, desesperado, começou a andar, a andar, até que a noite caiu; passando por um teatro, entrou; muita gente, muitas luzes, muita alegria; o coração aquietou-se-lhe. Cúmulo de benefícios; era uma comédia do Pires, uma comédia nova. Sentou-se ao pé do autor, aplaudiu a obra com entusiasmo, com sincero amor de artista e de irmão. No segundo ato, cena VIII, estremeceu. "D. Eugênia, diz o galã a uma senhora, o cavalo pode ser comparado à vida, que é também um cavalo xucro ou manhoso; quem não for bom cavaleiro, deve cuidar de parecer que o é." O autor, com o olhar tímido, espiava no rosto do Xavier o efeito daquela reflexão, enquanto o Xavier repetia a mesma súplica das outras vezes: – "Meu querido anel..."

Z

Et nunc et semper... Venha o último encontro, que são horas.

A

O último foi o primeiro. Já lhe disse que o Xavier transmitira a ideia a um amigo. Uma semana depois da comédia cai o amigo doente, com tal gravidade que em quatro dias estava à morte. O Xavier corre a vê-lo; e o infeliz ainda o pôde conhecer, estender-lhe a mão fria e trêmula, cravar-lhe um longo olhar baço da última hora, e, com a voz sumida, eco do sepulcro, soluçar-lhe: "Cá vou, meu caro Xavier, o cavalo xucro ou manhoso da vida deitou-me ao chão: se fui mau cavaleiro, não sei; mas forcejei por parecê-lo bom." Não se ria; ele contou-me isto com lágrimas. Contou-me também que a ideia ainda esvoaçou alguns minutos sobre o cadáver, faiscando as belas asas de cristal, que ele cria ser diamante; depois estalou um risinho de escárnio, ingrato e parricida, e fugiu como das outras vezes, metendo-se no cérebro de alguns sujeitos, amigos da casa, que ali estavam, transidos de dor, e recolheram com saudade esse pio legado do defunto. Adeus.

LITTERATURA

O PROGRAMMA

Tambem eu nasci na Arcadia.
SCHILLER.

I

LICÇÃO DE MESTRE-ESCOLA

— Rapazes, tambem eu fui rapaz, disse o mestre, o Pitada, um velho mestre de meninos da Gambôa, no anno de 1850; fui rapaz, mas rapaz de muito juizo, muito juizo... Entenderam?

— Sim, senhor.

— Não entrei no mundo como um desmiolado, dando por paus por pedras, mas com um programma na mão... Sabem o que é um programma?

— Não, senhor.

— Programma é o rol das cousas que se hão de fazer em certa occasião; por exemplo, nos espectaculos, é a lista do drama, do entremez, do bailado, se ha bailado, um passo a dous, ou cousa assim... E' isso que se chama programma. Pois eu entrei no mundo com um programma na mão; não entrei assim á tôa, como um preto fugido, ou pedreiro sem obra, que não sabe aonde vae. Meu proposito era ser mestre de meninos, ensinar alguma cousa pouca do que soubesse, dar a primeira fórma ao espirito do cidadão... Dar a primeira fórma (entenderam?) dar a primeira fórma ao espirito do cidadão...

Calou-se o mestre alguns minutos, repetindo comsigo essa ultima phrase, que lhe pareceu engenhosa e galante. Os meninos que o escutavam, (eram cinco e dos mais velhos, dez e onze annos), não ousavam mexer com o corpo nem ainda com os olhos; esperavam o resto. O mestre, em quanto virava e revirava a phrase, respirando com estrepito, ia dando ao peito da camiza umas ondulações que em falta de outra distracção, recreiavam interiormente os discipulos. Um destes, o mais travesso, chegou ao desvario de imitar a respiração grossa do mestre, com grande susto dos outros, pois uma das maximas da escola era que, no caso de se não descobrir o autor de um delicto, fossem todos castigados; com este systema, dizia o mestre, anima-se a delação, que deve ser sempre uma das mais solidas bases do Estado bem constituido. Felizmente, elle nada viu, nem o gesto do temerario, um pirralho de dez annos, que não entendia nada do que elle estava dizendo, nem o beliscão de outro pequeno, o mais velho da roda, um certo Romualdo, que contava onze annos e tres dias: o beliscão, note-se, era uma advertencia para chamal-o á circumspecção.

— Ora, que fiz eu para vir a esta profissão? continuou o Pitada. Fiz isto: desde os meus quinze ou dezeseis annos, organisei o programma da vida: estudos, relações, viagens, casamento, escola; todas as phases da minha vida fóram assim previstas, descriptas e formuladas com antecedencia...

Daqui em deante, o mestre continuou a exprimir-se em tal estylo, que os meninos deixaram de entendel-o. Occupado em escutar-se, não deu pelo ar estupido dos discipulos, e só parou quando o relogio bateu meio dia. Era tempo de mandar embora esse resto da escola, que tinha de jantar para voltar ás duas horas. Os meninos sairam pulando, alegres, esquecidos até da fome que os devorava, pela ideia de ficar livres de um discurso que podia ir muito mais longe. Com effeito, o mestre fazia isso algumas vezes; retinha os discipulos mais velhos para ingerir-lhes uma reflexão moral ou uma narrativa ligeira e sã. Em certas occasiões, só dava por si muito depois da hora do jantar. Desta vez não a excedera, e ainda bem.

II

DE COMO ROMUALDO ENCENDEOU UM PROGRAMMA

A ideia do programma fixou-se no espirito do Romualdo. Tres ou quatro annos depois, repetia elle as proprias palavras do mestre; aos dezesete, ajuntava-lhes alguns reparos e observações. Tinha para si que era a melhor licção que se podia dar aos rapazes, muito mais util do que o latim que lhe ensinavam então.

Uma circumstancia local incitou o joven Romualdo a formular tambem o seu programma, resoluto a cumpril-o: refiro-me á residencia de um ministro, na mesma rua. A vista do ministro, das ordenanças, do *coupé*, da farda, accordou no Romualdo uma ambição. Porque não seria elle ministro? Outra circumstancia. Morava defronte uma familia abastada, em cuja casa eram frequentes os bailes e recepções. De cada vez que o Romualdo assistia, de fóra, a uma dessas festas solemnes, á chegada dos carros, á descida das damas, ricamente vestidas, com brilhantes no collo e nas orelhas, algumas no toucado, dando o braço a homens encasacados e aprumados, subindo depois a escadaria, onde o tapete amortecia o rumor dos pés, até irem para as salas alluminiadas, com os seus grandes lustres de cristal, que elle via de fóra, como via os espelhos, os pares que iam de um a outro lado, etc.; de cada vez que um tal espectaculo lhe namorava os olhos, Romualdo sentia em si a massa de um amphytrião, como esse que dava o baile, ou do marido de alguma daquellas damas titulares. Porque não seria uma cousa ou outra?

As novellas não serviam menos a incutir no animo do Romualdo tão excelsas esperanças. Elle apprendia nellas a rhetorica do amor, a alma sublime das cousas, desde o beijo materno até o ultimo graveto do matto, que eram para elle, irmãmente, a mesma producção divina da natureza. Além das novellas, havia os olhos das raparigninhas da mesma idade, que eram todos bonitos, e, cousa singular, da mesma cor, como se fossem um convite para o mesmo banquete, escripto com a mesma tinta. Outra cousa que tambem influiu muito na ambição do Romualdo foi o sol, que elle imaginava ter sido creado unicamente com o fim de o allumiar, não allumiando aos outros homens, se não porque era impossivel deixar de fazel-o, como acontece a uma banda musical que, tocando por obsequio á uma porta, é ouvida em todo o quarteirão.

Temos, pois, que os explendores sociaes, as imaginações litterarias, e, finalmente, a propria natureza, persuadiram ao joven Romualdo a cumprir a licção do mestre. Um programma! Como é possivel atravessar a vida, uma longa vida, sem programma? Viaja-se mal sem itinerario: o imprevisto tem cousas boas que não compensam as más; o itinerario, reduzindo as vantagens do casual e do desconhecido, diminue os seus inconvenientes, que são em maior numero e insupportaveis. Era o que sentia Romualdo aos dezoito annos, não por essa fórma precisa, mas outra, que não se traduz bem senão assim. Os antigos, que elle começava a ver atravez das lunetas de Plutarcho, pareciam-lhe não ter começado a vida sem programma. Outra inducção que tirava de Plutarcho é que todos os homens de outr'ora foram nada menos do que aquelles mesmos heroes biographados. Obscuros, se os houve, não passaram de uma ridicula minoria.

— Vá um programma, disse elle; obedeçamos ao conselho do mestre.

E formulou um programma. Estava então entre dezoito e dezenove annos. Era um guapo rapaz ardente, resoluto, filho de paes modestissimos, mas cheio de alma e ambição. O programma foi escripto no coração, o melhor papel, e com a vontade, a melhor das pennas: era uma pagina arrancada ao livro do destino. O destino é obra do homem. Napoleão fez com a espada uma corôa, dez corôas. Elle, Romualdo, não só seria esposo de alguma daquellas formosas damas, que vira subir para os bailes, mas possuiria tambem o carro que costumava trazel-a. Litteratura, sciencia, politica, nenhum desses ramos deixou de ter uma linha especial. Romualdo sentia-se bastante apto para uma multidão de funcções e applicações, e achava mesquinho concentrar-se n'uma cousa particular. Era muito governar os homens ou escrever *Hamlet*; mas porque não reuniria a alma delle ambas as glorias, porque não seria um Pitt e um Shakespeare, obedecido e admirado? Romualdo ideiava por outras palavras a mesma cousa. Com o olhar fito no ar, e uma certa ruga na testa, antevia todas essas victorias, desde a primeira decima poetica até o carro do ministro de Estado. Era bello, forte, moço, resoluto, apto, ambicioso, e vinha dizer ao mundo, com a energia moral dos que são fortes: logar para mim! logar para mim, e dos melhores!

MACHADO DE ASSIS.

(Continúa.)

VARIEDADE

A FELICIDADE NO LAR

Carta de uma mãe a sua filha

VI

OS CREADOS

(Continuação)

A excepção não é a regra.

Si não ha creados sem defeito, poucos ha todavia que se pareçam com os que acabo de citar.

E' necessario que o creado seja de uma pessima indole para que os seus defeitos se não corrijam ante a equidade, a doçura e a paciencia dos amos.

A doçura e a paciencia são qualidades sem as quaes uma dona de casa não póde obter bons serviços.

Essas qualidades são-lhe indispensaveis, não só para ganhar a affeição dos que a servem, como tambem para que lhe obedeçam.

A mulher que comprehende a sua dignidade sabe poupar a dos seus inferiores, e neste particular não me inspiras receio.

Bem sei que não fallarás nunca a tua creada sinão no tom peculiar a uma ama bôa, indulgente e bem educada.

Si eu ligo, por um lado, grande importancia a que os creados sejam bem tractados, por outro lado exijo destes o mais profundo respeito e a mais completa submissão.

Quando fallares de teu marido á tua creada, dirá sempre: O amo, afim de que ella não empregue nunca outra denominação para o designar.

Não admittas observações sobre aquillo que houveres ordenado.

Já não estamos no tempo em que os servidores, convencidos da superioridade de instrucção e educação de seus amos, testemunhavam deferencia pelas suas opiniões e uma confiança sem limites no que elles diziam.

Hoje não ha um que se não julgue apto para julgar de tudo e discorrer sabiamente sobre todas as questões.

O melhor é não ter com elles conversas excepto as que se referirem ao serviço de casa, porque sinão expomo-nos a ouvil-os mais dia menos dia refutar as nossas asserções, o que vem a acabar em falta de respeito.

E' conveniente conserval-os a certa distancia, mas com benevolencia, com affabilidade, e de modo que elles se não sintam humilhadas.

Quando a creada commetter uma falta no serviço, tu a advertirás, sem comtudo lhe dirigir censuras desagradaveis. Bastará que ella saiba que percebeste a sua falta, e comprehenda que não deve commettel-a outra vez.

Dirigir-lhe uma observação diante de estranhos será humilhal-a inutilmente e indispol-a contra ti.

Recommendo-te acerca da creada o que já te recommendei com respeito á casa.

Procura, mas com vagar.

O programa[1]

Também eu nasci na Arcádia.

Schiller

Capítulo I – Lição de Mestre-Escola

— Rapazes, também eu fui rapaz, disse o mestre, o Pitada, um velho mestre de meninos da Gamboa, no ano de 1850; fui rapaz, mas rapaz de muito juízo, muito juízo... Entenderam?

— Sim, senhor.

— Não entrei no mundo como um desmiolado, dando por paus e por pedras, mas com um programa na mão... Sabem o que é um programa?

— Não, senhor.

— Programa é o rol das coisas que se hão de fazer em certa ocasião; por exemplo, nos espetáculos, é a lista do drama, do entremez, do bailado, se há bailado, um passo a dois, ou coisa assim... É isso que se chama programa. Pois eu entrei no mundo com um programa na mão; não entrei assim à toa, como um preto fugido, ou pedreiro sem obra, que não sabe aonde vai. Meu propósito era ser mestre de meninos, ensinar alguma coisa pouca do que soubesse, dar a primeira forma ao espírito do cidadão... Dar a primeira forma (entenderam?), dar a primeira forma ao espírito do cidadão...

Calou-se o mestre alguns minutos, repetindo consigo essa última frase, que lhe pareceu engenhosa e galante. Os meninos que o escutavam (eram cinco e dos mais velhos, dez e onze

[1] Publicado em *A Estação* (dezembro de 1882; janeiro, fevereiro e março de 1883).

anos), não ousavam mexer com o corpo nem ainda com os olhos; esperavam o resto. O mestre, enquanto virava e revirava a frase, respirando com estrépito, ia dando ao peito da camisa umas ondulações que, em falta de outra distração, recreavam interiormente os discípulos. Um destes, o mais travesso, chegou ao desvario de imitar a respiração grossa do mestre, com grande susto dos outros, pois uma das máximas da escola era que, no caso de se não descobrir o autor de um delito, fossem todos castigados; com este sistema, dizia o mestre, anima-se a delação, que deve ser sempre uma das mais sólidas bases do Estado bem constituído. Felizmente, ele nada viu, nem o gesto do temerário, um pirralho de dez anos, que não entendia nada do que ele estava dizendo, nem o beliscão de outro pequeno, o mais velho da roda, um certo Romualdo, que contava onze anos e três dias; o beliscão, note-se, era uma advertência para chamá-lo à circunspecção.

— Ora, que fiz eu para vir a esta profissão? continuou o Pitada. Fiz isto: desde os meus quinze ou dezesseis anos, organizei o programa da vida: estudos, relações, viagens, casamento, escola; todas as fases da minha vida foram assim previstas, descritas e formuladas com antecedência...

Daqui em diante, o mestre continuou a exprimir-se em tal estilo, que os meninos deixaram de entendê-lo. Ocupado em escutar-se, não deu pelo ar estúpido dos discípulos, e só parou quando o relógio bateu meio-dia. Era tempo de mandar embora esse resto da escola, que tinha de jantar para voltar às duas horas. Os meninos saíram pulando, alegres, esquecidos até da fome que os devorava, pela ideia de ficar livres de um discurso que podia ir muito mais longe. Com efeito, o mestre fazia isso algumas vezes; retinha os discípulos mais velhos para ingerir-lhes uma reflexão moral ou uma narrativa ligeira e sã. Em certas ocasiões só dava por si muito depois da hora do jantar. Desta vez não a excedera, e ainda bem.

Capítulo II – De como Romualdo engendrou um programa

A ideia do programa fixou-se no espírito do Romualdo. Três ou quatro anos depois, repetia ele as próprias palavras do mestre; aos dezessete, ajuntava-lhes alguns reparos e observações. Tinha para si que era a melhor lição que se podia dar aos rapazes, muito mais útil do que o latim que lhe ensinavam então.

Uma circunstância local incitou o jovem Romualdo a formular também o seu programa, resoluto a cumpri-lo: refiro-me à residência de um ministro, na mesma rua. A vista do ministro, das ordenanças, do *coupé*, da farda, acordou no Romualdo uma ambição. Por que não seria ele ministro? Outra circunstância. Morava defronte uma família abastada, em cuja casa eram frequentes os bailes e recepções. De cada vez que o Romualdo assistia, de fora, a uma dessas festas solenes, à chegada dos carros, à descida das damas, ricamente vestidas, com brilhantes no colo e nas orelhas, algumas no toucado, dando o braço a homens encasacados e aprumados, subindo depois a escadaria, onde o tapete amortecia o rumor dos pés, até irem para as salas alumiadas, com os seus grandes lustres de cristal, que ele via de fora, como via os espelhos, os pares que iam de um a outro lado, etc.; de cada vez que um tal espetáculo lhe namorava os olhos, Romualdo sentia em si a massa de um anfitrião, como esse que dava o baile, ou do marido de algumas daquelas damas titulares. Por que não seria uma coisa ou outra?

As novelas não serviam menos a incutir no ânimo do Romualdo tão excelsas esperanças. Ele aprendia nelas a retórica do amor, a alma sublime das coisas, desde o beijo materno até o último graveto do mato, que eram para ele, irmãmente, a mesma produção divina da natureza. Além das novelas, havia os olhos das rapariguinhas da mesma idade, que eram todos bonitos, e, coisa singular, da mesma cor, como se fossem um convite para o mesmo banquete, escrito com a mesma tinta. Outra coisa que também influiu muito na ambição do Romualdo foi o sol, que ele imaginava ter sido criado unicamente com o fim de o alumiar, não alumiando aos outros homens, senão porque era impossível deixar de fazê-lo, como acontece a uma banda musical que, tocando por obséquio a uma porta, é ouvida em todo o quarteirão.

Temos, pois, que os esplendores sociais, as imaginações literárias, e, finalmente, a própria natureza, persuadiram ao jovem Romualdo a cumprir a lição do mestre. Um programa! Como é possível atravessar a vida, uma longa vida, sem programa? Viaja-se mal sem itinerário; o imprevisto tem coisas boas que não compensam as más; o itinerário, reduzindo as vantagens do casual e do desconhecido, diminui os seus inconvenientes, que são em maior número e insuportáveis. Era o que sentia Romualdo aos dezoito anos, não por essa forma precisa, mas outra, que não se traduz bem senão assim. Os antigos, que ele começava a ver através das lunetas de Plutarco, pareciam-lhe não ter começado a vida sem programa. Outra indução que tirava de Plutarco é que todos os homens de outrora foram nada menos do que aqueles mesmos heróis biografados. Obscuros, se os houve, não passaram de uma ridícula minoria.

— Vá um programa, disse ele; obedeçamos ao conselho do mestre.

E formulou um programa. Estava então entre dezoito e dezenove anos. Era um guapo rapaz, ardente, resoluto, filho de pais modestíssimos, mas cheio de alma e ambição. O programa foi escrito no coração, o melhor papel, e com a vontade, a melhor das penas; era uma página arrancada ao livro do destino. O destino é obra do homem. Napoleão fez com a espada uma coroa, dez coroas. Ele, Romualdo, não só seria esposo de alguma daquelas formosas damas, que vira subir para os bailes, mas possuiria também o carro que costumava trazê-las. Literatura, ciência, política, nenhum desses ramos deixou de ter uma linha especial. Romualdo sentia-se bastante apto para uma multidão de funções e aplicações, e achava-se mesquinho concentrar-se numa coisa particular. Era muito governar os homens ou escrever *Hamlet*; mas por que não reuniria a alma dele ambas as glórias, por que não seria um Pitt e um Shakespeare, obedecido e admirado? Romualdo ideava por outras palavras a mesma coisa. Com o olhar fito no ar, e uma certa ruga na testa, antevia todas essas vitórias, desde a primeira décima poética até o carro do ministro de Estado. Era belo, forte, moço, resoluto, apto, ambicioso, e vinha dizer ao mundo, com a energia moral dos que são fortes: lugar para mim! lugar para mim, e dos melhores!

Capítulo III – Agora tu, Calíope, me ensina...

Não se pode saber com certeza, – com a certeza necessária a uma afirmação que tem de correr mundo, – se a primeira estrofe do Romualdo foi anterior ao primeiro amor, ou se este precedeu a poesia. Suponhamos que foram contemporâneos. Não é inverossímil, porque se a primeira paixão foi uma pessoa vulgar e sem graça, a primeira composição poética era um lugar-comum.

Em 1858, data da estreia literária, existia ainda uma folha, que veio a morrer antes de 1870, o *Correio Mercantil*. Foi por aí que o nosso Romualdo declarou ao mundo que o século era enorme, que as barreiras todas estavam por terra, que, enfim, era preciso dar ao homem a coroa imortal que lhe competia. Eram trinta ou quarenta versos, feitos com ímpeto, broslados de adjetivos e imprecações, muitos sóis, basto condor, inúmeras coisas robustas e esplêndidas. Romualdo dormiu mal a noite; apesar disso, acordou cedo, vestiu-se, saiu; foi comprar o *Correio Mercantil*. Leu a poesia à porta mesmo da tipografia, à Rua da Quitanda; depois dobrou cautelosamente o jornal, e foi tomar café. No trajeto da tipografia ao botequim não fez mais do que recitar mentalmente os versos; só assim se explicam dois ou três encontrões que deu em outras pessoas. Em todo caso, no botequim, uma vez sentado, desdobrou a folha e releu os versos, lentamente, umas quatro vezes seguidas; com uma que leu depois de pagar a xícara de café, e a que já lera à porta da tipografia, foram nada menos de seis leituras, no curto espaço de meia hora; fato tanto mais de espantar quanto que ele tinha a poesia de cor. Mas o espanto desaparece desde que se adverte na diferença que vai do manuscrito ou decorado ao impresso. Romualdo lera, é certo, a poesia manuscrita; e, à força de a ler, tinha-a "impressa na alma", para falar a linguagem dele mesmo. Mas o manuscrito é vago, derramado; e o decorado assemelha-se a histórias velhas, sem data, nem autor, ouvidas em criança; não há por onde se lhe pegue, nem mesmo a túnica flutuante e cambiante do manuscrito. Tudo muda com o impresso. O impresso fixa. Aos olhos de Romualdo era como um edifício levantado para desafiar os tempos; a igualdade das letras, a reprodução dos mesmos contornos, davam aos versos um aspecto definitivo e acabado. Ele mesmo descobriu-lhes belezas não premeditadas; em compensação, deu com uma vírgula mal posta, que o desconsolou.

No fim daquele ano tinha o Romualdo escrito e publicado algumas vinte composições diversas sobre os mais variados assuntos. Congregou alguns amigos, – da mesma idade, – persuadiu a um tipógrafo, distribuiu listas de assinaturas, recolheu algumas, e fundou um periódico literário, o *Mosaico*, em que fez as suas primeiras armas da prosa. A ideia secreta do Romualdo era criar alguma coisa semelhante à *Revista dos Dois Mundos*, que ele via em casa do advogado, de quem era amanuense. Não lia nunca a *Revista*, mas ouvira dizer que era uma das mais importantes da Europa, e entendeu fazer coisa igual na América.

Posto que esse brilhante sonho fenecesse com o mês de maio de 1859, não acabaram com ele as labutações literárias. O mesmo ano de 1859 viu o primeiro tomo das *Verdades e Quimeras*. Digo o primeiro tomo, porque tais eram a indicação tipográfica, e o plano do Romualdo. Que é a poesia, dizia ele, senão uma mistura de quimera e verdade? O Goethe chamando às suas memórias

Verdade e Poesia, cometeu um pleonasmo ridículo: o segundo vocábulo bastava a exprimir os dois sentidos do autor. Portanto, quaisquer que tivessem de ser as fases do seu espírito, era certo que a poesia traria em todos os tempos os mesmos caracteres essenciais: logo podia intitular *Verdades e Quimeras* as futuras obras poéticas. Daí a indicação de primeiro tomo dada ao volume de versos com que o Romualdo brindou as letras no mês de dezembro de 1859. Esse mês foi para ele ainda mais brilhante e delicioso que o da estreia no *Correio Mercantil*. – Sou autor impresso, dizia rindo, quando recebeu os primeiros exemplares da obra. E abria um e outro, folheava de diante para trás e de trás para diante, corria os olhos pelo índice, lia três, quatro vezes o prólogo, etc. *Verdades e Quimeras*! Via esse título nos periódicos, nos catálogos, nas citações, nos florilégios de poesia nacional; enfim, clássico. Via citados também os outros tomos, com a designação numérica de cada um, em caracteres romanos, t. II, t. III, t. IV, t. IX. Que podiam escrever um dia as folhas públicas senão um estribilho? "Cada ano que passa pode-se dizer que este distinto e infatigável poeta nos dá um volume das suas admiráveis *Verdades e Quimeras*; foi em 1859 que encetou essa coleção, e o efeito não podia ser mais lisonjeiro para um estreante, que etc., etc."

Lisonjeiro, na verdade. Toda a imprensa saudou com benevolência o primeiro livro de Romualdo; dois amigos disseram mesmo que ele era o Gonzaga do Romantismo. Em suma, um sucesso.

Capítulo IV – Quinze anos, bonita e rica

A "pessoa vulgar e sem graça" que foi o primeiro amor de Romualdo passou naturalmente como a chama de um fósforo. O segundo amor veio no tempo em que ele se preparava para ir estudar em S. Paulo, e não pôde ir adiante.

Tinha preparatórios o Romualdo; e, havendo adquirido com o advogado certo gosto ao ofício, entendeu que sempre era tempo de ganhar um diploma. Foi para S. Paulo, entregou-se aos estudos com afinco, dizendo consigo e a ninguém mais, que ele seria citado algum dia entre os Nabucos, os Zacarias, os Teixeiras de Freitas, etc. Jurisconsulto! E soletrava esta palavra com amor, com paciência, com delícia, achando-lhe a expressão profunda e larga. Jurisconsulto! Os Zacarias, os Nabucos, os Romualdos! E estudava, metia-se pelo direito dentro, impetuoso.

Não esqueçamos duas coisas: que ele era rapaz, e tinha a vocação das letras. Rapaz, amou algumas moças, páginas acadêmicas, machucadas de mãos estudiosas. Durante os dois primeiros anos nada há que apurar que mereça a pena e a honra de uma transcrição. No terceiro ano... O terceiro ano oferece-nos uma lauda primorosa. Era uma moça de quinze anos, filha de um fazendeiro de Guaratinguetá, que tinha ido à capital da província. Romualdo, de escassa bolsa, trabalhando muito para ganhar o diploma, compreendeu que o casamento era uma solução. O fazendeiro era rico. A moça gostava dele: era o primeiro amor dos seus quinze anos.

"Há de ser minha!" jurou Romualdo a si mesmo.

As relações entre eles vieram por um sobrinho do fazendeiro, Josino M..., colega de ano do Romualdo, e, como ele, cultor das letras. O fazendeiro retirou-se para Guaratinguetá; era obsequiador, exigiu do Romualdo a promessa de que, nas férias, iria vê-lo. O estudante prometeu que sim; e nunca o tempo lhe correu mais devagar. Não eram dias, eram séculos. O que lhe valia é que, ao menos, davam para construir e reconstruir os seus admiráveis planos de vida. A escolha entre o casar imediatamente ou depois de formado não foi coisa que se fizesse do pé para a mão: comeu-lhe algumas boas semanas. Afinal, assentou que era melhor o casamento imediato. Outra questão que lhe tomou tempo, foi a de saber se concluiria os estudos no Brasil ou na Europa. O patriotismo venceu; ficaria no Brasil. Mas, uma vez formado, seguiria para Europa, onde estaria dois anos, observando de perto as coisas políticas e sociais, adquirindo a experiência necessária a quem viria ser ministro de Estado. Eis o que por esse tempo escreveu a um amigo do Rio de Janeiro:

> ...Prepara-te, pois, meu bom Fernandes, para irmos daqui a algum tempo viajar; não te dispenso, nem aceito desculpa. Não nos faltarão meios, graças a Deus, e meios de viajar à larga... Que felicidade! Eu, Lucinda, o bom Fernandes...

Bentas férias! Ei-las que chegam; ei-las que tomam do Romualdo e do Josino, e os levam à fazenda da namorada. Agora não os solto mais, disse o fazendeiro.

Lucinda apareceu aos olhos do nosso herói com todos os esplendores de uma madrugada. Foi assim que ele definiu esse momento, em uns versos publicados daí a dias no *Eco de Guaratinguetá*. Ela era bela, na verdade, viva e graciosa, rosada e fresca, todas as qualidades amáveis de uma menina. A comparação da madrugada, por mais cediça que fosse, era a melhor de todas.

Se as férias gastaram tempo em chegar, uma vez chegadas, voaram depressa. Tinham asas os dias, asas de pluma angélica, das quais, se alguma coisa lhe ficou ao nosso Romualdo, não passou de ser um certo aroma delicioso e fresco. Lucinda, em casa, pareceu-lhe ainda mais bela do que a vira na capital da província. E note-se que a boa impressão que ele lhe fizera a princípio, cresceu também, e extraordinariamente, depois da convivência de algumas semanas. Em resumo, e para poupar estilo, os dois amavam-se. Os olhos de ambos, incapazes de guardar o segredo dos respectivos corações, contaram tudo uns aos outros, e com tal estrépito, que os olhos de um terceiro ouviram também. Esse terceiro foi o primo de Lucinda, o colega de ano de Romualdo.

— Vou dar-te uma notícia agradável, disse o Josino ao Romualdo, uma noite, no quarto em que dormiam. Adivinha o que é.

— Não posso.

— Vamos ter um casamento daqui a meses...

— Quem?

— O juiz municipal.

— Com quem casa?

— Com a prima Lucinda.

Romualdo deu um salto, pálido, fremente; depois conteve-se, e começou a disfarçar. Josino, que trazia o plano de cor, confiou ao colega um romance em que o juiz municipal fazia o menos judiciário dos papéis, e a prima aparecia como a mais louca das namoradas. Concluiu dizendo que a demora do casamento era porque o tio, profundo católico, mandara pedir ao papa a fineza de vir casar a filha em Guaratinguetá. O papa chegaria em maio ou junho. Romualdo entre pasmado e incrédulo, não tirava os olhos do colega; este soltou, enfim, uma risada. Romualdo compreendeu tudo e contou-lhe tudo.

Cinco dias depois, veio ele à corte, lacerado de saudades e coroado de esperanças. Na corte, começou a escrever um livro, que era nada menos que o próprio caso de Guaratinguetá: um poeta de grande talento, futuro ministro, futuro homem de Estado, coração puro, caráter elevado e nobre, que amava uma moça de quinze anos, um anjo, bela como a aurora, santa como a Virgem, alma digna de emparelhar com a dele, filha de um fazendeiro, etc. Era só pôr os pontos nos is. Este romance, à medida que ele o ia escrevendo, lia-o ao amigo Fernandes, o mesmo a quem confiara o projeto do casamento e da viagem à Europa, como se viu daquele trecho de uma carta. "Não nos faltarão meios, graças a Deus, e meios de viajar à larga... Que felicidade! Eu, Lucinda, o bom Fernandes..." Era esse.

— Então, pronto? palavra? Vais conosco? dizia-lhe na corte o Romualdo.

— Pronto.

— Pois é coisa feita. Este ano, em chegando as férias, vou a Guaratinguetá, e peço-a... Eu podia pedi-la antes, mas não me convém. Então é que hás de pôr o caiporismo na rua...

— Ele volta depois, suspirava o Fernandes.

— Não volta; digo-te que não volta; fecho-lhe a porta com chave de ouro.

E toca a escrever o livro, a contar a união das duas almas, perante Deus e os homens, com muito luar claro e transparente, muita citação poética, algumas em latim. O romance foi acabado em S. Paulo, e mandado para o *Eco de Guaratinguetá*, que começou logo a publicá-lo, recordando-me que o autor era o mesmo dos versos dados por ele no ano anterior.

Romualdo consolou-se do vagar dos meses, da tirania dos professores e do fastio dos livros, carteando-se com o Fernandes e falando ao Josino, só e unicamente a respeito da gentil paulista. Josino contou-lhe muita reminiscência caseira, episódios da infância de Lucinda, que o Romualdo escutava cheio de um sentimento religioso, mesclado de um certo desvanecimento de marido. E tudo era mandado depois ao Fernandes, em cartas que não acabavam mais, de cinco em cinco dias, pela mala daquele tempo. Eis o que dizia a última das cartas, escrita ao entrar das férias:

> Vou agora a Guaratinguetá. Conto pedi-la daqui a pouco; e, em breve, estarei casado na corte; e daqui a algum tempo mar em fora. Prepara as malas, patife; anda, tratante, prepara as malas. Velhaco! É com o fim de viajar que me animaste no namoro? Pois agora aguenta-te...

E três laudas mais dessas ironias graciosas, meigas indignações de amigo, que o outro leu, e a que respondeu com estas palavras: "Pronto para o que der e vier!"

Não, não ficou pronto para o que desse e viesse; não ficou pronto, por exemplo, para a cara triste, abatida, com que dois meses depois lhe entrou em casa, à Rua da Misericórdia, o nosso Romualdo. Nem para a cara triste, nem para o gesto indignado com que atirou o chapéu ao chão. Lucinda traíra-o! Lucinda amava o promotor!

E contou-lhe como o promotor, mancebo de vinte e seis anos, nomeado poucos meses antes, tratara logo de cortejar a moça, e tão tenazmente que ela em pouco tempo estava caída.

— E tu?

— Que havia de fazer?

— Teimar, lutar, vencer.

— Pensas que não? Teimei; fiz o que era possível, mas... Ah! se tu soubesses que as mulheres... Quinze anos! Dezesseis anos, quando muito! Pérfida desde o berço... Teimei... Pois não havia de teimar? E tinha por mim o Josino, que lhe disse as últimas. Mas que queres? O tal promotor das dúzias... Enfim, vão casar.

— Casar?

— Casar, sim! berrou o Romualdo, irritado.

E roía as unhas, calado ou dando umas risadinhas concentradas, de raiva; depois, passava as mãos pelos cabelos, dava socos, deitava-se na rede, a fumar cinco, dez, quinze cigarros...

Capítulo V – No escritório

De ordinário, o estudo é também um recurso para os que têm alguma coisa que esquecer na vida. Isto pensou o nosso Romualdo, isto praticou imediatamente, recolhendo-se à S. Paulo, onde continuou até acabar o curso jurídico. E, realmente, não foram precisos muitos meses para convalescer da triste paixão de Guaratinguetá. É certo que, ao ver a moça, dois anos depois do desastre, não evitou uma tal ou qual comoção; mas, o principal estava feito.

"Virá outra," pensava ele consigo.

E, com os olhos no casamento e na farda de ministro, fez as suas primeiras armas políticas no último ano acadêmico. Havia então na capital da província uma folha puramente comercial; Romualdo persuadiu o editor a dar uma parte política, e encetou uma série de artigos que agradaram. Tomado o grau, deu-se uma eleição provincial; ele apresentou-se candidato a um lugar na Assembleia, mas, não estando ligado a nenhum partido, recolheu pouco mais de dez votos, talvez quinze. Não se pense que a derrota o abateu; ele recebeu-a como um fato natural, e alguma coisa o consolou: a inscrição do seu nome entre os votados. Embora poucos, os votos eram votos; eram pedaços da soberania popular que o vestiam a ele, como digno da escolha. Quantos foram os cristãos no dia do Calvário? Quantos eram naquele ano de 1864? Tudo estava sujeito à lei do tempo.

Romualdo veio pouco depois para a corte, e abriu escritório de advocacia. Simples pretexto. Afetação pura. Comédia. O escritório era um ponto no globo, onde ele podia, tranquilamente, fumar um charuto e prometer ao Fernandes uma viagem ou uma inspetoria de alfândega, se não preferisse seguir a política. O Fernandes estava por tudo; tinha um lugar no foro, lugar ínfimo, de poucas rendas e sem futuro. O vasto programa do amigo, companheiro de infância, um programa em que os diamantes de uma senhora reluziam ao pé da farda de um ministro, no fundo de um *coupé*, com ordenanças atrás, era dos que arrastam consigo todas as ambições adjacentes. O Fernandes fez esse raciocínio: – Eu, por mim, nunca hei de ser nada; o Romualdo não esquecerá que fomos meninos. E toca a andar para o escritório do Romualdo. Às vezes, achava-o a escrever um artigo político, ouvia-o ler, copiava-o se era necessário, e no dia seguinte servia-lhe de trombeta: um artigo magnífico, uma obra-prima, não dizia só como erudição, mas como estilo, principalmente como estilo, coisa muito superior ao Otaviano, ao Rocha, ao Paranhos, ao Firmino, etc. – Não há dúvida, concluía ele; é o nosso Paul-Louis Courier.

Um dia, o Romualdo recebeu-o com esta notícia:

— Fernandes, creio que a espingarda que me há de matar está fundida.

— Como? não entendo.

— Vi-a ontem...

— A espingarda?

— A espingarda, o obus, a pistola, o que tu quiseres; uma arma deliciosa.

— Ah!... alguma pequena? disse vivamente o Fernandes.

— Qual pequena! Grande, uma mulher alta, muito alta. Coisa de truz. Viúva e fresca: vinte e seis anos. Conheceste o B...? é a viúva.

— A viúva do B...? Mas é realmente um primor! Também eu a vi, ontem, no Largo de São Francisco de Paula; ia entrar no carro... Sabes que é um cobrinho bem bom? Dizem que duzentos...

— Duzentos? Põe-lhe mais cem.

— Trezentos, hein? Sim, senhor; é papa-fina!

E enquanto ele dizia isto, e outras coisas, com o fim, talvez, de animar o Romualdo, este ouvia-o calado, torcendo a corrente do relógio, e olhando para o chão, com um ar de riso complacente à flor dos lábios...

— Tlin, tlin, tlin, bateu o relógio de repente.

— Três horas! exclamou Romualdo levantando-se. Vamos!

Mirou-se a um espelho, calçou as luvas, pôs o chapéu na cabeça, e saíram.

No dia seguinte e nos outros, a viúva foi o assunto, não principal, mas único, da conversa dos dois amigos, no escritório, entre onze horas e três. O Fernandes cuidava de manter o fogo sagrado, falando da viúva ao Romualdo, dando-lhe notícias dela, quando casualmente a encontrava na rua. Mas não era preciso tanto, porque o outro não pensava em coisa diferente; ia aos teatros, a ver se a achava, à Rua do Ouvidor, a alguns saraus, fez-se sócio do Cassino. No teatro, porém, só a viu algumas vezes, e no Cassino, dez minutos, sem ter tempo de lhe ser apresentado ou trocar um olhar com ela; dez minutos depois da chegada dele, retirava-se a viúva, acometida de uma enxaqueca.

— Realmente, é caiporismo! dizia ele no dia seguinte, contando o caso ao Fernandes.

— Não desanimes por isso, redarguia este. Quem desanima, não faz nada. Uma enxaqueca não é a coisa mais natural do mundo?

— Lá isso é.

— Pois então?

Romualdo apertou a mão ao Fernandes, cheio de reconhecimento, e o sonho continuou entre os dois, cintilante, vibrante, um sonho que valia por duas mãos cheias de realidade. Trezentos contos! O futuro certo, a pasta de ministro, o Fernandes inspetor de alfândega, e, mais tarde, *bispo do tesouro*, dizia familiarmente o Romualdo. Era assim que eles enchiam as horas do escritório; digo que enchiam as horas do escritório, porque o Fernandes para ligar de uma vez a sua fortuna à de César, deixou o emprego ínfimo que tinha no foro e aceitou o lugar de escrevente que o Romualdo lhe ofereceu, com o ordenado de oitenta mil-réis. Não há ordenado pequeno ou grande, senão comparado com a soma de trabalho que impõe. Oitenta mil-réis, em relação às necessidades do Fernandes, podia ser uma retribuição escassa, mas cotejado com o serviço efetivo eram os presentes de Artaxerxes. O Fernandes tinha fé em todos os raios da estrela do Romualdo: – o conjugal, o forense, o político. Enquanto a estrela guardava os raios por baixo de uma nuvem grossa, ele, que sabia que a nuvem era passageira, deitava-se no sofá, dormitando e sonhando de parceria com o amigo.

Nisto apareceu um cliente ao Romualdo. Nem este, nem o Fernandes estavam preparados para um tal fenômeno, verdadeira fantasia do destino. Romualdo chegou ao extremo de crer que era um emissário da viúva, e esteve a ponto de piscar o olho ao Fernandes, que se retirasse, para dar mais liberdade ao homem. Este, porém, cortou de uma tesourada essa ilusão; vinha "propor uma causa ao senhor doutor". Era outro sonho, e se não tão belo, ainda belo. Fernandes apressou-se em dar cadeira ao homem, tirar-lhe o chapéu e o guarda-chuva, perguntar se lhe fazia mal o ar nas costas, enquanto o Romualdo com uma intuição mais verdadeira das coisas, recebia-o e ouvia-o com um ar cheio de clientes, uma fisionomia de quem não faz outra coisa desde manhã até à noite, senão arrazoar libelos e apelações. O cliente, lisonjeado com as maneiras do Fernandes, ficou atado e medroso diante do Romualdo; mas ao mesmo tempo deu graças ao céu por ter vindo a um escritório onde o advogado era tão procurado e o escrevente tão atencioso. Expôs o caso, que era um embargo de obra nova, ou coisa equivalente. Romualdo acentuava cada vez mais o fastio da fisionomia, levantando o lábio, abrindo as narinas, ou coçando o queixo com a faca de marfim; ao despedir o cliente, deu-lhe a ponta dos dedos; o Fernandes levou-o até o patamar da escada.

— Recomende muito o meu negócio ao senhor doutor, disse-lhe o cliente.

— Deixe estar.

— Não se esqueça; ele pode esquecer no meio de tanta coisa, e o patife... Quero mostrar àquele patife, que me não há de embolar... não; não esqueça, e creia que... não me esquecerei também...

— Deixe estar.

O Fernandes esperou que ele descesse; ele desceu, fez-lhe de baixo uma profunda zumbaia, e enfiou pelo corredor fora, contentíssimo com a boa inspiração que tivera em subir àquele escritório.

Quando o Fernandes voltou à sala, já o Romualdo folheava um formulário para redigir a petição inicial. O cliente ficara de lhe trazer daí a pouco a procuração; trouxe-a; o Romualdo recebeu-a glacialmente; o Fernandes tirou daquela presteza as mais vivas esperanças.

— Então? dizia ele ao Romualdo, com as mãos na cintura; que me dizes tu a este começo? Trata bem da causa, e verás que é uma procissão delas pela escada acima.

Romualdo estava realmente satisfeito. Todas as ordenações do Reino, toda a legislação nacional bailavam no cérebro dele, com a sua numeração árabe e romana, os seus parágrafos, abreviaturas, coisas que, por secundárias que fossem, eram aos olhos dele como as fitas dos toucados, que não trazem beleza às mulheres feias, mas dão realce às bonitas. Sobre esta simples causa edificou o Romualdo um castelo de vitórias jurídicas. O cliente foi visto multiplicar-se em clientes, os embargos em embargos; os libelos vinham repletos de outros libelos, uma torrente de demandas.

Entretanto, o Romualdo conseguiu ser apresentado à viúva, uma noite, em casa de um colega. A viúva recebeu-o com certa frieza;

estava de enxaqueca. Romualdo saiu de lá exaltadíssimo; pareceu-lhe (e era verdade) que ela não rejeitara dois ou três olhares dele. No dia seguinte, contou tudo ao Fernandes, que não ficou menos contente.

— Bravo! exclamou ele. Eu não te disse? É ter paciência; tem paciência. Ela ofereceu-te a casa?

— Não; estava de enxaqueca.

— Outra enxaqueca! Parece que não padece de mais nada? Não faz mal; é moléstia de moça bonita.

Vieram buscar um artigo para a folha política; Romualdo, que o não escrevera, mal pôde alinhar, à pressa, alguns conceitos chochos, a que a folha adversa respondeu com muita superioridade. O Fernandes, logo depois, lembrou-lhe que findava-lhe certo prazo no embargo da obra nova; ele arrazoou nos autos, também às pressas, tão às pressas que veio a perder a demanda. Que importa? A viúva era tudo. Trezentos contos! Daí a dias, era o Romualdo convidado para um baile. Não se descreve a alma com que ele saiu para essa festa, que devia ser o início da bem-aventurança. Chegou; vinte minutos depois soube que era o primeiro e último baile da viúva, que dali a dois meses casava com um capitão-de-fragata.

Capítulo VI – Troca de artigos

A segunda queda amorosa do Romualdo fê-lo desviar os olhos do capítulo feminino. As mulheres sabem que elas são como o melhor vinho de Chipre, e que os protestos de namorados não diferem dos que fazem os bêbados. Acresce que o Romualdo era levado também, e principalmente, da ambição, e que a ambição permanecia nele, como alicerce de casa derrubada. Acresce mais que o Fernandes, que pusera no Romualdo um mundo de esperanças, forcejava por levantá-lo e animá-lo a outra aventura.

— Que tem? dizia-lhe. Pois uma mulher que se casa deve agora fazer com que um homem não se case mais? Isso até nem se diz; você não deve contar a ninguém que teve semelhante ideia...

— Conto... Se conto!

— Ora essa!

— Conto, confesso, digo, proclamo, replicava o Romualdo, tirando as mãos das algibeiras das calças, e agitando-as no ar. Depois tornou a guardar as mãos, e continuou a passear de um lado para outro.

O Fernandes acendeu um cigarro, tirou duas fumaças e prosseguiu no discurso anterior. Mostrou-lhe que, afinal de contas, a culpa era do acaso; ele viu-a tarde; já ela estava de namoro com o capitão-de-fragata. Se aparece mais cedo, a vitória era dele. Não havia duvidar, que seria dele a vitória. E agora, falando franco, agora é que ele devia casar com outra, para mostrar que não lhe faltam noivas.

— Não, acrescentou o Fernandes; esse gostinho de ficar solteiro é que eu não lhe dava. Você não conhece as mulheres, Romualdo.

— Seja o que for.

Não insistiu o Fernandes; contou decerto, que a ambição do amigo, as circunstâncias e o acaso trabalhariam melhor do que todos os seus raciocínios.

— Está bom, não falemos mais nisso, concluiu ele.

Tinha um cálculo o Romualdo: trocar os artigos do programa. Em vez de ir do casamento para o parlamento, e de marido a ministro de Estado, resolveu proceder inversamente: primeiro seria deputado e ministro, depois casaria rico. Entre nós, dizia ele consigo, a política não exige riqueza; não é preciso muitos cabedais para ocupar um lugar na Câmara ou no Senado, ou no ministério. E, ao contrário, um ministro candidato à mão de uma viúva é provável que vença qualquer outro candidato, embora forte, embora capitão-de-fragata. Não acrescentou que no caso de um capitão-de-fragata, a vitória era matematicamente certa se ele fosse ministro da Marinha, porque uma tal reflexão exigiria espírito jovial e repousado, e o Romualdo estava deveras abatido.

Decorreram alguns meses. Em vão o Fernandes chamava a atenção do Romualdo para cem rostos de mulheres, falava-lhe de herdeiras ricas, fazendeiras viúvas; nada parecia impressionar o jovem advogado, que só cuidava agora de política. Entregara-se com alma ao jornal, frequentava as influências parlamentares, os chefes das deputações. As esperanças políticas começaram a viçar na alma dele, com uma exuberância descomunal, e passavam à alma do Fernandes, que afinal entrara no raciocínio do amigo, e concordava em que ele casasse depois de ministro. O Romualdo vivia deslumbrado; os chefes davam-lhe sorrisos prenhes de votos, de lugares, de pastas; batiam-lhe no ombro; apertavam-lhe a mão com certo mistério.

— Antes de dois anos, tudo isto muda, dizia ele confidencialmente ao Fernandes.

— Já está mudado, acudiu o outro.

— Não achas?

— Muito mudado.

Com efeito, os políticos que frequentavam o escritório e a casa do Romualdo diziam a este que as eleições estavam perto e que o Romualdo devia vir para a Câmara. Era uma ingratidão do partido, se não viesse. Alguns repetiam-lhe frases benévolas dos chefes; outros aceitavam jantares, por conta dos que ele tinha de dar depois de eleito. Vieram as eleições; e o Romualdo apresentou-se candidato pela corte. Aqui nasceu, aqui era conhecido, aqui devia ter a vitória ou a derrota. Os amigos afirmavam-lhe que seria a vitória, custasse o que custasse.

A campanha, na verdade, foi rude. O Romualdo teve de vencer primeiramente os competidores, as intrigas, as desconfianças, etc. Não dispondo de dinheiro, cuidou de o pedir emprestado, para certas despesas preliminares, embora poucas; e, vencida essa segunda parte da luta, entrou na terceira, que foi a dos cabos eleitorais e arranjos de votos. O Fernandes deu então a medida do que vale um amigo sincero e dedicado, um agente convencido e resoluto; fazia tudo, artigos, cópias, leitura de provas, recados, pedidos, ia de um lado para outro, suava, bufava, comia mal, dormia mal, chegou ao extremo de brigar em plena rua com um agente do candidato adverso, que lhe fez uma contusão na face.

Veio o dia da eleição. Nos três dias anteriores, a luta assumira proporções hercúleas. Mil notícias nasciam e morriam dentro de uma hora. Eram capangas vendidos, cabos paroquiais suspeitos de traição, cédulas roubadas, ou extraviadas: era o diabo. A noite da véspera foi terrível de ansiedade. Nem o Romualdo nem o Fernandes puderam conciliar o sono antes das três horas da manhã; e, ainda assim, o Romualdo acordou três ou quatro vezes, no meio das peripécias de um sonho delicioso. Ele via-se eleito, orando na Câmara, propondo uma moção de desconfiança, triunfando, chamado pelo novo presidente do Conselho a ocupar a pasta da Marinha. Ministro, fez uma brilhante figura; muitos o louvavam, outros muitos o mordiam, complemento necessário à vida pública. Subitamente, aparece-lhe uma viúva bela e rica, pretendida por um capitão-de-fragata; ele manda o capitão-de-fragata para as Antilhas, dentro de vinte e quatro horas, e casa com a viúva. Nisto acordou; eram sete horas.

— Vamos à luta, disse ele ao Fernandes.

Saíram para a luta eleitoral. No meio do caminho, o Romualdo teve uma reminiscência de Bonaparte, e disse ao amigo: "Fernandes, é o sol de Austerlitz!" Pobre Romualdo, era o sol de Waterloo.

— Ladroeira! bradou o Fernandes. Houve ladroeira de votos! Eu vi o miolo de algumas cédulas.

— Mas por que não reclamaste na ocasião? disse Romualdo.

— Supus que era da nossa gente, confessou o Fernandes mudando de tom.

Com miolo ou sem miolo, a verdade é que o pão eleitoral passou à boca do adversário, que deixou o Romualdo em jejum. O desastre abateu-o muito; começava a ficar cansado da luta. Era um simples advogado sem causas. De todo o programa da adolescência, nenhum artigo se podia dizer cumprido, ou em caminho de o ser. Tudo lhe fugia, ou por culpa dele, ou por culpa das circunstâncias.

A tristeza do Romualdo foi complicada pelo desânimo do Fernandes, que começava a descrer da estrela de César, e a arrepender-se de ter trocado de emprego. Ele dizia muitas vezes ao amigo, que a moleza era má qualidade, e que o foro começava a aborrecê-lo; duas afirmações, à primeira vista, incoerentes, mas que se ajustavam neste pensamento implícito: – Você nunca há de ser coisa nenhuma, e eu não estou para aturá-lo.

Com efeito, daí a alguns meses, o Fernandes meteu-se em não sei que empresa, e retirou-se para Curitiba. O Romualdo ficou só. Tentou alguns casamentos que, por um ou outro motivo, falharam; e tornou à imprensa política, em que criou, com poucos meses, dívidas e inimigos. Deixou a imprensa, e foi para a roça. Disseram-lhe que aí podia fazer alguma coisa. De fato, alguma coisa o procurou, e ele não foi mal visto; mas, meteu-se na política local, e perdeu-se. Gastou cinco anos inutilmente; pior do que inutilmente, com prejuízo. Mudou de localidade; e tendo a experiência da primeira, pôde viver algum tempo, e com certa mediania. Entretanto, casou; a senhora não era opulenta, como ele inserira no programa, mas era fecunda; ao cabo de cinco anos, tinha o Romualdo seis filhos. Seis filhos não se educam nem se sustentam com seis vinténs. As necessidades do Romualdo cresceram; os recursos, naturalmente, diminuíram. Os anos avizinhavam-se.

"Onde os meus sonhos? onde o meu programa?" dizia ele consigo, às vezes.

As saudades vinham, principalmente, nas ocasiões de grandes crises políticas no país, ou quando chegavam as notícias parlamentares da corte. Era então que ele remontava até à adolescência, aos planos de Bonaparte rapaz, feitos por ele e não realizados nunca. Sim, criar na mente um império, e governar um escritório modesto de poucas causas... Mas isso mesmo foi amortecendo com os anos. Os anos, com o seu grande peso no espírito do Romualdo, cercearam-lhe a compreensão das ambições enormes; e o espetáculo das lutas locais acanhou-lhe o horizonte. Já não lutava, deixara a política: era simples advogado. Só o que fazia era votar com o governo, abstraindo do pessoal político dominante, e abraçando somente a ideia superior do poder. Não poupou alguns desgostos, é verdade, porque nem toda a vila chegava a entender a distinção; mas, enfim, não se deixou levar de paixões, e isso bastava a afugentar uma porção de males.

No meio de tudo, os filhos eram a melhor das compensações. Ele amava-os a todos igualmente com uma queda particular ao mais velho, menino esperto, e à última, menina graciosíssima. A mãe criara-os a todos e estava disposta a criar o que havia de vir, e contava cinco meses de gestação.

— Seja o que for, dizia o Romualdo à mulher; Deus nos há de ajudar.

Dois pequenos morreram-lhe de sarampão; o último nasceu morto. Ficou reduzido a quatro filhos. Já então ia em quarenta e cinco anos, estava todo grisalho, fisionomia cansada; felizmente, gozava saúde, e ia trabalhando. Tinha dívidas, é verdade, mas pagava-as, restringindo certa ordem de necessidades. Aos cinquenta anos estava alquebrado; educava os filhos; ele mesmo ensinara-lhes as primeiras letras.

Vinha às vezes à corte e demorava-se pouco. Nos primeiros tempos, mirava-a com pesar, com saudades, com uma certa esperança de melhora. O programa reluzia-lhe aos olhos. Não podia passar pela frente da casa onde tivera escritório, sem apertar-se-lhe o coração e sentir uns ímpetos de mocidade. A Rua do Ouvidor, as lojas elegantes, tudo lhe dava ares do outro tempo, e emprestavam-lhe alguma energia, que ele levava para a roça. E então nos primeiros tempos, trabalhava com uma lamparina de esperança no coração. Mas o azeite era pouco, e a lamparina apagava-se depressa. Isso mesmo cessou com o tempo. Já vinha à corte, fazia o que tinha de fazer, e voltava, frio, indiferente, resignado.

Um dia, tinha ele cinquenta e três anos, os cabelos brancos, o rosto encarquilhado, vindo à corte com a mulher, encontrou na rua um homem que lhe pareceu o Fernandes. Estava avelhantado, é certo; mas a cara não podia ser de outro. O que menos se parecia com ele era o resto da pessoa, a sobrecasaca esmerada, o botim de verniz, a camisa dura com um botão de diamante ao peito.

— Querem ver? é o Romualdo! disse ele.

— Como estás, Fernandes?

— Bem; e tu, que andas fazendo?

— Moro fora; advogado da roça. Tu és naturalmente banqueiro...

Fernandes sorriu lisonjeado. Levou-o a jantar, e explicou-lhe que se metera em empresa lucrativa, e fora abençoado pela sorte. Estava bem. Morava fora, no Paraná. Veio à corte ver se podia arranjar uma comenda. Tinha um hábito; mas tanta gente lhe dava o título de comendador, que não havia remédio senão fazer do dito certo.

— Ora o Romualdo!

— Ora o Fernandes!

— Estamos velhos, meu caro.

— Culpa dos anos, respondeu tristemente o Romualdo.

Dias depois o Romualdo voltou à roça, oferecendo a casa ao velho amigo. Este ofereceu-lhe também os seus préstimos em Curitiba. De caminho, o Romualdo recordava, comparava e refletia.

— No entanto, ele não fez programa, dizia amargamente. E depois:

— Foi talvez o programa que me fez mal; se não pretendesse tanto...

Mas achou os filhos à porta da casa; viu-os correr a abraçá-lo e à mãe, sentiu os olhos úmidos, e contentou-se com o que lhe coubera. E, então, comparando ainda uma vez os sonhos e a realidade, lembrou-lhe Schiller, que lera vinte e cinco anos antes, e repetiu com ele: "Também eu nasci na Arcádia..." A mulher, não entendendo a frase, perguntou-lhe se queria alguma coisa. Ele respondeu-lhe: – A tua alegria e uma xícara de café.

LITTERATURA

CANTIGA DE ESPONSAES

Imagine a leitora que está em 1813, na egreja do Carmo, ouvindo uma daquellas boas festas antigas, que eram todo o recreio publico e toda a arte musical. Sabem o que é uma missa cantada; podem imaginar o que seria uma missa cantada daquelles annos remotos. Não lhe chamo a attenção para os padres e os sacristães, nem para o sermão, nem para os olhos das moças cariocas, que ja eram bonitos nesse tempo, nem para as mantilhas das senhoras graves, os calções, as cabelleiras, as sanefas, as luzes, os incensos, nada. Não fallo sequer da orchestra, que é excellente; limito-me a mostrar-lhes uma cabeça branca, a cabeça desse velho que rege a orchestra, com alma e devoção.

Chama-se Romão Pires; terá sessenta annos, não menos, e nasceu no Vallongo, ou por esses lados. E' bom musico e bom homem; todos os musicos gostam delle. Mestre Romão é o nome familiar; e dizer familiar e publico era a mesma cousa em tal materia e naquelle tempo. « Quem rege a missa é mestre Romão, » — equivalia a esta outra forma de annuncio, annos depois: « Entra em scena o actor João Caetano »; — ou então: « O actor Martinho cantará uma de suas melhores arias ». Era o tempero certo, o chamariz delicado e popular. Mestre Romão rege a festa! Quem não conhecia mestre Romão, com o seu ar circumspecto, olhos no chão, riso triste, e passo demorado? Tudo isso desapparecia á frente da orchestra; então a vida derramava-se por todo o corpo e todos os gestos do mestre; o olhar accendia-se, o riso illuminava-se; era outro. Não que a missa fosse delle; esta, por exemplo, que elle rege agora no Carmo é de José Mauricio; mas elle rege-a com o mesmo amor que empregaria, se a missa fosse sua.

Acabou a festa; é como se acabasse um clarão intenso, e deixasse o rosto apenas allumiado da luz ordinaria. Eil-o que desce do côro, apoiado na bengala; vae á sacristia beijar a mão aos padres, e aceita um logar á mesa do jantar. Tudo isso indifferente e calado. Jantou, saiu, caminhou para a rua da Mãi dos Homens, onde reside, com um preto velho, pae José, que é a sua verdadeira mãe, e que neste momento conversa com uma visinha.

— Mestre Simão lá vem, pae José, disse a visinha.

— Eh! eh! adeus, sinhá, até logo.

Pae José deu um salto, entrou em casa, e esperou o senhor, que d'ahi a pouco entrava com o mesmo ar do costume. A casa não era rica, naturalmente; nem alegre. Não tinha o menor vestigio de mulher, velha ou moça, nem passarinhos que cantassem, nem flores, nem cores vivas ou jocundas. Casa sombria e nua. O mais alegre era um cravo, onde o mestre Romão tocava algumas vezes, estudando. Sobre uma cadeira, ao pé, alguns papeis de musica; nenhuma d'elle...

Ah! se mestre Romão podesse seria um grande compositor. Parece que ha duas sortes vocação, as que tem lingua e as que a não tem. As primeiras realisam-se; as ultimas representam uma luta constante e esteril entre o impulso interior e a ausencia de um modo de communicação com os homens. Romão era d'estas. Tinha a vocação intima da musica; trazia dentro de si muitas operas e missas, um mundo de harmonias novas e originaes, que não alcançava exprimir e pôr no papel. Esta era a causa unica da tristeza de mestre Romão. Naturalmente o vulgo não atinava com ella; uns diziam isto, outros aquillo: doença, falta de dinheiro, algum desgosto antigo; mas a verdade é esta: — a causa da melancholia de mestre Romão era não poder compor, não possuir o meio de traduzir o que sentia. Não é que não rabiscasse muito papel e não interrogasse o cravo, durante horas; mas tudo lhe saia informe, sem idéa nem harmonia. Nos ultimos tempos tinha até vergonha da visinhança, e não tentava mais nada.

E, entretanto, se pudesse, acabaria ao menos uma certa peça, um canto esponsalicio, começado tres dias depois de casado, em 1779. A mulher, que tinha então vinte e um annos, e morreu com vinte e tres, não era muito bonita, nem pouco, mas extremamente sympathica, e amava-o tanto como elle a ella. Tres dias depois de casado, mestre Romão sentiu em si alguma cousa parecida com inspiração. Idéou então o canto esponsalicio, e quiz compol-o; mas a inspiração não pôde sair. Como um passaro que acaba de ser preso, e forceja por transpor as paredes da gaiola, abaixo, acima, impaciente, aterrado, assim batia a inspiração do nosso musico, encerrada n'elle sem poder sair, sem achar uma porta, nada. Algumas notas chegaram a ligar-se; elle escreveu-as; obra de uma folha de papel, não mais. Teimou no dia seguinte, dez dias depois, vinte vezes durante o tempo de casado. Quando a mulher morreu, elle releu essas primeiras notas conjungaes, e ficou ainda mais triste, por não ter podido fixar no papel a sensação da felicidade extincta.

— Pae José, disse elle ao entrar, sinto-me hoje adoentado.

— Sinhô comeu alguma cousa que fez mal...

— Não; já de manhã não estava bom. Vae á botica...

O boticario mandou alguma cousa, que elle tomou á noite; no dia seguinte mestre Romão não se sentia melhor. E' preciso dizer que elle padecia do coração: — molestia grave e chronica. Pae José ficou atterrado, quando viu que o incommodo não cedera ao remedio, nem ao repouso, e quiz chamar o medico.

— Para que? disse o mestre. Isto passa.

O dia não acabou peor; e a noite supportou-a elle bem, não assim o preto, que mal pôde dormir duas horas. A visinhança, apenas soube do incommodo, não quiz outro motivo de palestra; os que entretinham relações com o mestre foram visital-o. E diziam-lhe que não era nada, que eram macacoas do tempo; um accrescentava graciosamente que era manha, para fugir aos capotes que o boticario lhe dava no gamão, — outro que eram amores. Mestre Romão sorria, mas consigo mesmo dizia que era o final.

— Está acabado, pensava elle.

Um dia de manhã, cinco depois da festa, o medico achou-o realmente mal; e foi isso o que elle lhe viu na physionomia por traz das palavras enganadoras: —Isto não é nada; é preciso não pensar em musicas...

Em musicas! justamente esta palavra do medico deu ao mestre um pensamento. Logo que ficou só, com o escravo, abriu a a gaveta onde guardava desde 1779 o canto esponsalicio começado. Releu essas notas arrancadas a custo, e não concluidas. E então teve uma idéa singular: — rematar a obra agora, fosse como fosse; qualquer cousa servia, uma vez que deixasse um pouco de alma na terra.

— Quem sabe? Em 1880, talvez se toque isto, e se conte que um mestre Romão...

O principio do canto rematava em um certo *lá*; este *lá*, que lhe caia bem no logar, era a nota derradeiramente escripta. Mestre Romão ordenou que lhe levassem o cravo para a sala do fundo, que dava para o quintal: era-lhe preciso ar. Pela janella viu na janella dos fundos de outra casa dous casadinhos de oito dias, debruçados, com os braços por cima dos hombros, e duas mãos presas. Mestre Romão sorriu com tristeza.

— Aquelles chegam, disse elle, eu saio. Comporei ao menos este canto que elles poderão tocar...

Sentou-se ao cravo; reproduziu as notas e chegou ao *lá*...

— *Lá, lá, lá*...

Nada: não passava adeante. E contudo, elle sabia musica como gente.

— *Lá, dó... lá, mi... lá, si, dó, ré... ré... ré...*

Impossivel! nenhuma inspiração. Não exigia uma peça profundamente original, mas emfim alguma cousa, que não fosse de outro e se ligasse ao pensamento começado. Voltando ao principio, repetiu as notas buscava rehaver um retalho da sensação extincta, lembrava-se da mulher dos primeiros tempos... Para completar a illusão, deitava os olhos pela janella, para o lado dos casadinhos. Estes continuavam alli, com as mãos presas e os braços passados nos hombros um do outro; a differença é que se miravam agora, em vez de olhar para baixo. Mestre Romão, offegante da molestia e de impaciencia, tornava ao cravo; mas a vista do casal não lhe supprira a inspiração, e as notas seguintes não soavam.

— *Lá... lá... lá...*

Desesperado, deixou o cravo, pegou do papel escripto e rasgou-o. Nesse momento, a moça embebida no olhar do marido, começou a cantarolar á toa, inconscientemente, uma cousa nunca antes cantada nem sabida, na qual cousa um certo *lá* trazia apoz si uma linda phrase musical, justamente a que mestre Romão procurára durante annos sem achar nunca. O mestre ouviu-a com tristeza; abanou a cabeça, e á noite expirou.

MACHADO DE ASSIS.

POESIA

SABOR DAS LAGRIMAS

A bella grega Hermé, que vae captiva,
Não chora, não; mas seu olhar revêde:
Vereis que delle amor brota e deriva,
Amor que a prende na ineffavel rede.

Quando o deserto vem, e a vista o medo
Tão grande, Hermé que á voz dos mais se esquiva,
«—Dá-me tu de beber que eu tenho sede»—
Diz ao que perto tem, que amor lhe aviva.

Filho da mesma terra, o prisioneiro,
Bello como ella, em roda olha o caminho;
Agua não vio, mas chora; e o derradeiro

Pranto dá-lhe á beber nas mãos tomado,
E ella ao sorvel-o: «inda é melhor que o vinho
Bebido em grego cyatho doirado.»

ALBERTO DE OLIVEIRA.

VARIEDADE

A FELICIDADE NO LAR

Cartas de uma mãe á sua filha

VIII

AS AMIGAS

Aconselho-te especialmente que afastes da tua roda de amigas as casquilhas, toleironas e as ociosas. As relações com essa gente só te poderia ser prejudicial.

Não procures nunca ter grande numero de amigas. Nisto, como em muitas outras cousas, a qualidade é preferivel á quantidade.

E' necessario ter certo respeito á casa, e não a abrir de par em par a toda a gente.

Cantiga de esponsais[1]

Imagine a leitora que está em 1813, na igreja do Carmo, ouvindo uma daquelas boas festas antigas, que eram todo o recreio público e toda a arte musical. Sabem o que é uma missa cantada; podem imaginar o que seria uma missa cantada daqueles anos remotos. Não lhe chamo a atenção para os padres e os sacristães, nem para o sermão, nem para os olhos das moças cariocas, que já eram bonitos nesse tempo, nem para as mantilhas das senhoras graves, os calções, as cabeleiras, as sanefas, as luzes, os incensos, nada. Não falo sequer da orquestra, que é excelente; limito-me a mostrar-lhes uma cabeça branca, a cabeça desse velho que rege a orquestra, com alma e devoção.

Chama-se Romão Pires; terá sessenta anos, não menos, nasceu no Valongo, ou por esses lados. É bom músico e bom homem; todos os músicos gostam dele. Mestre Romão é o nome familiar; e dizer familiar e público era a mesma coisa em tal matéria e naquele tempo. "Quem rege a missa é mestre Romão" – equivalia a esta outra forma de anúncio, anos depois: "Entra em cena o ator João Caetano"; – ou então: "O ator Martinho cantará uma de suas melhores árias". Era o tempero certo, o chamariz delicado e popular. Mestre Romão rege a festa! Quem não conhecia mestre Romão, com o seu ar circunspecto, olhos no chão, riso triste, e passo demorado? Tudo isso desaparecia à frente da orquestra; então a vida derramava-se por todo o corpo e todos os gestos do mestre; o olhar acendia-se, o riso iluminava-se: era outro. Não que a missa fosse dele; esta, por exemplo, que ele rege agora no Carmo é de José Maurício; mas ele rege-a com o mesmo amor que empregaria, se a missa fosse sua.

[1] Publicado em *A Estação* (15 de maio de 1883). Reunido pelo autor em *Histórias sem data* (1884).

Acabou a festa; é como se acabasse um clarão intenso, e deixasse o rosto apenas alumiado da luz ordinária. Ei-lo que desce do coro, apoiado na bengala; vai à sacristia beijar a mão aos padres e aceita um lugar à mesa do jantar. Tudo isso indiferente e calado. Jantou, saiu, caminhou para a Rua da Mãe dos Homens, onde reside, com um preto velho, pai José, que é a sua verdadeira mãe, e que neste momento conversa com uma vizinha.

— Mestre Romão lá vem, pai José, disse a vizinha.

— Eh! eh! adeus, sinhá, até logo.

Pai José deu um salto, entrou em casa, e esperou o senhor, que daí a pouco entrava com o mesmo ar do costume. A casa não era rica naturalmente; nem alegre. Não tinha o menor vestígio de mulher, velha ou moça, nem passarinhos que cantassem, nem flores, nem cores vivas ou jucundas. Casa sombria e nua. O mais alegre era um cravo, onde o mestre Romão tocava algumas vezes, estudando. Sobre uma cadeira, ao pé, alguns papéis de música; nenhuma dele...

Ah! se mestre Romão pudesse seria um grande compositor. Parece que há duas sortes de vocação, as que têm língua e as que a não têm. As primeiras realizam-se; as últimas representam uma luta constante e estéril entre o impulso interior e a ausência de um modo de comunicação com os homens. Romão era destas. Tinha a vocação íntima da música; trazia dentro de si muitas óperas e missas, um mundo de harmonias novas e originais, que não alcançava exprimir e pôr no papel. Esta era a causa única da tristeza de mestre Romão. Naturalmente o vulgo não atinava com ela; uns diziam isto, outros aquilo: doença, falta de dinheiro, algum desgosto antigo; mas a verdade é esta: – a causa da melancolia de mestre Romão era não poder compor, não possuir o meio de traduzir o que sentia. Não é que não rabiscasse muito papel e não interrogasse o cravo, durante horas; mas tudo lhe saía informe, sem ideia nem harmonia. Nos últimos tempos tinha até vergonha da vizinhança, e não tentava mais nada.

E, entretanto, se pudesse, acabaria ao menos uma certa peça, um canto esponsalício, começado três dias depois de casado, em

1779. A mulher, que tinha então vinte e um anos, e morreu com vinte e três, não era muito bonita, nem pouco, mas extremamente simpática, e amava-o tanto como ele a ela. Três dias depois de casado, mestre Romão sentiu em si alguma coisa parecida com inspiração. Ideou então o canto esponsalício, e quis compô-lo; mas a inspiração não pôde sair. Como um pássaro que acaba de ser preso, e forceja por transpor as paredes da gaiola, abaixo, acima, impaciente, aterrado, assim batia a inspiração do nosso músico, encerrada nele sem poder sair, sem achar uma porta, nada. Algumas notas chegaram a ligar-se; ele escreveu-as; obra de uma folha de papel, não mais. Teimou no dia seguinte, dez dias depois, vinte vezes durante o tempo de casado. Quando a mulher morreu, ele releu essas primeiras notas conjugais, e ficou ainda mais triste, por não ter podido fixar no papel a sensação da felicidade extinta.

— Pai José, disse ele ao entrar, sinto-me hoje adoentado.

— Sinhô comeu alguma coisa que fez mal...

— Não; já de manhã não estava bom. Vai à botica...

O boticário mandou alguma coisa, que ele tomou à noite; no dia seguinte mestre Romão não se sentia melhor. É preciso dizer que ele padecia do coração: – moléstia grave e crônica. Pai José ficou aterrado, quando viu que o incômodo não cedera ao remédio, nem ao repouso, e quis chamar o médico.

— Para quê? disse o mestre. Isto passa.

O dia não acabou pior; e a noite suportou-a ele bem, não assim o preto, que mal pôde dormir duas horas. A vizinhança, apenas soube do incômodo, não quis outro motivo de palestra; os que entretinham relações com o mestre foram visitá-lo. E diziam-lhe que não era nada, que eram macacoas do tempo; um acrescentava graciosamente que era manha, para fugir aos capotes que o boticário lhe dava no gamão, – outro que eram amores. Mestre Romão sorria, mas consigo mesmo dizia que era o final.

— Está acabado, pensava ele.

Um dia de manhã, cinco depois da festa, o médico achou-o realmente mal; e foi isso o que ele lhe viu na fisionomia por trás das palavras enganadoras:

— Isto não é nada; é preciso não pensar em músicas...

Em músicas! justamente esta palavra do médico deu ao mestre um pensamento. Logo que ficou só, com o escravo, abriu a gaveta onde guardava desde 1779 o canto esponsalício começado. Releu essas notas arrancadas a custo e não concluídas. E então teve uma ideia singular: – Rematar a obra agora, fosse como fosse; qualquer coisa servia, uma vez que deixasse um pouco de alma na terra.

— Quem sabe? Em 1880, talvez se toque isto, e se conte que um mestre Romão...

O princípio do canto rematava em um certo *lá*; este *lá*, que lhe caía bem no lugar, era a nota derradeiramente escrita. Mestre Romão ordenou que lhe levassem o cravo para a sala do fundo, que dava para o quintal: era-lhe preciso ar. Pela janela viu na janela dos fundos de outra casa dois casadinhos de oito dias, debruçados, com os braços por cima dos ombros, e duas mãos presas. Mestre Romão sorriu com tristeza.

— Aqueles chegam, disse ele, eu saio. Comporei ao menos este canto que eles poderão tocar...

Sentou-se ao cravo; reproduziu as notas e chegou ao *lá*...

— *Lá*, lá, lá...

Nada, não passava adiante. E contudo, ele sabia música como gente.

Lá, dó... lá, *mi*... lá, *si*, dó, ré... ré... ré...

Impossível! nenhuma inspiração. Não exigia uma peça profundamente original, mas enfim alguma coisa, que não fosse de outro e se ligasse ao pensamento começado. Voltava ao princípio, repetia as notas, buscava reaver um retalho da sensação extinta, lembrava-se da mulher, dos primeiros tempos. Para completar a ilusão, deitava os olhos pela janela para o lado dos casadinhos. Estes continuavam ali, com as mãos presas e os braços passados nos ombros um do outro; a diferença é que se miravam agora, em vez de olhar para baixo.

Mestre Romão, ofegante da moléstia e de impaciência, tornava ao cravo; mas a vista do casal não lhe suprira a inspiração, e as notas seguintes não soavam.

— *Lá*... lá... lá...

Desesperado, deixou o cravo, pegou do papel escrito e rasgou-o. Nesse momento, a moça embebida no olhar do marido, começou a cantarolar à toa, inconscientemente, uma coisa nunca antes cantada nem sabida, na qual coisa um certo *lá* trazia após si uma linda frase musical, justamente a que mestre Romão procurara durante anos sem achar nunca. O mestre ouviu-a com tristeza, abanou a cabeça, e à noite expirou.

Anno XI

Rio de Janeiro — Domingo 6 de Setembro de 1885

N.

GAZETA DE NOTICIAS

PAGAMENTO ADIANTADO

Escriptorio — Rua do Ouvidor n. 70

RIO DE JANEIRO

As assignaturas começam em qualquer dia e terminam sempre em fins de março, junho, setembro ou dezembro

Os artigos enviados á redacção não serão restituidos, ainda que não sejam publicados

TELEGRAMMAS

CHRONICA DA SEMANA

BOLETIM PARLAMENTAR

SETE DE SETEMBRO

AGUAS A NICTHEROY

JURY

EXPOSIÇÃO DE ANTUERPIA

BRIGADEIRO ALENCASTRO

HABILIDOSO

Habilidoso[1]

Paremos neste beco. Há aqui uma loja de trastes velhos, e duas dúzias de casas pequenas, formando tudo uma espécie de mundo insulado. Choveu de noite, e o sol ainda não acabou de secar a lama da rua, nem o par de calças que ali pende de uma janela, ensaboado de fresco. Pouco adiante das calças, vê-se chegar à rótula a cabeça de uma mocinha, que acabou agora mesmo o penteado, e vem mostrá-lo cá fora; mas cá fora estamos apenas o leitor e eu, mais um menino, a cavalo no peitoril de outra janela, batendo com os calcanhares na parede, à guisa de esporas, e ainda outros quatro, adiante, à porta da loja de trastes, olhando para dentro.

A loja é pequena, e não tem muito que vender, coisa pouco sensível ao dono, João Maria, que acumula o negócio com a arte, e dá-se à pintura nas horas que lhe sobram da outra ocupação, e não são raras. Agora mesmo está diante de uma pequena tela, tão metido consigo e com o trabalho, que podemos examiná-lo a gosto, antes que dê por nós.

Conta trinta e seis anos, e não se pode dizer que seja feio; a fisionomia, posto que trivial, não é desengraçada. Mas a vida estragou a natureza. A pele, de fina que era nos primeiros anos, está agora áspera, a barba emaranhada e inculta; embaixo do queixo, onde ele usa rapá-la, não passa navalha há mais de quinze dias. Tem o colarinho desabotoado e o peito à mostra; não veste paletó nem colete, e as mangas da camisa, arregaçadas, mostram o braço carnudo e peludo. As calças são de brim pardo, lavadas há pouco, e muito remendadas nos joelhos; remendos antigos, que não resistem à lavadeira, que os desfia na água, nem à costureira, que os recompõe. Uma e outra são a própria mulher de João Maria, que reúne aos dois

[1] Publicado em *Gazeta de Notícias* (6 de setembro de 1885).

misteres o de cozinheira da casa. Não há criados; o filho, de seis para sete anos, é que lhes vai às compras.

João Maria veio para este beco há uns quinze dias. Conta fazer alguma coisa, embora seja lugar de pouca passagem, mas não há, no bairro, outra casa de trastes velhos, e ele espera que a notoriedade vá trazendo os fregueses. Demais, não teve tempo de escolher; mudou-se às pressas, por intimação do antigo proprietário. Ao menos, aqui o aluguel é módico. Até agora, porém, não vendeu mais que um aparador e uma gaiola de arame. Não importa; os primeiros tempos são mais difíceis. João Maria espera, pintando.

Pintando o que, e para quê? João Maria ignora absolutamente as primeiras lições do desenho, mas desde tenra idade pegou-lhe o sestro de copiar tudo o que lhe caía nas mãos, vinhetas de jornais, cartas de jogar, padrões de chitas, o papel das paredes, tudo. Também fazia bonecos de barro, ou esculpia-os a faca nos sarrafos e pedaços de caixão. Um dia aconteceu-lhe ir à exposição anual da Academia das Belas-Artes, e voltou de lá cheio de planos e ambições. Engenhou logo uma cena de assassinato, um conde que matava a outro conde; rigorosamente, parecia oferecer-lhe um punhal. Engenhou outros, alastrou as paredes, em casa, de narizes, de olhos, de orelhas; vendo na Rua da Quitanda um quadro que representava um prato de legumes, atirou-se aos legumes; depois, viu uma marinha, e tentou as marinhas.

Toda arte tem uma técnica; ele aborrecia a técnica, era avesso à aprendizagem, aos rudimentos das coisas. Ver um boi, reproduzi-lo na tela, era o mais que, no sentir dele, se podia exigir do artista. A cor apropriada era uma questão dos olhos, que Deus deu a todos os homens; assim também a exação dos contornos e das atitudes dependia da atenção, e nada mais. O resto cabia ao gênio do artista, e João Maria supunha tê-lo. Não dizia gênio, por não conhecer o vocábulo, senão no sentido restrito de índole, – ter bom ou mau gênio, – mas repetia consigo mesmo a palavra, que ouvia aos parentes e aos amigos, desde criança.

— João Maria é muito *habilidoso*.

Assim se explica que, quando alguém disse um dia ao pai que o mandasse para a academia, e o pai consentiu em desfazer-se dele, João Maria recusasse a pés juntos. Foi assim também que, depois de andar por ofícios diversos, sem acabar nenhum, veio a abrir uma casa de trastes velhos, para a qual se lhe não exigiam estudos preparatórios.

Nem aprendeu nada, nem possuía o talento que adivinha e impele a aprender e a inventar. Via-se-lhe, ao menos, alguma coisa parecida com a faísca sagrada? Coisa nenhuma. Não se lhe via mais que a obstinação, filha de um desejo, que não correspondia às faculdades. Começou por brinco, puseram-lhe a fama de habilidoso, e não pôde mais voltar atrás. Quadro que lhe aparecesse, acendia-lhe os olhos, dava rebate às ambições da adolescência, e todas vinham de tropel, pegavam dele, para arrebatá-lo a uma glória, cuja visão o deslumbrava. Daí novo esforço, que o louvor a outros vinha incitar mais, como ao brio natural do cavalo se junta o estímulo das esporas.

Vede a tela que está pintando, à porta; é uma imagem de Nossa Senhora, copiada de outra que viu um dia, e esta é a sexta ou sétima em que trabalha.

Um dia, indo visitar a madrinha, viúva de um capitão que morreu em Monte Caseros, viu em casa dela uma Virgem, a óleo. Até então só conhecia as imagens de santos nos registros das igrejas, ou em casa dele mesmo, gravadas e metidas em caixilho. Ficou encantado; tão bonita! cores tão vivas! Tratou de a decorar para pintar outra, mas a própria madrinha emprestou-lhe o quadro. A primeira cópia que ele fez, não lhe saiu a gosto; mas a segunda pareceu-lhe que era, pelo menos, tão boa como o original. A mãe dele, porém pediu-lha para pôr no oratório, e João Maria, que mirava o aplauso público, antes do que as bênçãos do céu, teve de sustentar um conflito longo e doloroso; afinal cedeu. E seja dito isto em honra dos seus sentimentos filiais, porque a mãe, D. Inácia dos Anjos, tinha tão pouca lição de arte, que não lhe consentiu nunca pôr na sala uma gravura, cópia de Hamon, que ele comprara na Rua da Carioca, por pouco mais de três mil-réis. A cena representada era a de uma família grega, antiga, um rapaz que volta com um pássaro apanhado, e uma criança que esconde com a camisa a irmã mais velha, para dizer que ela não está em casa. O rapaz, ainda imberbe, traz nuas as suas belas pernas gregas.

— Não quero aqui estas francesas sem-vergonha! bradou D. Inácia; e o filho não teve remédio senão encafuar a gravura no quartinho em que dormia, e em que não havia luz.

João Maria cedeu a Virgem e foi pintar outra; era a terceira, acabou-a em poucos dias. Pareceu-lhe o melhor dos seus trabalhos: lembrou-se de expô-lo, e foi a uma casa de espelhos e gravuras, na Rua do Ouvidor. O dono hesitou, adiou, tergiversou, mas afinal aceitou o quadro, com a condição de não durar a exposição mais de três dias. João Maria, em troca, impôs outra: que ao quadro fosse apenso um rótulo, com o nome dele e a circunstância de não saber nada. A primeira noite, depois da aceitação do quadro, foi como uma véspera de bodas. De manhã, logo que almoçou, correu para a Rua do Ouvidor, a ver se havia muita gente a admirar o quadro. Não havia então ninguém; ele foi para baixo, voltou para cima, rondando a porta, espiando, até que entrou e falou ao caixeiro.

— Tem vindo muita gente?

— Tem vindo algumas pessoas.

— E olham? Dizem alguma coisa?

— Olhar, olham; agora se dizem alguma coisa, não tenho reparado, mas olham.

— Olham com atenção?

— Com atenção.

João Maria inclinou-se para o rótulo, e disse ao caixeiro que as letras deviam ter sido maiores; ninguém as lia da rua. E saiu à rua, para ver se se podiam ler; concluiu que não; deviam ter sido maiores as letras. Assim como a luz não lhe parecia boa. O quadro devia ficar mais perto da porta; mas aqui o caixeiro acudiu, dizendo que não podia alterar a ordem do patrão. Estavam nisto, quando entrou alguém, um homem velho, que foi direito ao quadro. O coração de João Maria batia que arrebentava o peito. Deteve-se o visitante alguns momentos, viu o quadro, leu o rótulo, tornou a ver o quadro, e saiu. João Maria não pôde ler-lhe nada no rosto. Veio outro, vieram mais outros, uns por diverso motivo, que apenas davam ao quadro um olhar de passagem, outros atraídos por ele; alguns recuavam logo como embaçados. E o pobre-diabo não lia nada, coisa nenhuma nas caras impassíveis.

Foi essa Virgem o assunto a que ele voltou mais vezes. A tela que está agora acabando, é a sexta ou sétima. As outras deu-as logo, e chegou a expor algumas, sem melhor resultado, porque os jornais não diziam palavra. João Maria não podia entender semelhante silêncio, a não ser intriga de um antigo namorado da moça, com quem estava para casar. Nada, nem uma linha, uma palavra que fosse. A própria casa da Rua do Ouvidor onde os expôs, recusou-lhe a continuação do obséquio; recorreu a outra da Rua do Hospício, depois a uma da Rua da Imperatriz, a outra do Rocio Pequeno; finalmente não expôs mais nada.

Assim que, o círculo das ambições de João Maria foi-se estreitando, estreitando, estreitando, até ficar reduzido aos parentes e conhecidos. No dia do casamento forrou a parede da sala com as suas obras, ligando assim os dois grandes objetos que mais o preocupavam na vida. Com efeito, a opinião dos convidados é que ele era "um moço muito habilidoso". Mas esse mesmo horizonte foi-se estreitando mais; o tempo arrebatou-lhe alguns parentes e amigos, uns pela morte, outros pela própria vida, e a arte de João Maria continuou a mergulhar na sombra.

Lá está agora diante da eterna Virgem; retoca-lhe os anjinhos e o manto. A tela fica ao pé da porta. A mulher de João Maria veio agora de dentro, com o filho; vai levá-lo a um consultório homeopático, onde lhe dão remédios de graça para o filho, que tem umas feridas na cabeça. Ela faz algumas recomendações ao marido, enquanto este dá uma pincelada no painel.

— Você escutou, João Maria?

— Que é, disse ele distraidamente, recuando a cabeça para ver o efeito de um rasgo.

— A panela fica no fogo; você daqui a pouco vá ver.

João Maria respondeu que sim; mas provavelmente não prestou atenção.

A mulher, enquanto o filho conversa com os quatro meninos da vizinhança, que estão à porta, olhando para o quadro, ajusta o lenço ao pescoço. A fisionomia mostra a unhada do trabalho e da miséria; a figura é magra e cansada. Traz o seu vestido de sarja preta, o de sair, não tem outro, já amarelado nas mangas e roído na barra. O sapato de duraque tem a beirada da sola comida das pedras. Ajusta o lenço, dá a mão ao filho, e lá vai para o consultório. João Maria fica pintando; os meninos olham embasbacados.

Olhemos bem para ele. O sol enche agora o beco; o ar é puro e a luz magnífica. A mãe de um dos pequenos, que mora pouco adiante, brada-lhe da janela que vá para casa, que não esteja apanhando sol.

— Já vou, mamãe! Estou vendo uma coisa!

E fica a mirar a obra e o autor. Senta-se na soleira, os outros sentam-se também, e ficam todos a olhar boquiabertos. De quando em quando dizem alguma coisa ao ouvido um do outro, um reparo, uma pergunta, qual dos anjinhos é o Menino Jesus, ou o que quer dizer a lua debaixo dos pés de Nossa Senhora, ou então um simples aplauso ingênuo; mas tudo isso apenas cochichado, para não turvar a inspiração do artista. Também falam dele, mas falam menos, porque o autor de coisas tão bonitas e novas infunde-lhes uma admiração mesclada de adoração, não sei se diga de medo, – em suma, um grande sentimento de inferioridade.

Ele, o eterno João Maria, não volta o rosto para os pequenos, finge que os não vê, mas sente-os ali, percebe e saboreia a admiração. Uma ou outra palavra que lhe chega aos ouvidos, faz-lhe bem, muito bem. Não larga a palheta. Quando não passeia o pincel na tela, para, recua a cabeça, dá um jeito à esquerda, outro à direita, fixa a vista com mistério, diante dos meninos embasbacados; depois, unta a ponta do pincel na tinta, retifica uma feição ou aviva o colorido.

Não lhe lembra a panela ao fogo, nem o filho que lá vai doente com a mãe. Todo ele está ali. Não tendo mais que avivar nem que retificar, aviva e retifica outra vez, amontoa as tintas, decompõe e recompõe, encurva mais este ombro, estica os raios àquela estrela. Interrompe-se para recuar, fita o quadro, cabeça à direita, cabeça à esquerda, multiplica as visagens, prolonga-as, e a plateia vai ficando a mais e mais pasmada. Que este é o último e derradeiro horizonte das suas ambições: um beco e quatro meninos.

COLLABORAÇÃO.

«Sessenta annos de jornalismo ou a Historia da imprensa maranhense durante o periodo de 1820 a 1880.»

Conversação amistosa de Paulo de Kock com Ignotus.

168

Tempo

1878

I

Ao partido conservador.

Reconhecia chefe o sr. dr. Maya quando procurava elle encobrir o máo vêso de governar despoticamente, quando *cedia*, embora constragido e resmungando, ás legitimas conveniencias do partido, como 1868, riscando *voluntariamente* o seu nome da chapa do partido, substituindo-o pelo do dr. Candido Mendes d'Almeida, hoje senador do imperio.

Separei-me recentemente quando vi, que era impossivel tolerar uma *harmonia apparente* que não perdia ensejo de manifestar-se hostil, ora publicamente, ora com todas as cautellas imaginaveis.

Sabe o sr. dr. Maya que não fiz nunca nem auctorisei convenios, e se affirma o contrario, é obrigado pela necessidade de uma defeza impossivel.

Já tive occasião de explicar pela imprensa os motivos que determinaram o convenio de Caxias.

Quiz o sr. dr. Maya impor ao brioso partido daquella importante localidade a chefia do revd padre Britto. Foi repellido e d'ahi o convenio, que eu applaudi, e tanto o desgostou.

Em Vianna, não houve convenio, pois não merece tal denominação o accordo a que chegaram os partidos, e pelo qual receberam os liberaes o terço do eleitorado que necessariamente elegeriam se houvesse lucta.

Em S. Vicente, o grupo maysta, que é insignificantissimo, estava como está na melhor intelligencia com os liberaes, com *sciencia* do sr. dr. Maya, e os conservadores tiveram de repartir o terço com os *capoeiros* que os liberaes repelliam.

Se o sr. dr. Maya conhecesse o nobre caracter do sr. dr. Manoel Barboza Alvares Ferreira, acredito que não teria a coragem de exprimir-se a seu respeito nos termos em que o fez.

Quanto á Guimarães, sabe o sr. dr. Maya como se passaram os factos; e se hoje finge ignoral-os, é porque a occasião o exige.

Nunca procedi com a deslealdade de que me attribue o sr. dr. Maya. Em 1876, quando *reformou-se a chapa*, que o sr. dr. Maya quiz, mas não conseguio impor ao partido, fui eu o encarregado de dirigir a votação, e ao passo que desempenhava a commissão com escrupulosa fidelidade, mandava o sr. dr. Maya dar votos no collegio do Icatú ao sr. Joaquim Serra!

Está o sr. dr. Maya á frente de um *gremio*, que não é composto de moços inexperientes, e entretanto parece que o *greminho* lhe tira o somno, e contra os seus habitos já lê o *Paiz*, e escreve enormissimos artigos, elle que ha mui to só escrevia *recipes*!

Receio que uma vez conhecidas *as forças reaes do greminho*, perca o sr. dr. Maya a vontade de rir, e se lhe estanque a veia humoristica que explora com tanta habilidade no seu originalissimo artigo. Principio querem as cousas: *As nullidades politicas, os moços inexperientes*, que tiveram a audacia de regeitar a sua direcção, sabem esperar, e confiam no bom senso dos conservadores.

E como não ambicionam um diploma, obtido deste ou daquelle modo, pouco lhes importam que a *deposição* do sr. dr. Maya dê-se *hoje ou amanhã*: sabem que ha de dar-se e esperam....

Podia estender-me na resposta ao artigo do sr dr. Maya, mas seria abusar da bondade do redactor do *Paiz*, e da paciencia dos leitores, se estas linhas os tiverem.

Maranhão, 20 de julho de 1878.

A. O. Gomes de Castro.

(*Tempo* n. 25 idem, idem.

**

O panegirico de s. exc. o sr. dr. José da Silva Maya.

1.ª jornada

Li, com o respeito e a attenção que sempre tributo e presto aos escriptos do sr. dr. José da Silva Maya, meu respeitavel e illustrado ex-chefe, o excellente artigo que s. exc. fez publicar, sob a responsabilidade de seu prestigioso nome, no *Diario* de sexta-feira 19 do corrente.

Doze vezes fallou s. exc, na minha humilde e obscura pessoa! Realmente, gastou muita cera com tão pobre defunto! Si, portanto eu a elle me referir trinta e seis vezes, *obdecendo a lei dos terços*, ainda assim lhe ficarei em debito.

Pondo de lado muita cousa bonita com que se dignou de honrar-me, mesmo quando reccorrendo ao seu privilegiado talento e inavejavel estylo, joga as armas da ironia e do epigramma; passo, timido e vacillante, attenta a desigual dade de nossas posições sociaes, a esboçar grandes contrariedades ao seu herculeo trabalho, na parte que me coube em quinhão.

Hei de fazer mais de uma jornada; é de absoluta necessidade. Desculpe-me s. exc.

**

No terceiro periodo do luminoso panegirico, exprimiu se o sr. dr. José da Silva Maya desta maneira:

São auctores d'essas catilinarias, um membro e alguns filhos desnaturados da *fallecida Estrella*, João da Matta Moraes Rego, dr. Games de Castro e dr. Joaquim da Costa Barradas.

«Cumpre aqui notar que n'aquelle tempo o sr. João da Matta Moraes Rego *era tão feroz estrellado que não trepidou, vendo perdida uma eleição na villa do Rosario onde era o director dos Estrellados, em desfechar um tiro dentro da matriz, com bacamarte, no juiz municipal chefe do partido liberal, doutor Firmo José de Mattos:* foi preso em flagrante, processado e muito nos deu que fazer para livral-o do seu crime de tentativa de morte.»

O que vae nessas poucas linhas de anachronico e inexacto!

O que vae de offensivo e degradante á propria *Estrella!*

(*Continúa*)

Paulo de Kock.

PACOTILHA

Trio em lá menor

I

ADAGIO CANTABILE

Maria Regina acompanhou a avó até o quarto, despediu-se e recolheu-se ao seu. A mucama que a servia, apesar da familiaridade que existia entre ellas, não poude arrancar-lhe uma palavra, e sahiu meia hora depois, dizendo que nhanhã estava muito seria. Logo que ficou só, Maria Regina sentou-se ao pé da cama, com as pernas estendidas, os pés cruzados, pensando.

A verdade pede que diga que esta moça pensava amorosamente em dous homens ao mesmo tempo, um de vinte e sete annos, Maciel,—outro de cincoenta Miranda. Convenho que é abominavel, mas não posso alterar a feição das cousas, não posso negar que, se os dous homens estão namorados della, ella não o está menos de ambos. Uma exquisita, em summa; ou para fallar como as suas amigas de collegio, uma desmiolada. Ninguem lhe nega coração excellente e claro espirito; mas a imaginação é que é o mal, uma imaginação adusta e cobiçosa, insaciavel principalmente, avessa á realidade sobrepondo ás cousas da vida outras de si mesma; dahi curiosidades irremediaveis.

A visita dos dois homens (que a namoravão de pouco) durou cerca de uma hora. Maria Regina conversou alegremente com elles, e tocou ao piano uma peça classica, uma sonata, que fez a avó cochilar um pouco. No fim discutirão musica. Miranda disse cousas pertinentes ácerca da musica moderna e antiga; a avó tinha a religião de Bellini e da «Norma», e fallou das toadas do seu tempo, agradaveis, saudosas e principalmente claras; o marido e o filho tinhão puxado o carro á Candiani, uma noite. A neta ia com as opiniões do Miranda; Maciel concordou polidamente com todos.

Ao pé da cama, Maria Regina reconstruia agora tudo isso, a visita, a conversação, a musica, o debate, os modos de ser de um e de outro, as palavras do Miranda e os bellos olhos do Maciel. Eram onze horas, a unica luz do quarto era a lamparina, tudo convidava ao sonho, e ao devaneio. Maria Regina, á força de recompôr a noite, via alli os dous homens ao pé della, ouvia-os e conversou com elles durante uma porção de minutos, trinta ou quarenta, ao som da mesma sonata tocada por ella: la la la, tra la la, la, la, la, tra la, la la la la...

II

ALLEGRO MA NON TROPPO.

No dia seguinte a avó e a neta forão visitar uma amiga na Tijuca. Na volta a carruagem derribou um menino, que atravessava a rua, correndo. Uma pessoa que vio isto, atirou-se aos cavallos, e com perigo de si propria, conseguiu detel-os e salvar a criança, que apenas ficou ferida e desmaiada. Gente, tumulto, a mãi do pequeno acudiu em lagrimas. Maria Regina desceu do carro e acompanhou o ferido até á casa da mãi, que era alli ao pé.

Quem conhece a technica do destino adivinha logo que a pessoa que salvou o pequeno foi um dos dous homens da outra noite, foi o Maciel. Feito o primeiro curativo, o Maciel acompanhou a moça até á carruagem e aceitou o logar que a avó lhe offereceu até á cidade. Estavão no Engenho Velho Na carruagem é que Maria Regina viu que o rapaz trazia a mão ensanguentada. A avó inqueria a miudo se o pequeno estava muito mal, se escaparia; Maciel disse lhe que os ferimentos erão leves. Depois contou o accidente: estava parado, na calçada, esperando que passasse um tylbury, quando vio o pequeno atravessar a rua, por diante dos cavallos; comprehendeu o perigo, e tratou de conjural-o, ou diminuil-o.

—Mas está ferido, disse a velha.

—Cousa de nada.

—Está, está, acudiu a moça; podia ter-se curado tambem.

—Não é nada; teimou elle; foi um arranhão: enxugo isto com o lenço.

Não teve tempo de tirar o lenço; Maria Regina offereceu lhe o seu Maciel, commovido, pegou nelle, mas hesitou em maculal-o. Vá, vá, dizia-lhe ella; e, vendo o acanhado, tirou-lh'o e enxugou lhe ella mesma o sangue da mão.

A mão era bonita, tão bonita como o dono; mas parece que elle estava menos preoccupado com a ferida da mão que com o amarrotado dos punhos. Conversando, olhava para elles, disfarçadamente, e escondia-os. Maria Regina não via nada, via a elle, via-lhe principalmente a acção que acabava de praticar, e que lhe punha uma aureola. Comprehendeu que a natureza generosa saltára por cima dos habitos pausados e elegantes do moço, para arrancar á morte uma criança que elle nem conhecia. Fallárão do assumpto até á porta da casa dellas; Maciel recusou, agradecendo, a carruagem que ellas lhe offerecião, e despediu-se até á noite.

—Até á noite! repetiu Maria Regina.

Esperou-o anciosa. Elle chegou, por volta de oito horas, trazendo uma fita preta enrolada na mão, e pediu desculpa de vir assim; mas disserão-lhe que era bom pôr alguma cousa e obedeceu.

—Mas está melhor?

—Estou bom, não foi nada.

—Venha, venha, disse-lhe a avó do outro lado da sala. Sente-se aqui ao pé de mim; o senhor é um heróe.

Maciel ouvia sorrindo. Tinha passado o impeto generoso; começava a receber os dividendos do sacrificio. O maior delles era a admiração de Maria Regina, tão ingenua e tamanha, que esquecia a avó e a sala. Maciel sentára-se ao lado da velha, Maria Regina defronte de ambos. Emquanto a avó, restabelecida do susto, contava as commoções que padecera, a principio sem saber de nada, depois imaginando que a criança teria morrido, os dous olhavão um para o outro, discretamente, e afinal esquecidamente. Maria Regina perguntava á si mesma onde acharia melhor noivo. A avó, que não era myope, achou a contemplação excessiva, e fallou de outra cousa; pediu ao Maciel algumas noticias de sociedade.

III

ALLEGRO APPASSIONATO.

Maciel era homem, como elle mesmo dizia em francez, *très répandu*; saccou da algibeira uma porção de novidades miudas e interessantes. A maior de todas foi a de estar desfeito o casamento de certa viuva.

—Não me diga isso! exclamou a avó. E ella?

—Parece que foi ella mesma que o desfez: o certo é que esteve ante hontem no baile, dançou e conversou com muita animação. Oh! abaixo da noticia, o que fez mais sensação em mim foi o colar que ella levava, magnifico...

—Com uma cruz de brilhantes? perguntou a velha. Conheço; é muito bonito.

—Não, não é esse.

Maciel conhecia o da cruz, que ella levara á casa de um Vasconcellos, não era esse. Este outro ainda poucos dias estivera na loja do Rezende, uma cousa linda. E descreveu-o todo, numero, disposição e facetado das pedras; concluiu dizendo que foi a joia da noite.

—Para tanto luxo era melhor casar, ponderou maliciosamente a avó.

—Concordo que a fortuna d'ella não dá para isso, Ora, espere! Vou amanhã, ao Rezende, por curiosidade, saber o preço por que o vendeu. Não foi barato: não podia ser barato.

—Mas por que é que se desfez o casamento?

—Não pude saber; mas tenho de jantar sabbado com o Venancinho Corrêa, e elle conta-me tudo. Sabe que ainda é parente d'ella? Bom rapaz; está inteiramente brigado com o barão.

A avó não sabia da briga; Maciel contou-lh'a, de principio a fim, com todas as suas causas e aggravantes. A ultima gotta no calix foi um dito, á mesa de jogo uma allusão ao defeito do Venancinho, que é canhoto. Contaram-lhe isto, e elle rompeu inteiramente as relações com o barão. O bonito é que os parceiros do barão accusaram se uns aos outros de terem ido contar as palavras d'este. Maciel declarou que era regra sua não repetir o que ouvia á mesa do jogo, porque é logar em que ha certa franqueza.

Depois fez a estatistica da rua do Ouvidor, na vespera, entre uma e quatro horas da tarde. Conhecia os nomes das fazendas e todas as côres modernas. Citou as principaes *toilettes* do dia. A primeira foi a de Mme. Penna Maia, bahiana distincta, *très-pschutt*. A segunda foi a de Mlle. Pedrosa, filha de um desembargador de S. Paulo, *adorable*. E apontou mais tres, comparou depois as cinco, deduziu e concluiu. A's vezes esquecia-se e fallava francez; póde mesmo ser que não fosse esquecimento, mas proposito; conhecia bem a lingua, exprimia-se com facilidade e formulára um dia este axioma ethnologico—que ha parizienses em toda a parte. De caminho, explicou um problema de voltarete.

—A senhora tem cinco trumphos de espadilha e manilha, tem rei e dama de copas...

Maria Regina ia descambando da admiração no fastio; agarrava-se aqui e alli, contemplava a figura moça do Maciel, recordava a bella acção d'aquelle dia, mas ia sempre escorregando; o fastio não tardava a absorvel-a. Não havia remedio. Então recorreu a um singular expediente. Tratou de combinar os dois homens, o presente com o ausente, olhando para um, e escutando o outro de memoria; recurso violento e doloroso, mas tão efficaz, que ella poude contemplar por algum tempo uma creatura perfeita e unica.

N'isto appareceu o outro, o proprio Miranda. Os dois homens comprimentaram-se friamente; Maciel demorou se ainda uns dez minutos, e sahiu.

Miranda ficou. Era alto e secco, physionomia dura e gelada. Tinha o rosto cançado, os cincoenta annos confessavam-se taes, nos cabellos grisalhos, nas rugas e na pelle. Só os olhos continham alguma cousa menos caduca. Eram pequenos, e escondiam se por baixo da vasta arcada do sobr'olho; mas lá, ao fundo, quando não estavam pensativos, centelhavam de mocidade. A avó perguntou-lhe, logo que Maciel sahiu, se já tinha noticia do accidente do Engenho-Velho, e contou-lh'o com grandes encarecimentos; mas o outro ouvia tudo sem admiração nem inveja.

Não acha sublime? perguntou ella, no fim.

—Acho que elle salvou talvez a vida a um desalmado que algum dia, sem o conhecer, pode metter-lhe uma faca na barriga.

—Oh! protestou a avó.

—Ou mesmo conhecendo, emendou elle.

—Não seja máo, acudiu Maria Regina; o senhor era bem capaz de fazer o mesmo, se alli estivesse.

Miranda sorriu de um modo sardonico. O riso accentuou-lhe a dureza da phisionomia; toda a perversidade da pessoa abrochou n'esse gesto. Egoista e máu, este Miranda primava por um lado unico, espiritualmente, era completo. Maria Regina achava n'elle o traductor maravilhoso e fiel de uma porção de idéas que fluctuavam dentro d'ella, vagamente, sem forma ou expressão. Era engenhoso e fino, e até profundo, tudo sem pedantice; e sem metter-se por mattos cerrados antes quasi sempre na planicie das conversações ordinarias; tão certo é que as cousas valem pelas idéas que nos suggerem. Tinham ambos os mesmos gostos artisticos; Miranda estudara direito para obedecer ao pai; a sua vocação era a musica.

A avó, prevendo a sonata apparelhou a alma para alguns cochilos. Demais, não podia admittir tal homem no coração; achava-o aborrecido e antipathico. Calou-se no fim de alguns minutos. A sonata veiu, no meio de uma conversação que Maria Regina achou deleitosa, e não veiu senão porque elle lhe pediu que tocasse; elle ficaria de bom grado a ouvil-a.

—Vovò, disse ella, agora ha de ter paciencia...

Miranda aproximou-se do piano. Ao pé das arandellas a cabeça delle mostrava toda a fadiga dos annos, ao passo que a expressão da physionomia era muito mais de pedra e fel. Maria Regina notou a graduação, e tocava sem olhar para elle; difficil cousa, porque, se elle fallava, as palavras entravam-lhe tanto pela alma, que a moça insensivelmente levantava os olhos, e dava logo com um velho ruim. Então é que se lembrava do Maciel, dos seus annos em flor, da physionomia franca, meiga e bôa, e afinal da acção daquelle dia. Comparação tão cruel para o Miranda, como fôra para o Maciel o cotejo dos seus espiritos. E a moça recorreu ao mesmo expediente. Completou um pelo outro; escutava a este com o pensamento naquelle; e a musica ia ajudando a ficção, indecisa a principio mas logo viva e acabada. Assim Titania, ouvindo namorada a cantiga do tecelão, admirava-lhe as bellas fórmas, sem advertir que a cabeça era de burro.

IV

MENUETTO.

Dez, vinte, trinta dias passaram depois daquella noite, e ainda mais vinte, e depois mais trinta. Não ha mesmo chronologia certa; melhor é ficar no vago. A situação era a mesma. Era a mesma insufficiencia individual dos dous homens, e o mesmo complemento ideal por parte della; d'ahi um terceiro homem, que ella não conhecia.

Maciel e Miranda desconfiavam um do outro, detestavam se mais e mais, e padeciam muito, Miranda principalmente, que era paixão da ultima hora. Afinal acabaram aborrecendo a moça. Esta vio-os ir pouco a pouco. A esperança ainda os fez relapsos, mas tudo morre, até a esperança, e elles sahiram para nunca mais. As noites foram passando, passando... Maria Regina comprehendeu que estava acabado.

A noite em que se persuadiu bem disto foi uma das mais bellas daquelle anno, clara, fresca, luminosa Não havia lua; mas a nossa amiga aborrecia a lua,—não se sabe bem por que,—ou por que brilha de emprestimo, ou porque toda a gente a admira, e pode ser que por ambas as razões. Era uma das suas exquisitices. Agora outra.

Tinha lido de manhã, em uma noticia de jornal, que ha estrellas duplas, que nos parecem um só astro. Em vez de ir dormir, encostou-se á janella do quarto, olhando para o céo, a ver se descobria algumas dellas; baldado esforço. Não a descobrindo no céo, procurou-a em si mesma, fechou os olhos para imaginar o phenomeno; astronomia facil e barata, mas não sem risco. O peior que ella tem é pôr os astros ao alcance da mão; por modo que, se a pessoa abre os olhos e elles continuam a fulgurar lá em cima, grande é o desconsolo e certa a blasphemia Foi o que succedeu aqui. Maria Regina viu dentro de si a estrella dupla e unica. Separadas, valiam bastante;

FOLHETIM

VIXEN

(5

POR

MISS BRADDON

(Traducção livre)

CAPITULO I

O salão da Abbadia era o mais delicioso salão que se podia imaginar; as paredes eram forradas de grandes almofadas de madeira, pintadas de branco, pintura que era um vandalismo desses godos modernos, que se chamam os aderecistas de West-End; no entanto, este branco brilhante formava um fundo encantador para os preciosos espelhos de Veneza que alli havia, collocados sobre *etageres* cheias de curiosidades de todo o genero, porcelanas antigas, estatuetas de bronze, pequenos volumes ricamente encadernados, flores frescas em vazos de Sévres, aguarellas por Hunt-Prout, Cattermole e Edward Duncan. As tapeçarias eram de seda verde esmeralda, os moveis incrustados de ebano e ouro. Este mixto de idade média authentica e da moderna elegancia era exquisito; não se sabia onde a meia idade começava nem onde a moderna terminava. O fogão, com altas columnas de marmore branco e de côr, datava pelo menos do tempo de Inigo Jones; porem os seus azulejos eram as ultimas producções da manufactura de Minton.

Rorie achava este salão muito bonito, apesar de nada o impacientar tanto como de se vêr prisioneiro como estava naquelle momento.

—Ha nelle uma infinidade de objectos de arte, dizia ao fallar do salão de mistress Tempest —ha talvez de mais, em todo o caso não deixa de ser delicioso.

Mistress Tempest aos trinta e cinco annos era ainda formosa como aos dezenove annos, quando se chamava miss Calthropo. Não muito alta e franzina, com uma tez delicada, ella possuia grandes olhos azues, meigos e limpidos, feições regulares, labios rosados, mãos que poderiam servir de modelo a Velasquez, e um gosto excepcional para se vestir, occupando nisto a parte mais importante da sua existencia. Vestir-se de uma maneira elegante, dar ao marido os manjares que elle preferia, de modo que elle nunca se saciasse, taes eram as principaes preoccupações de mistress Tempest.

Nos intervallos lia então poesias modernas, romances francezes, revistas, fazia algumas obras de phantasia, tocava diversos trechos de Mendelssohn, cantava tres romanzas francezas de que o marido gostava mais, dormia e bebia chá de flor de larangeira. O seu gosto por esta beberagem era tão incorrigivel como a paixão dos fumadores de opio, declarando sempre que não poderia supportar a vida sem aquelle agradavel estimulante, e bebendo-o muitas vezes durante o dia para sahir do seu estado continuo de languidez.

—Então voltaes para Oxford, Roderick? — perguntou mistres Tempest com benevolente abandono.

Mistress Tempest não tinha má indole. Meiga e indulgente, jamais se affeiçoára, no entanto, a outras pessoas, excepto uma, o marido, que adorava em extremo, fazendo por lhe evitar todas as contrariedades da existencia, dando-lhe tudo quanto elle poderia desejar. Mistress Tempest sabia bem que devia toda a sua felicidade ao marido; ella era pobre, e elle enriquecera-a; ella não era nada, e elle déra-lhe uma alta posição na sociedade. Assim, pois, amava-o extremosamente; para ella o marido resumia todas as suas aspirações.

A' pergunta de mistress Tempest, Roderick respondeu suspirando:

—Sim, parto amanhã, senhora.

—Provavelmente obtereis os vossos diplomas, — continuou a mãi de Vixen—e, portanto, chegareis a ser alguma cousa no mundo

—Não sei; espero, no entanto, que serei alguma cousa, ainda que não seja senão para fazer a vontade a minha mãi, que dá uma grande importancia á minha carreira litteraria. Pelo meu lado não vejo no que isto me possa servir; com certeza não administrarei melhor as propriedades, não caçarei com mais destreza e habilidade, e não cumprirei melhor os meus deveres para com os caseiros ou rendeiros.

—A educação—interveiu miss Crock em tom sentencioso—é sempre uma boa cousa, e nós não podemos deixar de estimar a sua alta influencia sobre...

—Sim, sim, bem sei—atalhou vivamente Rorie, que não ignorava que quando davam largas á eloquencia de miss Crock, essa eloquencia tornava-se em uma torrente inexgotavel.—Quando se dá cabo das terras e das casas que possuimos, quando se deita fóra o ultimo ceitil, fica pelo menos o que aprendemos, e podemos ser leccionista em qualquer collegio com o ordenado de cincoenta libras por anno e roupa lavada, obrigando-nos a dar explicações dos commentarios de Cesar aos collegiaes. Entretanto, se julgam que é para isso que ando a fazer provisão de sciencia, enganam-se redondamente. Não! Se dér cabo da minha fortuna, bem sei para onde hei-de ir ganhar outra. Emigrarei e entregar-me-hei ao commercio de madeira no Canadá.

—Sim, senhor, uma idéa bem disparatada!—disse mistress Tempest.—Felizmente não vos vejo com disposições de devorar o que vos pertence. E depois Briarwood é uma propriedade tão bonita!...

—A respeito da casa nem todos pensam assim, pela minha parte acho-a um buraco bastante vulgar,—replicou o mancebo com indifferença —Verdade é que as terras são as melhores do condado.

Roderick pensou então que não deviam estar muito longe ás sete horas. O tempo fôra passando melhor do que esperára na presença daquellas duas mulheres. Mistress Tempest suffocou um bocejo com o seu grande leque ornamentado de amores, á Boucher, Roderick de boa vontade bocejaria tambem, mas neste momento um raio de luz atravessou-lhe o espirito indicando-lhe um meio de escapar dos apertos em que se via.

—Se me permitte, mistress Tempest, irei, antes do segundo toque da campainha, tornar o meu trajo mais conveniente ao gabinete do sr. barão.

—Sim, sim, podeis ir—respondeu a mãi de Vixen, bocejando ainda uma vez.

(*Continúa*).

Trio em lá menor[1]

I – *Adagio cantabile*

Maria Regina acompanhou a avó até o quarto, despediu-se e recolheu-se ao seu. A mucama que a servia, apesar da familiaridade que existia entre elas, não pôde arrancar-lhe uma palavra, e saiu, meia hora depois, dizendo que Nhanhã estava muito séria. Logo que ficou só, Maria Regina sentou-se ao pé da cama, com as pernas estendidas, os pés cruzados, pensando.

A verdade pede que diga que esta moça pensava amorosamente em dois homens ao mesmo tempo, um de vinte e sete anos, Maciel, – outro de cinquenta, Miranda. Convenho que é abominável, mas não posso alterar a feição das coisas, não posso negar que se os dois homens estão namorados dela, ela não o está menos de ambos. Uma esquisita, em suma; ou, para falar como as suas amigas de colégio, uma desmiolada. Ninguém lhe nega coração excelente e claro espírito; mas a imaginação é que é o mal, uma imaginação adusta e cobiçosa, insaciável principalmente, avessa à realidade, sobrepondo às coisas da vida outras de si mesma; daí curiosidades irremediáveis.

A visita dos dois homens (que a namoravam de pouco) durou cerca de uma hora. Maria Regina conversou alegremente com eles, e tocou ao piano uma peça clássica, uma sonata, que fez a avó cochilar um pouco. No fim discutiram música. Miranda disse coisas pertinentes acerca da música moderna e antiga; a avó tinha a religião de Bellini e da *Norma*, e falou das toadas do seu tempo, agradáveis, saudosas e principalmente claras. A neta ia com as opiniões do Miranda; Maciel concordou polidamente com todos.

[1] Publicado em *Gazeta de Notícias* (20 de janeiro de 1886), Suplemento Literário, republicado em *Pacotilha*/MA (19 de fevereiro de 1886). Reunido pelo autor em *Várias histórias* (1896).

Ao pé da cama, Maria Regina reconstruía agora tudo isso, a visita, a conversação, a música, o debate, os modos de ser de um e de outro, as palavras do Miranda e os belos olhos do Maciel. Eram onze horas, a única luz do quarto era a lamparina, tudo convidava ao sonho e ao devaneio. Maria Regina, à força de recompor a noite, viu ali dois homens ao pé dela, ouviu-os, e conversou com eles durante uma porção de minutos, trinta ou quarenta, ao som da mesma sonata tocada por ela: lá, lá, lá...

II – *Allegro ma non troppo*

No dia seguinte a avó e a neta foram visitar uma amiga na Tijuca. Na volta a carruagem derribou um menino que atravessava a rua, correndo. Uma pessoa que viu isto, atirou-se aos cavalos e, com perigo de si própria, conseguiu detê-los e salvar a criança, que apenas ficou ferida e desmaiada. Gente, tumulto, a mãe do pequeno acudiu em lágrimas. Maria Regina desceu do carro e acompanhou o ferido até à casa da mãe, que era ali ao pé.

Quem conhece a técnica do destino adivinha logo que a pessoa que salvou o pequeno foi um dos dois homens da outra noite; foi o Maciel. Feito o primeiro curativo, o Maciel acompanhou a moça até à carruagem e aceitou o lugar que a avó lhe ofereceu até à cidade. Estavam no Engenho Velho. Na carruagem é que Maria Regina viu que o rapaz trazia a mão ensanguentada. A avó inquiria a miúdo se o pequeno estava muito mal, se escaparia; Maciel disse-lhe que os ferimentos eram leves. Depois contou o acidente: estava parado, na calçada, esperando que passasse um tílburi, quando viu o pequeno atravessar a rua por diante dos cavalos; compreendeu o perigo, e tratou de conjurá-lo, ou diminuí-lo.

— Mas está ferido, disse a velha.

— Coisa de nada.

— Está, está, acudiu a moça; podia ter-se curado também.

— Não é nada, teimou ele; foi um arranhão, enxugo isto com o lenço.

Não teve tempo de tirar o lenço; Maria Regina ofereceu-lhe o seu. Maciel, comovido, pegou nele, mas hesitou em maculá-lo. Vá, vá, dizia-lhe ela; e vendo-o acanhado, tirou-lho e enxugou-lhe, ela mesma, o sangue da mão.

A mão era bonita, tão bonita como o dono; mas parece que ele estava menos preocupado com a ferida da mão que com o amarrotado dos punhos. Conversando, olhava para eles disfarçadamente e escondia-os. Maria Regina não via nada, via-o a ele, via-lhe principalmente a ação que acabava de praticar, e que lhe punha uma auréola. Compreendeu que a natureza generosa saltara por cima dos hábitos pausados e elegantes do moço, para arrancar à morte uma criança que ele nem conhecia. Falaram do assunto até à porta da casa delas; Maciel recusou, agradecendo, a carruagem que elas lhe ofereciam, e despediu-se até à noite.

— Até à noite! repetiu Maria Regina.

Esperou-o ansiosa. Ele chegou, por volta de oito horas, trazendo uma fita preta enrolada na mão, e pediu desculpa de vir assim; mas disseram-lhe que era bom pôr alguma coisa e obedeceu.

— Mas está melhor!

— Estou bom, não foi nada.

— Venha, venha, disse-lhe a avó, do outro lado da sala. Sente-se aqui ao pé de mim: o senhor é um herói.

Maciel ouvia sorrindo. Tinha passado o ímpeto generoso, começava a receber os dividendos do sacrifício. O maior deles era a admiração de Maria Regina, tão ingênua e tamanha, que esquecia a avó e a sala. Maciel sentara-se ao lado da velha, Maria Regina defronte de ambos. Enquanto a avó, restabelecida do susto, contava as comoções que padecera, a princípio sem saber de nada, depois imaginando que a criança teria morrido, os dois olhavam um para o outro, discretamente, e afinal esquecidamente. Maria Regina perguntava a si mesma onde acharia melhor noivo. A avó, que não era míope, achou a contemplação excessiva, e falou de outra coisa; pediu ao Maciel algumas notícias de sociedade.

III – *Allegro appassionato*

Maciel era homem, como ele mesmo dizia em francês, *très répandu*; sacou da algibeira uma porção de novidades miúdas e interessantes. A maior de todas foi a de estar desfeito o casamento de certa viúva.

— Não me diga isso! exclamou a avó. E ela?

— Parece que foi ela mesma que o desfez: o certo é que esteve anteontem no baile, dançou e conversou com muita animação. Oh! abaixo da notícia, o que fez mais sensação em mim foi o colar que ela levava, magnífico...

— Com uma cruz de brilhantes? perguntou a velha. Conheço; é muito bonito.

— Não, não é esse.

Maciel conhecia o da cruz, que ela levara à casa de um Mascarenhas; não era esse. Este outro ainda há poucos dias estava na loja do Resende, uma coisa linda. E descreveu-o todo, número, disposição e facetado das pedras; concluiu dizendo que foi a joia da noite.

— Para tanto luxo era melhor casar, ponderou maliciosamente a avó.

— Concordo que a fortuna dela não dá para isso. Ora, espere! Vou amanhã, ao Resende, por curiosidade, saber o preço por que o vendeu. Não foi barato, não podia ser barato.

— Mas por que é que se desfez o casamento?

— Não pude saber; mas tenho de jantar sábado com o Venancinho Correia, e ele conta-me tudo. Sabe que ainda é parente dela? Bom rapaz; está inteiramente brigado com o barão...

A avó não sabia da briga; Maciel contou-lha de princípio a fim, com todas as suas causas e agravantes. A última gota no cálix foi um dito à mesa de jogo, uma alusão ao defeito do Venancinho, que era canhoto. Contaram-lhe isto, e ele rompeu inteiramente as relações com o barão. O bonito é que os parceiros do barão acusaram-se uns aos outros de terem ido contar as palavras deste. Maciel declarou que era regra sua não repetir o que ouvia à mesa do jogo, porque é lugar em que há certa franqueza.

Depois fez a estatística da Rua do Ouvidor, na véspera, entre uma e quatro horas da tarde. Conhecia os nomes das fazendas e todas as cores modernas. Citou as principais *toilettes* do dia. A primeira foi a de Mme. Pena Maia, baiana distinta, *très pschutt*. A segunda foi a de Mlle. Pedrosa, filha de um desembargador de São Paulo, *adorable*. E apontou mais três, comparou depois as cinco, deduziu e concluiu. Às vezes esquecia-se e falava francês; pode mesmo ser que não fosse esquecimento, mas propósito; conhecia bem a língua, exprimia-se com facilidade e formulara um dia este axioma etnológico – que há parisienses em toda a parte. De caminho, explicou um problema de voltarete.

— A senhora tem cinco trunfos de espadilha e manilha, tem rei e dama de copas...

Maria Regina ia descambando da admiração no fastio; agarrava-se aqui e ali, contemplava a figura moça do Maciel, recordava a bela ação daquele dia, mas ia sempre escorregando; o fastio não tardava a absorvê-la. Não havia remédio. Então recorreu a um singular expediente. Tratou de combinar os dois homens, o presente com o ausente, olhando para um, e escutando o outro de memória; recurso violento e doloroso, mas tão eficaz, que ela pôde contemplar por algum tempo uma criatura perfeita e única.

Nisto apareceu o outro, o próprio Miranda. Os dois homens cumprimentaram-se friamente; Maciel demorou-se ainda uns dez minutos e saiu.

Miranda ficou. Era alto e seco, fisionomia dura e gelada. Tinha o rosto cansado, os cinquenta anos confessavam-se tais, nos cabelos grisalhos, nas rugas e na pele. Só os olhos continham alguma coisa menos caduca. Eram pequenos, e escondiam-se por baixo da vasta arcada do sobrolho; mas lá, ao fundo, quando não estavam pensativos, centelhavam de mocidade. A avó perguntou-lhe, logo que Maciel saiu, se já tinha notícia do acidente do Engenho Velho, e contou-lho com grandes encarecimentos, mas o outro ouvia tudo sem admiração nem inveja.

— Não acha sublime? perguntou ela, no fim.

— Acho que ele salvou talvez a vida a um desalmado que algum dia, sem o conhecer, pode meter-lhe uma faca na barriga.

— Oh! protestou a avó.

— Ou mesmo conhecendo, emendou ele.

— Não seja mau, acudiu Maria Regina; o senhor era bem capaz de fazer o mesmo, se ali estivesse.

Miranda sorriu de um modo sardônico. O riso acentuou-lhe a dureza da fisionomia. Egoísta e mau, este Miranda primava por um lado único: espiritualmente, era completo. Maria Regina achava nele o tradutor maravilhoso e fiel de uma porção de ideias que lutavam dentro dela, vagamente, sem forma ou expressão. Era engenhoso e fino e até profundo, tudo sem pedantice, e sem meter-se por matos cerrados, antes quase sempre na planície das conversações ordinárias; tão certo é que as coisas valem pelas ideias que nos sugerem. Tinham ambos os mesmos gostos artísticos; Miranda estudara direito para obedecer ao pai; a sua vocação era a música.

A avó, prevendo a sonata, aparelhou a alma para alguns cochilos. Demais, não podia admitir tal homem no coração; achava-o aborrecido e antipático. Calou-se no fim de alguns minutos. A sonata veio, no meio de uma conversação que Maria Regina achou deleitosa, e não veio senão porque ele lhe pediu que tocasse; ele ficaria de bom grado a ouvi-la.

— Vovó, disse ela, agora há de ter paciência...

Miranda aproximou-se do piano. Ao pé das arandelas, a cabeça dele mostrava toda a fadiga dos anos, ao passo que a expressão da fisionomia era muito mais de pedra e fel. Maria Regina notou a graduação, e tocava sem olhar para ele; difícil coisa, porque, se ele falava, as palavras entravam-lhe tanto pela alma, que a moça insensivelmente levantava os olhos, e dava logo com um velho ruim. Então é que se lembrava do Maciel, dos seus anos em flor, da fisionomia franca, meiga e boa, e afinal da ação daquele dia. Comparação tão cruel para o Miranda, como fora para o Maciel o cotejo dos seus espíritos. E a moça recorreu ao mesmo expediente. Completou um pelo outro; escutava a este com o pensamento naquele; e a música ia ajudando a ficção, indecisa a princípio, mas logo viva e acabada. Assim Titânia, ouvindo namorada a cantiga do tecelão, admirava-lhe as belas formas, sem advertir que a cabeça era de burro.

IV – *Minueto*

Dez, vinte, trinta dias passaram depois daquela noite, e ainda mais vinte, e depois mais trinta. Não há cronologia certa; melhor é ficar no vago. A situação era a mesma. Era a mesma insuficiência individual dos dois homens, e o mesmo complemento ideal por parte dela; daí um terceiro homem, que ela não conhecia.

Maciel e Miranda desconfiavam um do outro, detestavam-se a mais e mais, e padeciam muito, Miranda principalmente, que era paixão da última hora. Afinal acabaram aborrecendo a moça. Esta via-os ir pouco a pouco. A esperança ainda os fez relapsos, mas tudo morre, até a esperança, e eles saíram para nunca mais. As noites foram passando, passando... Maria Regina compreendeu que estava acabado.

A noite em que se persuadiu bem disto foi uma das mais belas daquele ano, clara, fresca, luminosa. Não havia lua; mas nossa amiga aborrecia a lua, – não se sabe bem por quê, – ou porque brilha de empréstimo, ou porque toda a gente a admira, e pode ser que por ambas as razões. Era uma das suas esquisitices. Agora outra.

Tinha lido de manhã, em uma notícia de jornal, que há estrelas duplas, que nos parecem um só astro. Em vez de ir dormir, encostou-se à janela do quarto, olhando para o céu, a ver se descobria alguma delas; baldado esforço. Não a descobrindo no céu, procurou-a em si mesma, fechou os olhos para imaginar o fenômeno; astronomia fácil e barata, mas não sem risco. O pior que ela tem é pôr os astros ao alcance da mão; por modo que, se a pessoa abre os olhos e eles continuam a fulgurar lá em cima, grande é o desconsolo e certa a blasfêmia. Foi o que sucedeu aqui. Maria Regina viu dentro de si a estrela dupla e única. Separadas, valiam bastante; juntas, davam um astro esplêndido. E ela queria o astro esplêndido. Quando abriu os olhos e viu que o firmamento ficava tão alto, concluiu que a criação era um livro falho e incorreto, e desesperou.

No muro da chácara viu então uma coisa parecida com dois olhos de gato. A princípio teve medo, mas advertiu logo que não era mais que a reprodução externa dos dois astros que ela vira em si mesma e que tinham ficado impressos na retina. A retina desta moça fazia refletir cá fora todas as suas imaginações. Refrescando o vento recolheu-se, fechou a janela e meteu-se na cama.

Não dormiu logo, por causa de duas rodelas de opala que estavam incrustadas na parede; percebendo que era ainda uma ilusão, fechou os olhos e dormiu. Sonhou que morria, que a alma dela, levada aos ares, voava na direção de uma bela estrela dupla. O astro desdobrou-se, e ela voou para uma das duas porções; não achou ali a sensação primitiva e despenhou-se para outra; igual resultado, igual regresso, e ei-la a andar de uma para outra das duas estrelas separadas. Então uma voz surgiu do abismo, com palavras que ela não entendeu.

— É a tua pena, alma curiosa de perfeição; a tua pena é oscilar por toda a eternidade entre dois astros incompletos, ao som desta velha sonata do absoluto: lá, lá, lá...

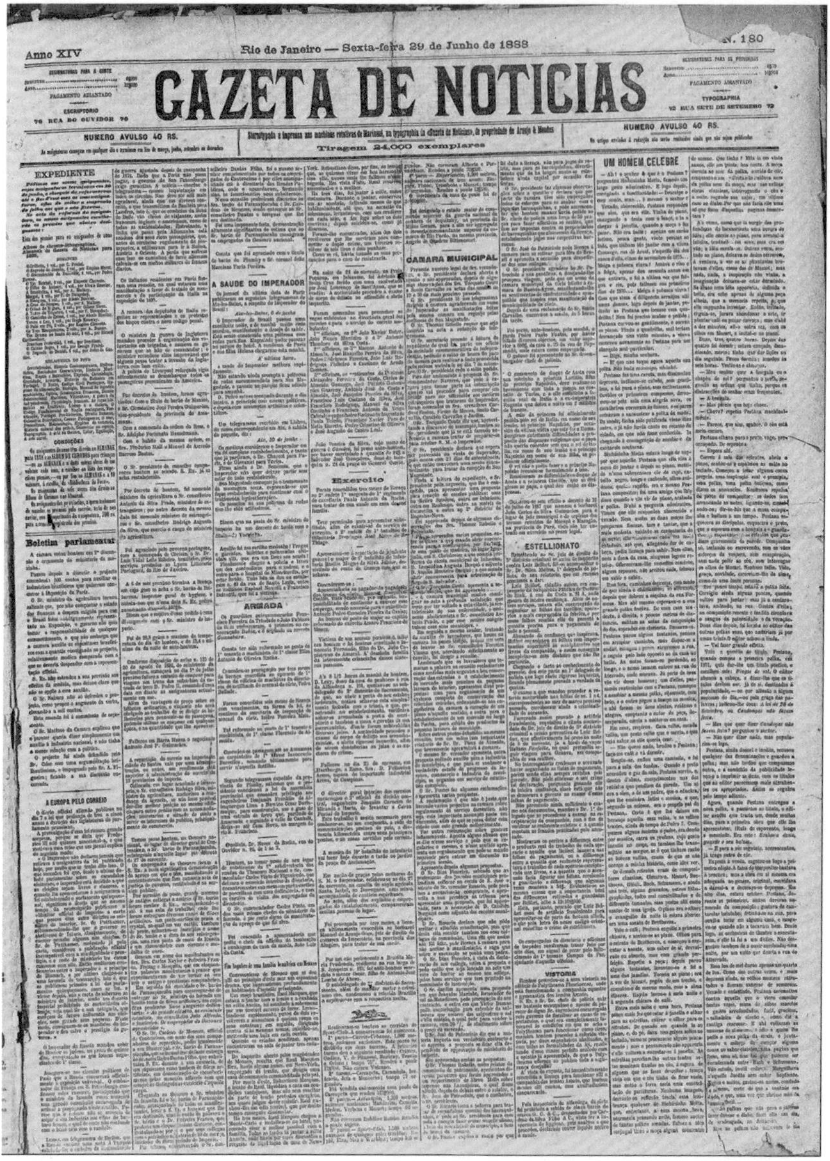
Anno XIV

Rio de Janeiro — Sexta-feira 29 de Junho de 1888

N. 180

GAZETA DE NOTICIAS

PAGAMENTO ADIANTADO

ESCRIPTORIO
70 RUA DO OUVIDOR 70

TYPOGRAPHIA
72 RUA SETE DE SETEMBRO 72

NUMERO AVULSO 40 RS.

Tiragem 24,000 exemplares

NUMERO AVULSO 40 RS.

EXPEDIENTE

Boletim parlamentar

A EUROPA PELO CORREIO

A SAUDE DO IMPERADOR

ARMADA

Exercito

CAMARA MUNICIPAL

ESTELLIONATO

VICTORIA

UM HOMEM CELEBRE

Um homem célebre[1]

— Ah! o senhor é que é o Pestana? perguntou Sinhazinha Mota, fazendo um largo gesto admirativo. E logo depois, corrigindo a familiaridade: – Desculpe meu modo, mas... é mesmo o senhor?

Vexado, aborrecido, Pestana respondeu que sim, que era ele. Vinha do piano, enxugando a testa com o lenço, e ia a chegar à janela, quando a moça o fez parar. Não era baile; apenas um sarau íntimo, pouca gente, vinte pessoas ao todo, que tinham ido jantar com a viúva Camargo, Rua do Areal, naquele dia dos anos dela, cinco de novembro de 1875... Boa e patusca viúva! Amava o riso e a folga, apesar dos sessenta anos em que entrava, e foi a última vez que folgou e riu, pois faleceu nos primeiros dias de 1876. Boa e patusca viúva! Com que alma e diligência arranjou ali umas danças, logo depois do jantar, pedindo ao Pestana que tocasse uma quadrilha! Nem foi preciso acabar o pedido; Pestana curvou-se gentilmente, e correu ao piano. Finda a quadrilha, mal teriam descansado uns dez minutos, a viúva correu novamente ao Pestana para um obséquio mui particular.

— Diga, minha senhora.

— É que nos toque agora aquela sua polca *Não bula comigo, nhonhô.*

Pestana fez uma careta, mas dissimulou depressa, inclinou-se calado, sem gentileza, e foi para o piano, sem entusiasmo. Ouvidos os primeiros compassos, derramou-se pela sala uma alegria nova, os cavalheiros correram às damas, e os pares entraram a saracotear a polca da moda. Da moda, tinha sido publicada vinte dias antes, e já não havia recanto da cidade, em que não fosse conhecida. Ia chegando à consagração do assobio e da cantarola noturna.

[1] Publicado em *Gazeta de Notícias* (29 de junho de 1888). Reunido pelo autor em *Várias histórias* (1896).

Sinhazinha Mota estava longe de supor que aquele Pestana que ela vira à mesa de jantar e depois ao piano, metido numa sobrecasaca cor de rapé, cabelo negro, longo e cacheado, olhos cuidosos, queixo rapado, era o mesmo Pestana compositor; foi uma amiga que lho disse quando o viu vir do piano, acabada a polca. Daí a pergunta admirativa. Vimos que ele respondeu aborrecido e vexado. Nem assim as duas moças lhe pouparam finezas, tais e tantas, que a mais modesta vaidade se contentaria de as ouvir; ele recebeu-as cada vez mais enfadado, até que, alegando dor de cabeça, pediu licença para sair. Nem elas, nem a dona da casa, ninguém logrou retê-lo. Ofereceram-lhe remédios caseiros, algum repouso, não aceitou nada, teimou em sair e saiu.

Rua fora, caminhou depressa, com medo de que ainda o chamassem; só afrouxou, depois que dobrou a esquina da Rua Formosa. Mas aí mesmo esperava-o a sua grande polca festiva. De uma casa modesta, à direita, a poucos metros de distância, saíam as notas da composição do dia, sopradas em clarineta. Dançava-se. Pestana parou alguns instantes, pensou em arrepiar caminho, mas dispôs-se a andar, estugou o passo, atravessou a rua, e seguiu pelo lado oposto ao da casa do baile. As notas foram-se perdendo, ao longe, e o nosso homem entrou na Rua do Aterrado, onde morava. Já perto de casa viu vir dois homens; um deles, passando rentezinho com o Pestana, começou a assobiar a mesma polca, rijamente, com brio, e o outro pegou a tempo na música, e aí foram os dois abaixo, ruidosos e alegres, enquanto o autor da peça, desesperado, corria a meter-se em casa.

Em casa, respirou. Casa velha, escada velha, um preto velho que o servia, e que veio saber se ele queria cear.

— Não quero nada, bradou o Pestana; faça-me café e vá dormir.

Despiu-se, enfiou uma camisola, e foi para a sala dos fundos. Quando o preto acendeu o gás da sala, Pestana sorriu e, dentro d'alma, cumprimentou uns dez retratos que pendiam da parede. Um só era a óleo, o de um padre, que o educara, que lhe ensinara latim e música, e que, segundo os ociosos, era o próprio pai do Pestana. Certo é que lhe deixou em herança aquela casa velha, e os velhos trastes, ainda do tempo de Pedro I. Compusera alguns motetes o padre, era doido por música, sacra ou profana, cujo gosto incutiu no moço, ou também lhe transmitiu no sangue, se é que tinham razão as bocas vadias, coisa de que se não ocupa a minha história, como ides ver.

Os demais retratos eram de compositores clássicos, Cimarosa, Mozart, Beethoven, Gluck, Bach, Schumann, e ainda uns três, alguns gravados, outros litografados, todos mal encaixilhados e de diferente tamanho, mas postos ali como santos de uma igreja. O piano era o altar; o evangelho da noite lá estava aberto: era uma sonata de Beethoven.

Veio o café; Pestana engoliu a primeira xícara, e sentou-se ao piano. Olhou para o retrato de Beethoven, e começou a executar a sonata, sem saber de si, desvairado ou absorto, mas com grande perfeição. Repetiu a peça; depois parou alguns instantes, levantou-se e foi a uma das janelas. Tornou ao piano; era a vez de Mozart, pegou de um trecho, e executou-o do mesmo modo, com a alma alhures. Haydn levou-o à meia-noite e à segunda xícara de café.

Entre meia-noite e uma hora, Pestana pouco mais fez que estar à janela e olhar para as estrelas, entrar e olhar para os retratos. De quando em quando ia ao piano, e, de pé, dava uns golpes soltos no teclado, como se procurasse algum pensamento; mas o pensamento não aparecia e ele voltava a encostar-se à janela. As estrelas pareciam-lhe outras tantas notas musicais fixadas no céu à espera de alguém que as fosse descolar; tempo viria em que o céu tinha de ficar vazio, mas então a terra seria uma constelação de partituras. Nenhuma imagem, desvario ou reflexão trazia uma lembrança qualquer de Sinhazinha Mota, que entretanto, a essa mesma hora, adormecia pensando nele, famoso autor de tantas polcas amadas. Talvez a ideia conjugal tirou à moça alguns momentos de sono.

Que tinha? Ela ia em vinte anos, ele em trinta, boa conta. A moça dormia ao som da polca, ouvida de cor, enquanto o autor desta não cuidava nem da polca nem da moça, mas das velhas obras clássicas, interrogando o céu e a noite, rogando aos anjos, em último caso ao diabo. Por que não faria ele uma só que fosse daquelas páginas imortais?

Às vezes, como que ia surgir das profundezas do inconsciente uma aurora de ideia; ele corria ao piano para aventá-la inteira, traduzi-la, em sons, mas era em vão; a ideia esvaía-se. Outras vezes, sentado, ao piano, deixava os dedos correrem, à ventura, a ver se as fantasias brotavam deles, como dos de Mozart; mas nada, nada, a inspiração não vinha, a imaginação deixa-se estar dormindo. Se acaso uma ideia aparecia, definida e bela, era eco apenas de alguma peça alheia, que a memória repetia, e que ele supunha inventar. Então, irritado, erguia-se, jurava abandonar a arte, ir plantar café ou puxar carroça; mas daí a dez minutos, ei-lo outra vez, com os olhos em Mozart, a imitá-lo ao piano.

Duas, três, quatro horas. Depois das quatro foi dormir; estava cansado, desanimado, morto; tinha que dar lições no dia seguinte. Pouco dormiu; acordou às sete horas. Vestiu-se e almoçou.

— Meu senhor quer a bengala ou o chapéu-de-sol? perguntou o preto, segundo as ordens que tinha, porque as distrações do senhor eram frequentes.

— A bengala.

— Mas parece que hoje chove.

— Chove, repetiu Pestana maquinalmente.

— Parece que sim, senhor, o céu está meio escuro.

Pestana olhava para o preto, vago, preocupado. De repente:

— Espera aí.

Correu à sala dos retratos, abriu o piano, sentou-se e espalmou as mãos no teclado. Começou a tocar alguma coisa própria, uma inspiração real e pronta, uma polca, uma polca buliçosa, como dizem os anúncios. Nenhuma repulsa da parte do compositor; os dedos iam arrancando as notas, ligando-as, meneiando-as; dir-se-ia que a musa compunha e bailava a um tempo. Pestana esquecera as discípulas, esquecera o preto, que o esperava com a bengala e o guarda-chuva, esquecera até os retratos que pendiam gravemente da parede. Compunha só, teclando ou escrevendo, sem os vãos esforços da véspera, sem exasperação, sem nada pedir ao céu, sem interrogar os olhos de Mozart. Nenhum tédio. Vida, graça, novidade, escorriam-lhe da alma como de uma fonte perene.

Em pouco tempo estava a polca feita. Corrigiu ainda alguns pontos, quando voltou para jantar; mas já a cantarolava, andando, na rua. Gostou dela; na composição recente e inédita circulava o sangue da paternidade e da vocação. Dois dias depois, foi levá-la ao editor das outras polcas suas, que andariam já por umas trinta. O editor achou-a linda.

— Vai fazer grande efeito.

Veio a questão do título. Pestana, quando compôs a primeira polca, em 1871, quis dar-lhe um título poético, escolheu este: *Pingos de sol*. O editor abanou a cabeça, e disse-lhe que os títulos deviam ser, já de si, destinados à popularidade, – ou por alusão a algum sucesso do dia, – ou pela graça das palavras; indicou-lhe dois: *A lei de 28 de setembro*, ou *Candongas não fazem festa*.

— Mas que quer dizer *Candongas não fazem festa*? perguntou o autor.

— Não quer dizer nada, mas populariza-se logo.

Pestana, ainda donzel inédito, recusou qualquer das denominações e guardou a polca; mas não tardou que compusesse outra, e a comichão da publicidade levou-o a imprimir as duas, com os títulos que ao editor parecessem mais atraentes ou apropriados. Assim se regulou pelo tempo adiante.

Agora, quando Pestana entregou a nova polca, e passaram ao título, o editor acudiu que trazia um, desde muitos dias, para a primeira obra que ele lhe apresentasse, título de espavento, longo e meneiado. Era este: *Senhora dona, guarde o seu balaio*.

— E para a vez seguinte, acrescentou, já trago outro de cor.

Exposta à venda, esgotou-se logo a primeira edição. A fama do compositor bastava à procura; mas a obra em si mesma era adequada ao gênero, original, convidava a dançá-la e decorava-se depressa. Em oito dias, estava célebre. Pestana, durante os primeiros, andou deveras namorado da composição, gostava de a cantarolar baixinho, detinha-se na rua, para ouvi-la tocar em alguma casa, e zangava-se quando não a tocavam bem. Desde logo, as orquestras de teatro a executaram, e ele lá foi a um deles. Não desgostou também de a ouvir assobiada, uma noite, por um vulto que descia a Rua do Aterrado.

Essa lua-de-mel durou apenas um quarto de lua. Como das outras vezes, e mais depressa ainda, os velhos mestres retratados o fizeram sangrar de remorsos. Vexado e enfastiado, Pestana arremeteu contra aquela que o viera consolar tantas vezes, musa de olhos marotos e gestos arredondados, fácil e graciosa. E aí voltaram as náuseas de si mesmo, o ódio a quem lhe pedia a nova polca da moda, e juntamente o esforço de compor alguma coisa ao sabor clássico, uma página que fosse, uma só, mas tal que pudesse ser encadernada entre Bach e Schumann. Vão estudo, inútil esforço. Mergulhava naquele Jordão sem sair batizado. Noites e noites, gastou-as assim, confiado e teimoso, certo de que a vontade era tudo, e que, uma vez que abrisse mão da música fácil...

— As polcas que vão para o inferno fazer dançar o diabo, disse ele um dia, de madrugada, ao deitar-se.

Mas as polcas não quiseram ir tão fundo. Vinham à casa de Pestana, à própria sala dos retratos, irrompiam tão prontas, que ele não tinha mais que o tempo de as compor, imprimi-las depois, gostá-las alguns dias, aborrecê-las, e tornar às velhas fontes, donde lhe não manava nada. Nessa alternativa viveu até casar, e depois de casar.

— Casar com quem? perguntou Sinhazinha Mota ao tio escrivão que lhe deu aquela notícia.

— Vai casar com uma viúva.

— Velha?

— Vinte e sete anos.

— Bonita?

— Não, nem feia, assim, assim. Ouvi dizer que ele se enamorou dela, porque a ouviu cantar na última festa de S. Francisco de Paula. Mas ouvi também que ela possui outra prenda, que não é rara, mas vale menos: está tísica.

Os escrivães não deviam ter espírito, – mau espírito, quero dizer. A sobrinha deste sentiu no fim um pingo de bálsamo, que lhe curou a dentadinha da inveja. Era tudo verdade. Pestana casou daí a dias com uma viúva de vinte e sete anos, boa cantora e tísica. Recebeu-a como a esposa espiritual do seu gênio. O celibato era, sem dúvida, a causa da esterilidade e do transvio, dizia ele consigo; artisticamente considerava-se um arruador de horas mortas; tinha as polcas por aventuras de petimetres. Agora, sim, é que ia engendrar uma família de obras sérias, profundas, inspiradas e trabalhadas.

Essa esperança abotoou desde as primeiras horas do amor, e desabrochou à primeira aurora do casamento. Maria, balbuciou a alma dele, dá-me o que não achei na solidão das noites, nem no tumulto dos dias.

Desde logo, para comemorar o consórcio, teve ideia de compor um noturno. Chamar-lhe-ia *Ave, Maria*. A felicidade como que lhe trouxe um princípio de inspiração; não querendo dizer nada à mulher, antes de pronto, trabalhava às escondidas; coisa difícil porque Maria, que amava igualmente a arte, vinha tocar com ele, ou ouvi-lo somente, horas e horas, na sala dos retratos. Chegaram a fazer alguns concertos semanais, com três artistas, amigos do Pestana. Um domingo, porém, não se pôde ter o marido, e chamou a mulher para tocar um trecho do noturno; não lhe disse o que era nem de quem era. De repente, parando, interrogou-a com os olhos.

— Acaba, disse Maria, não é Chopin?

Pestana empalideceu, fitou os olhos no ar, repetiu um ou dois trechos e ergueu-se. Maria assentou-se ao piano, e, depois de algum esforço de memória, executou a peça de Chopin. A ideia, o motivo eram os mesmos; Pestana achara-os em algum daqueles becos escuros da memória, velha cidade de traições. Triste, desesperado, saiu de casa, e dirigiu-se para o lado da ponte, caminho de S. Cristóvão.

— Para que lutar? dizia ele. Vou com as polcas... Viva a polca!

Homens que passavam por ele, e ouviam isto, ficavam olhando, como para um doido. E ele ia andando, alucinado, mortificado, eterna peteca entre a ambição e a vocação... Passou o velho matadouro; ao chegar à porteira da estrada de ferro, teve ideia de ir pelo trilho acima e esperar o primeiro trem que viesse e o esmagasse. O guarda fê-lo recuar. Voltou a si e tornou a casa.

Poucos dias depois, – uma clara e fresca manhã de maio de 1876, – eram seis horas, Pestana sentiu nos dedos um frêmito particular e conhecido. Ergueu-se devagarinho, para não acordar Maria, que tossira toda a noite, e agora dormia profundamente. Foi para a sala dos retratos, abriu o piano, e, o mais surdamente que pôde, extraiu uma polca. Fê-la publicar com um pseudônimo; nos dois meses seguintes compôs e publicou mais duas. Maria não soube nada; ia tossindo e morrendo, até que expirou, uma noite, nos braços do marido, apavorado e desesperado.

Era noite de Natal. A dor do Pestana teve um acréscimo, porque na vizinhança havia um baile, em que se tocaram várias de suas melhores polcas. Já o baile era duro de sofrer; as suas composições davam-lhe um ar de ironia e perversidade. Ele sentia a cadência dos passos, adivinhava os movimentos, porventura lúbricos, a que obrigava alguma daquelas composições; tudo isso ao pé do cadáver pálido, um molho de ossos, estendido na cama... Todas as horas da noite passaram assim, vagarosas ou rápidas, úmidas de lágrimas e de suor, de águas de Colônia e de Labarraque, saltando sem parar, como ao som da polca de um grande Pestana invisível.

Enterrada a mulher, o viúvo teve uma única preocupação: deixar a música, depois de compor um *Requiem*, que faria executar no primeiro aniversário da morte de Maria. Escolheria outro emprego, escrevente, carteiro, mascate, qualquer coisa que lhe fizesse esquecer a arte assassina e surda.

Começou a obra; empregou tudo, arrojo, paciência, meditação, e até os caprichos do acaso, como fizera outrora, imitando Mozart. Releu e estudou o *Requiem* deste autor. Passaram-se semanas e meses. A obra, célere a princípio, afrouxou o andar. Pestana tinha altos e baixos. Ora achava-a incompleta, não lhe sentia a alma sacra, nem ideia, nem inspiração, nem método; ora elevava-se-lhe o coração e trabalhava com vigor. Oito meses, nove, dez, onze, e o *Requiem* não estava concluído. Redobrou de esforços, esqueceu lições e amizades. Tinha refeito muitas vezes a obra; mas agora queria concluí-la, fosse como fosse. Quinze dias, oito, cinco... A aurora do aniversário veio achá-lo trabalhando.

Contentou-se da missa rezada e simples, para ele só. Não se pode dizer se todas as lágrimas que lhe vieram sorrateiramente aos olhos, foram do marido, ou se algumas eram do compositor. Certo é que nunca mais tornou ao *Requiem*.

— Para quê? dizia ele a si mesmo.

Correu ainda um ano. No princípio de 1878, apareceu-lhe o editor.

— Lá vão dois anos, disse este, que nos não dá um ar da sua graça. Toda a gente pergunta se o senhor perdeu o talento. Que tem feito?

— Nada.

— Bem sei o golpe que o feriu; mas lá vão dois anos. Venho propor-lhe um contrato: vinte polcas durante doze meses; o preço antigo, e uma porcentagem maior na venda. Depois, acabado o ano, podemos renovar.

Pestana assentiu com um gesto. Poucas lições tinha, vendera a casa para saldar dívidas, e as necessidades iam comendo o resto, que era assaz escasso. Aceitou o contrato.

— Mas a primeira polca há de ser já, explicou o editor. É urgente. Viu a carta do Imperador ao Caxias?

Os liberais foram chamados ao poder, vão fazer a reforma eleitoral. A polca há de chamar-se: *Bravos à eleição direta*! Não é política; é um bom título de ocasião.

Pestana compôs a primeira obra do contrato. Apesar do longo tempo de silêncio, não perdera a originalidade nem a inspiração. Trazia a mesma nota genial. As outras polcas vieram vindo, regularmente. Conservara os retratos e os repertórios; mas fugia de gastar todas as noites ao piano, para não cair em novas tentativas. Já agora pedia uma entrada de graça, sempre que havia alguma boa ópera ou concerto de artista, ia, metia-se a um canto, gozando aquela porção de coisas que nunca lhe haviam de brotar do cérebro. Uma ou outra vez, ao tornar para casa, cheio de música, despertava nele o maestro inédito; então, sentava-se ao piano, e, sem ideia, tirava algumas notas, até que ia dormir, vinte ou trinta minutos depois.

Assim foram passando os anos, até 1885. A fama do Pestana dera-lhe definitivamente o primeiro lugar entre os compositores de polcas; mas o primeiro lugar da aldeia não contentava a este César, que continuava a preferir-lhe, não o segundo, mas o centésimo em Roma. Tinha ainda as alternativas de outro tempo, acerca de suas composições; a diferença é que eram menos violentas. Nem entusiasmo nas primeiras horas, nem horror depois da primeira semana; algum prazer e certo fastio.

Naquele ano, apanhou uma febre de nada, que em poucos dias cresceu, até virar perniciosa. Já estava em perigo, quando lhe apareceu o editor, que não sabia da doença, e ia dar-lhe notícia da subida dos conservadores, e pedir-lhe uma polca de ocasião. O enfermeiro, pobre clarineta de teatro, referiu-lhe o estado do Pestana, de modo que o editor entendeu calar-se. O doente é que instou para que lhe dissesse o que era; o editor obedeceu.

— Mas há de ser quando estiver bom de todo, concluiu.

— Logo que a febre decline um pouco, disse o Pestana.

Seguiu-se uma pausa de alguns segundos. O clarineta foi pé ante pé preparar o remédio; o editor levantou-se e despediu-se.

— Adeus.

— Olhe, disse o Pestana, como é provável que eu morra por estes dias, faço-lhe logo duas polcas; a outra servirá para quando subirem os liberais.

Foi a única pilhéria que disse em toda a vida, e era tempo, porque expirou na madrugada seguinte, às quatro horas e cinco minutos, bem com os homens e mal consigo mesmo.

Um erradio

I

A porta abriu-se... Deixa-me contar a historia, á laia de novella, disse C. Tosta á mulher, um mez depois de casados, quando ella lhe perguntou quem era o homem representado n'uma velha photographia de 1862, achada na secretária do marido. A porta abriu-se, e appareceu este homem, alto e serio, moreno, mettido n'uma infinita sobrecasaca côr de rapé, que os rapazes chamavam opa.

— Ahi vem a opa do Elisiario.

— Entre a opa só.

— Não, a opa não póde; entre só o Elisiario, mas, primeiro hade glosar um mote. Quem dá o mote?

Ninguem dava o mote... A casa era uma simples sala, sublocada por um alfaiate, que morava nos fundos com a familia: era na rua do Lavradio, em 1866. Tinha eu desoito annos. Era a segunda vez que ia alli, a convite de um dos rapazes. Não pódes ter ideia da sala e da vida. Imagina um municipio do paiz da Bohemia, tudo desordenado e confuso; além dos poucos moveis pobres, que eram do alfaiate, havia duas redes, uma canastra, um cabide, um bahú de folha de Flandres, livros, chapéos, sapatos. Moravam cinco rapazes, mas appareciam outros, e todos eram tudo, estudantes, traductores, revisores, namoradores, e ainda lhes sobrava tempo para redigir uma folha politica e litteraria, publicada aos sabbados. Que longas palestras que tinhamos! Solapavamos as bases da sociedade, descobriamos mundos novos, constellações novas, liberdades novas. Tudo era novissimo.

— Lá vae mote, disse afinal um dos rapazes, e recitou:

> Podia embrulhar o mundo
> A opa do Elisiario.

Parado á porta, o homem fechou os olhos por alguns instantes, abriu-os, passou pela testa o lenço que trazia fechado na mão, em fórma de bolo, e recitou uma glosa de improviso. Rimo-nos muito; eu, que não tinha ideia do que era improviso, cuidei a principio que a composição era velha e a scena um logro para mim. Elisiario despiu a sobrecasaca, levantou-a na ponta da bengala, deu duas voltas pela sala, com ar triumphal, e foi pendural-a a um prego, porque o cabide estava cheio. Em seguida, atirou o chapéo ao tecto, apanhou-o entre as mãos, e foi pol-o em cima do aparador.

— Lugar para um! disse finalmente.

Dei-me pressa em ceder-lhe o sophá: elle esticou-se, fincou os joelhos no ar, e perguntou que novidades havia.

— Que o jantar é duvidoso, respondeu o redactor principal do *Cenaculo*; o Chico foi ver se cobrava alguma assignatura. Se arranjar dinheiro, traz logo o jantar da casa de pasto. Você já jantou?

— Já e bem, respondeu Elisiario, jantei n'uma casa de commercio. Mas vocês porque é que não vendem o Chico? é um bonito crioulo. E' livre, não ha duvida, mas por isso mesmo comprehenderá que, deixando-se vender como escravo, terão vocês com que pagar-lhe os ordenados... Dous mil réis chegam? Romeu, vê alli no bolso da sobrecasaca. Hade haver uns dous mil réis.

Havia só mil e quinhentos, mas não foram precisos. Cinco minutos depois voltava o Chico, trazendo um taboleiro com o jantar e o resto da assignatura de um semestre.

— Não é possivel! bradou Elisiario. Uma assignatura! Vem cá, Chico. Quem foi que pagou? Que figura tinha o homem? Baixo? Não é possivel que fosse baixo; a acção é tão sublime que nenhum homem baixo podia pratical-a. Confessa que era alto. Confessa ao menos que era de meia altura. Confessas? Ainda bem! Como se chama? Guimarães? Rapazes, vamos perpetuar este nome em uma placa de bronze. Acredito que não lhe déste recibo, Chico.

— Dei, sim, senhor.

— Recibo! Mas a um assignante que paga não se dá recibo, para que elle pague outra vez; não se matam esperanças, Chico.

Tudo isto, dito por elle, tinha muito mais graça que contado. Não te posso pintar os gestos, os olhos e um riso que não ria, um riso unico, sem alterar a face, nem mostrar os dentes. Essa feição era a menos sympathica; mas tudo o mais, a falla, as ideias, e principalmente a imaginação fecunda e moça, que se desfazia em ditos, anecdotas, epigrammas, versos, descripções, ora serio, quasi sublime, ora familiar, quasi rasteiro, mas sempre original, tudo attrahia e prendia. Trazia a barba por fazer, o cabello á escovinha; a testa, que era alta, tinha grossas rugas verticaes. Calado, parecia estar pensando. Voltava-se a miudo no sophá, erguia-se, sentava-se, tornava a deitar-se. Lá o deixei, quando sahi, ás nove horas da noite.

II

Comecei a frequentar a casa da rua do Lavradio, mas durante os primeiros dias não appareceu o Elisiario. Disseram-me que era muito incerto. Tinha temporadas. A's vezes, ia todos os dias; repentinamente, falhava uma, duas, tres semanas seguidas, e mais. Era professor de inglez e explicador de mathematicas. Não era formado em cousa nenhuma, posto estudasse boas lettras, engenharia, medicina e direito, deixando em todas as faculdades fama de grande talento sem applicação. Seria bom prosador, se fosse capaz de escrever vinte minutos seguidos; era poeta de improviso, não escrevia os versos, os outros é que os ouviam e trasladavam ao papel, dando-lhe copias, muitas das quaes perdia. Não tinha familia; tinha um protector, o Dr. Lousada, operador de algum nome, que devera obsequios ao pae de Elisiario, e quiz pagal-os ao filho; dera-lhe livros, roupa, conselhos, sem fazel-o concluir nada. Era um pouco atrevido, mas não me explicaram que esse atrevimento vinha de uma sombrinha de amor proprio, que não tolerava a menor picada. N'aquella casa era bonachão. Trinta e cinco annos; o mais velho dos rapazes contava apenas vinte e um. A familiaridade entre elle e os outros era como a de um tio com sobrinhos, um pouco menos de autoridade, um pouco mais de liberdade.

No fim de uma semana, appareceu Elisiario na rua do Lavradio. Vinha com a ideia de escrever um drama, e queria dictal-o. Escolheram-me a mim, por escrever depressa. Esta collaboração mental e manual durou duas noites e meia. Escreveu-se um acto e as primeiras scenas de outro; Elisiario não quiz absolutamente acabar a peça. A principio disse que depois, mais tarde, estava indisposto, e fallava de outras cousas; afinal, declarou-nos que a peça não prestava para nada. Espanto geral, porque a obra parecia-nos excellente, e ainda agora creio que o era. Mas o autor pegou da palavra e demonstrou que nem o escripto prestava, nem o resto do plano valia cousa nenhuma. Fallou como se tratasse de outrem. Nós contestavamos; eu principalmente achava um crime, e repetia esta palavra com alma, com fogo, — achava um crime não acabar o drama, que era de primeira ordem.

— Não vale nada, dizia elle sorrindo para mim com sympathia. Menino, você quantos annos tem?

— Desoito.

— Tudo é sublime aos desoito annos. Cresça e appareça. O drama não presta; mas, deixe estar que havemos de escrever outro d'aqui a dias. Ando com uma ideia.

— Sim?

— Uma boa ideia, continuou elle com os olhos vagos; essa, sim, creio que dará um drama. Cinco actos; talvez faço em verso. O assumpto presta-se...

Nunca mais fallou em tal ideia; mas o drama começado fez com que nos ligassemos um pouco mais intimamente. Ou sympathia, ou amor-proprio satisfeito, por ver que o mais consternado com a interrupção e condemnação do trabalho fui eu, — ou qualquer outra causa que não achei nem vale a pena buscar, Elisiario entrou a distinguir-me entre os outros. Quiz saber quem eram meus paes e o que fazia. Disse-lhe que não tinha mãe; meu pae era lavrador em Baturité, eu estudava preparatorios, intercalando-os com versos, e andava com ideias de compor um poema, um drama e um romance. Tinha já uma lista de subscriptores para os versos. Parece que, de envolta com as noticias litterarias, alguma cousa lhe disse ou elle percebeu ácerca dos meus sentimentos de moço. Propoz-se a ajudar-me nos estudos com o seu proprio ensino, latim, francez, inglez, historia... Cheio de orgulho, não menos que de sensibilidade, proferi algumas palavras que elle gostou de ouvir, e a que respondeu gravemente:

— Quero fazer de você um homem.

Estavamos sós; eu nada contei aos outros, para os não molestar, nem sei se elles perceberam d'ahi em deante alguma differença no trato do Elisiario, em relação a mim. E' certo, porém, que a differença não era grande, nem o plano de «fazer-me um homem» foi além da sympathia e da benevolencia. Ensinava-me algumas materias, quando eu lhe pedia lições, e eu raramente as pedia. Queria só ouvil-o, ouvil-o, ouvil-o até não acabar. Não imaginas a eloquencia d'esse homem, callida e forte, mansa e doce, as imagens que lhe brotavam no discurso, as ideias arrojadas, as fórmas novas e graciosas. Muita vez ficavamos os dous sós na rua do Lavradio, uma tarde ou uma noite, elle fallando, eu ouvindo. Onde morava? Disseram-me vagamente que para os lados da Gamboa, mas nunca me convidou a lá ir, nem ninguem sabia positivamente onde era.

*

MACHADO DE ASSIS.

CHRONIQUETA

Rio, 6 de Setembro de 1894.

Uma data.—O menos indecente.—Lista de assumptos.—A explosão da Mortona.—Marino Mancinelli.—Um soneto.

Escrevo esta chroniqueta no dia do primeiro anniversario da nefanda revolta que teria dado cabo do nosso esplendido paiz, se a Providencia — aquella velha Providencia que nunca nos desamparou — não tivesse posto no governo um Floriano Peixoto.

Eu prometti ás leitoras da *Estação* abandonar inteiramente esse assumpto, que só lhes póde trazer desagradaveis recordações; mas — em attenção a esta data — suas excellencias me desculparão ter faltado á promessa.

Hoje está tudo acabado, — tudo, inclusive o estado de sitio. O Sr. Custodio de Mello consola-se nas *tertulias* de Montevidéo, o Sr. Saldanha da Gama passeia a sua desgraça entre o Rio da Prata e a Europa, o Sr. Silveira Martins só é lembrado no ultimo quadro da revista *Vovó*, do Apollo, e Gumercindo Saraiva morreu. Este Saraiva, apezar de ter sido um hediondo faccinora, foi, não ha duvida, o menos indecente dos revoltosos de 6 de Setembro.

*

A *gazeta* que a influenza me obrigou a fazer no ultimo numero da *Estação* amontoou na minha pasta uma alluvião de notas, de modo que, por abundancia de materia, não sei com que occupar a attenção das leitoras.

Os chronistas queixam-se geralmente da falta de assumpto, mas a mim o que me falta neste momento não são assumptos para a chronica, mas espaço para os assumptos!

Temos a eterna questão da carne verde, o escandalo das loterias, a guerra contra a jogatina, os *bonus* do Banco da Republica, os concursos da *Gazeta*, a chegada do Arcebispo, a morte do *Tempo*, a exposição de Aurelio de Figueiredo, o regresso de Rodolpho Bernardelli, o fallecimento do actor Maggioli, a publicação da *Nevrose azul*, bonitos versos de Julio Salusse, o apparecimento do *Mundo Galante*, periodo brincalhão e sympathico, o banquete offerecido ao Dr. Muniz Freire, presidente do Espirito-Santo, as obras da Candelaria, etc. *J'en passe et des meilleurs.*

Ora vá um chronista agarrar n'essa massagada de assumptos, e escolher alguma coisa com que possa encher quatro ou cinco tiras de papel!

*

Não vêm mencionados n'aquella grande lista os dois factos que mais profunda e dolorosamente impressionaram a nossa população: a explosão da Mortona e o suicidio de Marino Mancinelli.

*

Quantas lagrimas! quantos soffrimentos! quantas angustias! quantas mortes produzidas por alguns barris de polvora inflamada!

Felizmente ainda desta vez não se desmentio a philantropia dos fluminenses, promptos sempre a correr para junto dos que padecem: o grito das victimas encontrou um echo na alma da população e de todos os lados generosas mãos se estendem para soccorrel-as e consolal-as.

*

Mancinelli, o grande artista que todo o Rio de Janeiro admirou e applaudio, o musico illustre que podia empunhar a sua batuta com o mesmo orgulho, a mesma magestade com que um rei empunha o seu sceptro, matou-se num terrivel momento de allucinação! Não se devia matar! Um artista d'aquella ordem não morre por motivos financeiros, mormente possuindo nas suas proprias aptidões, no seu proprio talento, o cabedal preciso para, mais tarde ou mais cedo, solver quaesquer compromissos commerciaes.

*

Incluso em delicada cartinha, o Sr. Paulo d'Arruda me remetteu, do Recife, o bonito soneto que vou transcrever, submettendo-o á apreciação das leitoras. Eil-o:

RELIQUIA

> Sei que um dia não ha (e isso é bastante
> A esta saudade, mãi!)...
>
> O. BILAC.

Tantos e tantos dias hão passado
Depois que tu, oh Mãi, teu vôo abriste
Por sob o céo sereno e illuminado
A' luz do teu olhar piedoso e triste!

E embalde o tempo! O teu perfil amado
Vivo em minh'alma traço a traço existe,
E é tal que ás vezes penso ver-te ao lado
E que a eterna viagem não partiste!

Um erradio[1]

— A porta abriu-se... Deixa-me contar a história à laia de novela, disse Tosta à mulher, um mês depois de casados, quando ela lhe perguntou quem era o homem representado numa velha fotografia, achada na secretária do marido. A porta abriu-se, e apareceu este homem, alto e sério, moreno, metido numa infinita sobrecasaca cor de rapé, que os rapazes chamavam opa.

— Aí vem a opa de Elisiário.

— Entre a opa só.

— Não, a opa não pode; entre só o Elisiário, mas, primeiro há de glosar um mote. Quem dá o mote?

Ninguém dava o mote. A casa era uma simples sala, sublocada por um alfaiate, que morava nos fundos com a família; Rua do Lavradio, 1866. Era a segunda vez que ia ali, a convite de um dos rapazes. Não podes ter ideia da sala e da vida. Imagina um município do país da Boêmia, tudo desordenado e confuso; além dos poucos móveis pobres, que eram do alfaiate, havia duas redes, uma canastra, um cabide, um baú de folha-de-flandres, livros, chapéus, sapatos. Moravam cinco rapazes, mas apareciam outros, e todos eram tudo, estudantes, tradutores, revisores, namoradores, e ainda lhes sobrava tempo para redigir uma folha política e literária, publicada aos sábados. Que longas palestras que tínhamos! Solapávamos as bases da sociedade, descobríamos mundos novos, constelações novas, liberdades novas. Tudo era novíssimo.

— Lá vai mote, disse afinal um dos rapazes, e recitou:

Podia embrulhar o mundo
A opa do Elisiário.

[1] Publicado em *A Estação* (15 e 30 de setembro, 15 e 31 de outubro, 15 e 30 de novembro de 1894). Reunido pelo autor em *Páginas recolhidas* (1899).

Parado à porta, o homem cerrou os olhos por alguns instantes, abriu-os, passou pela testa o lenço que trazia fechado na mão, em forma de bolo, e recitou uma glosa de improviso. Rimo-nos muito; eu, que não tinha ideia do que era improviso, cuidei a princípio que a composição era velha e a cena um logro para mim. Elisiário despiu a sobrecasaca, levantou-a na ponta da bengala, deu duas voltas pela sala, com ar triunfal, e foi pendurá-la a um prego, porque o cabide estava cheio. Em seguida, atirou o chapéu ao teto, apanhou-o entre as mãos, e foi pô-lo em cima do aparador.

— Lugar para um! disse finalmente.

Dei-me pressa em ceder-lhe o sofá; ele deitou-se, fincou os joelhos no ar, e perguntou que novidades havia.

— Que o jantar é duvidoso, respondeu o redator principal do *Cenáculo*; o Chico foi ver se cobrava alguma assinatura. Se arranjar dinheiro, traz logo o jantar da casa de pasto. Você já jantou?

— Já e bem, respondeu Elisiário, jantei numa casa de comércio. Mas vocês por que é que não vendem o Chico? é um bonito crioulo. É livre, não há dúvida, mas por isso mesmo compreenderá que, deixando-se vender como escravo, terão vocês com que pagar-lhe os ordenados... Dois mil-réis chegam? Romeu, vê ali no bolso da sobrecasaca. Há de haver uns dois mil-réis.

Havia só mil e quinhentos, mas não foram precisos. Cinco minutos depois voltava o Chico, trazendo um tabuleiro com o jantar e o resto da assinatura de um semestre.

— Não é possível! bradou Elisiário. Uma assinatura! Vem cá, Chico. Quem foi que pagou? Que figura tinha o homem? Baixo? Não é possível que fosse baixo; a ação é tão sublime que nenhum homem baixo podia praticá-la. Confessa que era alto. Confessa ao menos que era de meia altura. Confessas? Ainda bem! Como se chama? Guimarães? Rapazes, vamos perpetuar este nome em uma placa de bronze. Acredito que não lhe deste recibo, Chico.

— Dei, sim, senhor.

— Recibo! Mas a um assinante que paga não se dá recibo, para que ele pague outra vez, não se matam esperanças, Chico.

Tudo isto, dito por ele, tinha muito mais graça que contado. Não te posso pintar os gestos, os olhos e um riso que não ria, um riso único, sem alterar a face, nem mostrar os dentes. Essa feição era a menos simpática; mas tudo o mais, a fala, as ideias, e principalmente a imaginação fecunda e moça, que se desfazia em ditos, anedotas, epigramas, versos, descrições, ora sério, quase sublime, ora familiar, quase rasteiro, mas sempre original, tudo atraía e prendia. Trazia a barba por fazer, o cabelo à escovinha; a testa, que era alta, tinha grossas rugas verticais. Calado, parecia estar pensando. Voltava-se a miúdo no sofá, erguia-se, sentava-se, tornava a deitar-se. Lá o deixei, quando saí, às nove horas da noite.

Comecei a frequentar a casa da Rua do Lavradio, mas durante os primeiros dias não apareceu o Elisiário. Disseram-me que era muito incerto. Tinha temporadas. Às vezes, ia todos os dias; repentinamente, falhava uma, duas, três semanas seguidas, e mais. Era professor de latim e explicador de matemáticas. Não era formado em coisa nenhuma, posto estudasse engenharia, medicina e direito deixando em todas as faculdades fama de grande talento sem aplicação. Seria bom prosador, se fosse capaz de escrever vinte minutos seguidos; era poeta de improviso, não escrevia os versos, os outros é que os ouviam e transladavam ao papel, dando-lhe cópias, muitas das quais perdia. Não tinha família; tinha um protetor, o Dr. Lousada, operador de algum nome, que devera obséquios ao pai de Elisiário, e quis pagá-los ao filho. Era atrevido por causa de uma sombrinha de amor-próprio, que não tolerava a menor picada. Naquela casa era bonachão. Trinta e cinco anos; o mais velho dos rapazes contava apenas vinte e um. A familiaridade entre ele e os outros era como a de um tio com sobrinhos, um pouco menos de autoridade, um pouco mais de liberdade.

No fim de uma semana, apareceu Elisiário na Rua do Lavradio. Vinha com a ideia de escrever um drama, e queria ditá-lo. Escolheram-me a mim, por escrever depressa. Esta colaboração mental e manual durou duas noites e meia. Escreveu-se um ato e as primeiras cenas de outro; Elisiário não quis absolutamente acabar a peça. A princípio disse que depois, mais tarde, estava indisposto, e falava de outras coisas; afinal, declarou-nos que a peça não prestava para nada. Espanto geral, porque a obra parecia-nos excelente, e ainda agora creio que o era. Mas o autor pegou da palavra e demonstrou que nem o escrito prestava, nem o resto do plano valia coisa nenhuma. Falou como se tratasse de outrem. Nós contestávamos; eu principalmente achava um crime, e repetia esta palavra com alma, com fogo – achava um crime não acabar o drama, que era de primeira ordem.

— Não vale nada, dizia ele sorrindo para mim com simpatia. Menino, você quantos anos tem?

— Dezoito.

— Tudo é sublime aos dezoito anos. Cresça e apareça. O drama não presta; mas, deixe estar que havemos de escrever outro daqui a dias. Ando com uma ideia.

— Sim?

— Uma boa ideia, continuou ele com os olhos vagos; essa, sim, creio que dará um drama. Cinco atos; talvez faça em verso. O assunto presta-se...

Nunca mais falou em tal ideia; mas o drama começado fez com que nos ligássemos um pouco mais intimamente. Ou simpatia, ou amor-próprio satisfeito, por ver que o mais consternado com a interrupção e condenação do trabalho fui eu, – ou qualquer outra causa que não achei nem vale a pena buscar, Elisiário entrou a distinguir-me entre os outros. Quis saber quem eram meus pais e o que fazia. Disse-lhe que não tinha mãe; meu pai era lavrador em Baturité, eu estudava preparatórios, intercalando-os com versos, e andava com ideias de compor um poema, um drama e um romance. Tinha já uma lista de subscritores para os versos. Parece que, de envolta com as notícias literárias, alguma coisa lhe disse ou ele percebeu acerca dos meus sentimentos de moço. Propôs-se a ajudar-me nos estudos com o seu próprio ensino, latim, francês, inglês, história... Cheio de orgulho, não menos que de sensibilidade, proferi algumas palavras que ele gostou de ouvir, e a que respondeu gravemente:

— Quero fazer de você um homem.

Estávamos sós; eu nada contei aos outros, para os não molestar, nem sei se eles perceberam daí em diante alguma diferença no trato do Elisiário, em relação a mim. É certo, porém, que a diferença não era grande, nem o plano de "fazer-me um homem" foi além da simpatia e da benevolência. Ensinava-me algumas matérias, quando eu lhe pedia lições, e eu raramente as pedia. Queria só ouvi-lo, ouvi-lo, ouvi-lo até não acabar. Não imaginas a eloquência desse homem, cálida e forte, mansa e doce, as imagens que lhe brotavam no discurso, as ideias arrojadas, as formas novas e graciosas. Muita vez ficávamos os dois sós na Rua do Lavradio, ele falando, eu ouvindo. Onde morava? Disseram-me vagamente que para os lados da Gamboa, mas nunca me convidou a lá ir, nem ninguém sabia positivamente onde era.

Na rua era lento, direito, circunspecto. Nada faria então suspeitar o desengonçado da casa do Lavradio, e, se falava, eram poucas e meias palavras. Nos primeiros dias, encontrava-me sem alvoroço quase sem prazer, ouvia-me atento, respondia pouco, estendia os dedos e continuava a andar. Ia a toda parte; era comum achá-lo nos lugares mais distantes uns dos outros, Botafogo, S. Cristóvão, Andaraí. Quando lhe dava na veneta, metia-se na barca e ia a Niterói. Chamava-se a si mesmo erradio.

— Eu sou um erradio. No dia em que parar de vez, jurem que estou morto.

Um dia encontrei-o na Rua de S. José. Disse-lhe que ia ao Castelo ver a igreja dos Jesuítas, que nunca vira.

— Pois vamos, disse ele.

Subimos a ladeira, achamos a igreja aberta e entramos. Enquanto eu mirava os altares, ele ia falando, mas em poucos minutos o espetáculo era ele só, um espetáculo vivo, como se tudo renascera tal qual era. Vi os primeiros templos da cidade, os padres da Companhia, a vida monástica e leiga, os nomes principais e os fatos culminantes. Quando saímos, e fomos até à muralha, descobrindo o mar e parte da cidade, Elisiário fez-me viver dois séculos atrás. Vi a expedição dos franceses, como se a houvesse comandado ou combatido. Respirei o ar da colônia, contemplei as figuras velhas e mortas. A imaginação evocativa era a grande prenda desse homem, que sabia dar vida às coisas extintas e realidade às inventadas.

Mas não era só do passado local que ele sabia, nem unicamente dos seus sonhos. Vês aquela estatuazinha que ali tenho na parede? Sabes que é uma redução da Vênus de Milo. Uma vez, abrindo-se a exposição das belas-artes, fui visitá-la; achei lá o meu Elisiário, passeando grave, com a sua imensa sobrecasaca. Acompanhou-me; ao passar pela sala de escultura, dei com os olhos na cópia desta Vênus. Era a primeira vez que a via. Soube que era ela pela falta dos braços.

— Oh! admirável! exclamei.

Elisiário entrou a comentar a bela obra anônima, com tal abundância e agudeza que me deixou ainda mais pasmado. Que de coisas me disse a propósito da Vênus de Milo, e da Vênus em si mesma! Falou da posição dos braços, que gesto fariam, que atitude dariam à figura, formulando uma porção de hipóteses graciosas e naturais. Falou da estética, dos grandes artistas, da vida grega, do mármore grego, da alma grega. Era um grego, um puro grego, que ali me aparecia e transportava de uma rua estreita para diante do Partenon. A opa do Elisiário transformou-se em clâmide, a língua devia ser a da Hélade, conquanto eu nada soubesse a tal respeito, nem então, nem agora. Mas era feiticeiro o diabo do homem.

Saímos; fomos até o Campo da Aclamação, que ainda não possuía o parque de hoje, nem tinha outra polícia além da natureza, que fazia brotar o capim, e das lavadeiras, que batiam e ensaboavam a roupa defronte do quartel. Eu ia cheio do discurso do Elisiário, ao lado dele, que levava a cabeça baixa e os olhos pensativos. De repente, ouvi dizer baixinho:

— Adeus, Ioiô!

Era uma quitandeira de doces, uma crioula baiana, segundo me pareceu pelos bordados e crivos da saia e da camisa. Vinha da Cidade Nova e atravessava o campo. Elisiário respondeu à saudação:

— Adeus, Zeferina.

Estacou e olhou para mim, rindo sem riso, e, depois de alguns segundos:

— Não se espante, menino. Há muitas espécies de Vênus. O que ninguém dirá é que a esta lhe faltem braços, continuou olhando para os braços da quitandeira, mais negros ainda pelo contraste da manga curta e alva da camisa. Eu, de vexado, não achei resposta.

Não contei esse episódio na Rua do Lavradio; podiam meter à bulha o Elisiário, e não queria parecer indiscreto. Tinha-lhe não sei que veneração particular, que a familiaridade não enfraquecia. Chegamos a jantar juntos algumas vezes, e uma noite fomos ao teatro. O que mais lhe custava no teatro era estar muito tempo na mesma cadeira, apertado entre duas pessoas, com gente adiante e atrás de si. Nas noites de enchente, em que eram precisas travessas na plateia, ficava aflito com a ideia de não poder sair no meio de um ato, se quisesse. Naquela, acabado o terceiro ato (a peça tinha cinco), disse-me que não podia mais e que ia embora.

Fomos tomar chá ao botequim próximo, e deixei-me estar, esquecido do espetáculo. Ficamos até o fechar das portas. Tínhamos falado de viagens; eu contei-lhe a vida do sertão cearense, ele ouviu e projetou mil jornadas ao sertão do Brasil inteiro, por serras, campos e rios, de mula e de canoa. Colheria tudo, plantas, lendas, cantigas, locuções. Narrou a vida do caipira, falou de Enéias, citou Virgílio e Camões, com grande espanto dos criados, que paravam boquiabertos.

— Você era capaz de ir daqui a pé, até S. Cristóvão, agora? perguntou-me na rua.

— Pode ser.

— Não, você está cansado.

— Não estou, vamos.

— Está cansado, adeus; até depois, concluiu.

Realmente, estava fatigado, precisava dormir. Quando ia a voltar para casa, perguntei a mim mesmo se ele iria sozinho, àquela hora, e deu-me vontade de acompanhá-lo de longe, até certo ponto. Ainda o apanhei na Rua dos Ciganos. Ia devagar, com a bengala debaixo do braço, e as mãos ora atrás, ora nas algibeiras das calças. Atravessou o Campo da Aclamação, enfiou pela Rua de S. Pedro e meteu-se pelo Aterrado acima. Eu, no Campo, quis voltar, mas a curiosidade fez-me ir andando também. Quem sabe se esse erradio não teria pouso certo de amores escondidos? Não gostei desta reflexão, e quis punir-me desandando; mas a curiosidade levara-me o sono e dava-me vigor às pernas. Fui andando atrás do Elisiário. Chegamos assim à ponte do Aterrado, enfiamos por ela, desembocamos na Rua de S. Cristóvão. Ele algumas vezes parava, ou para acender um charuto, ou para nada. Tudo deserto, uma ou outra patrulha, algum tílburi raro, a passo cochilado, tudo deserto e longo. Assim chegamos ao cais da Igrejinha. Junto ao cais dormiam os botes que, durante o dia, conduziam gente para o Saco do Alferes. Maré frouxa, apenas o ressonar manso da água. Após alguns minutos, quando me pareceu que ia voltar pelo mesmo caminho, acordou os remadores de um bote, que de acaso ali dormiam, e propôs-lhes levá-lo à cidade. Não sei quanto ofereceu; vi que, depois de alguma relutância, aceitaram a proposta.

Elisiário entrou no bote, que se afastou logo, os remos feriram a água, e lá se perdeu na noite e no mar o meu professor de latim e explicador de matemáticas. Também eu me achei perdido, longe da cidade e exausto. Valeu-me um tílburi, que atravessava o Campo de S. Cristóvão, tão cansado como eu, mas piedoso e necessitado.

— Você não quis ir comigo anteontem a São Cristóvão? Não sabe o que perdeu; a noite estava linda, o passeio foi muito agradável. Chegando ao cais da Igrejinha meti-me num bote e vim desembarcar no Saco do Alferes. Era um bom pedaço até a casa; fiquei numa hospedaria do Campo de Santa Ana. Fui atacado por um cachorro, no caminho do Saco, e por dois na Rua de S. Diogo, mas não senti as pulgas da hospedaria, porque dormi como um justo. E você que fez?

— Eu?

Não querendo mentir, se ele me tivesse pressentido, nem confessar que o acompanhara de longe, respondi sumariamente:

— Eu? Eu também dormi como um justo.

— *Justus, justa, justum.*

Estávamos na casa da Rua do Lavradio. Elisiário trazia no peito da camisa um botão de coral, objeto de grande espanto e aclamação da parte dos rapazes, que nunca jamais o viram com joias. Maior, porém, foi o meu espanto, depois que os rapazes saíram. Tendo ouvido que me faltava dinheiro para comprar sapatos, Elisiário sacou o botão de coral e disse que me fosse calçar com ele. Recusei energicamente, mas tive de aceitá-lo à força. Não o vendi nem empenhei; no dia seguinte pedi algum dinheiro adiantado ao correspondente de meu pai, calcei-me de novo, e esperei que chegasse o paquete do Norte, para restituir o botão ao Elisiário. Se visses a cara de desconsolo com que o recebeu!

— Mas o senhor não disse outro dia que lhe tinham dado este botão de presente? repliquei à proposta que me fez de ficar com a joia.

— Sim, disse e é verdade; mas para que me servem joias? Acho que ficam melhor nos outros. Bem pensado, como é presente, posso guardar o botão. Deveras, não o quer para si?

— Não, senhor; um presente...

— Presente de anos, continuou mirando a pedra com o olhar vago. Fiz trinta e cinco. Estou velho, meu menino; não tardo em pedir reforma e ir morrer em algum buraco.

Tinha acabado de repor o botão na camisa.

— Fez anos, e não me disse.

— Para quê? Para visitar-me? Não recebo nesse dia; de costume janto com o meu velho amigo Dr. Lousada, que também faz o seu versinho, às vezes, e outro dia brindou-me com um soneto impresso em papel azul... Lá o tenho em casa; não é mau.

— Foi ele que lhe deu o botão...

— Não, foi a filha... O soneto tem um verso muito parecido com outro de Camões; o meu velho Lousada possui as suas letras clássicas, além de ser excelente médico... Mas o melhor dele é a alma...

Quiseram fazê-lo deputado. Ouvi que dois amigos dele, homens políticos, entenderam que o Elisiário daria um bom orador parlamentar. Não se opôs, pediu apenas aos inventores do projeto que lhe emprestassem algumas ideias políticas; riram-se, e o projeto não foi adiante.

Quero crer que lhe não faltassem ideias, talvez as tivesse de sobra, mas tão contrárias umas às outras que não chegariam a formar uma opinião. Pensava segundo a disposição do dia, liberal exaltado ou conservador corcunda. O principal motivo da recusa era a impossibilidade de obedecer a um partido, a um chefe, a um regimento de câmara. Se houvesse liberdade de alterar as horas da sessão, uma de manhã, outra de noite, outra de madrugada, ao acaso da frequência, sem ordem do dia, com direito de discutir o anel de Saturno ou os sonetos de Petrarca, o meu erradio Elisiário aceitaria o cargo, contanto que não fosse obrigado a estar calado, nem a falar, quando lhe chegasse a vez.

Aí tens o que era esse homem fotografado em 1862. Em suma, boa criatura, muito talento, excelente conversador, alma inquieta e doce, desconfiada e irritadiça, sem futuro nem passado, sem saudades nem ambições, um erradio. Senão quando... Mas é muito falar sem fumar um charuto... Consentes? Enquanto acendo o charuto, olha para esse retrato, descontando-lhe os olhos, que não saíram bem; parecem olhos de gato e inquisidor, espetados na gente, como querendo furar a consciência. Não eram isso; olhavam mais para dentro que para fora, e quando olhavam para fora derramavam-se por toda a parte.

Senão quando, uma tarde, já escuro, por volta das sete horas apareceu-me na casa de pensão o meu amigo Elisiário. Havia três semanas que o não via, e, como tratava de fazer exames, e passava mais tempo metido em casa, não me admirei da ausência nem cuidei dela. Demais, já me acostumara aos seus eclipses. O quarto estava escuro, eu ia sair e acabava de apagar a vela, quando a figura alta e magra do Elisiário apareceu à porta. Entrou, foi direito a uma cadeira, sentei-me ao pé dele, perguntei-lhe por onde andara. Elisiário abraçou-me chorando. Fiquei tão assombrado que não pude dizer nada; abracei-o também, ele enxugou os olhos com o lenço, que de costume trazia fechado na mão, e suspirou largo. Creio que ainda chorou silenciosamente, porque enxugava os olhos de quando em quando. Eu, cada vez mais assombrado, esperava que ele me dissesse o que tinha; afinal murmurei:

— Que é? que foi?

—Tosta, casei-me sábado.

Cada vez mais espantado, não tive tempo de lhe pedir outra explicação, porque o Elisiário continuou logo, dizendo que era um casamento de gratidão, não de amor, uma desgraça. Não sabia que respondesse à confidência, não acabava de crer na notícia, e principalmente, não entendia o abatimento nem a dor do homem. A figura do Elisiário, qual a recompus depois, não me aparecia por esse tempo com a significação verdadeira. Cheguei a supor alguma coisa mais que o simples casamento; talvez a mulher fosse idiota ou tísica; mas quem o obrigaria a desposar uma doente?

— Uma desgraça! repetia baixinho, falando para si, uma desgraça!

Como eu me levantasse dizendo que ia acender uma vela, Elisiário reteve-me pela aba do fraque.

— Não acenda, não me vexe, o escuro é melhor, para lhe expor esta minha desgraça. Ouça-me. Uma desgraça. Casado! Não é que ela me não ame; ao contrário, morria por mim há sete anos. Tem vinte e cinco... Boa criatura! Uma desgraça!

A palavra *desgraça* era a que mais vezes lhe tornava ao discurso. Eu, para saber o resto, quase não respirava; mas não ouvi grande coisa, pois o homem, depois de algumas palavras descosidas, suspendeu a conferência. Fiquei sabendo só que a mulher era filha do Dr. Lousada, seu protetor e amigo, a mesma que lhe dera o botão de coral. Elisiário calou-se de repente, e depois de alguns instantes como arrependido ou vexado, pediu-me que não referisse a pessoa alguma aquela cena dele comigo.

— O senhor deve conhecer-me...

— Conheço, e porque o conheço é que vim aqui. Não sei que outra pessoa me merecesse agora igual confiança. Adeus, não lhe digo mais nada, não vale a pena. Você é moço, Tosta; se não tiver vocação para o casamento, não se case nunca, nem por gratidão, nem por interesse. Há de ser um suplício. Adeus. Não lhe digo onde moro, moro com meu sogro, mas não me procure.

Abraçou-me e saiu. Fiquei à porta do quarto. Quando me lembrei de acompanhá-lo até à escada, era tarde; ia descendo os últimos degraus. O lampião de azeite alumiava mal a escada, e a figura descia vagarosa, apoiada ao corrimão, cabeça baixa e a vasta sobrecasaca alegre, agora triste.

Só dez meses depois tornei a ver o Elisiário. A primeira ausência foi minha; tinha ido ao Ceará, ver meu pai, durante as férias. Quando voltei, soube que ele fora ao Rio Grande do Sul. Um dia, almoçando, li nos jornais que chegara na véspera, e corri a buscá-lo. Achei-o em Santa Teresa, uma casinha pequena, com um jardim, pouco maior que ela. Elisiário abraçou-me com alvoroço; falamos de coisas passadas; perguntei-lhe pelos versos.

— Publiquei um volume em Porto Alegre. Não foi por minha vontade, mas minha mulher teimou tanto que afinal cedi; ela mesma os copiou. Tem alguns erros; hei de fazer aqui uma segunda edição.

Elisiário deu-me um exemplar do livro, mas não consentiu que lesse ali nada. Queria só falar dos tempos idos. Perdera o sogro, que lhe deixara alguma coisa, e ia continuar a lecionar, para ver se achava as impressões de outrora. Onde estavam os rapazes da Rua do Lavradio? Recordava cenas antigas, noitadas, algazarra, grandes risotas, que me iam lembrando coisas análogas, e assim gastamos duas boas horas compridas. Quando me despedi, pegou-me para jantar.

— Você ainda não viu minha mulher, disse ele. E indo à porta que dava para dentro: – Cintinha!

— Lá vou! respondeu uma voz doce.

D. Jacinta chegou logo depois, com os seus vinte e seis anos, mais baixa que alta, mais feia que bonita, expressão boa e séria, grande quietação de maneiras. Quando ele lhe disse o meu nome, olhou para mim espantada.

— Não é um bonito rapaz?

Ela confirmou a opinião inclinando modestamente a cabeça. Elisiário disse-lhe que eu jantava com eles; a moça retirou-se da sala.

— Boa criatura, disse-me ele; dedicada, serviçal. Parece que me adora. Já me não faltam botões nos paletós que trago... Pena! melhor que eles eram os botões que faltavam. A sobrecasaca de outrora, lembra-se?

> Podia embrulhar o mundo
> A opa do Elisiário.

— Lembra-me.

— Creio que me durou cinco anos. Onde vai ela! Hei de fazer--lhe um epicédio, com uma epígrafe de Horácio...

Jantamos alegremente. D. Jacinta falou pouco; deixou que eu e o marido gastássemos o tempo em relembrar o passado. Naturalmente, o marido tinha surtos de eloquência, como outrora; a mulher era pouca para ouvi-lo. Elisiário esquecia-se de nós, ela de si, e eu achava a mesma nota antiga, tão viva e tão forte. Era costume dele concluir um discurso desses e ficar algum tempo calado. Resumia dentro de si o que acabava de dizer? Continuava a mesma ordem de ideias? Deixava-se ir ainda pela música da palavra? Não sei; achei-lhe o velho costume de ficar calado sem dar pelos outros. Nessas ocasiões a mulher calava-se também, a olhar para ele, não cheia de pensamento, mas de admiração. Sucedeu isso duas vezes. Em ambas chegou a ser bonita.

Elisiário disse-me, ao café, que viria comigo abaixo.

— Você deixa, Cintinha?

D. Jacinta sorriu para mim, como se dissesse que o pedido era desnecessário. Também ela falou no livro de versos do marido.

— Elisiário é preguiçoso; o senhor há de ajudar-me a fazer com que ele trabalhe.

Meia hora depois descíamos a ladeira. Elisiário confessou-me que, desde que casara, não tivera ocasião de relembrar a vida de solteiro, e ao chegarmos abaixo declarou-me que iríamos ao teatro.

— Mas você não avisou em casa...

— Que tem? Aviso depois. Cintinha é boa, não se zanga por isso. Que teatro há de ser?

Não foi nenhum; falamos de outras coisas, e às nove horas, tornou para casa. Voltei a Santa Teresa poucos dias depois, não o achei, mas a mulher disse-me que o esperasse, não tardaria.

— Foi a uma visita aqui mesmo no morro, disse ela; há de gostar muito de o ver.

Enquanto falava, ia fechando dissimuladamente um livro, e foi pô-lo em uma mesa, a um canto. Tratamos do marido; ela pediu-me que lhe dissesse o que pensava dele, se era um grande espírito, um grande poeta, um grande orador, um grande homem, em suma. As palavras não seriam propriamente essas, mas vinham a dar nelas. Eu, que o admirava, confirmei-lhe o sentimento, e o gosto com que me ouviu foi paga bastante ao tal ou qual esforço que empreguei para dar à minha opinião a mesma ênfase.

— Faz bem em ser amigo dele, concluiu; ele sempre me falou bem do senhor, dizia que era um menino muito sério.

O gabinete tinha flores frescas e uma gaiola com passarinho. Tudo em ordem, cada coisa em seu lugar, obra visível da mulher. Daí a pouco entrou Elisiário, com a gravata no pescoço, o laço na frente, a barba rapada, correto e em flor. Só então notei a diferença entre este Elisiário e o outro. A incoerência dos gestos era já menor, ou estava prestes a acabar inteiramente. A inquietação desaparecera. Logo que ele entrou, a mulher deixou-nos para ir mandar fazer café, e voltou pouco depois, com um trabalho de agulha.

— Não, senhora, vamos primeiro ao latim, bradou o marido.

D. Jacinta corou extraordinariamente, mas obedeceu ao marido e foi buscar o livro, que estava lendo quando eu cheguei.

— Tosta é de confiança, continuou Elisiário, não vai dizer nada a ninguém.

E voltando-se para mim:

— Não pense que sou eu que lhe imponho isto; ela mesma é que quis aprender.

Não crendo o que ele me dizia, quis poupar à moça a lição de latim, mas foi ela própria que me dispensou o auxílio, indo buscar alegremente a gramática do padre Pereira. Vencida a vergonha, deu a lição, como um simples aluno. Ouvia com atenção, articulava com prazer, e mostrava aprender com vontade. Acabado o latim, o marido quis passar à lição de história; mas foi ela, dessa vez, que recusou obedecer, para me não roubá-lo a mim. Eu, pasmado, desfiz-me em louvores; realmente achava tão fora de propósito aquela escola de latim conjugal, que não alcançava explicação, nem ousava pedi-la.

Amiudei as visitas. Jantava com eles algumas vezes. Ao domingo ia só almoçar. D. Jacinta era um primor. Não imaginas a graça que tinha em falar e andar, tudo sem perder a compostura dos modos nem a gravidade dos pensamentos. Sabia muitos trabalhos de mãos, apesar do latim e da história que o marido lhe ensinava. Vestia com simplicidade, usava os cabelos lisos e não trazia joia alguma; podia ser afetação, mas tal era a sinceridade que punha em tudo, que parecia natural nisso como no resto.

Ao domingo, o almoço era no jardim. Já achava o Elisiário à minha espera, à porta, ansioso que eu chegasse. A mulher estava acabando de arranjar as flores e folhagens que tinham de adornar a mesa. Além disso e do mais, adornava cartões contendo a lista dos pratos, com emblemas poéticos e nomes de musas para as comidas. Nem todas as musas podiam entrar, eles não eram ricos, nem nós tão comilões; entravam as que podiam. Era ao almoço que Elisiário, nos primeiros tempos, mais geralmente improvisava alguma coisa. Improvisava décimas, – ele preferia essa estrofe a qualquer outra; mais tarde, foi diminuindo o número delas, e para diante não passava de duas ou de uma. D. Jacinta pedia-lhe então sonetos; sempre eram quatorze versos. Ela e eu copiávamos logo, a lápis, com retificações que ele fazia, rindo: – "Para que querem vocês isso?" Afinal perdeu o costume, com grande mágoa da mulher, e minha também. Os versos eram bons, a inspiração fácil; faltava-lhes só o calor antigo.

Um dia perguntei a Elisiário por que não reimprimia o livro de versos, que ele dizia ter saído com incorreções; eu ajudaria a ler as provas. D. Jacinta apoiou com entusiasmo a proposta.

— Pois, sim, disse ele, um dia destes; começaremos domingo.

No domingo, D. Jacinta, estando a sós comigo, um instante, pediu-me que não esquecesse a revisão do livro.

— Não, senhora, deixe estar.

— Não enfraqueça, se ele quiser adiar o trabalho, continuou a moça; é provável que ele fale em guardar para outra vez, mas teime sempre, diga que não, que se zanga, que não volta cá...

Apertou-me a mão com tanta força, que me deixou abalado. Os dedos tremiam-lhe; parecia um aperto de namorada. Cumpri o que disse, ela ajudou-me, e ainda assim gastamos meia hora antes que ele se dispusesse ao trabalho. Afinal pediu-nos que esperássemos, ia buscar o livro.

— Desta vez, vencemos, disse eu.

D. Jacinta fez com a boca um gesto de desconfiança, e passou da alegria ao abatimento.

— Elisiário está preguiçoso. Há de ver que não acabamos nada. Pois não vê que não faz versos senão à força de muito pedido, e poucos? Podia escrever também, quando mais não fosse alguns daqueles discursos que costuma improvisar, mas os próprios discursos são raros e curtos. Tenho-me oferecido tantas vezes para escrever o que ele mandar. Chego a preparar o papel, pego na pena e espero, ele ri, disfarça, diz um gracejo, e responde que não está disposto.

— Nem sempre estará.

— Pois sim; mas então declaro que estou pronta para quando vier a inspiração, e peço-lhe que me chame. Não chama nunca. Uma ou outra vez tem planos; eu vou animando, mas os planos ficam no mesmo. Entretanto, o livro que ele imprimiu em Porto Alegre foi bem recebido, podia animá-lo.

— Animá-lo? Mas ele não precisa de animações; basta-lhe o grande talento que tem.

— Não é verdade? disse ela chegando-se a mim, com os olhos cheios de fogo. Mas é pena! tanto talento perdido!

— Nós o acharemos; hei de tratá-lo como se ele fosse mais moço que eu. O mau foi deixá-lo cair na ociosidade...

Elisiário tornou com um exemplar do livro. Não trazia tinta nem pena; ela foi buscá-las. Começamos o trabalho da revisão; o plano era emendar, não só os erros de imprensa, mas o próprio texto. A novidade do caso interessou grandemente o nosso poeta, durante perto de duas horas. Verdade é que a maior parte do tempo era interrompido com a história das poesias, a notícia das pessoas, se as havia, e havia muitas; uma boa porção das composições era dedicada a amigos ou homens públicos. Naturalmente fizemos pouco: não passamos de vinte páginas. Elisiário confessou que estava com sono, adiamos o trabalho, e nunca mais pegamos nele.

D. Jacinta chegou a pedir ao marido que nos deixasse a nós a tarefa de emendar o livro; ele veria depois o texto emendado e pronto. Elisiário respondeu que não, que ele mesmo faria tudo, que esperássemos, não havia pressa. Mas, como disse, nunca mais pegamos no livro. Já raro improvisava, e, como não tinha paciência para compor escrevendo, os versos iam escasseando mais. Já lhe caíam frouxos; o poeta repetia-se. Quisemos ainda assim propor-lhe outro livro, recolhendo o que havia, e antes de o propor, tratamos de compilá-lo. O todo precisava de revisão; Elisiário consentiu em fazê-la, mas a tentativa teve o mesmo resultado que a outra. Os próprios discursos iam acabando. O gosto da palavra morria. Falava como todos nós falamos; não era já nem sombra daquela catadupa de ideias, de imagens, de frases, que mostravam no orador um poeta. Para o fim, nem falava; já me recebia sem entusiasmo, ainda que cordialmente. Afinal vivia aborrecido.

Com poucos anos de casada, D. Jacinta tinha no marido um homem de ordem, de sossego, mas sem inspiração nem calor. Ela própria foi mudando também. Não instava já pela composição de versos novos, nem pela correção dos velhos. Ficou tão desinteressada como ele. Os jantares e os almoços eram como os de qualquer pessoa que não cuide de letras. D. Jacinta buscava não tocar em tal assunto que era penoso ao marido e a ela; eu imitava-os. Quando me formei, Elisiário compôs um soneto em honra minha; mas já lhe custou muito, e, a falar verdade, não era do mesmo homem de outro tempo.

D. Jacinta vivia então, não direi triste, mas desencantada. A razão não se compreenderá bem, senão sabendo as origens da afeição que a levara ao casamento.

Pelo que pude colher e observar, nunca essa moça amou verdadeiramente o homem com quem casou. Elisiário acreditou que sim, e o disse, porque o pai dela pensava que era deveras um amor como os outros. A verdade, porém, é que o sentimento de D. Jacinta era pura admiração. Tinha uma paixão intelectual por esse homem, nada mais, e nos primeiros anos não pensou em casar com ele. Quando Elisiário ia à casa do Dr. Lousada, D. Jacinta vivia as melhores horas da vida, escutando-lhe os versos, novos ou velhos, – os que trazia de cor e os que improvisava ali mesmo. Possuía boa cópia deles. Mas, ainda que não fossem versos, contentava-se em ouvi-lo para admirá-lo. Elisiário, que a conhecia desde pequena, falava-lhe como a uma irmã mais moça. Depois viu que era inteligente, mais do que o comum das mulheres, e que havia nela um sentimento de poesia e de arte que a faziam superior. O apreço em que a tinha era grande, mas não passava disso.

Assim se passaram anos. D. Jacinta começou a pensar em um ato de pura dedicação. Conhecia a vida de Elisiário, os dias perdidos, as noitadas, a incoerência e o desarranjo de uma existência que ameaçava acabar na inutilidade. Nenhum estímulo, nenhuma ambição de futuro. D. Jacinta acreditava no gênio de Elisiário. Muitos eram os admiradores; nenhum tinha a fé viva, a devoção calada e profunda daquela moça. O projeto era desposá-lo. Uma vez casados, ela lhe daria a ambição que não tinha, o estímulo, o hábito do trabalho regular, metódico, e naturalmente abundante. Em vez de perder o tempo e a inspiração em coisas fúteis ou conversas ociosas, comporia obras de fôlego, nas boas horas, e para ele quase todas as horas eram excelentes. O grande poeta afirmar-se-ia perante o mundo. Assim disposta, não lhe foi difícil obter a colaboração do pai, sem todavia confessar-lhe o motivo secreto da ação; seria dizer que se casava sem amor. O que ela disse foi que o amava deveras.

Que haja nisso uma nota romanesca, é verdade; mas o romanesco era aqui obra de piedade, vinha de um sentimento de admiração, e podia ser um sacrifício. Talvez mais de um tentasse casar com ela. D. Jacinta não pensou em ninguém, até que lhe surdiu a ideia generosa de seduzir o poeta. Já sabes que este casou por obediência.

O resultado foi inteiramente oposto às esperanças da moça. O poeta, em vez dos louros, enfiou uma carapuça na cabeça, e mandou bugiar a poesia. Acabou em nada. Para o fim dos tempos nem lia já obras de arte. D. Jacinta padeceu grandemente; viu esvair-se-lhe o sonho, e, se não perdeu, antes ganhou o latim, perdeu aquela língua sublime em que cuidou falar às ambições de um grande espírito. A conclusão a que chegou foi ainda um desconsolo para si. Concluiu que o casamento esterilizara uma inspiração que só tinha ambiente na liberdade do celibato. Sentiu remorsos. Assim, além de não achar as doçuras do casamento na união com Elisiário, perdeu a única vantagem a que se propusera no sacrifício.

Errava naturalmente. Para mim Elisiário era o mesmo erradio, ainda que parecesse agora pousado; mas era também um talento de pouca dura; tinha de acabar, ainda que não casasse. Não foi a ordem que lhe tirou a inspiração. Certamente, a desordem ia mais com ele que tanto tinha de agitado, como de solitário; mas a quietação e o método não dariam cabo do poeta, se a poesia nele não fosse uma grande febre da mocidade... Em mim é que não passou de ligeira constipação da adolescência. Pede-me tu amor, que o terás; não me peças versos, que desaprendi há muito, concluiu Tosta, beijando a mulher.

Política e **Escravidão**

Virginius (Narrativa de um advogado) (1864) – Escravidão

Mariana (1871) – Escravidão

Tempo de crise (1873) – Política

A sereníssima República (conferência do cônego Vargas) (1882) – Política

O caso da vara (1891) – Escravidão

Canção de piratas (1894) – Política

Pai contra mãe (1906) – Escravidão

Suje-se gordo! (1906) – Política

A Assembléa Geral Decreta:

Artigo 1º - Os filhos da mulher escrava, que nascerem no Imperio desde a data desta lei, serão considerados de condição livre.

§.1º - Os ditos filhos menores ficarão em poder e sob a autoridade dos senhores de suas mãis, os quaes terão a obrigação de criál-os e tratál-os até a idade de oito annos completos.

Chegando o filho da escrava a esta idade, o senhor da mãi terá a opção, ou de receber do Estado a indemnisação de seiscentos mil réis, ou de utilisar-se dos serviços do menor até a idade de vinte e um annos completos.

No primeiro caso o Governo receberá o menor, e lhe dará destino, em conformidade da presente lei.

A indemnisação pecuniaria acima fixada será paga em titulos de renda com o juro annual de seis por cento, os quaes se considerarão extinctos no fim de trinta annos.

A declaração do senhor deverá ser feita dentro de trinta dias, á contar daquelle em que o menor chegar á idade de oito annos; e, se a não fiser então, ficará entendido que opta pelo arbitrio de utilisar-se dos serviços do mesmo menor.

§.2º - Qualquer desses menores poderá remir-se do onus de servir, mediante prévia indemnisação pecuniaria, que por si ou por outrem offereça ao senhor da sua mãi, procedendo-se á avaliação dos serviços pelo tempo que lhe restar a preencher, se não houver accordo sobre o quantum da mesma indemnisação

§.3º - Cabe tambem aos senhores criar

Política e Escravidão: dilema nacional: país ou nação?

João Cezar de Castro Rocha

Muito leite já foi derramado em discussões infindas sobre o lugar da política e da escravidão na obra de Machado de Assis. Isto é, mais precisamente alveja-se o pretenso não lugar desses temas nas preocupações do autor. O pecado, para alguns capital, recebeu inclusive nome próprio: o absenteísmo machadiano.

A leitura dos contos desta seção deve ser suficiente para mudar o rumo da prosa.

Você já havia lido "Mariana"? Machado escreveu dois contos com esse título, mas me refiro ao texto publicado em janeiro de 1871, no pacato *Jornal das Famílias*, e nunca recolhido em livro pelo autor. No dia 28 de setembro do mesmo ano, no processo quase infinito de abolição lenta e gradual da escravidão no Brasil, foi promulgada a Lei do Ventre Livre. Seu primeiro artigo reza: "Os filhos de mulher escrava, que nasceram depois desta lei, serão considerados de condição livre". Infelizmente, Mariana não pôde aproveitar o "benefício"; pelo contrário, seus limites foram esclarecidos com cruel naturalidade nas palavras de Coutinho: "uma cria de casa".

Em aparência, o texto não passa de uma impossível trama romântica: a escrava se apaixona pelo senhor, Coutinho, e, dada a impossibilidade de sequer sonhar com o encontro amoroso, Mariana se suicida.

(Guardadas as diferenças sociais entre uma escrava e uma mulher livre mas pobre, o tema retorna, com tato e diplomacia, em *Helena*, romance publicado em 1876.)

A violência do dia a dia de uma sociedade escravocrata principia a dominar mais e mais a atmosfera do conto. No fundo, a trama é ainda mais violenta pela "neutralidade" de seu desenvolvimento, como se o conto traduzisse em palavras as aquarelas de Jean-Baptiste Debret. Coutinho assim descreve a malograda heroína:

> (...) era uma gentil mulatinha nascida e criada como filha da casa, e recebendo de minha mãe os mesmos afagos que ela dispensava às outras filhas. Não se sentava à mesa, nem vinha à sala em ocasião de visitas, eis a diferença; no mais era como se fosse pessoa livre, e até minhas irmãs tinham certa afeição fraternal. Mariana possuía a inteligência da sua situação, e não abusava dos cuidados com que era tratada. Compreendia bem que na situação em que se achava, só lhe restava pagar com muito reconhecimento a bondade de sua senhora.[1]

Uma citação longa – sem dúvida. Mas ela vale cada palavra: dificilmente encontraremos na obra machadiana outra passagem tão esclarecedora da hipocrisia e da naturalização da hierarquia desumanizadora que estruturaram a formação social brasileira, e que seguem vigentes ainda hoje. E o teor das memórias de Coutinho só agrava a denúncia machadiana. Basta recordar a observação maliciosa; na verdade, promessa de uma violência que marcou a história nacional:

[1] Machado de Assis. "Mariana". *Jornal das Famílias*, Rio de Janeiro, ano IX, n. 1, jan. 1871, p. 4.

> Mariana era apreciada por todos quantos iam a nossa casa, homens e senhoras. Meu tio, João Luís, dizia-me muitas vezes: – "Por que diabo está tua mãe guardando aqui em casa esta flor peregrina? A rapariga precisa de tomar ar".[2]

Não é tudo.

A violência maior do conto encontra-se em sua forma – uma radiografia surpreendente de um país que não soube se transformar em nação.

Eis a estrutura do conto: o relato principia com a voz do narrador, Macedo, que, como diz: "Voltei de Europa depois de uma ausência de quinze anos". Menciona seu reencontro com Coutinho, o segundo narrador do conto, o responsável por recordar a história de Mariana. A transição é bem marcada: "Acendemos nossos charutos. Coutinho começou a falar".

E não parou até chegar ao final do drama: "Mariana caiu sobre a cama. Pouco depois entrava o inspetor. Chamou-se à pressa um médico; mas era tarde. O veneno era violento; Mariana morreu às 8 horas da noite".

Mais dois parágrafos, apenas, e Coutinho dá sua história por encerrada.

O conto é fechado com o retorno do primeiro narrador, Macedo. Leiamos o último parágrafo de "Mariana":

> Coutinho concluiu assim a sua narração, que foi ouvida com tristeza por todos nós. Mas daí a pouco saíamos pela Rua do Ouvidor fora, examinando os pés das damas que desciam dos carros, e fazendo a esse respeito mil reflexões mais ou menos engraçadas e oportunas. Duas horas de conversa tinha-nos restituído a mocidade.[3]

[2] Idem, p. 4.

[3] Idem, p. 16.

Você me segue – tenho certeza. A violência, extrema, dessa conclusão tem passado despercebida. E não apenas porque se trata de *conto (quase) esquecido*, mas sobretudo porque a moldura narrativa de "Mariana" põe a nu a violência, extrema, da desigualdade na formação social brasileira.

Insisto:

Melhor: descrevo, passo a passo, aquela moldura.

(Machado também lançou mão de dois narradores em "Teoria do medalhão". E, com um efeito muito próximo ao obtido em "Mariana", qual seja, o de domesticação da violência implícita na narrativa. Joseph Conrad utilizou a mesma técnica em *Heart of Darkness*.)

Macedo principia e conclui o relato em tom alegre, propriamente despreocupado. Sua voz emoldura o conto, obliterando o drama humano rememorado por Coutinho. Desse modo, pode-se negligenciar a situação cruel vivida por Mariana, cindida entre uma dolorosa impossibilidade existencial e uma limitada forma de inclusão. A estratégia brasileira de preservação da distância social por meio de uma paradoxal proximidade física conhece na moldura do conto sua mais completa tradução – e sua denúncia mais contundente. Estratégia responsável pelo dilema que não se superou na história brasileira: o país-Brasil é muito bem-sucedido para uma porção sempre mais ínfima da população, ao passo que a nação-Brasil nunca se formou precisamente pela manutenção suicida de uma extrema desigualdade e de uma anacrônica hierarquia.[4]

Menciono, ainda que brevemente, outros dois contos desta seção.

"O caso da vara" (1891) explicita, em tom menor, os laços de cooptação que impedem intelectuais e artistas de levantarem sua voz contra a ordem social que lhes sustenta. "Pai contra mãe" (1906) encena uma dolorosa história de sobrevivência do mais forte no andar

[4] No momento, principio a escrita de um livro a fim de desenvolver essa hipótese.

de baixo da pirâmide social, numa espécie de paroxismo do *dilema de Prudêncio*,[5] isto é, do ex-escravo, alforriado, que compra um escravo e nele vinga os maus-tratos que recebeu.

Em relação aos demais contos desta seção, o convite está feito: você certamente encontrará elementos relativos à agudeza do olhar machadiano em suas considerações de temas políticos. Por isso mesmo, incluímos uma crônica nesta seção, "Canção de piratas", na qual Machado alinhava, no calor da hora, observações iniciais acerca de Antônio Conselheiro.

O homem sempre manteve seus olhos bem abertos.

[5] Refiro-me, claro, ao personagem de *Memórias póstumas de Brás Cubas* (1880). O *dilema de Prudêncio* ocupará um papel de destaque no ensaio que esboço.

VIRGINIUS

NARRATIVA DE UM ADVOGADO

I

Não me correo tranquillo o S. João de 185...

Duas semanas antes do dia em que a Igreja celebra o evangelista, recebi pelo correio o seguinte bilhete, sem assignatura e de lettra desconhecida:

« O Dr. *** é convidado a ir á villa de... tomar « conta de um processo. O objecto é digno do ta- « lento e das habilitações do advogado. Despezas e « honorarios ser-lhe-hão satisfeitos anticipadamente, mal pozer pé no estribo. « O réo está na cadeia da mesma villa e chama-se Julião. Note que o Dr. é con- « vidado a ir defender o réo. »

Li e reli este bilhete; voltei-o em todos os sentidos; comparei a lettra com todas as lettras dos meus amigos e conhecidos... Nada pude descobrir.

Entretanto, picava-me a curiosidade. Luzia-me um romance através d'aquelle mysterioso e anonymo bilhete. Tomei uma resolução definitiva. Ultimei uns negocios, dei de mão outros, e oito dias depois de receber o bilhete tinha á porta um cavallo e um camarada para seguir viagem. No momento em que me dispunha a sahir, entrou-me em casa um sujeito desconhecido, e entregou-

Virginius (Narrativa de um advogado)[1]

Capítulo I

Não me correu tranquilo o S. João de 185...

Duas semanas antes do dia em que a Igreja celebra o evangelista, recebi pelo correio o seguinte bilhete, sem assinatura e de letra desconhecida:

> *O Dr. *** é convidado a ir à vila de... tomar conta de um processo. O objeto é digno do talento e das habilitações do advogado. Despesas e honorários ser-lhe-ão satisfeitos antecipadamente, mal puser pé no estribo. O réu está na cadeia da mesma vila e chama-se Julião. Note que o Dr. é convidado a ir defender o réu.*

Li e reli este bilhete; voltei-o em todos os sentidos; comparei a letra com todas as letras dos meus amigos e conhecidos... Nada pude descobrir.

Entretanto, picava-me a curiosidade. Luzia-me um romance através daquele misterioso e anônimo bilhete. Tomei uma resolução definitiva. Ultimei uns negócios, dei de mão outros, e oito dias depois de receber o bilhete tinha à porta um cavalo e um camarada para seguir viagem. No momento em que me dispunha a sair, entrou-me em casa um sujeito desconhecido, e entregou-me um rolo de papel contendo uma avultada soma, importância aproximada das despesas e dos honorários. Recusei apesar das instâncias, montei a cavalo e parti.

Só depois de ter feito algumas léguas é que me lembrei de que justamente na vila a que eu ia morava um amigo meu, antigo

[1] Publicado em *Jornal das Famílias* (julho e agosto de 1864).

companheiro da academia, que se votara, oito anos antes, ao culto da deusa Ceres como se diz em linguagem poética.

Poucos dias depois apeava eu à porta do referido amigo. Depois de entregar o cavalo aos cuidados do camarada, entrei para abraçar o meu antigo companheiro de estudos, que me recebeu alvoroçado e admirado.

Depois da primeira expansão, apresentou-me ele à sua família, composta de mulher e uma filhinha, esta retrato daquela, e aquela retrato dos anjos.

Quanto ao fim da minha viagem, só lho expliquei depois que me levou para a sala mais quente da casa, onde foi ter comigo uma chávena de excelente café. O tempo estava frio; lembro que estávamos em junho. Envolvi-me no meu capote, e a cada gota de café que tomava fazia uma revelação.

— A que vens? a que vens? perguntava-me ele.

— Vais sabê-lo. Creio que há um romance para deslindar. Há quinze dias recebi no meu escritório, na corte, um bilhete anônimo em que se me convidava com instância a vir a esta vila para tomar conta de uma defesa. Não pude conhecer a letra; era desigual e trêmula, como escrita por mão cansada...

— Tens o bilhete contigo?

— Tenho.

Tirei do bolso o misterioso bilhete e entreguei-o aberto ao meu amigo. Ele, depois de lê-lo, disse:

— É a letra de *Pai de todos*.

— Quem é *Pai de todos*?

— É um fazendeiro destas paragens, o velho Pio. O povo dá-lhe o nome de *Pai de todos*, porque o velho Pio o é na verdade.

— Bem dizia eu que há romance no fundo!... Que faz esse velho para que lhe deem semelhante título?

— Pouca coisa. Pio é, por assim dizer, a justiça e a caridade fundidas em uma só pessoa. Só as grandes causas vão ter às autoridades judiciárias, policiais ou municipais; mas tudo o que não sai de certa ordem é decidido na fazenda de Pio, cuja sentença todos acatam e cumprem. Seja ela contra Pedro ou contra Paulo, Paulo e Pedro submetem-se, como se fora uma decisão divina. Quando dois contendores saem da fazenda de Pio, saem amigos. É caso de consciência aderir ao julgamento de *Pai de todos*.

— Isso é como juiz. O que é ele como homem caridoso?

— A fazenda de Pio é o asilo dos órfãos e dos pobres. Ali se encontra o que é necessário à vida: leite e instrução às crianças, pão e sossego aos adultos. Muitos lavradores nestas seis léguas cresceram e tiveram princípio de vida na fazenda de Pio. É a um tempo Salomão e S. Vicente de Paulo.

Engoli a última gota de café, e fitei no meu amigo olhos incrédulos.

— Isto é verdade? perguntei.

— Pois duvidas?

— É que me dói sair tantas léguas da Corte, onde esta história encontraria incrédulos, para vir achar neste recanto do mundo aquilo que devia ser comum em toda a parte.

— Põe de parte essas reflexões filosóficas. Pio não é um mito: é uma criatura de carne e osso; vive como vivemos; tem dois olhos, como tu e eu...

— Então esta carta é dele?

— A letra é.

— A fazenda fica perto?

O meu amigo levou-me à janela.

— Fica daqui a um quarto de légua, disse. Olha, é por detrás daquele morro.

Nisto passava por baixo da janela um preto montado em uma mula, sobre cujas ancas saltavam duas canastras. O meu amigo debruçou-se e perguntou ao negro:

— Teu senhor está em casa?

— Está, sim, Sr.; mas vai sair.

O negro foi caminho, e nós saímos da janela.

— É escravo de Pio?

— Escravo é o nome que se dá; mas Pio não tem escravos, tem amigos. Olham-no todos como se fora um Deus. É que em parte alguma houve nunca mais brando e cordial tratamento a homens escravizados. Nenhum dos instrumentos de ignomínia que por aí se aplicam para corrigi-los existem na fazenda de Pio. Culpa capital ninguém comete entre os negros da fazenda; a alguma falta venial que haja, Pio aplica apenas uma repreensão tão cordial e tão amiga que acaba por fazer chorar o delinquente. Ouve mais: Pio estabeleceu entre os seus escravos uma espécie de concurso que permite a um certo número libertar-se todos os anos. Acreditarás tu que lhes é indiferente viver livres ou escravos na fazenda, e que esse estímulo não decide nenhum deles, sendo que, por natural impulso, todos se portam dignos de elogios?

O meu amigo continuou a desfiar as virtudes do fazendeiro. Meu espírito apreendia-se cada vez mais de que eu ia entrar em um

romance. Finalmente o meu amigo dispunha-se a contar-me a história do crime em cujo conhecimento devia eu entrar daí a poucas horas. Detive-o.

— Não? disse-lhe, deixa-me saber de tudo por boca do próprio réu. Depois compararei com o que me contaras.

— É melhor. Julião é inocente...

— Inocente?

— Quase.

Minha curiosidade estava excitada ao último ponto. Os autos não me tinham tirado o gosto pelas novelas, e eu achava-me feliz por encontrar no meio da prosa judiciária, de que andava cercado, um assunto digno da pena de um escritor.

— Onde é a cadeia? perguntei.

— É perto, respondeu-me; mas agora é quase noite; melhor é que descanses; amanhã é tempo.

Atendi a este conselho. Entrou nova porção de café. Tomamo-lo entre recordações do passado, que muitas eram. Juntos vimos florescer as primeiras ilusões, e juntos vimos dissiparem-se as últimas. Havia de que encher, não uma, mas cem noites. Aquela passou-se rápida, e mais ainda depois que a família toda veio tomar parte em nossa íntima confabulação. Por uma exceção, de que fui causa, a hora de recolher foi a meia-noite.

— Como é doce ter um amigo! dizia eu pensando no Conde de Maistre, e retirando-me para o quarto que me foi destinado.

Capítulo II

No dia seguinte, ainda vinha rompendo a manhã, já eu me achava de pé. Entrou no meu quarto um escravo com um grande copo de leite tirado minutos antes. Em poucos goles o devorei. Perguntei pelo amigo; disse-me o escravo que já se achava de pé. Mandei-o chamar.

— Será cedo para ir à cadeia? perguntei mal o vi assomar à porta do quarto.

— Muito cedo. Que pressa tamanha! É melhor aproveitarmos a manhã, que está fresca, e irmos dar um passeio. Passaremos pela fazenda de Pio.

Não me desagradou a proposta. Acabei de vestir-me e saímos ambos. Duas mulas nos esperavam à cancela, espertas e desejosas de trotar. Montamos e partimos.

Três horas depois, já quando o sol dissipara as nuvens de neblina que cobriam os morros como grandes lençóis, estávamos de volta, tendo eu visto a bela casa e as esplêndidas plantações da fazenda do velho Pio. Foi este o assunto do almoço.

Enfim, dado ao corpo o preciso descanso, e alcançada a necessária licença, dirigi-me à cadeia para falar ao réu Julião.

Sentado em uma sala onde a luz entrava escassamente, esperei que chegasse o misterioso delinquente. Não se demorou muito. No fim de um quarto de hora estava diante de mim. Dois soldados ficaram à porta.

Mandei sentar o preso, e, antes de entrar em interrogatório, empreguei uns cinco minutos em examiná-lo.

Era um homem trigueiro, de mediana estatura, magro, débil de forças físicas, mas com uma cabeça e um olhar indicativos de muita energia moral e alentado ânimo.

Tinha um ar de inocência, mas não da inocência abatida e receosa; parecia antes que se glorificava com a prisão, e afrontava a justiça humana, não com a impavidez do malfeitor, mas com a daquele que confia na justiça divina.

Passei a interrogá-lo, começando pela declaração de que eu ia para defendê-lo. Disse-lhe que nada ocultasse dos acontecimentos que o levaram à prisão; e ele, com uma rara placidez de ânimo, contou-me toda a história do seu crime.

Julião fora um daqueles a quem a alma caridosa de Pio dera sustento e trabalho. Suas boas qualidades, a gratidão, o amor, o respeito com que falava e adorava o protetor, não ficaram sem uma paga valiosa. Pio, no fim de certo tempo, deu a Julião um sítio que ficava pouco distante da fazenda. Para lá fora morar Julião com uma filha menor, cuja mãe morrera em consequência dos acontecimentos que levaram Julião a recorrer à proteção do fazendeiro.

Tinha a pequena sete anos. Era, dizia Julião, a mulatinha mais formosa daquelas dez léguas em redor. Elisa, era o nome da pequena, completava a trindade do culto de Julião, ao lado de Pio e da memória da mãe finada.

Laborioso por necessidade e por gosto, Julião bem depressa viu frutificar o seu trabalho. Ainda assim não descansava. Queria, quando morresse, deixar um pecúlio à filha. Morrer sem deixá-la amparada era o sombrio receio que o perseguia. Podia acaso contar com a vida do fazendeiro esmoler?

Este tinha um filho, mais velho três anos que Elisa. Era um bom menino, educado sob a vigilância de seu pai, que desde os tenros anos inspirava-lhe aqueles sentimentos a que devia a sua imensa popularidade.

Carlos e Elisa viviam quase sempre juntos, naquela comunhão da infância que não conhece desigualdades nem condições. Estimavam-se deveras, a ponto de sentirem profundamente quando foi necessário a Carlos ir cursar as primeiras aulas.

Trouxe o tempo as divisões, e anos depois, quando Carlos apeou à porta da fazenda com uma carta de bacharel na algibeira, uma esponja se passara sobre a vida anterior. Elisa, já mulher, podia avaliar os nobres esforços de seu pai, e concentrara todos os afetos de sua alma no mais respeitoso amor filial. Carlos era homem. Conhecia as condições da vida social, e desde os primeiros gestos mostrou que abismo separava o filho do protetor da filha do protegido.

O dia da volta de Carlos foi dia de festa na fazenda do velho Pio. Julião tomou parte na alegria geral, como toda a gente, pobre ou remediada, dos arredores. E a alegria não foi menos pura em nenhum: todos sentiam que a presença do filho do fazendeiro era a felicidade comum.

Passaram-se os dias. Pio não se animava a separar-se de seu filho para que este seguisse uma carreira política, administrativa ou judiciária. Entretanto, notava-lhe muitas diferenças em comparação com o rapaz que, anos antes, lhe saíra de casa. Nem ideias, nem sentimentos, nem hábitos eram os mesmos. Cuidou que fosse um resto da vida escolástica, e esperou que a diferença da atmosfera que voltava a respirar e o espetáculo da vida simples e chã da fazenda o restabelecessem.

O que o magoava, sobretudo, é que o filho bacharel não buscasse os livros, onde pudesse, procurando novos conhecimentos, entreter uma necessidade indispensável para o gênero de vida que ia encetar. Carlos não tinha mais que uma ocupação e uma distração: a caça. Levava dias e dias a correr o mato em busca de animais para matar, e nisso fazia consistir todos os cuidados, todos os pensamentos, todos os estudos.

Ao meio-dia era certo vê-lo chegar ao sítio de Julião, e aí descansar um bocado, conversando sobranceiro com a filha do infatigável lavrador. Este chegava, trocava algumas palavras de respeitosa estima com o filho de Pio, oferecia-lhe parte do seu modesto jantar, que o moço não aceitava, e discorria, durante a refeição, sobre os objetos relativos à caça.

Passavam as coisas assim sem alteração de natureza alguma.

Um dia, ao entrar em casa para jantar, Julião notou que sua filha parecia triste. Reparou, e viu-lhe os olhos vermelhos de lágrimas. Perguntou o que era. Elisa respondeu que lhe doía a cabeça; mas durante o jantar, que foi silencioso, Julião observou que sua filha enxugava furtivamente algumas lágrimas. Nada disse; mas, terminado o jantar, chamou-a para junto de si, e com palavras brandas e amigas exigiu-lhe que dissesse o que tinha. Depois de muita relutância, Elisa falou:

— Meu pai, o que eu tenho é simples. O Sr. Carlos, em quem comecei a notar mais amizade que ao princípio, declarou-me hoje que gostava de mim, que eu devia ser dele, que só ele me poderia dar tudo quanto eu desejasse, e muitas outras coisas que eu nem pude ouvir, tal foi o espanto com que ouvi as suas primeiras palavras. Declarei-lhe que não pensasse coisas tais. Insistiu; repeli-o... Então, tomando um ar carrancudo, saiu, dizendo-me:

— Hás de ser minha!

Julião estava atônito. Inquiriu sua filha sobre todas as particularidades da conversa referida. Não lhe restava dúvida acerca dos maus intentos de Carlos. Mas como de um tão bom pai pudera sair tão mau filho? perguntava ele. E esse próprio filho não era bom antes de ir para fora? Como exprobrar-lhe a sua má ação? E poderia fazê-lo? Como evitar a ameaça? Fugir do lugar em que morava o pai não era mostrar-se ingrato? Todas estas reflexões passaram pelo espírito de Julião. Via o abismo a cuja borda estava, e não sabia como escapar-lhe.

Finalmente, depois de animar e tranquilizar sua filha, Julião saiu, de plano feito, na direção da fazenda, em busca de Carlos.

Este, rodeado por alguns escravos, fazia limpar várias espingardas de caça. Julião, depois de cumprimentá-lo alegremente, disse que lhe queria falar em particular. Carlos estremeceu; mas não podia deixar de ceder.

— Que me queres, Julião? disse depois de se afastar um pouco do grupo.

Julião respondeu:

— Sr. Carlos, venho pedir-lhe uma coisa, por alma de sua mãe!... Deixe minha filha sossegada.

— Mas que lhe fiz eu? titubeou Carlos.

— Oh! não negue, porque eu sei.

— Sabe o quê?

— Sei da sua conversa de hoje. Mas o que passou, passou. Fico sendo seu amigo, mais ainda, se me não perseguir a pobre filha que Deus me deu... Promete?

Carlos esteve calado alguns instantes. Depois:

— Basta, disse; confesso-te, Julião, que era uma loucura minha de que me arrependo. Vai tranquilo: respeitarei tua filha como se fosse morta.

Julião, na sua alegria, quase beijou as mãos de Carlos. Correu à casa e referiu a sua filha a conversa que tivera com o filho de *Pai de todos*. Elisa não só por si como por seu pai, estimou o pacífico desenlace.

Tudo parecia ter voltado à primeira situação. As visitas de Carlos eram feitas nas horas em que Julião se achava em casa, e além disso, a presença de uma parenta velha, convidada por Julião, parecia tornar impossível nova tentativa de parte de Carlos.

Uma tarde, quinze dias depois do incidente que narrei acima, voltava Julião da fazenda do velho Pio. Era já perto da noite. Julião caminhava vagarosamente, pensando no que lhe faltaria ainda para completar o pecúlio de sua filha. Nessas divagações, não reparou que anoitecera. Quando deu por si, ainda se achava umas boas braças distante de casa. Apressou o passo. Quando se achava mais perto, ouviu uns gritos sufocados. Deitou a correr e penetrou no terreiro que circundava á casa. Todas as janelas estavam fechadas; mas os gritos continuavam cada vez mais angustiosos. Um vulto passou-lhe pela frente e dirigiu-se para os fundos. Julião quis segui-lo; mas os gritos eram muitos, e de sua filha. Com uma força difícil de crer em corpo tão pouco robusto, conseguiu abrir uma das janelas. Saltou, e eis o que viu:

A parenta que convidara a tomar conta da casa estava no chão, atada, amordaçada, exausta. Uma cadeira quebrada, outras em desordem.

— Minha filha! exclamou ele.

E atirou-se para o interior.

Elisa debatia-se nos braços de Carlos, mas já sem forças nem esperanças de obter misericórdia.

No momento em que Julião entrava por uma porta, entrava por outra um indivíduo mal conceituado no lugar, e até conhecido por assalariado nato de todas as violências. Era o vulto que Julião vira no terreiro. E outros haviam ainda, que apareceram a um sinal dado pelo primeiro, mal Julião entrou no lugar em que se dava o triste conflito da inocência com a perversidade.

Julião teve tempo de arrancar Elisa dos braços de Carlos. Cego de raiva, travou de uma cadeira e ia atirar-lha, quando os capangas entrados a este tempo, o detiveram.

Carlos voltara a si da surpresa que lhe causara a presença de Julião. Recobrando o sangue frio, cravou os olhos odientos no desventurado pai, e disse-lhe com voz sumida:

— Hás de pagar-me!

Depois, voltando-se para os ajudantes das suas façanhas, bradou:

— Amarrem-no!

Em cinco minutos foi obedecido. Julião não podia lutar contra cinco.

Carlos e quatro capangas saíram. Ficou um de vigia.

Uma chuva de lágrimas rebentou dos olhos de Elisa. Doía-lhe na alma ver seu pai atado daquele modo. Não era já o perigo a que escapara o que a comovia; era não poder abraçar seu pai livre e feliz. E por que estaria atado? Que intentava Carlos fazer? Matá-lo? Estas lúgubres e aterradoras ideias passaram rapidamente pela cabeça de Elisa. Entre lágrimas comunicou-as a Julião.

Este, calmo, frio, impávido, tranquilizou o espírito de sua filha, dizendo-lhe que Carlos poderia ser tudo, menos um assassino.

Seguiram-se alguns minutos de angustiosa espera. Julião olhava para sua filha e parecia refletir. Depois de algum tempo, disse:

— Elisa, tens realmente a tua desonra por uma grande desgraça?

— Oh! meu pai! exclamou ela.

— Responde: se te faltasse a pureza que recebeste do céu, considerar-te-ias a mais infeliz de todas as mulheres?

— Sim, sim, meu pai!

Julião calou-se.

Elisa chorou ainda. Depois voltou-se para a sentinela deixada por Carlos e quis implorar-lhe misericórdia. Foi atalhada por Julião.

— Não peças nada, disse este. Só há um protetor para os infelizes: é Deus. Há outro depois dele; mas esse está longe... Ó *Pai de todos*, que filho te deu o Senhor!...

Elisa voltou para junto de seu pai.

— Chega-te para mais perto, disse este.

Elisa obedeceu.

Julião tinha os braços atados, mas podia mover, ainda que pouco, as mãos. Procurou afagar Elisa, tocando-lhe as faces e beijando-lhe a cabeça. Ela inclinou-se e escondeu o rosto no peito de seu pai.

A sentinela não dava fé do que se passava. Depois de alguns minutos do abraço de Elisa e Julião, ouviu-se um grito agudíssimo. A sentinela correu aos dois. Elisa caíra completamente, banhada em sangue.

Julião tinha procurado a custo apoderar-se de uma faca de caça deixada por Carlos sobre uma cadeira. Apenas o conseguiu, cravou-a no peito de Elisa. Quando a sentinela correu para ele, não teve tempo de evitar o segundo golpe, com que Julião tornou mais profunda e mortal a primeira ferida. Elisa rolou no chão nas últimas convulsões.

— Assassino! clamou a sentinela.

— Salvador!... salvei minha filha da desonra!

— Meu pai!... murmurava a pobre pequena expirando. Julião, voltando-se para o cadáver, disse, derramando duas lágrimas, duas só, mas duas lavas rebentadas do vulcão de sua alma:

— Dize a Deus, minha filha, que te mandei mais cedo para junto dele para salvar-te da desonra.

Depois fechou os olhos e esperou.

Não tardou que entrasse Carlos, acompanhado de uma autoridade policial e vários soldados.

Saindo da casa de Julião, teve a ideia danada de ir declarar à autoridade que o velho lavrador tentara contra a vida dele, razão por que teve de lutar, o conseguira deixá-lo amarrado.

A surpresa de Carlos e dos policiais foi grande. Não cuidavam encontrar o espetáculo que a seus olhos se ofereceu. Julião foi preso. Não negou o crime. Somente reservou-se para contar as circunstâncias dele na ocasião competente.

A velha parenta foi desatada, desamordaçada e conduzida à fazenda de Pio.

Julião, depois de contar-me toda a história cujo resumo acabo de fazer, perguntou-me:

— Diga-me, Sr. doutor, pode ser meu advogado? Não sou criminoso?

— Serei seu advogado. Descanse, estou certo de que os juízes reconhecerão as circunstâncias atenuantes do delito.

— Oh! não é isso que me aterroriza. Seja ou não condenado pelos homens, é coisa que nada monta para mim. Se os juízes não forem pais, não me compreenderão, e então é natural que sigam os ditames da lei. Não matarás, é dos mandamentos eu bem sei...

Não quis magoar a alma do pobre pai continuando naquele diálogo. Despedi-me dele e disse que voltaria depois.

Saí da cadeia alvoroçado. Não era romance, era tragédia o que eu acabava de ouvir. No caminho as ideias se me clarearam. Meu espírito voltou-se vinte e três séculos atrás, e pude ver, no seio da sociedade romana, um caso idêntico ao que se dava na vila de ***.

Todos conhecem a lúgubre tragédia de Virginius. Tito Lívio, Diodoro de Sicília e outros antigos falam dela circunstanciadamente. Foi essa tragédia a precursora da queda dos decênviros. Um destes, Ápio Cláudio, apaixonou-se por Virgínia, filha de Virginius. Como fosse impossível de tomá-la por simples simpatia, determinou o decênviro empregar um meio violento. O meio foi escravizá-la. Peitou um sicofanta, que apresentou-se aos tribunais reclamando a entrega de Virgínia, sua escrava. O desventurado pai, não conseguindo comover nem por seus rogos, nem por suas ameaças, travou de uma faca de açougue e cravou-a no peito de Virgínia.

Pouco depois caíam os decênviros e restabelecia-se o consulado.

No caso de Julião não haviam decênviros para abater nem cônsules para levantar, mas havia a moral ultrajada e a malvadez triunfante. Infelizmente estão ainda longe, esta da geral repulsão, aquela do respeito universal.

Capítulo III

Fazendo todas estas reflexões, encaminhava-me eu para a casa do amigo em que estava hospedado. Ocorreu-me uma ideia, a de ir à fazenda de Pio, autor do bilhete que me chamara da corte, e de quem eu podia saber muita coisa mais.

Não insisto em observar a circunstância de ser o velho fazendeiro quem se interessava pelo réu e pagava as despesas da defesa nos tribunais. Já o leitor terá feito essa observação, realmente honrosa para aquele deus da terra.

O sol, apesar da estação, queimava suficientemente o viandante. Ir a pé à fazenda, quando podia ir a cavalo, era ganhar fadiga e perder tempo sem proveito. Fui à casa e mandei aprontar o cavalo. O meu hóspede não estava em casa. Não quis esperá-lo, e sem mais companhia dirigi-me para a fazenda.

Pio estava em casa. Mandei-lhe dizer que uma pessoa da corte desejava falar-lhe. Fui recebido incontinenti.

Achei o velho fazendeiro em conversa com um velho padre. Pareciam, tanto o secular como o eclesiástico, dois verdadeiros soldados do Evangelho combinando-se para a mais extensa prática do bem. Tinham ambos a cabeça branca, o olhar sereno, a postura grave e o gesto despretensioso. Transluzia-lhes nos olhos a bondade do coração Levantaram-se quando apareci e vieram cumprimentar-me.

O fazendeiro era quem chamava mais a minha atenção, pelo que ouvira dizer dele ao meu amigo e ao pai de Elisa. Pude observá-lo durante alguns minutos. Era impossível ver aquele homem e não adivinhar o que ele era. Com uma palavra branda e insinuante disse-me que diante do capelão não tinha segredos, e que eu dissesse o que tinha para dizer. E começou por me perguntar quem era eu. Disse-lho; mostrei-lhe o bilhete, declarando que sabia ser dele, razão por que o procurara.

Depois de algum silêncio disse-me:

— Já falou ao Julião?

— Já.

— Conhece então toda a história?

— Sei do que ele me contou.

— O que ele lhe contou é o que se passou. Foi uma triste história que me envelheceu ainda mais em poucos dias. Reservou-me o céu aquela tortura para o último quartel da vida. Soube o que fez. É sofrendo que se aprende. Foi melhor. Se meu filho havia de esperar que eu morresse para praticar atos tais com impunidade, bom foi que o fizesse antes, seguindo-se assim ao delito o castigo que mereceu.

A palavra *castigo* impressionou-me. Não me pude ter e disse-lhe:

— Fala em castigo. Pois castigou seu filho?

— Pois então? Quem é o autor da morte de Elisa?

— Oh!... isso não, disse eu.

— Não foi autor, foi causa. Mas quem foi o autor da violência à pobre pequena? Foi decerto meu filho.

— Mas esse castigo?...

— Descanse, disse o velho adivinhando a minha indiscreta inquietação Carlos recebeu um castigo honroso, ou, por outra, sofre como castigo aquilo que devia receber como honra. Eu o conheço. Os cômodos da vida que teve, a carta que alcançou pelo estudo, e certa dose de vaidade que todos nós recebemos do berço, e que o berço lhe deu a ele em grande dose, tudo isso é que o castiga neste momento, porque tudo foi desfeito pelo gênero de vida que lhe fiz adotar. Carlos é agora soldado.

— Soldado! exclamei eu.

— É verdade. Objetou-me que era doutor. Disse-lhe que devia lembrar-se de que o era quando penetrou na casa de Julião. A muito pedido, mandei-o para o Sul, com promessa jurada, e avisos particulares e reiterados, de que, mal chegasse ali, assentasse praça em um batalhão de linha. Não é um castigo honroso? Sirva a sua pátria, e guarde a fazenda e a honra dos seus concidadãos: é o melhor meio de aprender a guardar a honra própria.

Continuamos em nossa conversa durante duas horas quase. O velho fazendeiro mostrava-se magoadíssimo sempre que volvíamos a falar do caso de Julião. Depois que lhe declarei que tomava conta da causa em defesa do réu, instou comigo para que nada poupasse a fim de alcançar a diminuição da pena de Julião. Se for preciso, dizia ele, apreciar com as considerações devidas o ato de meu filho, não se acanhe: esqueça-se de mim, porque eu também me esqueço de meu filho.

Cumprimentei aquela virtude romana, despedi-me do padre, e saí, depois de prometer tudo o que me foi pedido.

Capítulo IV

— Então, falaste a Julião? perguntou o meu amigo quando me viu entrar em casa.

— Falei, e falei também ao *Pai de todos*... Que história, meu amigo!... Parece um sonho.

— Não te disse?... E defendes o réu?

— Com toda a certeza.

Fui jantar, e passei o resto da tarde conversando acerca do ato de Julião e das virtudes do fazendeiro. Poucos dias depois instalou-se o júri onde tinha de comparecer Julião.

De todas as causas, era aquela a que mais medo me fazia; não que eu duvidasse das atenuantes do crime, mas porque receava não estar na altura da causa.

Toda a noite da véspera foi para mim de verdadeira insônia. Enfim raiou o dia marcado para o julgamento de Julião. Levantei-me, comi pouco e distraído, e vesti-me. Entrou-me no quarto o meu amigo.

— Lá te vou ouvir, disse-me ele abraçando.

Confessei-lhe os meus receios; mas ele, para animar-me, entreteceu uma grinalda de elogios que eu mal pude ouvir, no meio das minhas preocupações.

Saímos.

Dispenso os leitores da narração do que se passou no júri. O crime foi provado pelo depoimento das testemunhas; nem Julião o negou nunca. Mas apesar de tudo, da confissão e da prova testemunhal, auditório, jurados, juiz e promotor, todos tinham pregados no réu olhos de simpatia, admiração e compaixão.

A acusação limitou-se a referir o depoimento das testemunhas, e quando, terminando o seu discurso, teve de pedir a pena para o réu, o promotor mostrava-se envergonhado de estar trêmulo e comovido.

Tocou-me a vez de falar. Não sei o que disse. Sei que as mais ruidosas provas de adesão surgiam no meio do silêncio geral. Quando terminei, dois homens invadiram a sala e abraçaram-me comovidos: o fazendeiro e o meu amigo.

Julião foi condenado a dez anos de prisão. Os jurados tinham ouvido a lei, e igualmente, talvez, o coração.

Capítulo V

No momento em que escrevo estas páginas, Julião, tendo já cumprido a sentença, vive na fazenda de Pio. Pio não quis que ele voltasse ao lugar em que se dera a catástrofe, e fá-lo residir ao pé de si.

O velho fazendeiro tinha feito recolher as cinzas de Elisa em uma urna, ao pé da qual vão ambos orar todas as semanas.

Aqueles dois pais, que assistiram ao funeral das suas esperanças, acham-se ligados intimamente pelos laços do infortúnio.

Na fazenda fala-se sempre de Elisa, mas nunca de Carlos. Pio é o primeiro a não magoar o coração de Julião com a lembrança daquele que o levou a matar sua filha.

Quanto a Carlos, vai resgatando como pode o crime com que atentou contra a honra de uma donzela e contra a felicidade de dois pais.

JORNAL

DAS FAMILIAS

MARIANNA.

Voltei de Europa depois de uma ausencia de quinze annos. Era quanto bastava para vir achar muita cousa mudada. Alguns amigos tinham morrido, outros estavam casados, outros viuvos. Quatro ou cinco tinham-se feito homens publicos, e um delles acabava de ser ministro de Estado. Sobre todos elles pesavam quinze annos de desillusões e cançasso. Eu, entretanto, vinha tão moço como fôra, não no rosto e nos cabellos, que começavam a embranquecer, mas na alma e no coração que estavam em flor. Foi essa a vantagem que tirei das minhas constantes viagens. Não ha decepções possiveis para um viajante, que apenas vê de passagem o lado bello da naturesa humana e não ganha tempo de conhecer-lhe o lado feio. Mas deixemos estas philosophias inuteis.

Tambem achei mudado o nosso Rio de Janeiro, e mudado para melhor. O jardim do Rocio, o boulevard Barceller, cinco ou seis hoteis novos, novos predios, grande movimento commercial e popular, tudo isso fez em meu espirito uma agradavel impressão.

Fui hospedar-me no hotel Damiani. Chamo-lhe assim para conservar um nome que tem para mim recordações saudosas. Agora o hotel chama-se Ravot. Tem defronte uma grande casa de modas e um escriptorio de

Mariana[1]

Voltei de Europa depois de uma ausência de quinze anos. Era quanto bastava para vir achar muita coisa mudada. Alguns amigos tinham morrido, outros estavam casados, outros viúvos. Quatro ou cinco tinham-se feito homens públicos, e um deles acabava de ser ministro de Estado. Sobre todos eles pesavam quinze anos de desilusões e cansaço. Eu, entretanto, vinha tão moço como fora, não no rosto e nos cabelos, que começavam a embranquecer, mas na alma e no coração que estavam em flor. Foi essa a vantagem que tirei das minhas constantes viagens. Não há decepções possíveis para um viajante, que apenas vê de passagem o lado belo da natureza humana e não ganha tempo de conhecer-lhe o lado feio. Mas deixemos estas filosofias inúteis.

Também achei mudado o nosso Rio de Janeiro, e mudado para melhor. O jardim do Rocio, o *boulevard* Carceller, cinco ou seis hotéis novos, novos prédios, grande movimento comercial e popular, tudo isso fez em meu espírito uma agradável impressão.

Fui hospedar-me no Hotel Damiani. Chamo-lhe assim para conservar um nome que tem para mim recordações saudosas. Agora o hotel chama-se Ravot. Tem defronte uma grande casa de modas e um escritório de jornal político. Dizem-me que a casa de modas faz mais negócio que o jornal. Não admira; poucos leem, mas todos se vestem.

Estava eu justamente a contemplar o espetáculo novo que a rua me oferecia quando vi passar um indivíduo cuja fisionomia me não era estranha. Desci logo à rua e cheguei à porta quando ele passava defronte.

— Coutinho! exclamei.

— Macedo! disse o interpelado correndo a mim.

[1] Publicado em *Jornal das Famílias* (janeiro de 1871).

Entramos no corredor e aí demos aberta às nossas primeiras expansões.

— Que milagre é este? por que estás aqui? quando chegaste?

Estas e outras perguntas fazia-me o meu amigo entre repetidos abraços. Convidei-o a subir e a almoçar comigo, o que aceitou, com a condição porém de que iria buscar mais dois amigos nossos, que eu estimaria ver. Eram efetivamente dois excelentes companheiros de outro tempo. Um deles estava à frente de uma grande casa comercial; o outro, depois de algumas vicissitudes, fizera-se escrivão de uma vara cível.

Reunidos os quatro na minha sala do hotel, foi servido um suculento almoço, em que aliás eu e o Coutinho tomamos parte. Os outros limitavam-se a fazer a razão de alguns brindes e a propor outros.

Quiseram que eu lhes contasse as minhas viagens; cedi francamente a este desejo natural. Não lhes ocultei nada. Contei-lhes o que havia visto desde o Tejo até o Danúbio, desde Paris até Jerusalém. Fi-los assistir na imaginação às corridas de Chantilly e às jornadas das caravanas no deserto; falei do céu nevoento de Londres e do céu azul da Itália. Nada me escapou; tudo lhes referi.

Cada qual fez as suas confissões. O negociante não hesitou em dizer tudo quanto sofrera antes de alcançar a posição atual. Deu-me notícia de que estava casado, e tinha uma filha de dez anos no colégio. O escrivão achou-se um tanto envergonhado quando lhe tocou a vez de dizer a sua vida; todos nós tivemos a delicadeza de não insistir nesse ponto.

Coutinho não hesitou em dizer que era mais ou menos o que era outrora a respeito da ociosidade; sentia-se entretanto mudado e entrevia ao longe ideias de casamento.

— Não te casaste? perguntei eu.

— Com a prima Amélia? disse ele; não.

— Por quê?

— Porque não foi possível.

— Mas continuaste a vida solta que levavas?

— Que pergunta! exclamou o negociante. É a mesma coisa que era há quinze anos. Não mudou nada.

— Não digas isso; mudei.

— Para pior? perguntei eu rindo.

— Não, disse Coutinho, não sou pior do que era; mudei nos sentimentos; acho que hoje não me vale a pena cuidar de ser mais feliz do que sou.

— E podias sê-lo, se te houvesse casado com tua prima. Amava-te muito aquela moça; ainda me lembro das lágrimas que lhes vi derramar em um dia de entrudo. Lembras-te?

— Não me lembra, disse Coutinho ficando mais sério do que estava; mas creio que deve ter sido isso.

— E o que é feito dela?

— Casou.

— Ah!

— É hoje fazendeira; e dá-se perfeitamente com o marido. Mas não falemos nisto, acrescentou Coutinho, enchendo um cálix de *cognac*; o que lá vai, lá vai!

Houve alguns instantes de silêncio, que eu não quis interromper, por me parecer que o nome da moça trouxera ao rapaz alguma recordação dolorosa.

Rapaz é uma maneira de dizer. Coutinho contava já seus trinta e nove anos e tinha alguns fios brancos na cabeça e na barba. Mas apesar desse evidente sinal do tempo, eu aprazia-me em ver os meus amigos pelo prisma da recordação que levara deles.

Coutinho foi o primeiro que rompeu o silêncio.

— Pois que estamos aqui reunidos, disse ele, ao cabo de quinze anos, deixem que, sem exemplo, e para completar as nossas confidências recíprocas, eu lhes confesse uma coisa, que nunca saiu de mim.

— Bravo! disse eu; ouçamos a confidência de Coutinho.

Acendemos nossos charutos. Coutinho começou a falar:

— Eu namorava a prima Amélia, como sabem; o nosso casamento devia efetuar-se um ano depois que daqui saíste. Não se efetuou por circunstâncias que ocorreram depois, e com grande mágoa minha, pois gostava dela. Antes e depois amei e fui amado muitas vezes; mas nem depois nem antes, e por nenhuma mulher fui amado jamais como fui...

— Por tua prima? perguntei eu.

— Não; por uma cria de casa.

Olhamos todos espantados um para outro. Ignorávamos esta circunstância, e estávamos a cem léguas de semelhante conclusão. Coutinho não parece atender ao nosso espanto; sacudia distraidamente a cinza do charuto e parecia absorto na recordação que o seu espírito evocava.

— Chamava-se Mariana, continuou ele alguns minutos depois, e era uma gentil mulatinha nascida e criada como filha da casa, e recebendo de minha mãe os mesmos afagos que ela dispensava às outras filhas. Não se sentava à mesa, nem vinha à sala em ocasião de visitas, eis a diferença; no mais era como se fosse pessoa livre, e até minhas irmãs tinham certa afeição fraternal. Mariana possuía a inteligência da sua situação, e não abusava dos cuidados com que era tratada. Compreendia bem que na situação em que se achava só lhe restava pagar com muito reconhecimento a bondade de sua senhora.

A sua educação não fora tão completa como a de minhas irmãs; contudo, Mariana sabia mais do que outras mulheres em igual caso. Além dos trabalhos de agulha que lhe foram ensinados com extremo zelo, aprendera a ler e a escrever. Quando chegou aos 15 anos teve desejo de saber francês, e minha irmã mais moça lho ensinou com tanta paciência e felicidade, que Mariana em pouco tempo ficou sabendo tanto como ela.

Como tinha inteligência natural, todas estas coisas lhe foram fáceis. O desenvolvimento do seu espírito não prejudicava o desenvolvimento de seus encantos. Mariana aos 18 anos era o tipo mais completo da sua raça. Sentia-se-lhe o fogo através da tez morena do rosto, fogo inquieto e vivaz que lhe rompia dos olhos negros e rasgados. Tinha os cabelos naturalmente encaracolados e curtos. Talhe esbelto e elegante, colo voluptuoso, pé pequeno e mãos de senhora. É impossível que eu esteja a idealizar esta criatura que há tanto me desapareceu dos olhos; mas não estarei muito longe da verdade.

Mariana era apreciada por todos quantos iam a nossa casa, homens e senhoras. Meu tio, João Luís, dizia-me muitas vezes: – "Por que diabo está tua mãe guardando aqui em casa esta flor peregrina? A rapariga precisa de tomar ar".

Posso dizer, agora que já passou muito tempo, esta preocupação do tio nunca me passou pela cabeça; acostumado a ver Mariana bem tratada parecia-me ver nela uma pessoa da família, e além disso, ser-me-ia doloroso contribuir para causar tristeza a minha mãe.

Amélia ia lá a casa algumas vezes; mas era o princípio, e antes que nenhum namoro houvesse entre nós. Cuido, porém, que foi Mariana quem chamou a atenção da moça para mim. Amélia deu-mo a entender um dia. O certo é que uma tarde, depois de jantar, estávamos a tomar café no terraço, e eu reparei na beleza de Amélia com uma atenção mais demorada que de costume. Fosse acaso ou fenômeno magnético, a moça olhava também para mim. Prolongaram-se os nossos olhares... ficamos a amar um ao outro. Todos os amores começam pouco mais ou menos assim.

Acho inútil contar minuciosamente este namoro de rapaz, que vocês em parte conhecem, e que não apresentou episódio notável. Meus pais aprovaram a minha escolha; os pais de Amélia fizeram o mesmo. Nada se opunha à nossa felicidade. Preparei-me um dia de ponto em branco e fui pedir a meu tio a mão da filha. Foi-me ela concedida, com a condição apenas de que o casamento seria efetuado alguns meses depois, quando o irmão de Amélia tivesse completado os estudos, e pudesse assistir à cerimônia com a sua carta de bacharel.

Durante este tempo Mariana estava em casa de uma parenta nossa que no-la foi pedir para costurar uns vestidos. Mariana era excelente costureira. Quando ela voltou para casa, estava assentado o meu casamento com Amélia; e, como era natural, eu passava a maior parte do tempo em casa da prima, saboreando aquelas castas efusões de amor e ternura que antecedem o casamento. Mariana notou as minhas prolongadas ausências, e, com uma dissimulação assaz inteligente, indagou de minha irmã Josefa a causa delas. Disse-lho Josefa. Que se passou então no espírito de Mariana? Não sei; mas no dia seguinte, depois do almoço quando eu me dispunha a ir vestir-me, Mariana veio encontrar-me no corredor que ia ter ao meu quarto, com o pretexto de entregar-me um maço de charutos que me caíra do bolso. O maço fora previamente tirado da caixa que eu tinha no quarto.

— Aqui tem, disse ela com voz trêmula.

— O que é? perguntei.

— Estes charutos... caíram do bolso de senhor moço.

— Ah!

Recebi o maço de charutos e guardei-o no bolso do casaco; mas, durante esse tempo, Mariana conservou-se diante de mim. Olhei para ela; tinha os olhos postos no chão.

— Então, que fazes tu? disse eu em tom de galhofa.

— Nada, respondeu ela levantando os olhos para mim. Estavam rasos de lágrimas.

Admirou-me essa manifestação inesperada da parte de uma rapariga que todos estavam acostumados a ver alegre e descuidosa da vida. Supus que houvesse cometido alguma falta e recorresse a mim para protegê-la junto de minha mãe. Nesse caso a falta devia ser grande, porque minha mãe era a bondade em pessoa, e tudo perdoava às suas amadas crias.

— Que tens, Mariana? perguntei.

E como ela não respondesse e continuasse a olhar para mim, chamei em voz alta por minha mãe. Mariana apressou-se a tapar-me a boca, e esquivando-se às minhas mãos fugiu pelo corredor fora.

Fiquei a olhar ainda alguns instantes para ela, sem compreender nem as lágrimas, nem o gesto, nem a fuga. O meu principal cuidado era outro; a lembrança do incidente passou depressa, fui vestir-me e saí.

Quando voltei a casa não vi Mariana, nem reparei na falta dela. Acontecia isso muitas vezes. Mas depois de jantar lembrou-me o incidente da véspera e perguntei a Josefa o que haveria magoado a rapariga que tão romanescamente me falara no corredor.

— Não sei, disse Josefa, mas alguma coisa haverá porque Mariana anda triste desde anteontem. Que supões tu?

— Alguma coisa faria e tem medo da mamãe.

— Não, disse Josefa; pode ser antes algum namoro.

— Ah! tu pensas quê?

— Pode ser.

— E quem será o namorado da senhora Mariana, perguntei rindo. O copeiro ou o cocheiro?

— Tanto não sei eu; mas seja quem for, será alguém que lhe inspirasse amor; é quanto basta para que se mereçam um ao outro.

— Filosofia humanitária!

— Filosofia de mulher, respondeu Josefa com um ar tão sério que me impôs silêncio.

Mariana não me apareceu nos três dias seguintes. No quarto dia, estávamos almoçando, quando ela atravessou a sala de jantar, tomou a bênção a todos e foi para dentro. O meu quarto ficava além da sala de jantar e tinha uma janela que dava para o pátio e enfrentava com a janela do gabinete de costura. Quando fui para o meu quarto, Mariana estava nesse gabinete ocupada em preparar vários objetos para uns trabalhos de agulha. Não tinha os olhos em mim, mas eu percebia que o seu olhar acompanhava os meus movimentos. Aproximei-me da janela e disse-lhe:

— Estás mais alegre, Mariana?

A mulatinha assustou-se, voltou a cara para diversos lados, como se tivesse medo de que as minhas palavras fossem ouvidas, e finalmente impôs-me silêncio com o dedo na boca.

— Mas que é? perguntei eu dando à minha voz a moderação compatível com a distância.

Sua única resposta foi repetir-me o mesmo gesto.

Era evidente que a tristeza de Mariana tinha uma causa misteriosa, pois que ela receava revelar nada a esse respeito.

Que seria senão algum namoro como minha irmã supunha? Convencido disto, e querendo continuar uma investigação curiosa, aproveitei a primeira ocasião que se me ofereceu.

— Que tens tu, Mariana? disse eu; andas triste e misteriosa. É algum namorico? Anda, fala; tu és estimada por todos cá de casa. Se gostas de alguém poderás ser feliz com ele porque ninguém te oporá obstáculos aos teus desejos.

— Ninguém? perguntou ela com singular expressão de incredulidade.

— Quem teria interesse nisso?

— Não falemos nisso, nhonhô. Não se trata de amores, que eu não posso ter amores. Sou uma simples escrava.

— Escrava, é verdade, mas escrava quase senhora. És tratada aqui como filha da casa. Esqueces esses benefícios?

— Não os esqueço; mas tenho grande pena em havê-los recebido.

— Que dizes, insolente?

— Insolente? disse Mariana com altivez. Perdão! continuou ela voltando à sua humildade natural e ajoelhando-se a meus pés; perdão, se disse aquilo; não foi por querer: eu sei o que sou; mas se nhonhô soubesse a razão estou certa que me perdoaria.

Comoveu-me esta linguagem da rapariga. Não sou mau; compreendi que alguma grande preocupação teria feito com que Mariana esquecesse por instantes a sua condição e o respeito que nos devia a todos.

— Está bom, disse eu, levanta-te e vai-te embora; mas não tornes a dizer coisas dessas que me obrigas a contar tudo à senhora velha.

Mariana levantou-se, agarrou-me na mão, beijou-a repetidas vezes entre lágrimas e desapareceu.

Todos estes acontecimentos tinham chamado a minha atenção para a mulatinha. Parecia-me evidente que ela sentia alguma coisa por alguém, e ao mesmo tempo que o sentia, certa elevação e nobreza. Tais sentimentos contrastavam com a fatalidade da sua condição social. Que seria uma paixão daquela pobre escrava educada com mimos de senhora? Refleti longamente nisto tudo, e concebi um projeto romântico: obter a confissão franca de Mariana, e no caso em que se tratasse de um amor que a pudesse tornar feliz, pedir a minha mãe a liberdade da escrava.

Josefa aprovou a minha ideia, e incumbiu-se de interrogar a rapariga e alcançar pela confiança aquilo que me seria mais difícil obter pela imposição ou sequer pelo conselho.

Mariana recusou dizer coisa nenhuma a minha irmã. Debalde empregou esta todos os meios de sedução possíveis entre uma senhora e uma escrava. Mariana respondia invariavelmente que nada havia que confessar. Josefa comunicou-me o que se passara entre ambas.

— Tentarei eu, respondi; verei se sou mais feliz.

Mariana resistiu às minhas interrogações repetidas, asseverando que nada sentia e rindo de que se pudesse supor semelhante coisa. Mas era um riso forçado, que antes confirmava a suspeita do que a negativa.

— Bem, disse eu, quando me convenci de que nada podia alcançar; bem, tu negas o que te pergunto. Minha mãe saberá interrogar-te.

Mariana estremeceu.

— Mas, disse ela, por que razão sinhá velha há de saber disto? Eu já disse a verdade.

— Não disseste, respondi eu; e não sei por que recusas dizê-la quando tratamos todos da tua felicidade.

— Bem, disse Mariana com resolução, promete que se eu disser a verdade não me interrogará mais?

— Prometo, disse eu rindo.

— Pois bem; é verdade que eu gosto de uma pessoa...

— Quem é?

— Não posso dizer.

— Por quê?

— Porque é um amor impossível.

— Impossível? Sabes o que são amores impossíveis?

Roçou pelos lábios da mulatinha um sorriso de amargura e dor.

— Sei! disse ela.

Nem pedidos, nem ameaças conseguiram de Mariana uma declaração positiva a este respeito. Josefa foi mais feliz do que eu; conseguiu não arrancar-lhe o segredo, mas suspeitar-lho, e veio dizer-me o que lhe parecia.

— Que seja eu o querido de Mariana? perguntei-lhe com um riso de mofa e incredulidade. Estás louca, Josefa. Pois ela atrever-se-ia!...

— Parece que se atreveu.

— A descoberta é galante; e realmente não sei o que pense disto...

Não continuei; disse a Josefa que não falasse em semelhante coisa e desistisse de maiores explorações. Na minha opinião o caso tomava outro caráter; tratava-se de uma simples exaltação de sentidos.

Enganei-me.

Cerca de cinco semanas antes do dia marcado para o casamento, Mariana adoeceu. O médico deu à moléstia um nome bárbaro, mas na opinião de Josefa era doença de amor. A doente recusou tomar nenhum remédio; minha mãe estava louca de pena; minhas irmãs sentiam deveras a moléstia da escrava. Esta ficava cada vez mais abatida; não comia, nem se medicava; era de recear que morresse. Foi nestas circunstâncias que eu resolvi fazer um ato de caridade. Fui ter em Mariana e pedi-lhe que vivesse.

— Manda-me viver? perguntou ela.

— Sim.

Foi eficaz a lembrança; Mariana restabeleceu-se em pouco tempo. Quinze dias depois estava completamente de pé.

Que esperanças concebera ela com as minhas palavras, não sei; cuido que elas só tiveram efeito por lhe acharem o espírito abatido. Acaso contaria ela que eu desistisse do casamento projetado e do amor que tinha à prima, para satisfazer os seus amores impossíveis? Não sei; o certo é que não só se lhe restaurou a saúde como também lhe voltou a alegria primitiva.

Confesso, entretanto, que, apesar de não compartir de modo nenhum os sentimentos de Mariana, entrei a olhar para ela com outros olhos. A rapariga tornara-se interessante para mim, e qualquer que seja a condição de uma mulher, há sempre dentro de nós um fundo de vaidade que se lisonjeia com a afeição que ela nos vote. Além disto, surgiu em meu espírito uma ideia, que a razão pode condenar, mas que nossos costumes aceitam perfeitamente. Mariana encarregara-se de provar que estava acima das veleidades. Um dia de manhã fui acordado pelo alvoroço que havia em casa. Vesti-me à pressa e fui saber o que era. Mariana tinha desaparecido de casa. Achei minha mãe desconsoladíssima: estava triste e indignada ao mesmo tempo. Doía-lhe a ingratidão da escrava. Josefa veio ter comigo.

— Eu suspeitava, disse ela, que alguma coisa acontecesse. Mariana andava alegre demais; parecia-me contentamento fingido para encobrir algum plano. O plano foi este. Que te parece?

— Creio que devemos fazer esforços para capturá-la, e uma vez restituída à casa, colocá-la na situação verdadeira do cativeiro.

Disse isto por me estar a doer o desespero de minha mãe. A verdade é que, por simples egoísmo, eu desculpava o ato da rapariga.

Parecia-me natural, e agradava-me ao espírito, que a rapariga tivesse fugido para não assistir à minha ventura, que seria realidade dai a oito dias. Mas a ideia de suicídio veio aguar-me o gosto; estremeci com a suspeita de ser involuntariamente causa de um crime dessa ordem; impelido pelo remorso, sai apressadamente em busca de Mariana.

Achei-me na rua sem saber o que devia fazer. Andei cerca de vinte minutos inutilmente, até que me ocorreu a ideia natural de recorrer à polícia; era prosaica a intervenção da polícia, mas eu não fazia romance; ia simplesmente em cata de uma fugitiva.

A polícia nada sabia de Mariana; mas lá deixei a nota competente; correram agentes em todas as direções: fui eu mesmo saber nos arrabaldes se havia notícia de Mariana. Tudo foi inútil; às três horas da tarde voltei para casa sem poder tranquilizar minha família. Na minha opinião tudo estava perdido.

Fui à noite à casa de Amélia, aonde não fora de tarde, motivo pelo qual havia recebido um recado em carta a uma de minhas irmãs. A casa de minha prima ficava em uma esquina. Eram oito horas da noite quando cheguei à porta da casa. A três ou quatro passos estava um vulto de mulher cosido com a parede. Aproximei-me: era Mariana.

— Que fazes aqui? perguntei eu.

— Perdão, nhonhô; vinha vê-lo.

— Ver-me? mas por que saíste de casa, onde eras tão bem tratada, e donde não tinhas o direito de sair, porque és cativa?

— Nhonhô, eu saí porque sofria muito...

— Sofrias muito! Tratavam-te mal? Bem sei o que é; são os resultados da educação que minha mãe te deu. Já te supões senhora e livre. Pois enganas-te; hás de voltar já, e já, para casa. Sofrerás as consequências da tua ingratidão. Vamos...

— Não! disse ela; não irei.

— Mariana, tu abusas da afeição que todos temos por ti. Eu não tolero essa recusa, e se me repetes isso...

— Que fará?

— Irás à força; irás com dois soldados.

— Nhonhô fará isso? disse ela com voz trêmula. Não quero obrigá-lo a incomodar os soldados; iremos juntos, ou irei só. O que eu queria, é que nhonhô não fosse tão cruel... porque enfim eu não tenho culpa se... Paciência! vamos... eu vou.

Mariana começou a chorar. Tive pena dela.

— Tranquiliza-te, Mariana, disse-lhe; eu intercederei por ti. Mamãe não te fará mal.

— Que importa que faça? Eu estou disposta a tudo... Ninguém tem que ver com as minhas desgraças... Estou pronta; podemos ir.

— Saibamos outra coisa, disse eu, alguém te seduziu para fugir?

Esta pergunta era astuciosa; eu desejava apenas desviar do espírito da rapariga qualquer suspeita de que eu soubesse dos seus amores por mim. Foi desastrada a astúcia. O único efeito da pergunta foi indigná-la.

— Se alguém me seduziu? perguntou ela; não, ninguém; fugi porque eu o amo, e não posso ser amada, eu sou uma infeliz escrava. Aqui está por que eu fugi. Podemos ir; já disse tudo. Estou pronta a carregar com as consequências disto.

Não pude arrancar mais nada à rapariga. Apenas, quando lhe perguntei se havia comido, respondeu-me que não, mas que não tinha fome.

Chegamos à casa eu e ela perto das nove horas da noite. Minha mãe já não tinha esperanças de tornar a ver Mariana; o prazer que a vista da escrava lhe deu foi maior que a indignação pelo seu procedimento. Começou por invectivá-la. Intercedi a tempo de acalmar a justa indignação de minha mãe, e Mariana foi dormir tranquilamente.

Não sei se tranquilamente. No dia seguinte tinha os olhos inchados e estava triste. A situação da pobre rapariga interessara-me bastante, o que era natural, sendo eu a causa indireta daquela dor profunda. Falei muito nesse episódio em casa de minha prima. O tio João Luís disse-me em particular que eu fora um asno e um ingrato.

— Por quê? perguntei-lhe.

— Porque devias ter posto Mariana debaixo da minha proteção, a fim de livrá-la do mau tratamento que vai ter.

— Ah! não, minha mãe já lhe perdoou.

— Nunca lhe perdoará como eu.

Falei tanto em Mariana que minha prima entrou a sentir um disparatado ciúme. Protestei-lhe que era loucura e abatimento ter zelos de uma cria de casa, e que o meu interesse era simples sentimento de piedade. Parece que as minhas palavras não lhe fizeram grande impressão.

Extremamente leviana, Amélia não soube conservar a necessária dignidade, quando foi a minha casa. Conversou muito na necessidade de tratar severamente as escravas, e achou que era dar mau exemplo mandar-lhes ensinar alguma coisa.

Minha mãe admirou-se muito desta linguagem na boca de Amélia e redarguiu com aspereza o que lhe dava direito a sua vontade. Amélia insistiu; minhas irmãs combateram as suas opiniões: Amélia ficou amuada. Não havia pior posição para uma senhora.

Nada escapara a Mariana desta conversa entre Amélia e minha família; mas ela era dissimulada e nada disse que pudesse trair os seus sentimentos. Pelo contrário redobrou de esforços para agradar a minha prima; desfez-se em agrados e respeitos. Amélia recebia todas essas demonstrações com visível sobranceria em vez de as receber com fria dignidade.

Na primeira ocasião em que pude falar a minha prima, chamei a sua atenção para esta situação absurda e ridícula. Disse-lhe que, sem o querer, estava a humilhar-se diante de uma escrava. Amélia não compreendeu o sentimento que me ditou estas palavras, nem a procedência das minhas palavras. Viu naquilo uma defesa de Mariana; respondeu-me com algumas palavras duras e retirou-se para os aposentos de minhas irmãs onde chorou à vontade. Finalmente tudo se acalmou e Amélia voltou tranquila para casa.

Quatro dias antes do dia marcado para o meu casamento, era a festa do Natal. Minha mãe costumava dar festas às escravas. Era um costume que lhe deixara minha avó. As festas consistiam em dinheiro ou algum objeto de pouco valor. Mariana recebia ambas as coisas por uma especial graça. De tarde tiveram gente em casa para jantar: alguns amigos e parentes. Amélia estava presente. Meu tio João Luís era grande amador de discursos à sobremesa. Mal começavam a entrar os doces, quando ele se levantou e começou um discurso que, a julgar pelo introito, devia ser extenso. Como ele tinha suma graça, eram gerais as risadas desde que empunhou o copo. Foi no meio dessa geral alegria que uma das escravas veio dar parte de que Mariana havia desaparecido.

Este segundo ato de rebeldia da mulatinha produziu a mais furiosa impressão em todos. Da primeira vez houve alguma mágoa e saudade de mistura com a indignação. Desta vez houve indignação apenas. Que sentimento devia inspirar a todos a insistência dessa rapariga em fugir de uma casa onde era tratada como filha? Ninguém duvidou mais que Mariana era seduzida por alguém, ideia que da primeira vez se desvaneceu mediante uma piedosa mentira da minha parte; como duvidar agora?

Tais não eram as minhas impressões. Senhor do funesto segredo da escrava, sentia-me penalizado por ser causa indireta das loucuras dela e das tristezas de minha mãe. Ficou assentado que se procuraria a fugitiva e se lhe daria o castigo competente. Deixei que esse movimento de cólera se consumasse, e levantei-me para ir procurar Mariana.

Amélia ficou desgostosa com esta resolução, e bem o revelou no olhar; mas eu fingi que a não percebia e saí.

Dei os primeiros passos necessários e usuais. A polícia nada sabia, mas ficou avisada e empregou meios para alcançar a fugitiva. Eu suspeitava que desta vez ela tivesse cometido suicídio; fiz neste sentido as diligências necessárias para ter alguma notícia dela viva ou morta.

Tudo foi inútil.

Quando voltei à casa eram dez horas da noite; todos estavam à minha espera, menos o tio e a prima que já se haviam retirado.

Minha irmã contou-me que Amélia saíra furiosa, porque achava que eu estava dando maior atenção do que devia a uma escrava, embora bonita, acrescentou ela.

Confesso que naquele momento o que me preocupava mais era Mariana; não porque eu correspondesse aos seus sentimentos por mim, mas porque eu sentia sérios remorsos de ser causa de um crime. Fui sempre pouco amante de aventuras e lances arriscados, e não podia pensar sem algum terror na possibilidade de morrer alguém por mim.

Minha vaidade não era tamanha que me abafasse os sentimentos de piedade cristã. Neste estado as invectivas da minha noiva não me fizeram grande impressão, e não foi por causa delas que eu passei a noite em claro.

Continuei no dia seguinte as minhas pesquisas, mas nem eu nem a polícia fomos felizes.

Tendo andado muito, já a pé, já de tílburi, achei-me às cinco horas da tarde no Largo de S. Francisco de Paula, com alguma vontade de comer; a casa ficava um pouco longe e eu queria continuar depois as minhas averiguações. Fui jantar a um hotel que então havia na antiga rua dos Latoeiros.

Comecei a comer distraído e ruminando mil ideias contrárias, mil suposições absurdas. Estava no meio do jantar quando vi descer do segundo andar da casa um criado com uma bandeja onde havia vários pratos cobertos.

— Não quer jantar, disse o criado ao dono do hotel que se achava no balcão.

— Não quer? perguntou este; mas então... não sei o que faça... reparaste se... Eu acho bom ir chamar a polícia.

Levantei-me da mesa e aproximei-me do balcão.

— De que se trata? perguntei eu.

— De uma moça que aqui apareceu ontem, e que ainda não comeu até hoje...

Pedi-lhe os sinais da pessoa misteriosa. Não havia dúvida. Era Mariana.

— Creio que sei quem é, disse eu, e ando justamente em procura dela. Deixe-me subir.

O homem hesitou; mas a consideração de que não lhe podia convir continuar a ter em casa uma pessoa por cuja causa viesse a ter questões com a polícia, fez com que me deixasse o caminho livre.

Acompanhou-me o criado, a quem incumbi de chamar por ela, porque se conhecesse a minha voz, supunha eu que me não quisesse abrir.

Assim se fez. Mariana abriu a porta e eu apareci. Deu um grito estridente e lançou-se-me nos braços. Repeli aquela demonstração com toda a brandura que a situação exigia.

— Não venho aqui para receber-te abraços, disse eu; venho pela segunda vez buscar-te para casa, donde pela segunda vez fugiste.

A palavra *fugiste* escapou-me dos lábios; todavia, não lhe dei importância senão quando vi a impressão que ela produziu em Mariana. Confesso que devera ter alguma caridade mais; mas eu queria conciliar os meus sentimentos com os meus deveres, e não fazer com que a mulher não se esquecesse de que era escrava. Mariana parecia disposta a sofrer tudo dos outros, contanto que obtivesse a minha compaixão. Compaixão tinha-lhe eu; mas não lho manifestava, e era esse todo o mal.

Quando a fugitiva recobrou a fala, depois das emoções diversas por que passara desde que me viu chegar, declarou positivamente que era sua intenção não sair dali. Insisti com ela dizendo-lhe que poderia ganhar tudo procedendo bem, ao passo que tudo perderia continuando naquela situação.

— Pouco importa, disse ela; estou disposta a tudo.

— A matar-te, talvez? perguntei eu.

— Talvez, disse ela sorrindo melancolicamente; confesso-lhe até que a minha intenção era morrer na hora do seu casamento, a fim de que fôssemos ambos felizes, – nhonhô casando-se, eu morrendo.

— Mas desgraçada, tu não vês que...

— Eu bem sei o que vejo, disse ela; descanse; era essa a minha intenção, mas pode ser que o não faça...

Compreendi que era melhor levá-la pelos meios brandos; entrei a empregá-los, sem esquecer nunca a reserva que me impunha a minha posição. Mariana estava resolvida a não voltar. Depois de gastar cerca de uma hora, sem nada obter, declarei-lhe positivamente que ia recorrer aos meios violentos, e que já lhe não era possível resistir. Perguntou-me que meios eram; disse-lhe que eram os agentes policiais.

— Bem vês, Mariana, acrescentei, sempre hás de ir para casa; é melhor que me não obrigues a um ato que me causaria alguma dor.

— Sim? perguntou ela com ânsia; teria dor em levar-me assim para casa?

— Alguma pena teria decerto, respondi; porque tu foste sempre boa rapariga; mas que farei eu se continuas a insistir em ficar aqui?

Mariana encostou a cabeça à parede e começou a soluçar; procurei acalmá-la; foi impossível. Não havia remédio; era necessário empregar o meio heroico. Saí ao corredor para chamar pelo criado que tinha descido logo depois que a porta se abriu.

Quando voltei ao quarto, Mariana acabava de fazer um movimento suspeito. Parecia-me que guardava alguma coisa no bolso. Seria alguma arma?

— Que escondeste aí? perguntei eu.

— Nada, disse ela.

— Mariana, tu tens alguma ideia terrível no espírito... Isso é alguma arma...

— Não, respondeu ela.

Chegou o criado e o dono da casa. Expus-lhes em voz baixa o que queria; o criado saiu, o dono da casa ficou.

— Eu suspeito que ela tem alguma arma no bolso para matar-se; cumpre arrancar-lha.

Dizendo isto ao dono da casa, aproximei-me de Mariana.

— Dá-me o que tens aí.

Ela contraiu um pouco o rosto. Depois, metendo a mão no bolso, entregou-me o objeto que lá havia guardado.

Era um vidro vazio.

— Que é isto, Mariana? perguntei eu, assustado.

— Nada, disse ela; eu queria matar-me depois d'amanhã. Nhonhô apressou a minha morte; nada mais.

— Mariana! exclamei eu aterrado.

— Oh! continuou ela com voz fraca; não lhe quero mal por isso. Nhonhô não tem culpa: a culpa é da natureza. Só o que eu lhe peço é que não me tenha raiva, e que se lembre algumas vezes de mim...

Mariana caiu sobre a cama. Pouco depois entrava o inspetor. Chamou-se à pressa um médico; mas era tarde. O veneno era violento; Mariana morreu às 8 horas da noite.

Sofri muito com este acontecimento; mas alcancei que minha mãe perdoasse à infeliz, confessando-lhe a causa da morte dela. Amélia nada soube, mas nem por isso deixou o fato de influir em seu espírito. O interesse com que eu procurei a rapariga, e a dor que a sua morte me causou, transtornaram a tal ponto os sentimentos da minha noiva, que ela rompeu o casamento dizendo ao pai que havia mudado de resolução.

Tal foi, meus amigos, este incidente da minha vida. Creio que posso dizer ainda hoje que todas as mulheres de quem tenho sido amado, nenhuma me amou mais do que aquela. Sem alimentar-se de nenhuma esperança, entregou-se alegremente ao fogo do martírio; amor obscuro, silencioso, desesperado, inspirando o riso ou a indignação, mas no fundo, amor imenso e profundo, sincero e inalterável.

Coutinho concluiu assim a sua narração, que foi ouvida com tristeza por todos nós. Mas daí a pouco saíamos pela rua do Ouvidor fora, examinando os pés das damas que desciam dos carros, e fazendo a esse respeito mil reflexões mais ou menos engraçadas e oportunas. Duas horas de conversa tinha-nos restituído a mocidade.

TEMPO DE CRISE.

Queres tu saber meu rico irmão, a noticia que achei no Rio de Janeiro, apenas puz pé em terra? Uma crise ministerial. Não imaginas o que é uma crise ministerial na cidade fluminense. Lá na provincia chegam as noticias amortecidas pela distancia, e alem d'isso completas; quando sabemos de um ministerio defunto, sabemos logo de um ministerio recemnado. Aqui a cousa é diversa; assiste-se á morte do agonisante, depois ao enterro, depois ao nascimento do outro, o qual muitas vezes, graças ás difficuldades politicas, só vem á luz depois de uma operação cesariana.

Quando desembarquei estava o C... á minha espera na praia dos Mineiros, e as suas primeiras palavras forão estas:

— Cahio o ministerio!

Tu sabes que eu tinha razões para não gostar do gabinete, depois da questão de meu cunhado, de cuja demissão ainda ignoro a causa. Todavia, senti que o gabinete morresse tão cedo, antes de dar todos os seus fructos, principalmente quando o negocio do meu cunhado era justamente o que me trazia cá. Perguntei ao C... quem eram os novos ministros.

— Não sei, respondeu; nem te posso affirmar se os outros cahíram;

Tempo de crise[1]

Queres tu saber, meu rico irmão, a notícia que achei no Rio de Janeiro, apenas pus pé em terra? Uma crise ministerial. Não imaginas o que é uma crise ministerial na cidade fluminense. Lá na província chegam as notícias amortecidas pela distância, e além disso incompletas; quando sabemos de um ministério defunto, sabemos logo de um ministério recém-nato. Aqui a coisa é diversa; assiste-se à morte do agonizante, depois ao enterro, depois ao nascimento do outro, o qual muitas vezes, graças às dificuldades políticas, só vem à luz depois de uma operação cesariana.

Quando desembarquei estava o C. à minha espera na Praia dos Mineiros, e as suas primeiras palavras foram estas:

— Caiu o ministério!

Tu sabes que eu tinha razões para não gostar do gabinete, depois da questão de meu cunhado, de cuja demissão ainda ignoro a causa. Todavia, senti que o gabinete morresse tão cedo, antes de dar todos os seus frutos, principalmente quando o negócio do meu cunhado era justamente o que me trazia cá. Perguntei ao C. quem eram os novos ministros.

— Não sei, respondeu; nem te posso afirmar se os outros caíram; mas desde manhã não corre outra coisa. Vamos saber notícias. Queres comer?

— Sem dúvida, respondi; vou residir no Hotel da Europa, se houver lugar.

— Há de haver.

Seguimos para o Hotel da Europa que é na Rua do Ouvidor; lá me deram um aposento e um almoço. Acendemos charutos e saímos.

À porta perguntei-lhe eu:

— Onde saberemos notícias?

[1] Publicado em *Jornal das Famílias* (abril de 1873).

— Aqui mesmo na Rua do Ouvidor.

— Pois então na Rua do Ouvidor é que?

— Sim; a Rua do Ouvidor é o lugar mais seguro para saber notícias. A casa do Moutinho ou do Bernardo, a casa do Desmarais ou do Garnier, são verdadeiras estações telegráficas. Ganha-se mais em estar aí comodamente sentado do que em andar pela casa dos homens da situação.

Ouvi silenciosamente as explicações do C. e segui com ele até um pasmatório político, onde apenas encontramos um sujeito, fumando, e conversando com o caixeiro.

— A que horas esteve ela aqui? pergunta o sujeito.

— Às dez.

Ouvimos estas palavras entrando. O sujeito calou-se imediatamente e sentou-se numa cadeira por trás de um mostrador, batendo com a bengala na ponta do botim.

— Trata-se de algum namoro, não? perguntei eu baixinho ao C.

— Curioso! respondeu-me ele; naturalmente é algum namoro, tens razão? alguma rosa de Citera.

— Qual! disse eu.

— Por quê?

— Os jardins de Citera são francos; e ninguém espreita as rosas por fora...

— Provinciano! disse o C. com um daqueles sorrisos que só ele tem; tu não sabes que, estando as rosas em moda, há certa hora para o jardineiro... Anda sentar-te.

— Não; fiquemos um pouco à porta; quero conhecer esta rua de que tanto se fala.

— Com razão, respondeu o C. Dizem de Shakespeare que, se a humanidade perecesse, ele só poderia recompô-la, pois que não deixou intacta uma fibra sequer do coração humano. *Aplico el cuento.* A Rua do Ouvidor resume o Rio de Janeiro. A certas horas do dia, pode a fúria celeste destruir a cidade; se conservar a Rua do Ouvidor, conserva Noé, a família e o mais. Uma cidade é um corpo de pedra com um rosto. O rosto da cidade fluminense é esta rua, rosto eloquente que exprime todos os sentimentos e todas as ideias...

— Contínua, meu Virgílio.

— Pois vai ouvindo, meu Dante. Queres ver a elegância fluminense? Aqui acharás a flor da sociedade, – as senhoras que vêm escolher joias ao Valais ou sedas à Notre Dame, – os rapazes que vêm conversar de teatros, de salões, de modas e de mulheres. Queres saber da política? Aqui saberás das notícias mais frescas, das evoluções próximas, dos acontecimentos prováveis; aqui verás o deputado atual com o deputado que foi, o ministro defunto e às vezes o ministro vivo. Vês aquele sujeito? É um homem de letras. Deste lado, vem um dos primeiros negociantes da praça. Queres saber do estado do câmbio? Vai ali ao *Jornal do Commercio*, que é o *Times* de cá. Muita vez encontrarás um cupê à porta de uma loja de modas: é uma Ninon fluminense. Vês um sujeito ao pé dela, dentro da loja, dizendo um galanteio? Pode ser um diplomata. Dirás que eu só menciono a sociedade mais ou menos elegante? Não; o operário para aqui também para ter o prazer de contemplar durante minutos uma destas vidraças rutilantes de riqueza, – porquanto, meu caro amigo, a riqueza tem isto de bom consigo, – é que a simples vista consola.

Saiu-me o C. tamanho filósofo que me espantou. Ao mesmo tempo agradeci ao céu tão precioso encontro. Para um provinciano, que não conhece bem a capital, é uma felicidade encontrar um cicerone inteligente.

O sujeito que estava dentro chegou à porta, demorou-se alguns instantes, e saiu acompanhado por outro, que então passava.

— Cansou de esperar, disse eu.

— Sentemo-nos.

Sentamo-nos.

— Fala-se então de tudo aqui?

— De tudo.

— Bem e mal?

— Como na vida. É a sociedade humana em ponto pequeno. Mas por enquanto o que nos importa é a crise; deixemos de moralizar...

Interessava-me tanto a conversa, que pedi ao C. a continuação das suas lições, tão necessárias a quem não conhecia a cidade.

— Não te iludas, disse ele, a melhor lição deste mundo não vale um mês de experiência e de observação. Abre um moralista; encontrarás excelentes análises do coração humano; mas se não fizeres a experiência por ti mesmo pouco te valerá o teres lido. La Rochefoucauld aos vinte anos faz dormir; aos quarenta é um livro predileto...

Estas últimas palavras revelaram no C. um desses indivíduos doentes que andam a ver tudo cor da morte e do sangue. Eu que vinha para divertir-me, não queria estar a braços com um segundo volume de nosso padre Tomé, espécie de Timon cristão, a quem darás a ler esta carta, acompanhada de muitas lembranças minhas.

— Sabes que mais? disse eu ao meu cicerone, vim para divertir-me, e por isso acho-te razão; tratemos da crise. Mas por enquanto nada sabemos, e...

— Aqui vem o nosso Abreu, que há de saber alguma coisa.

O Dr. Abreu, que entrou nesse momento, era um homem alto e magro, longo bigode, colarinho em pé, paletó e calças azuis. Fomos apresentados um ao outro. O C. perguntou-lhe o que sabia da crise.

— Nada, respondeu misteriosamente o Dr. Abreu; apenas ouvi ontem de noite que os homens não se entendiam...

— Mas eu já hoje ouvi dizer na praça que havia crise formal, disse o C.

— É possível, disse o outro. Saí agora mesmo de casa, e vim logo para aqui... Houve câmara?

— Não.

— Bem; isso é um indício. Estou capaz de ir à Câmara...

— Para que? Aqui mesmo saberemos.

O Dr. Abreu tirou um charuto de uma charuteira de marroquim encarnado, e fitando muito os olhos no chão, como quem está seguindo um pensamento, acendeu quase maquinalmente o charuto.

Soube depois que era um meio inventado por ele para não oferecer charutos aos circunstantes.

— Mas que lhe parece? perguntou-lhe o C. passado algum tempo.

— Parece-me que os homens caem. Nem podia deixar de ser assim. Há mais de um mês que andam brigados.

— Mas por quê? perguntei eu.

— Por várias coisas; e a principal é justamente a presidência da sua província...

— Ah!

— O ministro do Império quer o Valadares, e o da Fazenda insiste pelo Robim. Ontem houve conselho de ministros, e o do Império apresentou definitivamente a nomeação do Valadares... Que faz o colega?

— Ora, vivam! Então já sabem da crise?

Esta pergunta era feita por um sujeito que entrou pela loja mais rápido que um foguete. Trazia na cara uns ares de gazeta noticiosa.

— Crise formal? perguntamos todos.

— Completa. Os homens brigaram ontem de noite; e foram hoje de manhã a São Cristóvão...

— É o que eu dizia, observou o Dr. Abreu.

— Qual o verdadeiro motivo da crise? perguntou o C.

— O verdadeiro motivo foi uma questão de guerra.

— Não creia nisso!

O Dr. Abreu disse estas palavras com um ar de tão altiva convicção, que o recém-chegado replicou um pouco enfiado:

— Sabe então o verdadeiro motivo mais do que eu que estive com o cunhado do ministro da Guerra?

A réplica pareceu decisiva; o Dr. Abreu limitou-se a fazer aquele gesto com que a gente costuma dizer: Pode ser...

— Seja qual for o motivo, disse o C., a verdade é que temos crise ministerial; mas será aceita a demissão?

— Eu creio que é, disse o Sr. Ferreira (era o nome do recém-chegado).

— Quem sabe?

Ferreira tomou a palavra:

— A crise era prevista; eu há mais de quinze dias anunciei ali em casa do Bernardo, que a crise não podia deixar de estar iminente. A situação não podia prolongar-se; se os ministros não concordassem, a câmara os obrigaria a sair. Já a deputação da Bahia tinha mostrado os dentes, e até sei (posso dizê-lo agora) sei que um deputado do Ceará estava para apresentar uma moção de desconfiança.

Ferreira disse estas palavras em voz baixa, com o ar misterioso que convém a certas revelações. Nessa ocasião ouvimos um carro. Corremos à porta; era efetivamente um ministro.

— Mas então não estão todos cm São Cristóvão? observou o C.

— Este vai naturalmente para lá.

Ficamos à porta; e o grupo foi-se pouco a pouco alimentando; antes de um quarto de hora éramos oito. Todos falavam na crise; uns sabiam a coisa de fonte certa; outros por ouvir dizer. O Ferreira saiu pouco depois dizendo que ia à Câmara saber o que havia de novo. Nessa ocasião apareceu um desembargador e indagou se era exato o que se dizia relativamente à crise ministerial.

Afirmamos que sim.

— Qual seria a causa? perguntou ele.

O Abreu, que dera antes como causa a presidência lá da província, declarou agora ao desembargador que uma questão da guerra produzira o desacordo entre os ministros.

— Está certo disso? perguntou o desembargador.

— Certíssimo; soube-o hoje mesmo do cunhado do ministro da Guerra.

Nunca vi maior facilidade em mudar de opinião, nem maior descaro em colher as afirmações alheias. Interroguei depois o C. que me respondeu:

— Não te espantes; em tempo de crise é sempre bom mostrar que se anda bem informado.

Dos presentes eram quase todos oposicionistas, ou pelo menos faziam coro com o Abreu, que fazia diante do cadáver ministerial o papel de Brutus diante do cadáver de César. Alguns defendiam a vítima, mas como se defende uma vítima política, sem grande calor nem excessiva paixão.

Cada personagem novo trazia uma confirmação ao trato; já não era trato; evidentemente havia crise. Grupos de políticos e politicões estavam parados às portas das lojas, conversando animadamente. De quando em quando surgia ao longe um deputado. Era logo cercado e interrogado; e só se colhia a mesma coisa.

Vimos ao longe um homem de 35 anos, meão na altura, suíças, luneta pênsil, olhar profundo, acompanhando uma influência política.

— Graças a Deus! agora vamos ter notícias frescas, disse o C. Ali vem o Mendonça; há de saber alguma coisa.

A influência política não pôde passar de outro grupo; o Mendonça veio ao nosso.

— Venha cá; você que lambe os vidros por dentro há de saber o que há?

— O que há?

— Sim.

— Há crise.

— Bem; mas os homens saem ou ficam?

Mendonça sorriu, depois ficou sério, corrigiu o laço da gravata, e murmurou um: *não sei*; assaz parecido com um: *sei demais*.

Olhei atentamente para aquele homem que parecia estar senhor dos segredos do Estado, e admirei a discrição com que os ocultava de nós.

— Diga o que sabe, Sr. Mendonça, disse o desembargador.

— Eu já disse a V. Ex.ª o que há, interrompeu o Abreu; pelo menos tenho razão para afirmá-lo. Não sei o que sabe lá o Sr. Mendonça, mas creio que não estará comigo...

Mendonça fez um gesto de quem ia falar. Foi cercado por todos. Ninguém ouviu com mais atenção o oráculo de Delfos.

— Sabem que há crise; a causa é muito secundária, mas a situação não podia prolongar-se.

— Qual é a causa?

— A nomeação de um juiz de direito.

— Só!

— Só.

— Já sei o que é, disse Abreu sorrindo. Era negócio pendente há muitas semanas.

— Foi isso. Os homens lá foram ao paço.

— Será aceita a demissão? perguntei eu.

Mendonça abaixou a voz:

— Creio que é.

Depois apertou a mão ao desembargador ao C. e ao Abreu e retirou-se com a mesma satisfação de um homem que acaba de salvar o Estado.

— Pois, senhores, eu creio que esta versão é a verdadeira. O Mendonça anda informado.

Passa defronte um sujeito.

— Anda cá, Lima, gritou Abreu.

O Lima aproximou-se.

— Estás convidado para o ministério?

— Estou; você quer alguma pasta?

Não penses que este Lima era alguma coisa; o dito de Abreu era um gracejo que se renova em todas as crises.

A única preocupação do Lima eram umas senhoras que passavam. Ouvi dizer que eram as Valadares, – a família do indigitado presidente. Pararam à porta da loja, conversaram alguma coisa com o C. e o Lima, e seguiram viagem.

— São lindas estas moças, disse um dos circunstantes.

— Eu era capaz de as nomear para o ministério.

— Sendo eu presidente do conselho.

— Também eu.

— A mais gorda devia ser Ministro da Marinha.

— Por quê?

— Porque parece mesmo uma fragata.

Ligeiro sorriso acolheu este diálogo entre o desembargador e o Abreu. Viu-se ao longe um carro.

— Quem será? Algum ministro?

— Vejamos.

— Não; é a A...

— Como vai bonita!

— Pudera!

— Ela já tem carro?

— Há muito tempo.

— Olhem, ali vem o Mendonça.

— Vem com outro. Quem é?

— É um deputado.

Passaram os dois juntos de nós. O Mendonça não nos cumprimentou; ia conversando baixinho com o deputado.

Houve outra trégua na conversa política. E não te admires. Nada mais natural do que entremear aqui uma discussão sobre crise política com as sedas de uma dama do tom.

Finalmente surgiu de longe o já citado Ferreira.

— Que há? perguntamos quando ele chegou.

— Foi aceita a demissão.

— Quem é o chamado?

— Não se sabe.

— Por quê?

— Dizem que os homens ficam com as pastas até segunda-feira.

Dizendo estas palavras, o Ferreira entrou, e foi sentar-se. Outros o imitaram; alguns se foram embora.

— Mas donde sabe isso? disse o desembargador.

— Soube na Câmara.

— Não me parece natural.

— Por quê?

— Que força moral deve ter um ministério já demitido e ocupando as pastas?

— Realmente, a coisa é singular; mas eu ouvi ao primo do ministro da Fazenda.

Ferreira tinha a particularidade de andar informado pelos parentes dos ministros; pelo menos, assim o dizia.

— Quem será chamado?

— Naturalmente o N.

— Ou o P.

— Já hoje de manhã se dizia que era o K.

Entrou o Mendonça; o caixeiro deu-lhe uma cadeira, e ele sentou-se ao lado do Lima, que nesse momento descalçava as luvas, ao mesmo tempo que o desembargador oferecia rapé aos circunstantes.

— Então, Sr. Mendonça, quem é o chamado? perguntou o desembargador.

— O B.

— Com certeza?

— É o que se diz.

— Eu ouvi que só na segunda-feira se organizará ministério novo.

— Qual! insistiu Mendonça; afirmo-lhe que o B. foi ao paço.

— Viu-o?

— Não; mas disseram-mo.

— Pois acredite que até segunda-feira...

A conversa ia-me interessando; eu já tinha esquecido o interesse que ligava à mudança dos ministros, para atender simplesmente ao que se passava diante de mim. Não imaginas o que é formar um ministério na rua antes que ele esteja formado no paço.

Cada qual expôs a sua conjectura; vários nomes foram lembrados para o poder. Às vezes aparecia um nome contra o qual se apresentavam objeções; então replicava o autor da combinação:

— Está enganado; pode o F. ficar com a pasta da Justiça, o M. com a da Guerra, K. Marinha, T. Obras Públicas, V. Fazenda, X. Império, e C. Estrangeiros.

— Não é possível; o V. é que deve ficar com a pasta de Estrangeiros.

— Mas o V. não pode entrar nessa combinação.

— Por quê?

— É inimigo do F.

— Sim; mas a deputação da Bahia?

Aqui coçava o outro a orelha.

— A deputação da Bahia, respondia ele, pode ficar bem metendo o N.

— O N. não aceita.

— Por quê?

— Não quer ministério de transição.

— Chama a isto ministério de transição?

— Pois que é mais?

Este diálogo em que todos tomavam parte, inclusive o C. e que era repetido sempre que um dos circunstantes apresentava uma combinação nova, foi interrompido pela chegada de um deputado.

Desta vez íamos ter notícias frescas.

Efetivamente soubemos pelo deputado que o V. tinha sido chamado ao paço e estava organizando gabinete.

— Que dizia eu? exclamou Ferreira. Nem era de ver outra coisa. A situação é do V.; o seu último discurso foi o que os franceses chamam *discurso-ministro.* Quem são os outros?

— Por ora, disse o deputado, só há dois ministros na lista: o da Justiça e o do Império.

— Quem são?

— Não sei, respondeu o deputado.

Não me foi difícil ver que o homem sabia, mas era obrigado a guardar segredo. Compreendi que aquele é que lambia os vidros por dentro, expressão muito usada em tempo de crise.

Houve um pequeno silêncio. Conjecturei que cada qual estivesse a adivinhar quem seriam os nomeados; mas, se alguém os descobriu, não os nomeou.

O Abreu dirigiu-se ao deputado.

— V. Ex.ª acredita que o ministério fique organizado hoje?

— Creio que sim; mas daí pode ser que não...

— A situação não é boa, observou Ferreira.

— Admira-me que V. Ex.ª não seja convidado...

Estas palavras, naquela ocasião inconvenientes, foram pronunciadas pelo Lima, que trata a política, como trata as mulheres e os cavalos. Cada um de nós procurou disfarçar o efeito de semelhante tolice, mas o deputado respondeu direitamente à pergunta:

— Pois não me admira nada isso; deixo o lugar aos incompetentes. Estou pronto a servir como soldado... Não passo disso.

— Perdão, é muito digno!

Entrou um homem esbaforido. Fiquei surpreso. Era um deputado. Olhou para todos, e dando com os olhos no colega, disse:

— Podes dar-me uma palavra?

— Que é? perguntou o deputado levantando-se.

— Vem cá.

Foram até a porta, depois despediram-se de nós e seguiram apressadamente para cima.

— Estão ambos ministros, exclamou Ferreira.

— Acredita? perguntei eu.

— Sem dúvida.

Mendonça foi da mesma opinião; e foi a primeira vez que o vi adotar uma opinião alheia.

Eram duas horas da tarde quando saíram os dois deputados. Ansiosos por saber mais notícias, saímos todos e descemos a rua vagarosamente. Grupos de quatro e cinco se entretinham com o assunto do dia. Parávamos; combinávamos as versões; mas não retificavam as dos outros. Num desses grupos já estavam os três ministros nomeados; outro acrescentava os nomes dos dois deputados, pela única razão de os ter visto entrar num carro.

Às três horas já corriam versões de todo o gabinete, mas era tudo vago.

Determinamos não voltar para casa sem saber do resultado da crise, salvo se a notícia não viesse até às cinco horas, pois era de mau gosto (disse-me o C.) andar na Rua do Ouvidor às 5 horas da tarde.

— Mas qual será o meio de saber? perguntei eu.

— Eu vou ver se colho alguma coisa, disse Ferreira.

Vários incidentes nos iam detendo a marcha: algum amigo que passava, uma mulher que saía de uma loja, uma joia nova em uma vidraça, um grupo tão curioso como o nosso, etc.

Nada se soube nessa tarde.

Voltei para o Hotel da Europa a fim de descansar e jantar; o C. jantou comigo. Conversamos muito do tempo da academia, dos nossos amores, das nossas travessuras, até que a noite veio e resolvemos voltar à Rua do Ouvidor.

— Não era melhor irmos à casa do V., pois que é ele o organizador do gabinete? perguntei.

— Primeiramente, não temos tamanho interesse que justifique esse passo, respondeu o C.; depois, é natural que ele não nos possa falar. Organizar um gabinete não é coisa simples. Finalmente, apenas o gabinete estiver organizado cá saberemos na rua qual ele é.

A Rua do Ouvidor é lindíssima à noite. Estão os rapazes às portas das lojas, vendo passar as moças, e como tudo está iluminado, não imaginas o efeito que faz.

Confesso que me esqueceu o ministério e a crise. Havia então menos quem cuidasse de política; a noite da Rua do Ouvidor pertence exclusivamente à *fashion,* que é menos dada aos negócios do Estado que os frequentadores de dia. Todavia, achamos alguns grupos onde se dava como certa a organização do gabinete, mas não se sabia ao certo quem eram os ministros todos.

Encontramos os mesmos amigos da manhã.

Ora, justamente quando o Mendonça se dispunha a ir colher alguma coisa certa, apareceu o desembargador com o rosto alegre.

— Que há?

— Está organizado.

— Mas quem são?

O desembargador tirou do bolso uma lista.

— São estes.

Lemos os nomes à luz do lampião de um mostrador. O Mendonça não gostou do gabinete; o Abreu achou-o excelente; o Lima, fraco.

— Mas isto é certo? perguntei eu.

— Deram-me agora esta lista; creio que é autêntica.

— O que é? o que é; perguntou por traz de mim uma voz.

Era um sujeito moreno e bigode grisalho.

— Sabe quem são? perguntou-lhe o Abreu.

— Tenho uma lista.

— Vejamos se combina com esta.

Costearam-se as listas; havia engano num nome.

Mais adiante encontramos outro grupo lendo outra lista. Divergiam em dois nomes. Alguns sujeitos que não tinham lista copiavam uma delas deixando de copiar os nomes duvidosos, ou escrevendo-os todos com uma cruz à margem. Corriam assim as listas até que apareceu uma com ares de autêntica; outras foram aparecendo no mesmo sentido e às 9 horas da noite sabíamos positivamente, sem arredar pé da Rua do Ouvidor, qual era o gabinete.

O Mendonça ficou alegre com o resultado da crise. Perguntaram-lhe porque razão.

— Tenho dois compadres no ministério! respondeu ele.

Aqui tens o quadro infiel de uma crise ministerial no Rio de Janeiro. Infiel, digo, porque o papel não pode conter os diálogos, nem as versões, nem os comentários, nem as caras de um dia de crise. Ouvem-se, contemplam-se; não se descrevem.

Entre os abaixo assignados o Snr Joaquim M. Machado de Assis residente no Rio de Janeiro, como autor, e o Snr H. Garnier residente em Paris, como editor, representado por seu legitimo procurador o Snr Julien Emmanuel Bernard Lansac, foi justo e contractado o seguinte:

1º — O Snr Machado de Assis como autor vende ao Snr H. Garnier como editor que acceita, a propriedade inteira e perpetua de sua obra intitulada "Varias Historias", mediante as condições seguintes:

2º — O Snr H. Garnier retribuirá ao Snr Machado de Assis pela propriedade da referida obra com a quantia de Rs 1:000$000, um conto de reis, a qual será paga no acto da assignatura do presente contracto que servirá de recibo da dita quantia.

3º — O Snr Machado de Assis obriga-se a não publicar nem mandar fazer publicar outra obra sobre o mesmo titulo ou identico assumpto que o da obra objecto do presente contracto.

4º — O Snr Machado de Assis renuncia a todo e qualquer direito que como autor lhe concedem as leis brasileiras.

5º — O Snr Machado de Assis obriga-se a fazer nas edições successivas da obra acima mencionada todas as modificações que forem julgadas necessarias, como tambem a rever as provas de cada edição sem ter por isso direito a remuneração alguma.

Em fé de que mandaram passar duas vias de contracto de egual theor por cujo cumprimento se obrigam por si e seus bens, bem como por seus herdeiros e successores, os quaes contractos entre si trocaram depois de assignados.

Rio de Janeiro [illegible] de Maio de 1902

P.P. de H. Garnier

J. Lansac

Machado de Assis.

Anno VIII — Rio de Janeiro — Domingo 20 de Agosto de 1882 — N. 231

GAZETA DE NOTICIAS

PAGAMENTO ADIANTADO

Typographia — Rua do Ouvidor n. 70 — RIO DE JANEIRO

Numero avulso 40 rs.

As assignaturas começam em qualquer dia e terminam sempre em fins de março, junho, setembro ou dezembro

Os artigos enviados á redacção não serão restituidos ainda que não sejam publicados

Numero avulso 40 rs.

Tiragem 24,000 exemp.

TELEGRAMMAS

Serviço telegraphico da « Gazeta de Noticias »

MONTEVIDÉU, 17 de agosto.

O coronel Tajes acaba de ser nomeado ministro da guerra.

Chegou o Sr. Leonel de Alencar. Está marcada terça-feira para apresentar as suas credenciaes.

Em Inglaterra foram lançados ao mar dois vapores para o serviço aduaneiro de Buenos-Ayres.

—

Recife, 19 de agosto.

Acaba de chegar o paquete da Europa, que traz as seguintes noticias:

A familia real portugueza continuava a sua digressão pela Beira.

Na Figueira, no Carregal e em Mangualde foi recebida com enthusiasmo. As ruas estavam ornamentadas e as populações em festa. Na Figueira foram offerecidos muitos *bouquets* a Sua Magestade a Rainha.

Serviço telegraphico

EUROPA

FOLHETIM

SERENISSIMA REPUBLICA

A sereníssima República (conferência do cônego Vargas)[1]

Meus senhores,

Antes de comunicar-vos uma descoberta, que reputo de algum lustre para o nosso país, deixai que vos agradeça a prontidão com que acudistes ao meu chamado. Sei que um interesse superior vos trouxe aqui; mas não ignoro também, – e fora ingratidão ignorá-lo, – que um pouco de simpatia pessoal se mistura à vossa legítima curiosidade científica. Oxalá possa eu corresponder a ambas.

Minha descoberta não é recente; data do fim do ano de 1876. Não a divulguei então, – e, a não ser o *Globo*, interessante diário desta capital, não a divulgaria ainda agora, – por uma razão que achará fácil entrada no vosso espírito. Esta obra de que venho falar-vos, carece de retoques últimos, de verificações e experiências complementares. Mas o *Globo* noticiou que um sábio inglês descobriu a linguagem fônica dos insetos, e cita o estudo feito com as moscas. Escrevi logo para a Europa e aguardo as respostas com ansiedade. Sendo certo, porém, que pela navegação aérea, invento do padre Bartolomeu, é glorificado o nome estrangeiro, enquanto o do nosso patrício mal se pode dizer lembrado dos seus naturais, determinei evitar a sorte do insigne Voador, vindo a esta tribuna, proclamar alto e bom som, à face do universo, que muito antes daquele sábio, e fora das ilhas britânicas, um modesto naturalista descobriu coisa idêntica, e fez com ela obra superior.

Senhores, vou assombrar-vos, como teria assombrado a Aristóteles, se lhe perguntasse: Credes que se possa dar um regime social às aranhas? Aristóteles responderia negativamente, com vós todos, porque é impossível crer que jamais se chegasse a organizar

[1] Publicado em *Gazeta de Notícias* (20 de agosto de 1882). Reunido pelo autor em *Papéis avulsos* (1882).

socialmente esse articulado arisco, solitário, apenas disposto ao trabalho, e dificilmente ao amor. Pois bem, esse impossível fi-lo eu.

Ouço um riso, no meio do sussurro de curiosidade. Senhores, cumpre vencer os preconceitos. A aranha parece-vos inferior, justamente porque não a conheceis. Amais o cão, prezais o gato e a galinha, e não advertis que a aranha não pula nem ladra como o cão, não mia como o gato, não cacareja como a galinha, não zune nem morde como o mosquito, não nos leva o sangue e o sono como a pulga. Todos esses bichos são o modelo acabado da vadiação e do parasitismo. A mesma formiga, tão gabada por certas qualidades boas, dá no nosso açúcar e nas nossas plantações, e funda a sua propriedade roubando a alheia. A aranha, senhores, não nos aflige nem defrauda; apanha as moscas, nossas inimigas, fia, tece, trabalha e morre. Que melhor exemplo de paciência, de ordem, de previsão, de respeito e de humanidade? Quanto aos seus talentos, não há duas opiniões. Desde Plínio até Darwin, os naturalistas do mundo inteiro formam um só coro de admiração em torno desse bichinho, cuja maravilhosa teia a vassoura inconsciente do vosso criado destrói em menos de um minuto. Eu repetiria agora esses juízos, se me sobrasse tempo; a matéria, porém, excede o prazo, sou constrangido a abreviá-la. Tenho-os aqui, não todos, mas quase todos; tenho, entre eles, esta excelente monografia de Büchner, que com tanta subtileza estudou a vida psíquica dos animais. Citando Darwin e Büchner, é claro que me restrinjo à homenagem cabida a dois sábios de primeira ordem, sem de nenhum modo absolver (e as minhas vestes o proclamam) as teorias gratuitas e errôneas do materialismo.

Sim, senhores, descobri uma espécie araneída que dispõe do uso da fala; coligi alguns, depois muitos dos novos articulados, e organizei-os socialmente. O primeiro exemplar dessa aranha maravilhosa apareceu-me no dia 15 de dezembro de 1876. Era tão vasta, tão colorida, dorso rubro, com listras azuis, transversais, tão rápida nos movimentos, e às vezes tão alegre, que de todo me cativou a atenção.

No dia seguinte vieram mais três, e as quatro tomaram posse de um recanto de minha chácara. Estudei-as longamente; achei-as admiráveis. Nada, porém, se pode comparar ao pasmo que me causou a descoberta do idioma araneída, uma língua, senhores, nada menos que uma língua rica e variada, com a sua estrutura sintáxica, os seus verbos, conjugações, declinações, casos latinos e formas onomatopaicas, uma língua que estou gramaticando para uso das academias, como o fiz sumariamente para meu próprio uso. E fi-lo, notai bem, vencendo dificuldades aspérrimas com uma paciência extraordinária. Vinte vezes desanimei; mas o amor da ciência dava-me forças para arremeter a um trabalho que, hoje declaro, não chegaria a ser feito duas vezes na vida do mesmo homem.

Guardo para outro recinto a descrição técnica do meu aracnídeo, e a análise da língua. O objeto desta conferência é, como disse, ressalvar os direitos da ciência brasileira, por meio de um protesto em tempo; e, isto feito, dizer-vos a parte em que reputo a minha obra superior à do sábio de Inglaterra. Devo demonstrá-lo, e para este ponto chamo a vossa atenção.

Dentro de um mês tinha comigo vinte aranhas; no mês seguinte cinquenta e cinco; em março de 1877 contava quatrocentas e noventa. Duas forças serviram principalmente à empresa de as congregar: – o emprego da língua delas, desde que pude discerni-la um pouco, e o sentimento de terror que lhes infundi. A minha estatura, as vestes talares, o uso do mesmo idioma, fizeram-lhes crer que era eu o deus das aranhas, e desde então adoraram-me. E vede o benefício desta ilusão. Como as acompanhasse com muita atenção e miudeza, lançando em um livro as observações que fazia, cuidaram que o livro era o registro dos seus pecados, e fortaleceram-se ainda mais na prática das virtudes. A flauta também foi um grande auxiliar. Como sabeis, ou deveis saber, elas são doidas por música.

Não bastava associá-las; era preciso dar-lhes um governo idôneo. Hesitei na escolha; muitos dos atuais pareciam-me bons, alguns excelentes, mas todos tinham contra si o existirem.

Explico-me. Uma forma vigente de governo ficava exposta a comparações que poderiam amesquinhá-la. Era-me preciso, ou achar uma forma nova, ou restaurar alguma outra abandonada. Naturalmente adotei o segundo alvitre, e nada me pareceu mais acertado do que uma república, à maneira de Veneza, o mesmo molde, e até o mesmo epíteto. Obsoleto, sem nenhuma analogia, em suas feições gerais, com qualquer outro governo vivo, cabia-lhe ainda a vantagem de um mecanismo complicado, – o que era meter à prova as aptidões políticas da jovem sociedade.

Outro motivo determinou a minha escolha. Entre os diferentes modos eleitorais da antiga Veneza, figurava o do saco e bolas, iniciação dos filhos da nobreza no serviço do Estado. Metiam-se as bolas com os nomes dos candidatos no saco, e extraía-se anualmente um certo número, ficando os eleitos desde logo aptos para as carreiras públicas. Este sistema fará rir aos doutores do sufrágio; a mim não. Ele exclui os desvarios da paixão, os desazos da inépcia, o congresso da corrupção e da cobiça. Mas não foi só por isso que o aceitei; tratando-se de um povo tão exímio na fiação de suas teias, o uso do saco eleitoral era de fácil adaptação, quase uma planta indígena.

A proposta foi aceita. Sereníssima República pareceu-lhes um título magnífico, roçagante, expansivo, próprio a engrandecer a obra popular.

Não direi, senhores, que a obra chegou à perfeição, nem que lá chegue tão cedo. Os meus pupilos não são os solários de Campanella ou os utopistas de Morus; formam um povo recente, que não pode trepar de um salto ao cume das nações seculares. Nem o tempo é operário que ceda a outro a lima ou o alvião; ele fará mais e melhor do que as teorias do papel, válidas no papel e mancas na prática. O que posso afirmar-vos é que, não obstante as incertezas da idade, eles caminham, dispondo de algumas virtudes, que presumo essenciais à duração de um Estado. Uma delas, como já disse, é a perseverança, uma longa paciência de Penélope, segundo vou mostrar-vos.

Com efeito, desde que compreenderam que no ato eleitoral estava a base da vida pública, trataram de o exercer com a maior atenção. O fabrico do saco foi uma obra nacional. Era um saco de cinco polegadas de altura e três de largura, tecido com os melhores fios, obra sólida e espessa. Para compô-lo foram aclamadas dez damas principais, que receberam o título de mães da república, além de outros privilégios e foros. Uma obra-prima, podeis crê-lo. O processo eleitoral é simples. As bolas recebem os nomes dos candidatos, que provarem certas condições, e são escritas por um oficial público, denominado "das inscrições". No dia da eleição, as bolas são metidas no saco e tiradas pelo oficial das extrações, até perfazer o número dos elegendos. Isto que era um simples processo inicial na antiga Veneza, serve aqui ao provimento de todos os cargos.

A eleição fez-se a princípio com muita regularidade; mas, logo depois, um dos legisladores declarou que ela fora viciada, por terem entrado no saco duas bolas com o nome do mesmo candidato. A Assembleia verificou a exatidão da denúncia, e decretou que o saco, até ali de três polegadas de largura, tivesse agora duas; limitando-se a capacidade do saco, restringia-se o espaço à fraude, era o mesmo que suprimi-la. Aconteceu, porém, que na eleição seguinte, um candidato deixou de ser inscrito na competente bola, não se sabe se por descuido ou intenção do oficial público. Este declarou que não se lembrava de ter visto o ilustre candidato, mas acrescentou nobremente que não era impossível que ele lhe tivesse dado o nome; neste caso não houve exclusão, mas distração. A Assembleia, diante de um fenômeno psicológico inelutável, como é a distração, não pôde castigar o oficial; mas, considerando que a estreiteza do saco podia dar lugar a exclusões odiosas, revogou a lei anterior e restaurou as três polegadas.

Nesse ínterim, senhores, faleceu o primeiro magistrado, e três cidadãos apresentaram-se candidatos ao posto, mas só dois importantes, Hazeroth e Magog, os próprios chefes do partido retilíneo e do partido curvilíneo. Devo explicar-vos estas denominações.

Como eles são principalmente geômetras, é a geometria que os divide em política. Uns entendem que a aranha deve fazer as teias com fios retos, é o partido retilíneo; – outros pensam, ao contrário, que as teias devem ser trabalhadas com fios curvos, – é o partido curvilíneo. Há ainda um terceiro partido, misto e central, com este postulado: – as teias devem ser urdidas de fios retos e fios curvos; é o partido reto-curvilíneo; e finalmente, uma quarta divisão política, o partido antirreto-curvilíneo, que fez tábua rasa de todos os princípios litigantes, e propõe o uso de umas teias urdidas de ar, obra transparente e leve, em que não há linhas de espécie alguma. Como a geometria apenas poderia dividi-los, sem chegar a apaixoná-los, adotaram uma simbólica. Para uns, a linha reta exprime os bons sentimentos, a justiça, a probidade, a inteireza, a constância, etc., ao passo que os sentimentos ruins ou inferiores, como a bajulação, a fraude, a deslealdade, a perfídia, são perfeitamente curvos. Os adversários respondem que não, que a linha curva é a da virtude e do saber, porque é a expressão da modéstia e da humildade; ao contrário, a ignorância, a presunção, a toleima, a parlapatice, são retas, duramente retas. O terceiro partido, menos anguloso, menos exclusivista, desbastou a exageração de uns e outros, combinou os contrastes, e proclamou a simultaneidade das linhas como a exata cópia do mundo físico e moral. O quarto limita-se a negar tudo.

Nem Hazeroth nem Magog foram eleitos. As suas bolas saíram do saco, é verdade, mas foram inutilizadas, a do primeiro por faltar a primeira letra do nome, a do segundo por lhe faltar a última. O nome restante e triunfante era o de um argentário ambicioso, político obscuro, que subiu logo à poltrona ducal, com espanto geral da república. Mas os vencidos não se contentaram de dormir sobre os louros do vencedor; requereram uma devassa. A devassa mostrou que o oficial das inscrições intencionalmente viciara a ortografia de seus nomes. O oficial confessou o defeito e a intenção; mas explicou-os dizendo que se tratava de uma simples elipse;

delito, se o era, puramente literário. Não sendo possível perseguir ninguém por defeitos de ortografia ou figuras de retórica, pareceu acertado rever a lei. Nesse mesmo dia ficou decretado que o saco seria feito de um tecido de malhas, através das quais as bolas pudessem ser lidas pelo público, e, *ipso facto*, pelos mesmos candidatos, que assim teriam tempo de corrigir as inscrições.

Infelizmente, senhores, o comentário da lei é a eterna malícia. A mesma porta aberta à lealdade serviu à astúcia de um certo Nabiga, que se conchavou com o oficial das extrações, para haver um lugar na Assembleia. A vaga era uma, os candidatos três; o oficial extraiu as bolas com os olhos no cúmplice, que só deixou de abanar negativamente a cabeça, quando a bola pegada foi a sua. Não era preciso mais para condenar a ideia das malhas. A Assembleia, com exemplar paciência, restaurou o tecido espesso do regímen anterior; mas, para evitar outras elipses, decretou a validação das bolas cuja inscrição estivesse incorreta, uma vez que cinco pessoas jurassem ser o nome inscrito o próprio nome do candidato.

Este novo estatuto deu lugar a um caso novo e imprevisto, como ides ver. Tratou-se de eleger um coletor de espórtulas, funcionário encarregado de cobrar as rendas públicas, sob a forma de espórtulas voluntárias. Eram candidatos, entre outros, um certo Caneca e um certo Nebraska. A bola extraída foi a de Nebraska. Estava errada, é certo, por lhe faltar a última letra; mas, cinco testemunhas juraram, nos termos da lei, que o eleito era o próprio e único Nebraska da república. Tudo parecia findo, quando o candidato Caneca requereu provar que a bola extraída não trazia o nome de Nebraska, mas o dele. O juiz de paz deferiu ao peticionário. Veio então um grande filólogo, – talvez o primeiro da república, além de bom metafísico, e não vulgar matemático, – o qual provou a coisa nestes termos:

— Em primeiro lugar, disse ele, deveis notar que não é fortuita a ausência da última letra do nome Nebraska. Por que motivo foi ele inscrito incompletamente? Não se pode dizer que por fadiga ou amor da brevidade, pois só falta a última letra, um simples *a*. Carência de espaço? Também não; vede: há ainda espaço para duas ou três sílabas. Logo, a falta é intencional, e a intenção não pode ser outra, senão chamar a atenção do leitor para a letra *k*, última escrita, desamparada, solteira, sem sentido. Ora, por um efeito mental, que nenhuma lei destruiu, a letra reproduz-se no cérebro de dois modos, a forma gráfica e a forma sônica: *k* e *ca*. O defeito, pois, no nome escrito, chamando os olhos para a letra final, incrusta desde logo no cérebro esta primeira sílaba: *Ca*. Isto posto, o movimento natural do espírito é ler o nome todo; volta-se ao princípio, à inicial *ne*, do nome *Nebrask*. – *Cané*. – Resta a sílaba do meio, *bras*, cuja redução a esta outra sílaba *ca*, última do nome Caneca, é a coisa mais demonstrável do mundo. E, todavia, não a demonstrarei, visto faltar-vos o preparo necessário ao entendimento da significação espiritual ou filosófica da sílaba, suas origens e efeitos, fases, modificações, consequências lógicas e sintáxicas, dedutivas ou indutivas, simbólicas e outras. Mas, suposta a demonstração, aí fica a última prova, evidente, clara, da minha afirmação primeira pela anexação da sílaba *ca* às duas *Cane*, dando este nome Caneca.

A lei emendou-se, senhores, ficando abolida a faculdade da prova testemunhal e interpretativa dos textos, e introduzindo-se uma inovação, o corte simultâneo de meia polegada na altura e outra meia na largura do saco. Esta emenda não evitou um pequeno abuso na eleição dos alcaides, e o saco foi restituído às dimensões primitivas, dando-se-lhe, todavia, a forma triangular. Compreendeis que esta forma trazia consigo uma consequência: ficavam muitas bolas no fundo. Daí a mudança para a forma cilíndrica; mais tarde deu-se-lhe o aspecto de uma ampulheta, cujo inconveniente se reconheceu ser igual ao triângulo, e então adotou-se a forma de um crescente, etc. Muitos abusos, descuidos e lacunas tendem a desaparecer, e o restante terá igual destino, não inteiramente, decerto, pois a perfeição não é deste mundo, mas na medida e nos termos do conselho de um dos mais circunspectos cidadãos da minha república, Erasmus, cujo último discurso sinto não poder dar-vos integralmente. Encarregado de notificar a última resolução legislativa às dez damas, incumbidas de urdir o saco eleitoral, Erasmus contou-lhes a fábula de Penélope, que fazia e desfazia a famosa teia, à espera do esposo Ulisses.

— Vós sois a Penélope da nossa república, disse ele ao terminar; tendes a mesma castidade, paciência e talentos. Refazei o saco, amigas minhas, refazei o saco, até que Ulisses, cansado de dar às pernas, venha tomar entre nós o lugar que lhe cabe. Ulisses é a Sapiência.

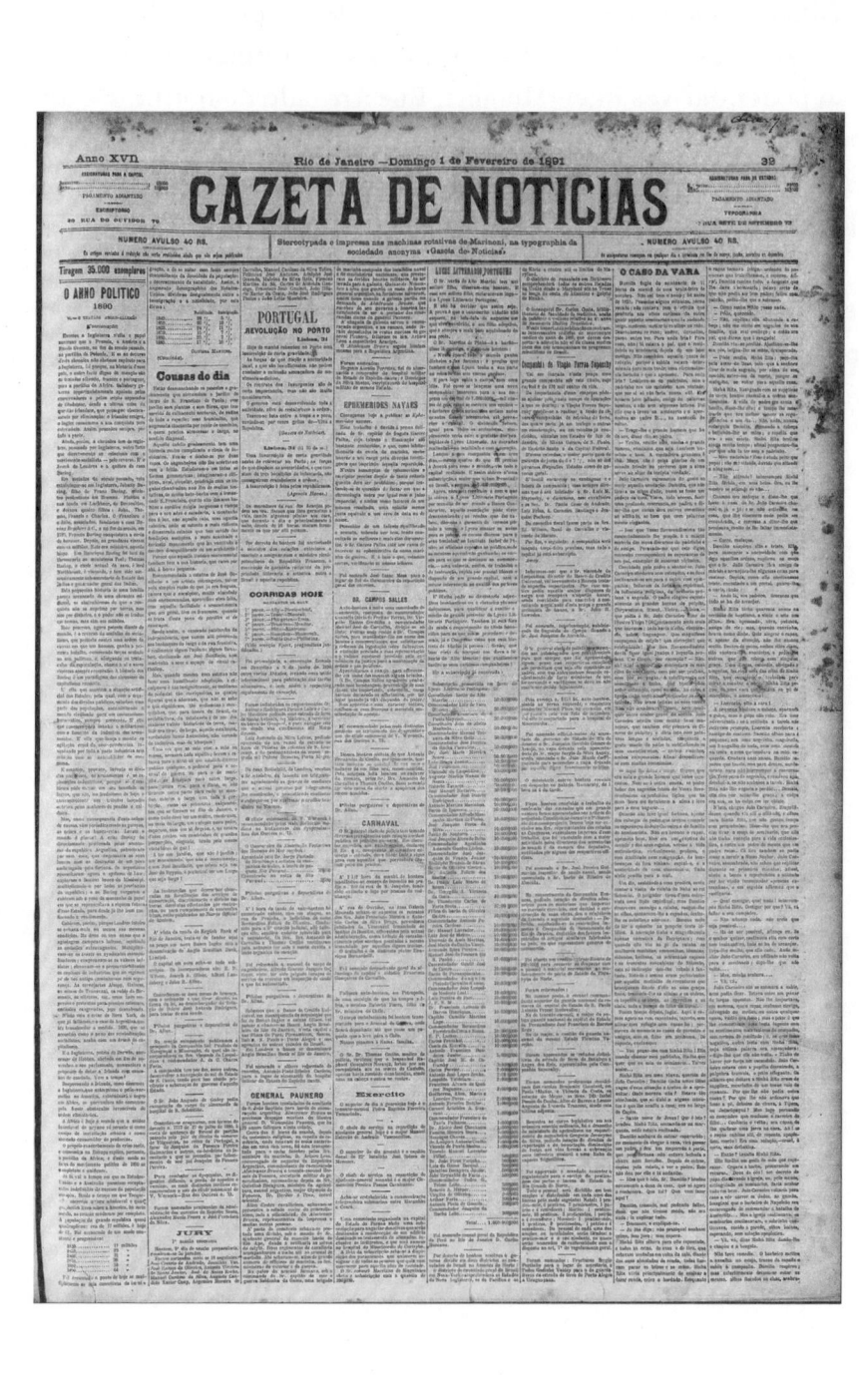

Anno XVII
Rio de Janeiro — Domingo 1 de Fevereiro de 1891
32

GAZETA DE NOTICIAS

PAGAMENTO ADIANTADO
ESCRIPTORIO
70 RUA DO OUVIDOR 70

NUMERO AVULSO 40 RS.

Stereotypada e impressa nas machinas rotativas de Marinoni, na typographia da sociedade anonyma «Gazeta de Noticias»

NUMERO AVULSO 40 RS.

Tiragem 35.000 exemplares

O ANNO POLITICO

1890

Cousas do dia

PORTUGAL

REVOLUÇÃO NO PORTO

CORRIDAS HOJE

JURY

LYCEU LITTERARIO PORTUGUEZ

EPHEMERIDES NAVAES

DR. CAMPOS SALLES

CARNAVAL

GENERAL PAUNERO

Exercito

O CASO DA VARA

O caso da vara[1]

Damião fugiu do seminário às onze horas da manhã de uma sexta-feira de agosto. Não sei bem o ano; foi antes de 1850. Passados alguns minutos parou vexado; não contava com o efeito que produzia nos olhos da outra gente aquele seminarista que ia espantado, medroso, fugitivo. Desconhecia as ruas, andava e desandava; finalmente parou. Para onde iria? Para casa, não; lá estava o pai que o devolveria ao seminário, depois de um bom castigo. Não assentara no ponto de refúgio, porque a saída estava determinada para mais tarde; uma circunstância fortuita a apressou. Para onde iria? Lembrou-se do padrinho, João Carneiro, mas o padrinho era um moleirão sem vontade, que por si só não faria coisa útil. Foi ele que o levou ao seminário e o apresentou ao reitor:

— Trago-lhe o grande homem que há de ser, disse ele ao reitor.

— Venha, acudiu este, venha o grande homem, contanto que seja também humilde e bom. A verdadeira grandeza é chã. Moço...

Tal foi a entrada. Pouco tempo depois fugiu o rapaz ao seminário. Aqui o vemos agora na rua, espantado, incerto, sem atinar com refúgio nem conselho; percorreu de memória as casas de parentes e amigos, sem se fixar em nenhuma. De repente, exclamou:

— Vou pegar-me com Sinhá Rita! Ela manda chamar meu padrinho, diz-lhe que quer que eu saia do seminário... Talvez assim...

Sinhá Rita era uma viúva, querida de João Carneiro; Damião tinha umas ideias vagas dessa situação e tratou de a aproveitar. Onde morava? Estava tão atordoado, que só daí a alguns minutos é que lhe acudiu a casa; era no largo do Capim.

— Santo nome de Jesus! Que é isto? bradou Sinhá Rita, sentando-se na marquesa, onde estava reclinada.

[1] Publicado em *Gazeta de Notícias* (1 de fevereiro de 1891). Reunido pelo autor em *Páginas recolhidas* (1899).

Damião acabava de entrar espavorido; no momento de chegar à casa, vira passar um padre, e deu um empurrão à porta, que por fortuna não estava fechada a chave nem ferrolho. Depois de entrar, espiou pela rótula, a ver o padre. Este não deu por ele e ia andando.

— Mas que é isto, Sr. Damião? bradou novamente a dona da casa, que só agora o conhecera. Que vem fazer aqui?

Damião, trêmulo, mal podendo falar, disse que não tivesse medo, não era nada; ia explicar tudo.

— Descanse, e explique-se.

— Já lhe digo; não pratiquei nenhum crime, isso juro; mas espere.

Sinhá Rita olhava para ele espantada, e todas as crias, de casa, e de fora, que estavam sentadas em volta da sala, diante das suas almofadas de renda, todas fizeram parar os bilros e as mãos. Sinhá Rita vivia principalmente de ensinar a fazer renda, crivo e bordado. Enquanto o rapaz tomava fôlego, ordenou às pequenas que trabalhassem, e esperou. Afinal, Damião contou tudo, o desgosto que lhe dava o seminário; estava certo de que não podia ser bom padre; falou com paixão, pediu-lhe que o salvasse.

— Como assim? Não posso nada.

— Pode, querendo.

— Não, replicou ela abanando a cabeça; não me meto em negócios de sua família, que mal conheço; e então seu pai, que dizem que é zangado!

Damião viu-se perdido. Ajoelhou-se-lhe aos pés, beijou-lhe as mãos, desesperado.

— Pode muito, Sinhá Rita; peço-lhe pelo amor de Deus, pelo que a senhora tiver de mais sagrado, por alma de seu marido, salve-me da morte, porque eu mato-me, se voltar para aquela casa.

Sinhá Rita, lisonjeada com as súplicas do moço, tentou chamá-lo a outros sentimentos. A vida de padre era santa e bonita, disse-lhe ela; o tempo lhe mostraria que era melhor vencer as repugnâncias e um dia... Não, nada, nunca, redarguia Damião, abanando a cabeça e beijando-lhe as mãos; e repetia que era a sua morte. Sinhá Rita hesitou ainda muito tempo; afinal perguntou-lhe por que não ia ter com o padrinho.

— Meu padrinho? Esse é ainda pior que papai; não me atende, duvido que atenda a ninguém...

— Não atende? interrompeu Sinhá Rita ferida em seus brios. Ora, eu lhe mostro se atende ou não...

Chamou um moleque e bradou-lhe que fosse à casa do Sr. João Carneiro chamá-lo, já e já; e se não estivesse em casa, perguntasse onde podia ser encontrado, e corresse a dizer-lhe que precisava muito de lhe falar imediatamente.

— Anda, moleque.

Damião suspirou alto e triste. Ela, para mascarar a autoridade com que dera aquelas ordens, explicou ao moço que o Sr. João Carneiro fora amigo do marido e arranjara-lhe algumas crias para ensinar. Depois, como ele continuasse triste, encostado a um portal, puxou-lhe o nariz, rindo:

— Ande lá, seu padreco, descanse que tudo se há de arranjar.

Sinhá Rita tinha quarenta anos na certidão de batismo, e vinte e sete nos olhos. Era apessoada, viva, patusca, amiga de rir; mas, quando convinha, brava como diabo. Quis alegrar o rapaz, e, apesar da situação, não lhe custou muito. Dentro de pouco, ambos eles riam, ela contava-lhe anedotas, e pedia-lhe outras, que ele referia com singular graça. Uma destas, estúrdia, obrigada a trejeitos, fez rir a uma das crias de Sinhá Rita, que esquecera o trabalho, para mirar e escutar o moço. Sinhá Rita pegou de uma vara que estava ao pé da marquesa, e ameaçou-a:

— Lucrécia, olha a vara!

A pequena abaixou a cabeça, aparando o golpe, mas o golpe não veio. Era uma advertência; se à noitinha a tarefa não estivesse pronta, Lucrécia receberia o castigo do costume. Damião olhou para a pequena; era uma negrinha, magricela, um frangalho de nada, com uma cicatriz na testa e uma queimadura na mão esquerda. Contava onze anos. Damião reparou que tossia, mas para dentro, surdamente, a fim de não interromper a conversação. Teve pena da negrinha, e resolveu apadrinhá-la, se não acabasse a tarefa. Sinhá Rita não lhe negaria o perdão... Demais, ela rira por achar-lhe graça; a culpa era sua, se há culpa em ter chiste.

Nisto, chegou João Carneiro. Empalideceu quando viu ali o afilhado, e olhou para Sinhá Rita, que não gastou tempo com preâmbulos. Disse-lhe que era preciso tirar o moço do seminário, que ele não tinha vocação para a vida eclesiástica, e antes um padre de menos que um padre ruim. Cá fora também se podia amar e servir a Nosso Senhor. João Carneiro, assombrado, não achou que replicar durante os primeiros minutos; afinal, abriu a boca e repreendeu o afilhado por ter vindo incomodar "pessoas estranhas", e em seguida afirmou que o castigaria.

— Qual castigar, qual nada! interrompeu Sinhá Rita. Castigar por quê? Vá, vá falar a seu compadre.

— Não afianço nada, não creio que seja possível...

— Há de ser possível, afianço eu. Se o senhor quiser, continuou ela com certo tom insinuativo, tudo se há de arranjar. Peça-lhe muito, que ele cede. Ande, senhor João Carneiro, seu afilhado não volta para o seminário; digo-lhe que não volta...

— Mas, minha senhora...

—Vá, vá.

João Carneiro não se animava a sair, nem podia ficar. Estava entre um puxar de forças opostas. Não lhe importava, em suma, que o rapaz acabasse clérigo, advogado ou médico, ou outra qualquer coisa, vadio que fosse; mas o pior é que lhe cometiam uma luta ingente com os sentimentos mais íntimos do compadre, sem certeza do resultado; e, se este fosse negativo, outra luta com Sinhá Rita, cuja última palavra era ameaçadora: "digo-lhe que ele não volta". Tinha de haver por força um escândalo. João Carneiro estava com a pupila desvairada, a pálpebra trêmula, o peito ofegante. Os olhares que deitava a Sinhá Rita eram de súplica, mesclados de um tênue raio de censura. Por que lhe não pedia outra coisa? Por que lhe não ordenava que fosse a pé, debaixo de chuva, à Tijuca, ou Jacarepaguá? Mas logo persuadir ao compadre que mudasse a carreira do filho... Conhecia o velho; era capaz de lhe quebrar uma jarra na cara. Ah! se o rapaz caísse ali, de repente, apoplético, morto! Era uma solução, – cruel, é certo, mas definitiva.

— Então? insistiu Sinhá Rita.

Ele fez-lhe um gesto de mão que esperasse. Coçava a barba, procurando um recurso. Deus do céu! um decreto do papa dissolvendo a igreja, ou, pelo menos, extinguindo os seminários, faria acabar tudo em bem. João Carneiro voltaria para casa e ia jogar os *três-setes*. Imaginai que o barbeiro de Napoleão era encarregado de comandar a batalha de Austerlitz... Mas a igreja continuava, os seminários continuavam, o afilhado continuava, cosido à parede, olhos baixos, esperando, sem solução apoplética.

— Vá, vá, disse Sinhá Rita dando-lhe o chapéu e a bengala.

Não teve remédio. O barbeiro meteu a navalha no estojo, travou da espada e saiu à campanha. Damião respirou; exteriormente deixou-se estar na mesma, olhos fincados no chão, acabrunhado. Sinhá Rita puxou-lhe desta vez o queixo.

— Ande jantar, deixe-se de melancolias.

— A senhora crê que ele alcance alguma coisa?

— Há de alcançar tudo, redarguiu Sinhá Rita cheia de si. Ande, que a sopa está esfriando.

Apesar do gênio galhofeiro de Sinhá Rita, e do seu próprio espírito leve, Damião esteve menos alegre ao jantar que na primeira parte do dia. Não fiava do caráter mole do padrinho. Contudo, jantou bem; e, para o fim, voltou às pilhérias da manhã. À sobremesa, ouviu um rumor de gente na sala, e perguntou se o vinham prender.

— Hão de ser as moças.

Levantaram-se e passaram à sala. As moças eram cinco vizinhas que iam todas as tardes tomar café com Sinhá Rita, e ali ficavam até o cair da noite.

As discípulas, findo o jantar delas, tornaram às almofadas do trabalho. Sinhá Rita presidia a todo esse mulherio de casa e de fora. O sussurro dos bilros e o palavrear das moças eram ecos tão mundanos, tão alheios à teologia e ao latim, que o rapaz deixou-se ir por eles e esqueceu o resto. Durante os primeiros minutos, ainda houve da parte das vizinhas certo acanhamento; mas passou depressa. Uma delas cantou uma modinha, ao som da guitarra, tangida por Sinhá Rita, e a tarde foi passando depressa. Antes do fim, Sinhá Rita pediu a Damião que contasse certa anedota que lhe agradara muito. Era a tal que fizera rir Lucrécia.

— Ande, senhor Damião, não se faça de rogado, que as moças querem ir embora. Vocês vão gostar muito.

Damião não teve remédio senão obedecer. Malgrado o anúncio e a expectação, que serviam a diminuir o chiste e o efeito, a anedota acabou entre risadas das moças. Damião, contente de si, não esqueceu Lucrécia e olhou para ela, a ver se rira também. Viu-a com a cabeça metida na almofada para acabar a tarefa. Não ria; ou teria rido para dentro, como tossia.

Saíram as vizinhas, e a tarde caiu de todo. A alma de Damião foi-se fazendo tenebrosa, antes da noite. Que estaria acontecendo? De instante a instante, ia espiar pela rótula, e voltava cada vez mais desanimado. Nem sombra do padrinho. Com certeza, o pai fê-lo calar, mandou chamar dois negros, foi à polícia pedir um pedestre, e aí vinha pegá-lo à força e levá-lo ao seminário. Damião perguntou a Sinhá Rita se a casa não teria saída pelos fundos; correu ao quintal, e calculou que podia saltar o muro. Quis ainda saber se haveria modo de fugir para a Rua da Vala, ou se era melhor falar a algum vizinho que fizesse o favor de o receber. O pior era a batina; se Sinhá Rita lhe pudesse arranjar um rodaque, uma sobrecasaca velha... Sinhá Rita dispunha justamente de um rodaque, lembrança ou esquecimento de João Carneiro.

— Tenho um rodaque do meu defunto, disse ela, rindo; mas para que está com esses sustos? Tudo se há de arranjar, descanse.

Afinal, à boca da noite, apareceu um escravo do padrinho, com uma carta para Sinhá Rita. O negócio ainda não estava composto; o pai ficou furioso e quis quebrar tudo; bradou que não, senhor, que o peralta havia de ir para o seminário, ou então metia-o no Aljube ou na presiganga. João Carneiro lutou muito para conseguir que o compadre não resolvesse logo, que dormisse a noite, e meditasse bem se era conveniente dar à religião um sujeito tão rebelde e vicioso. Explicava na carta que falou assim para melhor ganhar a causa. Não a tinha por ganha; mas no dia seguinte lá iria ver o homem, e teimar de novo. Concluía dizendo que o moço fosse para a casa dele.

Damião acabou de ler a carta e olhou para Sinhá Rita. "Não tenho outra tábua de salvação", pensou ele. Sinhá Rita mandou vir um tinteiro de chifre, e na meia folha da própria carta escreveu esta resposta: "Joãozinho, ou você salva o moço, ou nunca mais nos vemos". Fechou a carta com obreia, e deu-a ao escravo, para que a levasse depressa. Voltou a reanimar o seminarista, que estava outra vez no capuz da humildade e da consternação. Disse-lhe que sossegasse, que aquele negócio era agora dela.

— Hão de ver para quanto presto! Não, que eu não sou de brincadeiras!

Era a hora de recolher os trabalhos. Sinhá Rita examinou-os; todas as discípulas tinham concluído a tarefa. Só Lucrécia estava ainda à almofada, meneando os bilros, já sem ver; Sinhá Rita chegou-se a ela, viu que a tarefa não estava acabada, ficou furiosa, e agarrou-a por uma orelha.

— Ah! malandra!

— Nhanhã, nhanhã! pelo amor de Deus! por Nossa Senhora que está no céu.

— Malandra! Nossa Senhora não protege vadias!

Lucrécia fez um esforço, soltou-se das mãos da senhora, e fugiu para dentro; a senhora foi atrás e agarrou-a.

— Anda cá!

— Minha senhora, me perdoe! tossia a negrinha.

— Não perdoo, não. Onde está a vara?

E tornaram ambas à sala, uma presa pela orelha, debatendo-se, chorando e pedindo; a outra dizendo que não, que a havia de castigar.

— Onde está a vara?

A vara estava à cabeceira da marquesa, do outro lado da sala. Sinhá Rita, não querendo soltar a pequena, bradou ao seminarista:

— Sr. Damião, dê-me aquela vara, faz favor?

Damião ficou frio... Cruel instante! Uma nuvem passou-lhe pelos olhos. Sim, tinha jurado apadrinhar a pequena, que, por causa dele, atrasara o trabalho...

— Dê-me a vara, Sr. Damião!

Damião chegou a caminhar na direção da marquesa. A negrinha pediu-lhe então por tudo o que houvesse mais sagrado, pela mãe, pelo pai, por Nosso Senhor...

— Me acuda, meu sinhô moço!

Sinhá Rita, com a cara em fogo e os olhos esbugalhados, instava pela vara, sem largar a negrinha, agora presa de um acesso de tosse. Damião sentiu-se compungido; mas ele precisava tanto sair do seminário! Chegou à marquesa, pegou na vara e entregou-a a Sinhá Rita.

Anno I. QUINTA-FEIRA 10 DE JUNHO DE 1880. Numero 2.

PENNA & LAPIS

Anno XX — Rio de Janeiro — Domingo 22 de Julho de 1894 — N 202

ASSIGNATURAS PARA A CAPITAL — PAGAMENTO ADIANTADO — ESCRIPTORIO 70 RUA DO OUVIDOR 70

GAZETA DE NOTICIAS

ASSIGNATURAS PARA OS ESTADOS — PAGAMENTO ADIANTADO — TYPOGRAPHIA 70 RUA SETE DE SETEMBRO 70

NUMERO AVULSO 100 RS.

Stereotypada e impressa nas machinas rotativas de Marinoni, na typographia da sociedade anonyma (Gazeta de Noticias)

NUMERO AVULSO 100 RS.

Tiragem 40.000 exemplares

TELEGRAMMAS

FRANÇA

Paris, 21

HESPANHA

AUSTRIA

ITALIA

GRECIA

REPUBLICA ARGENTINA

A SEMANA

BOLETIM DO CONGRESSO

PARA COBRIR UM DEFICIT

Domingo, Segunda-feira, Terça-feira, Quarta-feira, Quinta-feira, Sexta-feira e Sabbado.

(De M. D.)

CARNOT

CHRONICA LIVRE

RUINAS

Canção de piratas[1]

Telegrama da Bahia refere que o Conselheiro está em Canudos com 2.000 homens (dois mil homens) perfeitamente armados. Que Conselheiro? O Conselheiro. Não lhe ponhas nome algum, que é sair da poesia e do mistério. É o Conselheiro, um homem, dizem que fanático, levando consigo a toda a parte aqueles dois mil legionários. Pelas últimas notícias tinha já mandado um contingente a Alagoinhas. Temem-se no Pombal e outros lugares os seus assaltos.

Jornais recentes afirmam também que os célebres clavinoteiros de Belmonte têm fugido, em turmas, sara o Sul, atravessando a comarca de Porto-Seguro. Essa outra horda, para empregar o termo do profano vulgo que odeio, não obedece ao mesmo chefe. Tem outro ou mais de um, entre eles o que responde ao nome de Cara de Graxa. Jornais e telegramas dizem dos clavinoteiros e dos sequazes do Conselheiro que são criminosos; nem outra palavra pode sair de cérebros alinhados, registrados, qualificados, cérebros eleitores e contribuintes. Para nós, artistas, é a renascença, é um raio de sol que, através da chuva miúda e aborrecida, vem dourar-nos a janela e a alma. É a poesia que nos levanta do meio da prosa chilra e dura deste fim de século. Nos climas ásperos, a árvore que o inverno despiu é novamente enfolhada pela primavera, essa eterna florista que aprendeu não sei onde e não esquece o que lhe ensinaram. A arte é a árvore despida: eis que lhe rebentam folhas novas e verdes.

Sim, meus amigos. Os dois mil homens do Conselheiro, que vão de vila em vila, assim como os clavinoteiros de Belmonte, que se metem pelo sertão, comendo o que arrebatam, acampando em vez de morar, levando moças naturalmente, moças cativas, chorosas

[1] Publicado em *Gazeta de Notícias* (22 de julho de 1894). Reunido pelo autor em *Páginas recolhidas* (1899).

e belas, são os piratas dos poetas de 1830. Poetas de 1894, aí tendes matéria nova e fecunda. Recordai vossos pais, cantai, como Hugo, a canção dos piratas:

En mer, les hardis écumeurs!
Nous allions de Fez à Catane...

Entrai pela Espanha, é ainda a terra da imaginação de Hugo, esse homem de todas as pátrias; puxai pela memória, ouvireis Espronceda dizer outra canção de pirata, um que desafia a ordem e a lei como o nosso Conselheiro. Ide a Veneza; aí Byron recita os versos do *Corsário* no regaço da bela Guiccioli. Tornai à nossa América, onde Gonçalves Dias também cantou o seu pirata. Tudo pirata. O romantismo é a pirataria, é o banditismo, é a aventura do salteador que estripa um homem e morre por uma dama.

Crede-me, esse Conselheiro que está em Canudos com os seus dois mil homens, não é o que dizem telegramas e papéis públicos. Imaginai uma legião de aventureiros galantes, audazes, sem ofício nem benefício, que detestam o calendário, os relógios, os impostos, as reverências, tudo o que obriga, alinha e apruma. São homens fartos desta vida social e pacata, os mesmos dias, as mesmas caras os mesmos acontecimentos, os mesmos delitos, as mesmas virtudes. Não podem crer que o mundo seja uma secretaria de Estado, com ó seu livro do ponto, hora de entrada e de saída, e desconto por faltas. O próprio amor é regulado por lei; os consórcios celebram-se por um regulamento em casa do pretor, e por um ritual na casa de Deus, tudo com etiqueta dos carros e casacas, palavras simbólicas, gestos de convenção. Nem a morte escapa à regulamentação universal; o finado há de ter velas e responsos, um caixão fechado, um carro que o leve, uma sepultura numerada, como a casa em que viveu... Não, por Satanás! Os partidários do Conselheiro lembraram-se dos piratas românticos, sacudiram as sandálias à porta da civilização e saíram à vida livre.

A vida livre, para evitar a morte igualmente livre, precisa comer, e daí alguns possíveis assaltos. Assim também o amor livre. Eles não irão às vilas pedir moças em casamento. Suponho que se casam a cavalo, levando as noivas à garupa, enquanto as mães ficam soluçando e gritando à porta das casas ou à beira dos rios. As esposas do Conselheiro, essas são raptadas em verso, naturalmente:

Sa Hautesse aime les primeurs,
Nous vous ferons mahométane...

Maometana ou outra coisa, pois nada sabemos da religião desses, nem dos clavinoteiros, a verdade é que todas elas se afeiçoarão ao regímen, se regímen se pode chamar a vida errática. Também há estrelas erráticas, dirão elas, para se consolarem. Que outra coisa podemos supor de tamanho número de gente? Olhai que tudo cresce, que os exércitos de hoje não são já os dos tempos românticos, nem as armas, nem os legisladores, nem os contribuintes, nada. Quando tudo cresce, não se há de exigir que os aventureiros de Canudos, Alagoinhas e Belmonte contem ainda aquele exíguo número de piratas da cantiga:

Dans la galère capitane,
Nous étions quatre-vingts rameurs,

mas mil, dois mil, no mínimo. Do mesmo modo, ó poetas, devemos compor versos extraordinários e rimas inauditas. Fora com as cantigas de pouco fôlego. Vamos fazê-las de mil estrofes, com estribilho de cinquenta versos, e versos compridos, dois decassílabos atados por um alexandrino e uma redondilha. Pélion sobre Ossa, versos de Adamastor, versos de Encélado. Rimemos o Atlântico com o Pacífico, a Via-Láctea com as areias do mar, ambições com malogros, empréstimos com calotes, tudo ao som das polcas que temos visto compor, vender e dançar só no Rio de Janeiro. Ó vertigem das vertigens!

Pae contra Mãe

A escravidão levou comsigo officios e apparelhos, como terá succedido a outras instituições sociaes. Não cito alguns apparelhos senão por se ligarem a certo officio. Um delles era o ferro ao pescoço, outro o ferro ao pé; havia tambem a mascara de folha de Flandres. A mascara fazia perder o vicio da embriaguez aos escravos, por lhes tapar a bocca. Tinha só tres buracos, dous para ver, um para respirar, e era fechada atraz da cabeça por um cadeado. Com o vicio de beber, perdiam a tentação de furtar, porque geralmente era dos vintens do senhor que elles tiravam com que matar a sêde, e ahi ficavam dous peccados extinctos, e a sobriedade e a honestidade certas. Era grotesca tal mascara, mas a ordem social e humana nem sempre se alcança sem o grotesco, e alguma vez o cruel. Os funileiros as tinham penduradas, á venda, na porta das lojas. Mas não cuidemos de mascaras.

O ferro ao pescoço era applicado aos escravos fujões. Imaginae uma colleira grossa, com a haste grossa tambem, á direita ou á esquerda, até ao alto da cabeça e fechada atraz com chave. Pesava, naturalmente,

Pai contra mãe[1]

A escravidão levou consigo ofícios e aparelhos, como terá sucedido a outras instituições sociais. Não cito alguns aparelhos senão por se ligarem a certo ofício. Um deles era o ferro ao pescoço, outro o ferro ao pé; havia também a máscara de folha-de-flandres. A máscara fazia perder o vício da embriaguez aos escravos, por lhes tapar a boca. Tinha só três buracos, dois para ver, um para respirar, e era fechada atrás da cabeça por um cadeado. Com o vício de beber, perdiam a tentação de furtar, porque geralmente era dos vinténs do senhor que eles tiravam com que matar a sede, e aí ficavam dois pecados extintos, e a sobriedade e a honestidade certas. Era grotesca tal máscara, mas a ordem social e humana nem sempre se alcança sem o grotesco, e alguma vez o cruel. Os funileiros as tinham penduradas, à venda, na porta das lojas. Mas não cuidemos de máscaras.

O ferro ao pescoço era aplicado aos escravos fujões. Imaginai uma coleira grossa, com a haste grossa também, à direita ou à esquerda, até ao alto da cabeça e fechada atrás com chave. Pesava, naturalmente, mas era menos castigo que sinal. Escravo que fugia assim, onde quer que andasse, mostrava um reincidente, e com pouco era pegado.

Há meio século, os escravos fugiam com frequência. Eram muitos, e nem todos gostavam da escravidão. Sucedia ocasionalmente apanharem pancada, e nem todos gostavam de apanhar pancada. Grande parte era apenas repreendida; havia alguém de casa que servia de padrinho, e o mesmo dono não era mau; além disso, o sentimento da propriedade moderava a ação, porque dinheiro também dói. A fuga repetia-se, entretanto. Casos houve, ainda que raros, em que o escravo de contrabando, apenas comprado no Valongo, deitava a correr, sem conhecer as ruas da cidade. Dos que seguiam para casa, não raro, apenas ladinos, pediam ao senhor que lhes marcasse aluguel, e iam ganhá-lo fora, quitandando.

[1] Publicado exclusivamente no livro *Relíquias de casa velha* (1906).

Quem perdia um escravo por fuga dava algum dinheiro a quem lho levasse. Punha anúncios nas folhas públicas, com os sinais do fugido, o nome, a roupa, o defeito físico, se o tinha, o bairro por onde andava e a quantia de gratificação. Quando não vinha a quantia, vinha promessa: "gratificar-se-á generosamente", – ou "receberá uma boa gratificação". Muita vez o anúncio trazia em cima ou ao lado uma vinheta, figura de preto, descalço, correndo, vara ao ombro, e na ponta uma trouxa. Protestava-se com todo o rigor da lei contra quem o acoutasse.

Ora, pegar escravos fugidios era um ofício do tempo. Não seria nobre, mas por ser instrumento da força com que se mantêm a lei e a propriedade, trazia esta outra nobreza implícita das ações reivindicadoras. Ninguém se metia em tal ofício por desfastio ou estudo; a pobreza, a necessidade de uma achega, a inaptidão para outros trabalhos, o acaso, e alguma vez o gosto de servir também, ainda que por outra via, davam o impulso ao homem que se sentia bastante

rijo para pôr ordem à desordem.

Cândido Neves, – em família, Candinho, – é a pessoa a quem se liga a história de uma fuga, cedeu à pobreza, quando adquiriu o ofício de pegar escravos fugidos. Tinha um defeito grave esse homem, não aguentava emprego nem ofício, carecia de estabilidade; é o que ele chamava caiporismo. Começou por querer aprender tipografia, mas viu cedo que era preciso algum tempo para compor bem, e ainda assim talvez não ganhasse o bastante; foi o que ele disse a si mesmo. O comércio chamou-lhe a atenção, era carreira boa. Com algum esforço entrou de caixeiro para um armarinho. A obrigação, porém, de atender e servir a todos feria-o na corda do orgulho, e ao cabo de cinco ou seis semanas estava na rua por sua vontade. Fiel de cartório, contínuo de uma repartição anexa ao Ministério do Império, carteiro e outros empregos foram deixados pouco depois de obtidos.

Quando veio a paixão da moça Clara, não tinha ele mais que dívidas, ainda que poucas, porque morava com um primo, entalhador de ofício. Depois de várias tentativas para obter emprego, resolveu adotar o ofício do primo, de que aliás já tomara algumas lições. Não lhe custou apanhar outras, mas, querendo aprender depressa, aprendeu mal. Não fazia obras finas nem complicadas, apenas garras para sofás e relevos comuns para cadeiras. Queria ter em que trabalhar quando casasse, e o casamento não se demorou muito.

Contava trinta anos. Clara vinte e dois. Ela era órfã, morava com uma tia, Mônica, e cosia com ela. Não cosia tanto que não namorasse o seu pouco, mas os namorados apenas queriam matar o tempo; não tinham outro empenho. Passavam às tardes, olhavam muito para ela, ela para eles, até que a noite a fazia recolher para a costura. O que ela notava é que nenhum deles lhe deixava saudades nem lhe acendia desejos. Talvez nem soubesse o nome de muitos. Queria casar, naturalmente. Era, como lhe dizia a tia, um pescar de caniço, a ver se o peixe pegava, mas o peixe passava de longe; algum que parasse, era só para andar à roda da isca, mirá-la, cheirá-la, deixá-la e ir a outras.

O amor traz sobrescritos. Quando a moça viu Cândido Neves, sentiu que era este o possível marido, o marido verdadeiro e único. O encontro deu-se em um baile; tal foi – para lembrar o primeiro ofício do namorado, – tal foi a página inicial daquele livro, que tinha de sair mal composto e pior brochado. O casamento fez-se onze meses depois, e foi a mais bela festa das relações dos noivos. Amigas de Clara, menos por amizade que por inveja, tentaram arredá-la do passo que ia dar. Não negavam a gentileza do noivo, nem o amor que lhe tinha, nem ainda algumas virtudes; diziam que era dado em demasia a patuscadas.

— Pois ainda bem, replicava a noiva; ao menos, não caso com defunto.

— Não, defunto não; mas é que...

Não diziam o que era. Tia Mônica, depois do casamento, na casa pobre onde eles se foram abrigar, falou-lhes uma vez nos filhos possíveis. Eles queriam um, um só, embora viesse agravar a necessidade.

— Vocês, se tiverem um filho, morrem de fome, disse a tia à sobrinha.

— Nossa Senhora nos dará de comer, acudiu Clara.

Tia Mônica devia ter-lhes feito a advertência, ou ameaça, quando ele lhe foi pedir a mão da moça; mas também ela era amiga de patuscadas, e o casamento seria uma festa, como foi.

A alegria era comum aos três. O casal ria a propósito de tudo. Os mesmos nomes eram objeto de trocados, Clara, Neves, Cândido; não davam que comer, mas davam que rir, e o riso digeria-se sem esforço. Ela cosia agora mais, ele saía a empreitadas de uma coisa e outra; não tinha emprego certo.

Nem por isso abriam mão do filho. O filho é que, não sabendo daquele desejo específico, deixava-se estar escondido na eternidade. Um dia, porém, deu sinal de si a criança; varão ou fêmea, era o fruto abençoado que viria trazer ao casal a suspirada ventura. Tia Mônica ficou desorientada, Cândido e Clara riram dos seus sustos.

— Deus nos há de ajudar, titia, insistia a futura mãe.

A notícia correu de vizinha a vizinha. Não houve mais que espreitar a aurora do dia grande. A esposa trabalhava agora com mais vontade, e assim era preciso, uma vez que, além das costuras pagas, tinha de ir fazendo com retalhos o enxoval da criança. À força de pensar nela, vivia já com ela, media-lhe fraldas, cosia-lhe camisas. A porção era escassa, os intervalos longos. Tia Mônica ajudava, é certo, ainda que de má vontade.

— Vocês verão a triste vida, suspirava ela.

— Mas as outras crianças não nascem também? perguntou Clara.

— Nascem, e acham sempre alguma coisa certa que comer, ainda que pouco...

— Certa como?

— Certa, um emprego, um ofício, uma ocupação, mas em que é que o pai dessa infeliz criatura que aí vem, gasta o tempo?

Cândido Neves, logo que soube daquela advertência, foi ter com a tia, não áspero, mas muito menos manso que de costume, e lhe perguntou se já algum dia deixara de comer.

— A senhora ainda não jejuou senão pela semana santa, e isso mesmo quando não quer jantar comigo. Nunca deixamos de ter o nosso bacalhau...

— Bem sei, mas somos três.

— Seremos quatro.

— Não é a mesma coisa.

— Que quer então que eu faça, além do que faço?

— Alguma coisa mais certa. Veja o marceneiro da esquina, o homem do armarinho, o tipógrafo que casou sábado, todos têm um emprego certo... Não fique zangado; não digo que você seja vadio, mas a ocupação que escolheu é vaga. Você passa semanas sem vintém.

— Sim, mas lá vem uma noite que compensa tudo, até de sobra. Deus não me abandona, e preto fugido sabe que comigo não brinca; quase nenhum resiste, muitos entregam-se logo.

Tinha glória nisto, falava da esperança como de capital seguro. Daí a pouco ria, e fazia rir à tia, que era naturalmente alegre, e previa uma patuscada no batizado.

Cândido Neves perdera já o ofício de entalhador, como abrira mão de outros muitos, melhores ou piores. Pegar escravos fugidos trouxe-lhe um encanto novo. Não obrigava a estar longas horas sentado. Só exigia força, olho vivo, paciência, coragem e um pedaço de corda. Cândido Neves lia os anúncios, copiava-os, metia-os no bolso e saía às pesquisas. Tinha boa memória. Fixados os sinais e os costumes de um escravo fugido, gastava pouco tempo em achá-lo, segurá-lo, amarrá-lo e levá-lo. A força era muita, a agilidade também. Mais de uma vez, a uma esquina, conversando de coisas remotas, via passar um escravo como os outros, e descobria logo que ia fugido, quem era, o nome, o dono, a casa deste e a gratificação; interrompia a conversa e ia atrás do vicioso. Não o apanhava logo, espreitava lugar azado, e de um salto tinha a gratificação nas mãos. Nem sempre saía sem sangue, as unhas e os dentes do outro trabalhavam, mas geralmente ele os vencia sem o menor arranhão.

Um dia os lucros entraram a escassear. Os escravos fugidos não vinham já, como dantes, meter-se nas mãos de Cândido Neves. Havia mãos novas e hábeis. Como o negócio crescesse, mais de um desempregado pegou em si e numa corda, foi aos jornais, copiou anúncios e deitou-se à caçada. No próprio bairro havia mais de um competidor. Quer dizer que as dívidas de Cândido Neves começaram de subir, sem aqueles pagamentos prontos ou quase prontos dos primeiros tempos. A vida fez-se difícil e dura. Comia-se fiado e mal; comia-se tarde. O senhorio mandava pelos aluguéis.

Clara não tinha sequer tempo de remendar a roupa ao marido, tanta era a necessidade de coser para fora. Tia Mônica ajudava a sobrinha, naturalmente. Quando ele chegava à tarde, via-se-lhe pela cara que não trazia vintém. Jantava e saía outra vez, à cata de algum fugido. Já lhe sucedia, ainda que raro, enganar-se de pessoa, e pegar em escravo fiel que ia a serviço de seu senhor; tal era a cegueira da necessidade. Certa vez capturou um preto livre; desfez-se em desculpas, mas recebeu grande soma de murros que lhe deram os parentes do homem.

— É o que lhe faltava! exclamou a tia Mônica, ao vê-lo entrar, e depois de ouvir narrar o equívoco e suas consequências. Deixe-se disso, Candinho; procure outra vida, outro emprego.

Cândido quisera efetivamente fazer outra coisa, não pela razão do conselho, mas por simples gosto de trocar de ofício; seria um modo de mudar de pele ou de pessoa. O pior é que não achava à mão negócio que aprendesse depressa.

A natureza ia andando, o feto crescia, até fazer-se pesado à mãe, antes de nascer. Chegou o oitavo mês, mês de angústias e necessidades, menos ainda que o nono, cuja narração dispenso também. Melhor é dizer somente os seus efeitos. Não podiam ser mais amargos.

— Não, tia Mônica! bradou Candinho, recusando um conselho que me custa escrever, quanto mais ao pai ouvi-lo. Isso nunca!

Foi na última semana do derradeiro mês que a tia Mônica deu ao casal o conselho de levar a criança que nascesse à Roda dos enjeitados. Em verdade, não podia haver palavra mais dura de tolerar a dois jovens pais que espreitavam a criança, para beijá-la, guardá-la, vê-la rir, crescer, engordar, pular... Enjeitar quê? enjeitar como? Candinho arregalou os olhos para a tia, e acabou dando um murro na mesa de jantar. A mesa, que era velha e desconjuntada, esteve quase a se desfazer inteiramente. Clara interveio:

— Titia não fala por mal, Candinho.

— Por mal? replicou tia Mônica. Por mal ou por bem, seja o que for, digo que é o melhor que vocês podem fazer. Vocês devem tudo; a carne e o feijão vão faltando. Se não aparecer algum dinheiro, como é que a família há de aumentar? E depois, há tempo; mais tarde, quando o senhor tiver a vida mais segura, os filhos que vierem serão recebidos com o mesmo cuidado que este ou maior. Este será bem criado, sem lhe faltar nada. Pois então a Roda é alguma praia ou monturo? Lá não se mata ninguém, ninguém morre à toa, enquanto que aqui é certo morrer, se viver à míngua. Enfim...

Tia Mônica terminou a frase com um gesto de ombros, deu as costas e foi meter-se na alcova. Tinha já insinuado aquela solução, mas era a primeira vez que o fazia com tal franqueza e calor, – crueldade, se preferes. Clara estendeu a mão ao marido, como a amparar-lhe o ânimo; Cândido Neves fez uma careta, e chamou maluca à tia, em voz baixa. A ternura dos dois foi interrompida por alguém que batia à porta da rua.

— Quem é? perguntou o marido.

— Sou eu.

Era o dono da casa, credor de três meses de aluguel, que vinha em pessoa ameaçar o inquilino. Este quis que ele entrasse.

— Não é preciso...

— Faça favor.

O credor entrou e recusou sentar-se; deitou os olhos à mobília para ver se daria algo à penhora; achou que pouco. Vinha receber os aluguéis vencidos, não podia esperar mais; se dentro de cinco dias não fosse pago, pô-lo-ia na rua. Não havia trabalhado para regalo dos outros. Ao vê-lo, ninguém diria que era proprietário; mas a palavra supria o que faltava ao gesto, e o pobre Cândido Neves preferiu calar a retorquir. Fez uma inclinação de promessa e súplica ao mesmo tempo. O dono da casa não cedeu mais.

— Cinco dias ou rua! repetiu, metendo a mão no ferrolho da porta e saindo.

Candinho saiu por outro lado. Nesses lances não chegava nunca ao desespero, contava com algum empréstimo, não sabia como nem onde, mas contava. Demais, recorreu aos anúncios. Achou vários, alguns já velhos, mas em vão os buscava desde muito. Gastou algumas horas sem proveito, e tornou para casa. Ao fim de quatro dias, não achou recursos; lançou mão de empenhos, foi a pessoas amigas do proprietário, não alcançando mais que a ordem de mudança.

A situação era aguda. Não achavam casa, nem contavam com pessoa que lhes emprestasse alguma; era ir para a rua. Não contavam com a tia. Tia Mônica teve arte de alcançar aposento para os três em casa de uma senhora velha e rica, que lhe prometeu emprestar os quartos baixos da casa, ao fundo da cocheira, para os lados de um pátio. Teve ainda a arte maior de não dizer nada aos dois, para que Cândido Neves, no desespero da crise, começasse por enjeitar o filho e acabasse alcançando algum meio seguro e regular de obter dinheiro; emendar a vida, em suma. Ouvia as queixas de Clara, sem as repetir, é certo, mas sem as consolar. No dia em que fossem obrigados a deixar a casa, fá-los-ia espantar com a notícia do obséquio e iriam dormir melhor do que cuidassem.

Assim sucedeu. Postos fora da casa, passaram ao aposento de favor, e dois dias depois nasceu a criança. A alegria do pai foi enorme, e a tristeza também. Tia Mônica insistiu em dar a criança à Roda. "Se você não a quer levar, deixe isso comigo; eu vou à Rua dos Barbonos." Cândido Neves pediu que não, que esperasse, que ele mesmo a levaria. Notai que era um menino, e que ambos os pais desejavam justamente este sexo. Mal lhe deram algum leite; mas, como chovesse à noite, assentou o pai levá-lo à Roda na noite seguinte.

Naquela reviu todas as suas notas de escravos fugidos. As gratificações pela maior parte eram promessas; algumas traziam a soma escrita e escassa. Uma, porém, subia a cem mil-réis. Tratava-se de uma mulata; vinham indicações de gesto e de vestido. Cândido Neves andara a pesquisá-la sem melhor fortuna, e abrira mão do negócio; imaginou que algum amante da escrava a houvesse recolhido. Agora, porém, a vista nova da quantia e a necessidade dela animaram Cândido Neves a fazer um grande esforço derradeiro. Saiu de manhã a ver e indagar pela Rua e Largo da Carioca, Rua do Parto e da Ajuda, onde ela parecia andar, segundo o anúncio. Não a achou; apenas um farmacêutico da Rua da Ajuda se lembrava de ter vendido uma onça de qualquer droga, três dias antes, à pessoa que tinha os sinais indicados. Cândido Neves parecia falar como dono da escrava, e agradeceu cortesmente a notícia. Não foi mais feliz com outros fugidos de gratificação incerta ou barata.

Voltou para a triste casa que lhe haviam emprestado. Tia Mônica arranjara de si mesma a dieta para a recente mãe, e tinha já o menino para ser levado à Roda. O pai, não obstante o acordo feito, mal pôde esconder a dor do espetáculo. Não quis comer o que tia Mônica lhe guardara; não tinha fome, disse, e era verdade. Cogitou mil modos de ficar com o filho; nenhum prestava. Não podia esquecer o próprio albergue em que vivia. Consultou a mulher, que se mostrou resignada. Tia Mônica pintara-lhe a criação do menino; seria maior miséria, podendo suceder que o filho achasse a morte sem recurso. Cândido Neves foi obrigado a cumprir a promessa; pediu à mulher que desse ao filho o resto do leite que ele beberia da mãe. Assim se fez; o pequeno adormeceu, o pai pegou dele, e saiu na direção da Rua dos Barbonos.

Que pensasse mais de uma vez em voltar para casa com ele, é certo; não menos certo é que o agasalhava muito, que o beijava, que lhe cobria o rosto para preservá-lo do sereno. Ao entrar na Rua da Guarda Velha, Cândido Neves começou a afrouxar o passo.

— Hei de entregá-lo o mais tarde que puder, murmurou ele.

Mas não sendo a rua infinita ou sequer longa, viria a acabá-la; foi então que lhe ocorreu entrar por um dos becos que ligavam aquela à Rua da Ajuda. Chegou ao fim do beco e, indo a dobrar à direita, na direção do Largo da Ajuda, viu do lado oposto, um vulto de mulher; era a mulata fugida. Não dou aqui a comoção de Cândido Neves por não podê-lo fazer com a intensidade real. Um adjetivo basta; digamos enorme. Descendo a mulher, desceu ele também; a poucos passos estava a farmácia onde obtivera a informação, que referi acima. Entrou, achou o farmacêutico, pediu-lhe a fineza de guardar a criança por um instante; viria buscá-la sem falta.

— Mas...

Cândido Neves não lhe deu tempo de dizer nada; saiu rápido, atravessou a rua, até ao ponto em que pudesse pegar a mulher sem dar alarma. No extremo da rua, quando ela ia a descer a de S. José, Cândido Neves aproximou-se dela. Era a mesma, era a mulata fujona.

— Arminda! bradou, conforme a nomeava o anúncio.

Arminda voltou-se sem cuidar malícia. Foi só quando ele, tendo tirado o pedaço de corda da algibeira, pegou dos braços da escrava, que ela compreendeu e quis fugir. Era já impossível. Cândido Neves, com as mãos robustas, atava-lhe os pulsos e dizia que andasse. A escrava quis gritar, parece que chegou a soltar alguma voz mais alta que de costume, mas entendeu logo que ninguém viria libertá-la, ao contrário. Pediu então que a soltasse pelo amor de Deus.

— Estou grávida, meu senhor! exclamou. Se Vossa Senhoria tem algum filho, peço-lhe por amor dele que me solte; eu serei tua escrava, vou servi-lo pelo tempo que quiser. Me solte, meu senhor moço!

— Siga! repetiu Cândido Neves.

— Me solte!

— Não quero demoras; siga!

Houve aqui luta, porque a escrava, gemendo, arrastava-se a si e ao filho. Quem passava ou estava à porta de uma loja, compreendia o que era e naturalmente não acudia. Arminda ia alegando que o senhor era muito mau, e provavelmente a castigaria com açoutes, – coisa que, no estado em que ela estava, seria pior de sentir. Com certeza, ele lhe mandaria dar açoutes.

— Você é que tem culpa. Quem lhe manda fazer filhos e fugir depois? perguntou Cândido Neves.

Não estava em maré de riso, por causa do filho que lá ficara na farmácia, à espera dele. Também é certo que não costumava dizer grandes coisas. Foi arrastando a escrava pela Rua dos Ourives, em direção à da Alfândega, onde residia o senhor. Na esquina desta a luta cresceu; a escrava pôs os pés à parede, recuou com grande esforço, inutilmente. O que alcançou foi, apesar de ser a casa próxima, gastar mais tempo em lá chegar do que devera. Chegou, enfim, arrastada, desesperada, arquejando. Ainda ali ajoelhou-se, mas em vão. O senhor estava em casa, acudiu ao chamado e ao rumor.

— Aqui está a fujona, disse Cândido Neves.

— É ela mesma.

— Meu senhor!

— Anda, entra...

Arminda caiu no corredor. Ali mesmo o senhor da escrava abriu a carteira e tirou os cem mil-réis de gratificação. Cândido Neves guardou as duas notas de cinquenta mil-réis, enquanto o senhor novamente dizia à escrava que entrasse. No chão, onde jazia, levada do medo e da dor, e após algum tempo de luta a escrava abortou.

O fruto de algum tempo entrou sem vida neste mundo, entre os gemidos da mãe e os gestos de desespero do dono. Cândido Neves viu todo esse espetáculo. Não sabia que horas eram. Quaisquer que fossem, urgia correr à Rua da Ajuda, e foi o que ele fez sem querer conhecer as consequências do desastre.

Quando lá chegou, viu o farmacêutico sozinho, sem o filho que lhe entregara. Quis esganá-lo. Felizmente, o farmacêutico explicou tudo a tempo; o menino estava lá dentro com a família, e ambos entraram. O pai recebeu o filho com a mesma fúria com que pegara a escrava fujona de há pouco, fúria diversa, naturalmente, fúria de amor. Agradeceu depressa e mal, e saiu às carreiras, não para a Roda dos enjeitados, mas para a casa de empréstimo com o filho e os cem mil-réis de gratificação. Tia Mônica, ouvida a explicação, perdoou a volta do pequeno, uma vez que trazia os cem mil-réis. Disse, é verdade, algumas palavras duras contra a escrava, por causa do aborto, além da fuga. Cândido Neves, beijando o filho, entre lágrimas verdadeiras, abençoava a fuga e não se lhe dava do aborto.

— Nem todas as crianças vingam, bateu-lhe o coração.

Suje-se gordo!

Uma noite, ha muitos annos, passeava eu com um amigo no terraço do theatro de S. Pedro de Alcantara. Era entre o segundo e o terceiro acto da peça *A sentença ou o tribunal do jury*. Só me ficou o titulo, e foi justamente o titulo que nos levou a falar da instituição e de um facto que nunca mais me esqueceu.

Fui sempre contrario ao jury, — disse-me aquelle amigo, — não pela instituição em si, que é liberal, mas porque me repugna condemnar alguem, e por aquelle preceito do Evangelho: « Não queiraes julgar para que não sejais julgados. » Não obstante, servi duas vezes. O tribunal era então no antigo Aljube, fim da rua dos Ourives, principio da ladeira da Conceição.

Tal era o meu escrupulo que, salvo dous, absolvi todos os réos. Com effeito, os crimes não me pareceram provados; um ou dous processos eram muito mal feitos. O primeiro réo que condemnei, era um moço limpo, accusado de haver furtado certa quantia, não grande, antes pequena, com falsificação de um papel. Não negou o facto, nem podia fazel-o, contestou que lhe coubesse a iniciativa ou inspiração do

Suje-se gordo![1]

Uma noite, há muitos anos, passeava eu com um amigo no terraço do Teatro de S. Pedro de Alcântara. Era entre o segundo e o terceiro ato da peça *A Sentença ou o tribunal do júri*. Só me ficou o título, e foi justamente o título que nos levou a falar da instituição e de um fato que nunca mais me esqueceu.

— Fui sempre contrário ao júri – disse-me aquele amigo – não pela instituição em si, que é liberal, mas porque me repugna condenar alguém, e por aquele preceito do Evangelho: "Não queirais julgar para que não sejais julgados." Não obstante, servi duas vezes. O tribunal era então no antigo Aljube, fim da Rua dos Ourives, princípio da Ladeira da Conceição.

Tal era o meu escrúpulo que, salvo dois, absolvi todos os réus. Com efeito, os crimes não me pareceram provados; um ou dois processos eram mal feitos. O primeiro réu que condenei era um moço limpo, acusado de haver furtado certa quantia, não grande, antes pequena, com falsificação de um papel. Não negou o fato, nem podia fazê-lo, contestou que lhe coubesse a iniciativa ou inspiração do crime. Alguém, que não citava, foi que lhe lembrou esse modo de acudir a uma necessidade urgente; mas Deus, que via os corações, daria ao criminoso verdadeiro o merecido castigo. Disse isso sem ênfase, triste, a palavra surda, os olhos mortos, com tal palidez que metia pena; o promotor público achou nessa mesma cor do gesto a confissão do crime. Ao contrário, o defensor mostrou que o abatimento e a palidez significavam a lástima da inocência caluniada.

Poucas vezes terei assistido a debate tão brilhante. O discurso do promotor foi curto, mas forte, indignado, com um tom que parecia ódio, e não era. A defesa, além do talento do advogado, tinha a circunstância de ser a estreia dele na tribuna. Parentes, colegas e

[1] Publicado na coletânea *Relíquias de casa velha* (1906).

amigos esperavam o primeiro discurso do rapaz, e não perderam na espera. O discurso foi admirável, e teria salvo o réu, se ele pudesse ser salvo, mas o crime metia-se pelos olhos dentro. O advogado morreu dois anos depois, em 1865. Quem sabe o que se perdeu nele! Eu, acredite, quando vejo morrer um moço de talento, sinto mais que quando morre um velho... Mas vamos ao que ia contando. Houve réplica do promotor e tréplica do defensor. O presidente do tribunal resumiu os debates, e, lidos os quesitos, foram entregues ao presidente do Conselho, que era eu.

Não digo o que se passou na sala secreta; além de ser secreto o que lá se passou, não interessa ao caso particular, que era melhor ficasse também calado, confesso. Contarei depressa; o terceiro ato não tarda.

Um dos jurados do Conselho, cheio de corpo e ruivo, parecia mais que ninguém convencido do delito e do delinquente. O processo foi examinado, os quesitos lidos, e as respostas dadas (onze votos contra um); só o jurado ruivo estava inquieto. No fim, como os votos assegurassem a condenação, ficou satisfeito, disse que seria um ato de fraqueza, ou coisa pior, a absolvição que lhe déssemos. Um dos jurados, certamente o que votara pela negativa – proferiu algumas palavras de defesa do moço. O ruivo – chamava-se Lopes – replicou com aborrecimento:

— Como, senhor? Mas o crime do réu está mais que provado.

— Deixemos de debate, disse eu, e todos concordaram comigo.

— Não estou debatendo, estou defendendo o meu voto, continuou Lopes. O crime está mais que provado. O sujeito nega, porque todo o réu nega, mas o certo é que ele cometeu a falsidade, e que falsidade! Tudo por uma miséria, duzentos mil-réis! Suje-se gordo! Quer sujar-se? Suje-se gordo!

"Suje-se gordo!" Confesso-lhe que fiquei de boca aberta, não que entendesse a frase, ao contrário; nem a entendi nem a achei limpa, e foi por isso mesmo que fiquei de boca aberta. Afinal caminhei e bati à porta, abriram-nos, fui à mesa do juiz, dei as respostas do

Conselho e o réu saiu condenado. O advogado apelou; se a sentença foi confirmada ou a apelação aceita, não sei; perdi o negócio de vista.

Quando saí do tribunal, vim pensando na frase do Lopes, e pareceu-me entendê-la. "Suje-se gordo!" era como se dissesse que o condenado era mais que ladrão, era um ladrão reles, um ladrão de nada. Achei esta explicação na esquina da Rua de S. Pedro; vinha ainda pela dos Ourives. Cheguei a desandar um pouco, a ver se descobria o Lopes para lhe apertar a mão; nem sombra de Lopes. No dia seguinte, lendo nos jornais os nossos nomes, dei com o nome todo dele; não valia a pena procurá-lo, nem me ficou de cor. Assim são as páginas da vida, como dizia meu filho quando fazia versos, e acrescentava que as páginas vão passando umas sobre outras, esquecidas apenas lidas. Rimava assim, mas não me lembra a forma dos versos.

Em prosa disse-me ele, muito tempo depois, que eu não devia faltar ao júri, para o qual acabava de ser designado. Respondi-lhe que não compareceria, e citei o preceito evangélico; ele teimou, dizendo ser um dever de cidadão, um serviço gratuito, que ninguém que se prezasse podia negar ao seu país. Fui e julguei três processos.

Um destes era de um empregado do Banco do Trabalho Honrado, o caixa, acusado de um desvio de dinheiro. Ouvira falar no caso, que os jornais deram sem grande minúcia, e aliás eu lia pouco as notícias de crimes. O acusado apareceu e foi sentar-se no famoso banco dos réus. Era um homem magro e ruivo. Fitei-o bem, e estremeci; pareceu-me ver o meu colega daquele julgamento de anos antes. Não poderia reconhecê-lo logo por estar agora magro, mas era a mesma cor dos cabelos e das barbas, o mesmo ar, e por fim a mesma voz e o mesmo nome: Lopes.

— Como se chama? perguntou o presidente.

— Antônio do Carmo Ribeiro Lopes.

Já me não lembravam os três primeiros nomes, o quarto era o mesmo, e os outros sinais vieram confirmando as reminiscências; não me tardou reconhecer a pessoa exata daquele dia remoto. Digo-lhe aqui com verdade que todas essas circunstâncias me impediram de acompanhar atentamente o interrogatório, e muitas coisas me escaparam. Quando me dispus a ouvi-lo bem, estava quase no fim. Lopes negava com firmeza tudo o que lhe era perguntado, ou respondia de maneira que trazia uma complicação ao processo. Circulava os olhos sem medo nem ansiedade; não sei até se com uma pontinha de riso nos cantos da boca.

Seguiu-se a leitura do processo. Era uma falsidade e um desvio de cento e dez contos de réis. Não lhe digo como se descobriu o crime nem o criminoso, por já ser tarde; a orquestra está afinando os instrumentos. O que lhe digo com certeza é que a leitura dos autos me impressionou muito, o inquérito, os documentos, a tentativa de fuga do caixa e uma série de circunstâncias agravantes; por fim o depoimento das testemunhas. Eu ouvia ler ou falar e olhava para o Lopes. Também ele ouvia, mas com o rosto alto, mirando o escrivão, o presidente, o teto e as pessoas que o iam julgar; entre elas eu. Quando olhou para mim não me reconheceu; fitou-me algum tempo e sorriu, como fazia aos outros.

Todos esses gestos do homem serviram à acusação e à defesa, tal como serviram, tempos antes, os gestos contrários do outro acusado. O promotor achou neles a revelação clara do cinismo, o advogado mostrou que só a inocência e a certeza da absolvição podiam trazer aquela paz de espírito.

Enquanto os dois oradores falavam, vim pensando na fatalidade de estar ali, no mesmo banco do outro, este homem que votara a condenação dele, e naturalmente repeti comigo o texto evangélico: “Não queirais julgar, para que não sejais julgados.” Confesso-lhe que mais de uma vez me senti frio. Não é que eu mesmo viesse a cometer algum desvio de dinheiro, mas podia, em ocasião de raiva, matar alguém ou ser caluniado de desfalque. Aquele que julgava outrora, era agora julgado também.

Ao pé da palavra bíblica lembrou-me de repente a do mesmo Lopes: “Suje-se gordo!” Não imagina o sacudimento que me deu esta lembrança. Evoquei tudo o que contei agora, o discursinho que lhe ouvi na sala secreta, até àquelas palavras: "Suje-se gordo!" Vi que não era um ladrão reles, um ladrão de nada, sim de grande valor. O verbo é que definia duramente a ação. "Suje-se gordo!" Queria dizer que o homem não se devia levar a um ato daquela espécie sem a grossura da soma. A ninguém cabia sujar-se por quatro patacas. Quer sujar-se? Suje-se gordo!

Ideias e palavras iam assim rolando na minha cabeça, sem eu dar pelo resumo dos debates que o presidente do tribunal fazia. Tinha acabado, leu os quesitos e recolhemo-nos à sala secreta. Posso dizer-lhe aqui em particular que votei afirmativamente, tão certo me pareceu o desvio dos cento e dez contos. Havia, entre outros documentos, uma carta de Lopes que fazia evidente o crime. Mas parece que nem todos leram com os mesmos olhos que eu. Votaram comigo dois jurados. Nove negaram a criminalidade do Lopes, a sentença de absolvição foi lavrada e lida, e o acusado saiu para a rua. A diferença da votação era tamanha que cheguei a duvidar comigo se teria acertado. Podia ser que não. Agora mesmo sinto uns repelões de consciência. Felizmente, se o Lopes não cometeu deveras o crime, não recebeu a pena do meu voto, e esta consideração acaba por me consolar do erro, mas os repelões voltam. O melhor de tudo é não julgar ninguém para não vir a ser julgado. Suje-se gordo! suje-se magro! suje-se como lhe parecer! o mais seguro é não julgar ninguém... Acabou a música, vamos para as nossas cadeiras.

Desrazão

Três tesouros perdidos (1858)

Frei Simão (1864)

O Anjo Rafael (1869)

A ideia do Ezequiel Maia (1883)

O lapso (1883)

Conto Alexandrino (1883)

Evolução (1884)

Desrazão: o chiaroscuro como residência

João Cezar de Castro Rocha

Esta seção apresenta o tema pioneiro na contística machadiana e que permanecerá presente em toda a sua obra como um centro de gravidade, um autêntico baixo contínuo. Trata-se nem tanto do tópico da *loucura* quanto da ideia de *desrazão*.

A sutil diferença entre os termos assegura à escrita de Machado de Assis a agudeza que melhor a define.

Vejamos.

A loucura é geralmente entendida como o outro da razão – e, por vezes, alteridade absoluta, especialmente a partir da modernidade. Então, o louco, esse outro irredutível ao discurso científico, é retirado de circulação, deixando de habitar o dia a dia com suas extravagâncias e excessos. Exílio compulsório, ele é nem tanto "curado" quanto retirado da cena pública.

Os contos machadianos descortinam um horizonte muito diverso.

Ora, desde seu primeiro conto publicado, "Três tesouros perdidos" (1858), o tratamento dispensado à "loucura" demanda uma análise mais refinada. O marido traído enlouquece pela perda simultânea da mulher, do amigo e de "uma linda carteira cheia de encantadoras notas...". Esta consideração favorece o fecho do conto, um simples exercício de jovem escritor, estreante no gênero, mas que ainda assim já assinala a singularidade machadiana: "Neste último ponto, o doido tem razão, e parece ser um doido com juízo".

No *Elogio da Loucura*, de Erasmo, o conúbio da razão com a loucura seduz leitores graves e frívolos, pois é a própria Loucura que faz seu encômio num discurso impecável, coerente e salpicado de citações clássicas, escolhidas a dedo e muito bem empregadas. No mínimo, diria o contista noviço, "um doido erudito".

A lição shakespeariana também estaria no radar machadiano, esclarecendo, com auxílio de Polônio, perplexo com a faca-só-lâmina das respostas de Hamlet, em aparência enlouquecido: "Though this be madness, yet there is method in't".[1] Perplexidade ainda maior será a de Edgar ao escutar o Rei Lear, que, enganado pelas filhas Regane e Goneril, perdera a razão: "O matter and impertinency mixed! *Reason in madness*".[2]

Num de seus textos mais célebres, e por isso mesmo ausente desta nova antologia, Machado/Shakespeare teria invertido a fórmula para conceber uma obra-prima: "O matter and impertinency mixed! *Madness in reason*". Refiro-me, claro, a *O alienista* (1882), essa deliciosa paródia do silogismo aristotélico.[3] Mas o motor desse procedimento já se encontra num conto de 1864, "Frei Simão".

Introvertido, recluso, alheio ao século, embora por vezes irascível, misantropo até, Frei Simão viu-se revestido de uma aura de santidade. A indesejável das gentes, no entanto, converteu a santidade em loucura. A severidade do diagnóstico teve como fundamento

[1] William Shakespeare. *Hamlet. Prince of Denmark*. Philip Edwards (org.). Cambridge: Cambridge University Pess, 2003, p. 139. Na tradução: "Embora isso seja loucura, possui certo método". William Shakespeare. *A tragédia de Hamlet, Príncipe da Dinamarca*. Tradução de Lawrence Flores Pereira. São Paulo: Penguin / Companhia das Letras, 2015, p. 95.

[2] William Shakespeare. *King Lear* In: *The Globe Shakespeare*. The Complete Works Annotated. New York: Greenwich House, 1979, p. 1629. Na tradução: "Que mistura de senso e de incoerência! / A razão na loucura". William Shakespeare. *Rei Lear*. In: *Teatro Completo*. Dramas Históricos. Tradução de Carlos Alberto Nunes Rio de Janeiro: Agir, 2088, p. 708.

[3] No momento, esboço um livro dedicado a uma nova leitura de *O alienista*, a fim de destacar a paródia de estruturas clássicas do pensamento ocidental.

a leitura de esboços de suas *Memórias*. Entenda-se a hermenêutica: "Eram, pela maior parte, fragmentos incompletos, apontamentos truncados e notas insuficientes; mas de tudo junto pôde-se colher que realmente Frei Simão estivera louco por certo tempo".

Assinale-se o achado: a loucura foi diagnosticada linguisticamente! Não a cura pela fala, porém a loucura pela escrita.

"O Anjo Rafael" (1869) introduz palavras-chave na futura construção de uma das obras-primas machadianas, "O Alienista", publicado em *A Estação*, entre outubro de 1881 e março de 1882. Eis as vozes: monomania e monomaníaco. A tradução das desventuras do major Tomás anuncia aspectos do pensamento psicanalítico com décadas de antecipação.

Uma caricatura de Simão Bacamarte surge em "Ezequiel Maia" (1883). O personagem do conto leva ao paroxismo o desejo de racionalizar ao extremo o comportamento humano, a ponto de desentender o que não parece assim tão difícil de antecipar: "a contradição da consciência de Neves com as suas ações exteriores..." O desassossego do desafortunado Ezequiel Maia com o descompasso entre as intenções e os gestos humanos revela o delírio da razão que tudo deseja controlar.

Ingenuidade, aliás, que Machado, com evidente satisfação, atribuiu aos sábios de plantão, confiantes em sua capacidade de explicar todos os mistérios do universo. Por exemplo, o Dr. Jeremias Halma, uma espécie de Fausto perdido nos trópicos: "sabia toda a química do tempo, e mais alguma;[4] falava correntemente cinco ou seis línguas vivas e duas mortas". Nem por isso deixou de levar uma volta de Tomé Gonçalves, como você verá em "O lapso" (1884).

Os dois contos que encerram esta seção, "Conto alexandrino" (1883) e "Evolução" (1884) sugerem que entre 1882, ano de

[4] Em *O alienista*, Machado de Assis empregou fórmula similar e com o mesmo efeito cômico: "releu todos os escritores árabes e outros". Machado de Assis. "O alienista". In: *Papéis avulsos*. Rio de Janeiro: Lombaerts & C., 1882, p. 2.

publicação de *O alienista*, e 1884, Machado esteve particularmente interessado nos meandros da desrazão. Em “Conto alexandrino”, mais uma vez, o delírio da razão absoluta leva à ruína; em “Evolução”, Benedito é uma espécie de Tomé Gonçalves das ideias alheias: contrai dívidas sem parar e, não somente se esquece de recordar o débito, como também termina por se se considerar o pai de todas as teorias concebidas e por conceber. O narrador do conto, Inácio, termina reconciliado com a idiossincrasia do amigo: “achei ali mais um aspecto da evolução. Tal como a definiu Spencer. Spencer ou Benedito, um deles”.

(Como se vê, o contágio é imediato...)

Eis o pulo do gato: em lugar da *loucura*, esse antípoda conveniente das luzes, Machado explorou o território da *desrazão*, esse *chiaroscuro* psíquico, essa região crepuscular, na qual todos, aqui e ali, habitamos.

A SEMANA

PUBLICA-SE AOS SABBADOS

ANNO II. | RIO DE JANEIRO, 9 DE OUTUBRO DE 1886 | VOL. II—N. 93.

DIRECTOR E PROPRIETARIO—VALENTIM MAGALHÃES

REDACÇÃO E GERENCIA — RUA DO CARMO N. 36

MACHADO DE ASSIS

A melhor viagem do mundo em barcos de vapor.

Em uma nova obra o — *Brasil e os Brasileiros* — o autor mostra quão facil e agradavelmente podemos chegar ao Brasil.

« Tenho navegado por muitos mares (diz Mr. Fletcher); mas não conheço viagem alguma, que seja comparavel á do Rio de Janeiro para Inglaterra. Estivemos sómente sem vista de terra seis dias na maior distancia de Pernambuco a Cabo Verde; entretanto que o termo medio do numero dos dias no mar sem parar é de dous e meio. Do Rio a Bahia ha só tres dias de vapor por aguas tranquillas; e a demora de dez ou doze horas nos dá tempo bastante para passeiarmos. Em menos de doze dias desembarcamos em Pernambuco, aonde estamos doze até vinte horas, fazemos boa provisão de excellentes laranjas e ananazes (magnifico remedio contra as nauseas), e compramos talvez alguns papagaios palradores, ou gritadores macacos, para presenteal-os aos nossos amigos da Europa. D'alli dirigimo-nos para S. Vicente, em Cabo-Verde, em que ficámos poucas horas; e navegando para o Norte vimos em 48 horas o alto pico de Tenerife, levantando-se mais de treze pés do seio do oceano. Aqui nos regalámos de pecegos, pêras, figos, e abundantes caixos de uvas; emfim, de todos os fructos da zona temperada. Passamos pelas Canarias, e em 30 horas estamos no Funchal, aonde repetimos a nossa porção de fructas; passeiamos em terra, quando a carta de saude o permitte, e depois de passarmos por entre vendedores de uvas dissemos adeus á pittoresca Madeira, e no fim de tres dias entramos pela embocadura do Tejo, e ancoramos defronte de Lisboa. Partindo de Portugal, costeamos a sua costa e a de Hespapanha, e em tres dias desembarcámos em Southampton. Viagem, como esta, em barcos de vapor, não existe no mundo; e aquelles que andam em busca do que é novo, maravilhoso e bello, podem agora com muita facilidade e barateza satisfazer os seus desejos a este respeito, fazendo uma viagem de Southampton ao Rio de Janeiro, ou vice-versa. »

(Ext. do Globe de 6 de Novembro de 1857.)

Actor Brasileiro.

O Sr. *Germano Francisco de Oliveira*, emprezario do theatro de — Santa Izabel — em Pernambuco, acha-se nesta côrte, e consta-nos que, reunido a collegas d'qui, vai dar uma ou mais representações *em beneficio*.

O Snr. *Germano* sempre mereceu do nosso publico o louvor e os applausos que geralmente goza entre os bravos e heroicos Pernambucanos.

Tres thesouros perdidos.

Uma tarde, eram 4 horas, o Snr. X. voltava á sua casa para jantar. O appetite que levava não o fez reparar em um cabriolet que estava parado á sua porta. Entrou, subio a escada, penetra na sala, e... dá com os olhos em um homem que passeava a largos passos como agitado por uma interna afflicção:

Comprimentou-o polidamente; mas o homem lançou-se sobre elle, e com uma voz alterada diz-lhe:

— Senhor, eu sou F., marido da Snra. D. E.

— Estimo muito conhecel-o, responde o Snr. X.; mas não tenho a honra de conhecer a Snra. D. E.

— Não a conhece! Não a conhece!.. Quer juntar a zombaria á infamia?..

— Senhor!..

E o Snr. X deu um passo para elle.

— Alto lá!

O Snr. F. tirando do bolço uma pistola, continuou:

— Ou o senhor hade deixar esta côrte, ou vai morrer como um cão!

— Mas, senhor, disse o Snr. X. a quem a eloquencia do Snr. F. tinha produzido um certo effeito: que motivo tem o senhor...

— Que motivo! E' boa! Pois não é um motivo andar o senhor fazendo a côrte á minha mulher?

— A côrte á sua mulher! não comprehendo!

— Não comprehende! oh! não me faça perder a estribeira.

— Creio que se engana...

— Enganar-me!.. E' boa!.. mas eu o vi... sahir duas vezes de minha casa...

— Sua casa!

— No Andaraby... por uma porta secreta... Vamos! ou...

— Mas, senhor, hade ser outro que se parece comigo...

— Não; não; é o senhor, mesmo... Como escapar-me este ar de tolo, que resalta de toda a sua cara? Vamos, ou deixar a cidade, ou morrer... Escolha!

Era um dilemma. O Snr. X. comprehendeu que estava mettido entre um cavallo e uma pistola; pois toda a sua paixão era ir á Minas. Escolheu o cavallo.

Surgio porém uma observação.

— Mas, senhor, disse elle, os meus recursos...

— Os seus recursos! Ah! tudo previ... descance... eu sou um marido previdente.

E tirando d'algibeira da casaca uma linda carteira de couro da Russia, diz-lhe:

— Aqui tem dous contos de réis para os gastos da viagem; vamos, parta, parta immediatamente. Para onde vai?

— Para Minas.

— Oh! a patria do Tira-dentes! Deos o leve a salvamento... Perdoo-lhe... mas não volte mais a esta côrte... Boa viagem!

Dizendo isto, o Snr. F. desceu precipitadamente a escada, e entrou no cabriolet, que desappareceu em uma nuvem de poeira.

O Snr. X. ficou por alguns instantes pensativo. Não podia acreditar nos seus olhos e ouvidos; pensava sonhar. Um engano trazia-lhe dous contos de réis e a realisação de um dos seus mais caros sonhos. Jantou tranquillamente, e d'ahi a uma hora partia para a terra de Gonzaga, deixando em sua casa apenas um moleque encarregado de instruir, pelo espaço de oito dias aos seus amigos sobre o seu destino.

No dia seguinte, pelas onze horas da manhã, voltava o Snr. F. para a sua chacara de Andaraby; pois tinha passado a noite fóra.

Entrou, penetrou na sala, e indo deixar o chapéo sobre uma mesa, vio ahi o seguinte bilhete:

« — Meu caro esposo! parto no paquete, em companhia do teu amigo P... Vou para a Europa. Desculpa a má companhia; pois melhor não podia ser. — » « *Tua E.* »

« S. M. El-rei de Napoles, sciente de que em Roma se acha o esforçado official francez, Snr. Emilio Dutretz, chama-o ao seu serviço, dando-lhe a patente de commandante do esquadrão, e roga-lhe que, sem demora e immediatamente, venha assumir o commando do seu corpo. São melindrosas as circumstancias. El-rei ha mister de bons officiaes, e conta com o Sr. Emilio Dutretz; a casa real lhe fornecerá os seus aprestos de campanha; uma carruagem de posta está á sua disposição.

« Por ordem d'El-rei.

O Conde Daure. »

Estava o sello real.

— Muito me admira isto, disse Piranese depois de ler o bilhete.

Solemne silencio, semelhante a um presentimento, reinava entre os convivas.

— Ah! admiras-te disto! disse Emilio com sorriso de loucura.

— Não comprehendo o que haja occorrido...

— Alguem teria parte neste abominavel trama?

— Juro-te que ninguem, Emilio.

— Mentes, conde Piranese, atalhou Emilio com voz medonha, e erguendo-se iracundo.

— Emilio! Emilio! exclamou Piranese: que extranho gracejo é este?

— Conde Piranese, és um covarde!

E arrancou o escudo em que brilhavam as armas dos Pirameses e calcou-as aos pés.

Todos os convivas levantaram-se em um coração. As damas espavoridas fugiram para as alamedas. Os homens metteram-se de permeio a Emilio e a Piranese. Cecilia, desmaiada, foi tirada d'alli para fóra.

Sómente a condeça Piranese ficou senhora de si, e encaminhou-se para Emilio com passo resoluto.

— Afastem-se! afastem-se! bradava Emilio no impeto da ira: apunhalo o primeiro insolente que se acercar de mim!

E brandia uma larga faca ponte-aguda como um punhal. Piranese ficara em seu lugar como se o raio o tivesse fulminado.

— Os senhores não sabem que uma ordem imperiosa e sagrada me chama! Deixem-me partir, senão farei revelações capazes de abalar estas paredes! Se o conde Piranese quizer encontrar-se comigo, bem sabe para onde vou.

— Sim, heide encontrar-me comtigo, disse Piranese com voz suffocada, e o remorso te perseguirá a consciencia.

Ninguem ouvio estas palavras do conde. Emilio correu para a carruagem de posta e os cavallos se arrojaram pela calçada da via romana.

Uma hora depois, de tanta gente que se apinhava alegre, restavam sómente uma mesa devastada sobre o terraço, e duas pessoas, que encaravam-se com espanto, o conde Piranese e sua mulher.

— Esta villa é amaldiçoada em seus saráos, disse Piranese. O inferno passou nesta atmosphera de perfumes. A Snra. condeça irá amanhã para o seu castello de Tolentino com sua filha e minha mãi. Aqui não é possivel habitar mais. Eu vou para onde me chama a fatalidade. Adeus, Snra., adeus.

(Continúa.)

Três tesouros perdidos[1]

Uma tarde, eram quatro horas, o Sr. X... voltava à sua casa para jantar. O apetite que levava não o fez reparar em um cabriolé que estava parado à sua porta. Entrou, subiu a escada, penetra na sala e... dá com os olhos em um homem que passeava a largos passos como agitado por uma interna aflição.

Cumprimentou-o polidamente; mas o homem lançou-se sobre ele e com uma voz alterada, diz-lhe:

— Senhor, eu sou F..., marido da senhora Dona E...

— Estimo muito conhecê-lo, responde o Sr. X...; mas não tenho a honra de conhecer a senhora Dona E...

— Não a conhece! Não a conhece!... quer juntar a zombaria à infâmia?

— Senhor!...

E o Sr. X... deu um passo para ele.

— Alto lá!

O Sr. F..., tirando do bolso uma pistola, continuou:

— Ou o senhor há de deixar esta corte, ou vai morrer como um cão!

— Mas, senhor, disse o Sr. X..., a quem a eloquência do Sr. F... tinha produzido um certo efeito, que motivo tem o senhor?...

— Que motivo! É boa! Pois não é um motivo andar o senhor fazendo a corte à minha mulher?

— A corte à sua mulher! não compreendo!

— Não compreende! oh! não me faça perder a estribeira.

— Creio que se engana...

— Enganar-me! É boa!... mas eu o vi... sair duas vezes de minha casa...

— Sua casa!

[1] Publicado em *A Marmota* (5 de janeiro de 1858).

— No Andaraí... por uma porta secreta... Vamos! ou...

— Mas, senhor, há de ser outro, que se pareça comigo...

— Não; não; é o senhor mesmo... como escapar-me este ar de tolo que ressalta de toda a sua cara? Vamos, ou deixar a cidade, ou morrer... Escolha!

Era um dilema. O Sr. X... compreendeu que estava metido entre um cavalo e uma pistola. Pois toda a sua paixão era ir a Minas, escolheu o cavalo.

Surgiu, porém, uma objeção.

— Mas, senhor, disse ele, os meus recursos...

— Os seus recursos! Ah! tudo previ... descanse... eu sou um marido previdente.

E tirando da algibeira da casaca uma linda carteira de couro da Rússia, diz-lhe:

— Aqui tem dois contos de réis para os gastos da viagem; vamos, parta! parta imediatamente. Para onde vai?

— Para Minas.

— Oh! a pátria do Tiradentes! Deus o leve a salvamento... Perdôo-lhe, mas não volte a esta corte... Boa viagem!

Dizendo isto, o Sr. F... desceu precipitadamente a escada, e entrou no cabriolé, que desapareceu em uma nuvem de poeira.

O Sr. X... ficou por alguns instantes pensativo. Não podia acreditar nos seus olhos e ouvidos; pensava sonhar. Um engano trazia-lhe dois contos de réis, e a realização de um dos seus mais caros sonhos. Jantou tranquilamente, e daí a uma hora partia para a terra de Gonzaga, deixando em sua casa apenas um moleque encarregado de instruir, pelo espaço de oito dias, aos seus amigos sobre o seu destino.

No dia seguinte, pelas onze horas da manhã, voltava o Sr. F... para a sua chácara de Andaraí, pois tinha passado a noite fora.

Entrou, penetrou na sala, e indo deixar o chapéu sobre uma mesa, viu ali o seguinte bilhete:

Meu caro esposo! Parto no paquete em companhia do teu amigo P... Vou para a Europa. Desculpa a má companhia, pois melhor não podia ser. – Tua E...

Desesperado, fora de si, o Sr. F... lança-se a um jornal que perto estava: o paquete tinha partido às oito horas.

— Era P... que eu acreditava meu amigo... Ah! maldição! Ao menos não percamos os dois contos! Tornou a meter-se no cabriolé e dirigiu-se à casa do Sr. X..., subiu; apareceu o moleque.

— Teu senhor?

— Partiu para Minas.

O Sr. F... desmaiou.

Quando deu acordo de si estava louco... louco varrido!

Hoje, quando alguém o visita, diz ele com um tom lastimoso:

— Perdi três tesouros a um tempo: uma mulher sem igual, um amigo a toda prova, e uma linda carteira cheia de encantadoras notas... que bem podiam aquecer-me as algibeiras!...

Neste último ponto, o doido tem razão, e parece ser um doido com juízo.

FREI SIMÃO

Frei Simão era um frade da ordem dos Benedictinos. Tinha, quando morreo, cincoenta annos em apparencia, mas na realidade trinta e oito. A causa d'esta velhice prematura derivava da que o levou ao claustro na idade de trinta annos, e, tanto quanto se póde saber por uns fragmentos de Memorias que elle deixou, essa causa era das mais justas.

Era Fr. Simão de caracter taciturno e desconfiado. Passava dias inteiros na sua cella, d'onde apenas sahia na hora do refeitorio e dos officios divinos. Não contava amizade alguma no convento, porque não era possivel entreter com elle os preliminares que fundão e consolidão as affeições.

Em um convento, onde a communhão das almas deve ser mais prompta e mais profunda, Fr. Simão parecia fugir á regra geral. Um dos noviços pozlhe alcunha de *urso*, que lhe ficou, mas só entre os noviços, bem entendido. Os frades professos, esses, apezar do desgosto que o genio solitario de Fr. Simão lhes inspirava, sentião por elle certo respeito e veneração.

Um dia annuncia-se que Fr. Simão adoecêra gravemente. Chamárão-se os soccorros e prestou-se ao enfermo todos os cuidados necessarios. A molestia era mortal : depois de cinco dias Fr. Simão expirou.

Durante estes cinco dias de molestia, a cella de Fr. Simão esteve cheia de frades. Fr. Simão não disse uma palavra durante esses cinco dias ; só no ultimo, quando se approximava o minuto fatal, sentou-se no leito, fez chamar

Frei Simão[1]

Capítulo I

Frei Simão era um frade da ordem dos Beneditinos. Tinha, quando morreu, cinquenta anos em aparência, mas na realidade trinta e oito. A causa desta velhice prematura derivava da que o levou ao claustro na idade de trinta anos, e, tanto quanto se pode saber por uns fragmentos de Memórias que ele deixou, a causa era justa.

Era frei Simão de caráter taciturno e desconfiado. Passava dias inteiros na sua cela, donde apenas saía na hora do refeitório e dos ofícios divinos. Não contava amizade alguma no convento, porque não era possível entreter com ele os preliminares que fundam e consolidam as afeições.

Em um convento, onde a comunhão das almas deve ser mais pronta e mais profunda, frei Simão parecia fugir à regra geral. Um dos noviços pôs-lhe alcunha de *urso*, que lhe ficou, mas só entre os noviços, bem entendido. Os frades professos, esses, apesar do desgosto que o gênio solitário de frei Simão lhes inspirava, sentiam por ele certo respeito e veneração.

Um dia anuncia-se que frei Simão adoecera gravemente. Chamaram-se os socorros e prestou-se ao enfermo todos os cuidados necessários. A moléstia era mortal; depois de cinco dias frei Simão expirou.

Durante estes cinco dias de moléstia, a cela de frei Simão esteve cheia de frades. Frei Simão não disse uma palavra durante esses cinco dias; só no último, quando se aproximava o minuto fatal, sentou-se no leito, fez chamar para mais perto o abade, e disse-lhe ao ouvido com voz sufocada e em tom estranho:

[1] Publicado em *Jornal das Famílias* (junho de 1864). Reunido pelo autor em *Contos fluminenses* (1870).

— Morro odiando a humanidade!

O abade recuou até a parede ao ouvir estas palavras, e no tom em que foram ditas. Quanto a frei Simão, caiu sobre o travesseiro e passou à eternidade.

Depois de feitas ao irmão finado as honras que se lhe deviam, a comunidade perguntou ao seu chefe que palavras ouvira tão sinistras que o assustaram. O abade referiu-as, persignando-se. Mas os frades não viram nessas palavras senão um segredo do passado, sem dúvida importante, mas não tal que pudesse lançar o terror no espírito do abade. Este explicou-lhes a ideia que tivera quando ouviu as palavras de frei Simão, no tom em que foram ditas, e acompanhadas do olhar com que o fulminou: acreditara que frei Simão estivesse doido; mais ainda, que tivesse entrado já doido para a ordem. Os hábitos da solidão e taciturnidade a que se votara o frade pareciam sintomas de uma alienação mental de caráter brando e pacífico; mas durante oito anos parecia impossível aos frades que frei Simão não tivesse um dia revelado de modo positivo a sua loucura; objetaram isso ao abade; mas este persistia na sua crença.

Entretanto procedeu-se ao inventário dos objetos que pertenciam ao finado, e entre eles achou-se um rolo de papéis convenientemente enlaçados, com este rótulo: "*Memórias que há de escrever frei Simão de Santa Águeda, frade beneditino*".

Este rolo de papéis foi um grande achado para a comunidade curiosa. Iam finalmente penetrar alguma coisa no véu misterioso que envolvia o passado de frei Simão, e talvez confirmar as suspeitas do abade. O rolo foi aberto e lido para todos.

Eram, pela maior parte, fragmentos incompletos, apontamentos truncados e notas insuficientes; mas de tudo junto pôde-se colher que realmente frei Simão estivera louco durante certo tempo.

O autor desta narrativa despreza aquela parte das Memórias que não tiver absolutamente importância; mas procura aproveitar a que for menos inútil ou menos obscura.

Capítulo II

As notas de frei Simão nada dizem do lugar do seu nascimento nem do nome de seus pais. O que se pôde saber dos seus princípios é que, tendo concluído os estudos preparatórios, não pôde seguir a carreira das letras, como desejava, e foi obrigado a entrar como guarda-livros na casa comercial de seu pai.

Morava então em casa de seu pai uma prima de Simão, órfã de pai e mãe, que haviam por morte deixado ao pai de Simão o cuidado de a educarem e manterem. Parece que os cabedais deste deram para isto. Quanto ao pai da prima órfã, tendo sido rico, perdera tudo ao jogo e nos azares do comércio, ficando reduzido à última miséria.

A órfã chamava-se Helena; era bela, meiga e extremamente boa. Simão, que se educara com ela, e juntamente vivia debaixo do mesmo teto, não pôde resistir às elevadas qualidades e à beleza de sua prima. Amaram-se. Em seus sonhos de futuro contavam ambos o casamento, coisa que parece mais natural do mundo para corações amantes.

Não tardou muito que os pais de Simão descobrissem o amor dos dois. Ora é preciso dizer, apesar de não haver declaração formal disto nos apontamentos do frade, é preciso dizer que os referidos pais eram de um egoísmo descomunal. Davam de boa vontade o pão da subsistência a Helena; mas lá casar o filho com a pobre órfã é que não podiam consentir. Tinham posto a mira em uma herdeira rica, e dispunham de si para si que o rapaz se casaria com ela.

Uma tarde, como estivesse o rapaz a adiantar a escrituração do livro-mestre, entrou no escritório o pai com ar grave e risonho ao mesmo tempo, e disse ao filho que largasse o trabalho e o ouvisse. O rapaz obedeceu. O pai falou assim:

— Vais partir para a província de ***. Preciso mandar umas cartas ao meu correspondente Amaral, e como sejam elas de grande importância, não quero confiá-las ao nosso desleixado correio. Queres ir no vapor ou preferes o nosso brigue?

Esta pergunta era feita com grande tino.

Obrigado a responder-lhe, o velho comerciante não dera lugar a que seu filho apresentasse objeções.

O rapaz enfiou, abaixou os olhos e respondeu:

— Vou onde meu pai quiser.

O pai agradeceu mentalmente a submissão do filho, que lhe poupava o dinheiro da passagem no vapor, e foi muito contente dar parte à mulher de que o rapaz não fizera objeção alguma.

Nessa noite os dois amantes tiveram ocasião de encontrar-se sós na sala de jantar.

Simão contou a Helena o que se passara. Choraram ambos algumas lágrimas furtivas, e ficaram na esperança de que a viagem fosse de um mês, quando muito.

À mesa do chá, o pai de Simão conversou sobre a viagem do rapaz, que devia ser de poucos dias. Isto reanimou as esperanças dos dois amantes. O resto da noite passou-se em conselhos da parte do velho ao filho sobre a maneira de portar-se na casa do correspondente. Às dez horas, como de costume, todos se recolheram aos aposentos.

Os dias passaram-se depressa. Finalmente raiou aquele em que devia partir o brigue. Helena saiu de seu quarto com os olhos vermelhos de chorar. Interrogada bruscamente pela tia, disse que era uma inflamação adquirida pelo muito que lera na noite anterior. A tia prescreveu-lhe abstenção da leitura e banhos de água de malvas.

Quanto ao tio, tendo chamado Simão, entregou-lhe uma carta para o correspondente, e abraçou-o. A mala e um criado estavam prontos. A despedida foi triste. Os dois pais sempre choraram alguma coisa, a rapariga muito.

Quanto a Simão, levava os olhos secos e ardentes. Era refratário às lágrimas, por isso mesmo padecia mais.

O brigue partiu. Simão, enquanto pôde ver terra, não se retirou de cima; quando finalmente se fecharam de todo as *paredes do cárcere que anda*, na frase pitoresca de Ribeyrolles, Simão desceu ao seu camarote, triste e com o coração apertado. Havia como um pressentimento que lhe dizia interiormente ser impossível tornar a ver sua prima. Parecia que ia para um degredo.

Chegando ao lugar do seu destino, procurou Simão o correspondente de seu pai e entregou-lhe a carta. O Sr. Amaral leu a carta, fitou o rapaz, e, depois de algum silêncio, disse-lhe, volvendo a carta:

— Bem, agora é preciso esperar que eu cumpra esta ordem de seu pai. Entretanto venha morar para a minha casa.

— Quando poderei voltar? perguntou Simão.

— Em poucos dias, salvo se as coisas se complicarem.

Este *salvo*, posto na boca de Amaral como incidente, era a oração principal. A carta do pai de Simão versava assim:

> *Meu caro Amaral,*
> *Motivos ponderosos me obrigam a mandar meu filho desta cidade. Retenha-o por lá como puder. O pretexto da viagem é ter eu necessidade de ultimar alguns negócios com você, o que dirá ao pequeno, fazendo-lhe sempre crer que a demora é pouca ou nenhuma. Você, que teve na sua adolescência a triste ideia de engendrar romances,* vá inventando circunstâncias e ocorrências imprevistas, *de modo que o rapaz não me torne cá antes de segunda ordem. Sou, como sempre,* etc.

Capítulo III

Passaram-se dias e dias, e nada de chegar o momento de voltar à casa paterna. O ex-romancista era na verdade fértil, e não se cansava de inventar pretextos que deixavam convencido o rapaz.

Entretanto, como o espírito dos amantes não é menos engenhoso que o dos romancistas, Simão e Helena acharam meio de se escreverem, e deste modo podiam consolar-se da ausência, com presença das letras e do papel. Bem diz Heloísa que a arte de escrever foi inventada por alguma amante separada do seu amante. Nestas cartas juravam-se os dois sua eterna fidelidade.

No fim de dois meses de espera baldada e de ativa correspondência, a tia de Helena surpreendeu uma carta de Simão. Era a vigésima, creio eu. Houve grande temporal em casa. O tio, que estava no escritório, saiu precipitadamente e tomou conhecimento do negócio. O resultado foi proscrever de casa tinta, penas e papel, e instituir vigilância rigorosa sobre a infeliz rapariga.

Começaram pois a escassear as cartas ao pobre deportado. Inquiriu a causa disto em cartas choradas e compridas; mas como o rigor fiscal da casa de seu pai adquiria proporções descomunais, acontecia que todas as cartas de Simão iam parar às mãos do velho, que, depois de apreciar o estilo amoroso de seu filho, fazia queimar as ardentes epístolas.

Passaram-se dias e meses. Carta de Helena, nenhuma. O correspondente ia esgotando a veia inventadora, e já não sabia como reter finalmente o rapaz.

Chega uma carta a Simão. Era letra do pai. Só diferençava das outras que recebia do velho em ser esta mais longa, muito mais longa. O rapaz abriu a carta, e leu trêmulo e pálido. Contava nesta carta o honrado comerciante que a Helena, a boa rapariga que ele destinava a ser sua filha casando-se com Simão, a boa Helena tinha morrido. O velho copiara algum dos últimos necrológicos que vira nos jornais, e ajuntara algumas consolações de casa. A última consolação foi dizer-lhe que embarcasse e fosse ter com ele.

O período final da carta dizia:

> *Assim como assim*, não se realizam os meus negócios; não te pude casar com Helena, *visto que Deus a levou. Mas volta, filho, vem; poderás consolar-te casando com outra, a filha do conselheiro ***. Está moça feita e é um bom partido.* Não te desalentes; *lembra-te de mim.*

O pai de Simão não conhecia bem o amor do filho, nem era grande águia para avaliá-lo, ainda que o conhecesse. Dores tais não se consolam com uma carta nem com um casamento. Era melhor mandá-lo chamar, e depois preparar- lhe a notícia; mas dada assim friamente em uma carta, era expor o rapaz a uma morte certa.

Ficou Simão vivo em corpo e morto moralmente, tão morto que por sua própria ideia foi dali procurar uma sepultura. Era melhor dar aqui alguns dos papéis escritos por Simão relativamente ao que sofreu depois da carta; mas há muitas falhas, e eu não quero corrigir a exposição ingênua e sincera do frade.

A sepultura que Simão escolheu foi um convento. Respondeu ao pai que agradecia a filha do conselheiro, mas que daquele dia em diante pertencia ao serviço de Deus.

O pai ficou maravilhado. Nunca suspeitou que o filho pudesse vir a ter semelhante resolução. Escreveu às pressas para ver se o desviava da ideia; mas não pôde conseguir.

Quanto ao correspondente, para quem tudo se embrulhava cada vez mais, deixou o rapaz seguir para o claustro, disposto a não figurar em um negócio do qual nada realmente sabia.

Capítulo IV

Frei Simão de Santa Águeda foi obrigado a ir à província natal em missão religiosa, tempos depois dos fatos que acabo de narrar.

Preparou-se e embarcou.

A missão não era na capital, mas no interior. Entrando na capital, pareceu-lhe dever ir visitar seus pais. Estavam mudados física e moralmente. Era com certeza a dor e o remorso de terem precipitado seu filho à resolução que tomou. Tinham vendido a casa comercial e viviam de suas rendas.

Receberam o filho com alvoroço e verdadeiro amor. Depois das lágrimas e das consolações, vieram ao fim da viagem de Simão.

— A que vens tu, meu filho?

— Venho cumprir uma missão do sacerdócio que abracei. Venho pregar, para que o rebanho do Senhor não se arrede nunca do bom caminho.

— Aqui na capital?

— Não, no interior. Começo pela vila de ***.

Os dois velhos estremeceram; mas Simão nada viu. No dia seguinte partiu Simão, não sem algumas instâncias de seus pais para que ficasse. Notaram eles que seu filho nem de leve tocara em Helena. Também eles não quiseram magoá-lo falando em tal assunto.

Daí a dias, na vila de que falara frei Simão, era um alvoroço para ouvir as prédicas do missionário.

A velha igreja do lugar estava atopetada de povo.

À hora anunciada, frei Simão subiu ao púlpito e começou o discurso religioso. Metade do povo saiu aborrecido no meio do sermão. A razão era simples. Avezado à pintura viva dos caldeirões de Pedro Botelho e outros pedacinhos de ouro da maioria dos pregadores, o povo não podia ouvir com prazer a linguagem simples, branda, persuasiva, a que serviam de modelo as conferências do fundador da nossa religião.

O pregador estava a terminar, quando entrou apressadamente na igreja um par, marido e mulher; ele, honrado lavrador, meio remediado com o sítio que possuía e a boa vontade de trabalhar; ela, senhora estimada por suas virtudes, mas de uma melancolia invencível.

Depois de tomarem água-benta, colocaram-se ambos em lugar donde pudessem ver facilmente o pregador.

Ouviu-se então um grito, e todos correram para a recém-chegada, que acabava de desmaiar. Frei Simão teve de parar o seu discurso, enquanto se punha termo ao incidente. Mas, por uma aberta que a turba deixava, pôde ele ver o rosto da desmaiada.

Era Helena.

No manuscrito do frade há uma série de reticências dispostas em oito linhas. Ele próprio não sabe o que se passou. Mas o que se passou foi que, mal conhecera Helena, continuou o frade o discurso. Era então outra coisa: era um discurso sem nexo, sem assunto, um verdadeiro delírio. A consternação foi geral.

Capítulo V

O delírio de frei Simão durou alguns dias. Graças aos cuidados, pôde melhorar, e pareceu a todos que estava bom, menos ao médico, que queria continuar a cura. Mas o frade disse positivamente que se retirava ao convento, e não houve forças humanas que o detivessem.

O leitor compreende naturalmente que o casamento de Helena fora obrigado pelos tios.

A pobre senhora não resistiu à comoção. Dois meses depois morreu, deixando inconsolável o marido, que a amava com veras.

Frei Simão, recolhido ao convento, tornou-se mais solitário e taciturno. Restava-lhe ainda um pouco da alienação.

Já conhecemos o acontecimento de sua morte e a impressão que ela causara ao abade.

A cela de frei Simão de Santa Águeda esteve muito tempo religiosamente fechada. Só se abriu, algum tempo depois, para dar entrada a um velho secular, que por esmola alcançou do abade acabar os seus dias na convivência dos médicos da alma. Era o pai de Simão. A mãe tinha morrido.

Foi crença, nos últimos anos de vida deste velho, que ele não estava menos doido que frei Simão de Santa Águeda.

O ANJO RAPHAEL.

I.

Cansado da vida, descrente dos homens, desconfiado das mulheres e aborrecido dos credores, o Dr. Antero da Silva determinou um dia despedir-se d'este mundo.

Era pena. O Dr. Antero contava trinta annos, tinha saude, e podia, se quizesse, fazer uma bonita carreira. Verdade é que para isso fôra necessario proceder a uma completa reforma dos seus costumes. Entendia, porém, o nosso heróe que o defeito não estava em si, mas nos outros; cada pedido de um credor inspirava-lhe uma apostrophe contra a sociedade; julgava conhecer os homens, por ter tratado até então com alguns bonecos sem consciencia; pretendia conhecer as mulheres, quando apenas havia praticado com meia duzia de regateiras do amor.

O caso é que o nosso heróe determinou matar-se, e para isso foi á casa da viuva Laport, comprou uma pistola e entrou em casa, que era á rua da Misericordia.

Davão então quatro horas da tarde.

O Dr. Antero disse ao criado que puzesse o jantar na mesa.

— A viagem é longa, disse elle comsigo, e eu não sei se ha hoteis no caminho.

O Anjo Rafael[1]

Capítulo I

Cansado da vida, descrente dos homens, desconfiado das mulheres e aborrecido dos credores, o Dr. Antero da Silva determinou um dia despedir-se deste mundo. Era pena. O Dr. Antero contava trinta anos, tinha saúde, e podia, se quisesse, fazer uma bonita carreira. Verdade é que para isso fora necessário proceder a uma completa reforma dos seus costumes. Entendia, porém, o nosso herói que o defeito não estava em si, mas nos outros; cada pedido de um credor inspirava-lhe uma apóstrofe contra a sociedade; julgava conhecer os homens, por ter tratado até então com alguns bonecos sem consciência; pretendia conhecer as mulheres, quando apenas havia praticado com meia dúzia de regateiras do amor.

O caso é que o nosso herói determinou matar-se, e para isso foi à casa da viúva Laport, comprou uma pistola e entrou em casa, que era à rua da Misericórdia.

Davam então quatro horas da tarde. O Dr.Antero disse ao criado que pusesse o jantar na mesa.

— A viagem é longa, disse ele consigo, e eu não sei se há hotéis no caminho.

Jantou, com efeito, tão tranquilo como se tivesse de ir dormir a sesta e não o último sono. O próprio criado reparou que o amo estava nesse dia mais folgazão que nunca. Conversaram alegremente durante todo o jantar. No fim dele, quando o criado lhe trouxe o café, Antero proferiu paternalmente as seguintes palavras:

[1] Publicado em *Jornal das Famílias*, nos meses de outubro, novembro e dezembro de 1869.

— Pedro, tira de minha gaveta uns cinquenta mil-réis que lá estão; são teus. Vai passar a noite fora e não voltes antes da madrugada.

— Obrigado, meu senhor, respondeu Pedro.

— Vai.

Pedro apressou-se a executar a ordem do amo.

O Dr. Antero foi para a sala, estendeu-se no divã, abriu um volume do *Dicionário filosófico* e começou a ler.

Já então declinava a tarde e aproximava-se a noite. A leitura do Dr. Antero não podia ser longa. Efetivamente daí a algum tempo levantou-se o nosso herói e fechou o livro.

Uma fresca brisa penetrava na sala e anunciava uma agradável noite. Corria então o inverno, aquele benigno inverno que os Fluminenses têm a ventura de conhecer e agradecer ao céu.

O Dr. Antero acendeu uma vela e sentou-se à mesa para escrever. Não tinha parentes, nem amigos a quem deixar carta; entretanto, não queria sair deste mundo sem dizer a respeito dele a sua última palavra. Travou da pena e escreveu as seguintes linhas:

Quando um homem, perdido no mato, vê-se cercado de animais ferozes e traiçoeiros, procura fugir se pode. De ordinário a fuga é impossível. Mas estes animais meus semelhantes, tão traiçoeiros e ferozes como os outros, tiveram a inépcia de inventar uma arma, mediante a qual um transviado facilmente lhes escapa das unhas.

É justamente o que vou fazer.

Tenho ao pé de mim uma pistola, pólvora e bala; com estes três elementos reduzirei a minha vida ao nada. Não levo nem deixo saudades. Morro por estar enjoado da vida e por ter certa curiosidade da morte.

Provavelmente, quando a polícia descobrir o meu cadáver, os jornais escreverão a notícia do acontecimento, e um ou outro fará a esse respeito considerações filosóficas. Importa-me bem pouco as tais considerações.

Se me é lícito ter uma última vontade, quero que estas linhas sejam publicadas no *Jornal do Commercio*. Os rimadores de ocasião encontrarão assunto para algumas estrofes.

O Dr. Antero releu o que tinha escrito, corrigiu em alguns lugares a pontuação, fechou o papel em forma de carta, e pôs-lhe este sobrescrito: Ao mundo.

Depois carregou a arma; e, para rematar a vida com um traço de impiedade, a bucha que meteu no cano da pistola foi uma folha do Evangelho de S. João. Era noite fechada. O Dr. Antero chegou-se à janela, respirou um pouco, olhou para o céu, e disse às estrelas:

— Até já.

E saindo da janela acrescentou mentalmente:

— Pobres estrelas! Eu bem quisera lá ir, mas com certeza hão de impedir-me os vermes da terra. Estou aqui, e estou feito um punhado de pó. É bem possível que no futuro século sirva este meu invólucro para macadamizar a rua do Ouvidor. Antes isso; ao menos terei o prazer de ser pisado por alguns pés bonitos.

Ao mesmo tempo que fazia estas reflexões, lançava mão da pistola, e olhava para ela com certo orgulho.

— Aqui está a chave que me vai abrir a porta deste cárcere, disse ele.

Depois sentou-se numa cadeira de braços, pôs as pernas sobre a mesa, à americana, firmou os cotovelos, e segurando a pistola com ambas as mãos, meteu o cano entre os dentes.

Já ia disparar o tiro, quando ouviu três pancadinhas à porta. Involuntariamente levantou a cabeça. Depois de um curto silêncio repetiram-se as pancadinhas. O rapaz não esperava ninguém, e era-lhe indiferente falar a quem quer que fosse. Contudo, por maior que seja a tranquilidade de um homem quando resolve abandonar a vida, é-lhe sempre agradável achar um pretexto para prolongá-la um pouco mais. O Dr. Antero pôs a pistola sobre a mesa e foi abrir a porta.

Capítulo II

A pessoa que batera à porta era um homem grosseiramente vestido. Trazia uma carta na mão.

— Que me quer? perguntou-lhe o Dr. Antero.

— Trago esta carta, que lhe manda meu amo.

O Dr. Antero aproximou-se da luz para ler a carta.

A carta dizia assim:

Uma pessoa que deseja propor um negócio ao Sr. Dr. Antero da Silva pede-lhe que venha imediatamente à sua casa. O portador desta o acompanhará. Trata-se de uma fortuna.

O rapaz leu e releu a carta, cuja letra não conhecia, e cujo laconismo trazia um ar de mistério.

— Quem é teu amo? perguntou o Dr. Antero ao criado.

— É o Sr. major Tomás.

— Tomás de quê?

— Não sei mais nada.

O Dr. Antero franziu a testa. Que mistério seria aquele? Uma carta sem assinatura, uma proposta lacônica, um criado que não sabia o nome do patrão, eis quanto bastou para despertar vivamente a curiosidade do Dr. Antero. Apesar de não ter o espírito propenso às aventuras, esta o impressionara a tal ponto que esqueceu por um instante a lúgubre viagem tão friamente planeada.

Olhou para o criado atentamente; as feições eram comuns, o olhar pouco menos de estúpido. Evidentemente não era um cúmplice, se é que no fundo daquela aventura havia um crime.

— Onde mora teu amo? perguntou o Dr. Antero.

— Na Tijuca, respondeu o criado.

— Mora só?

— Com uma filha.

— Menina ou moça?

— Moça.

— Que qualidade de homem é o major Tomás?

— Não lhe posso dizer, respondeu o criado, porque fui para lá há oito dias apenas. Quando entrei, disse-me o patrão: "José, a tua obrigação é servir muito, falar pouco e não ver nada". Até hoje tenho executado a ordem do patrão.

— Há mais criados em casa? perguntou o Dr. Antero.

— Há uma criada, que serve à filha do amo.

— Ninguém mais?

— Ninguém mais.

A ideia do suicídio já estava longe do espírito do Dr. Antero. O que o prendia agora era o mistério daquela missão noturna e as singulares referências do portador da carta. Varreu-se-lhe do espírito igualmente a suspeita de um crime. A sua vida tinha sido tão indiferente ao resto dos homens, que não podia ter inspirado a ninguém a ideia de uma vingança.

Contudo hesitava ainda; mas relendo o misterioso bilhete, reparou nas últimas palavras: trata-se de uma fortuna; palavras que nas duas primeiras leituras apenas lhe causaram uma ligeira impressão.

Quando um homem quer deixar a vida por um simples aborrecimento, a promessa de uma fortuna é razão bastante para suspender o passo fatal. No caso do Dr. Antero a promessa da fortuna era razão decisiva. Se averiguarmos bem a causa principal do tédio que este mundo lhe inspirava, veremos que não é outra senão a falta de cabedais. Desde que estes lhe batiam à porta, o suicídio já não tinha uma razão de ser.

O doutor disse ao criado que o esperasse, e tratou de vestir-se.

— Em todo o caso, disse ele consigo, a todo o tempo é tempo; se não morrer hoje posso morrer amanhã.

Vestiu-se, e lembrando-se de que seria conveniente ir armado, meteu a pistola no bolso, e saiu acompanhado pelo criado.

Quando os dois chegaram à porta da rua, já os esperava um carro. O criado convidou o Dr. Antero a entrar, e foi sentar na almofada com o cocheiro.

Conquanto os cavalos fossem a trote largo, longa pareceu a viagem ao doutor, que, apesar das circunstâncias singulares daquela aventura, tinha ânsia por ver-lhe o desfecho. Entretanto, à proporção que o carro se ia afastando do centro populoso da cidade, o espírito do nosso viajante tomava-se de certa apreensão. Era ele mais estouvado que animoso; a sua tranquilidade diante da morte não era resultado do valor de ânimo. No fundo do seu espírito havia uma extrema dose de fraqueza. Podia disfarçá-la quando dominava os acontecimentos; mas agora que os acontecimentos dominavam a ele, facilmente desaparecia o simulacro de coragem.

Enfim o carro chegou à Tijuca, e depois de andar um grande espaço, parou diante de uma chácara completamente separada de todas as demais habitações.

O criado veio abrir a porta, e o doutor apeou-se. As pernas tremiam-lhe um pouco, e o coração pulsava-lhe apressadamente.

Estavam diante de um portão fechado. A chácara era cercada por um muro um tanto baixo, por cima do qual o Dr. Antero pôde ver a casa de habitação, colocada no fundo da chácara perto da encosta de uma colina.

O carro deu volta e partiu, enquanto o criado abria o portão com uma chave que trazia no bolso. Entraram os dois, e o criado fechando por dentro o portão indicou o caminho ao Dr. Antero.

Não quero dar ao meu herói proporções que ele não tem; confesso que naquele momento o Dr. Antero da Silva estava bem arrependido de ter aberto a porta ao importuno portador da carta. Se pudesse fugir, fugia, ainda correndo o risco de passar por covarde aos olhos do criado. Mas era impossível. O doutor fez das tripas coração, e caminhou na direção da casa.

A noite era clara, mas sem lua; soprava um vento que agitava brandamente as folhas das árvores.

O doutor caminhava por uma alameda acompanhado pelo criado; rangia a areia debaixo de seus pés. Apalpou o bolso para verificar se tinha a pistola consigo; em todo o caso era um recurso.

Quando chegaram ao meio do caminho o doutor perguntou ao criado:

— O carro não volta?

— Suponho que sim; meu amo o informará melhor.

O doutor teve uma ideia súbita: empregar o tiro no criado, saltar o muro e voltar para casa. Chegou a engatilhar a arma, mas imediatamente refletiu que o ruído despertaria a atenção, e a sua fuga tornava-se improvável.

Resignou-se pois à sorte, e caminhou para a casa misteriosa.

Misteriosa é o termo; todas as janelas estavam fechadas; não havia uma única réstia de luz; não se ouvia o menor rumor de fala.

O criado tirou do bolso outra chave, e com ela abriu a porta da casa, que tornou a fechar apenas o doutor entrou. Aí tirou o criado do bolso uma caixa de fósforos, acendeu um, e com ele um rolo de cera que trazia consigo.

O doutor viu então que se achava em uma espécie de pátio, tendo ao fundo uma escada comunicando para o sobrado. Perto da porta de entrada havia um cubículo tapado por um gradil de ferro, e que servia de casa a um enorme cão. O cão entrou a rosnar quando pressentiu gente; mas o criado fê-lo calar, dizendo:

— Silêncio, Dolabela!

Subiram a escada até acima, e depois de atravessarem um extenso corredor, acharam-se diante de uma porta fechada. O criado tirou do bolso uma terceira chave, e depois de abrir a porta convidou o Dr. Antero a entrar, dizendo:

— Queira o senhor esperar aqui, enquanto eu vou dar parte a meu amo da sua chegada. Entretanto, deixe-me acender-lhe uma vela.

Efetivamente acendeu uma vela que se achava dentro de um castiçal de bronze em cima de uma pequena mesa redonda de mogno, e saiu.

O Dr. Antero achava-se num quarto; havia a um lado uma cama alta; a mobília era de um gosto severo; o quarto tinha apenas uma janela, mas gradeada. Sobre a mesa havia alguns livros, pena, papel e tinta.

É fácil imaginar a ânsia com que o doutor esperou a resposta do seu misterioso correspondente. O que ele queria era pôr termo àquela aventura que tinha ares de um conto de Hoffmann. A resposta não se demorou. O criado voltou dizendo que o major Tomás não podia falar imediatamente ao doutor; oferecia-lhe quarto e cama, e adiava a explicação para o dia seguinte.

O doutor insistiu em falar-lhe naquela ocasião, pretextando ter importante motivo de voltar à cidade; no caso de não poder o major falar-lhe, propunha ele voltar no dia seguinte. O criado ouviu-o com todo o respeito, mas declarou que não voltaria ao patrão, cujas ordens eram imperiosas. O doutor ofereceu dinheiro ao criado; mas este recusou os presentes de Artaxerxes com um gesto tão solene, que tapou a boca ao moço.

— Tenho ordem, disse finalmente o criado, de trazer-lhe uma ceia.

— Não tenho fome, respondeu o Dr. Antero.

— Nesse caso, boa noite.

— Adeus.

O criado dirigiu-se para a porta, enquanto o doutor o seguia ansiosamente com os olhos. Iria ele fechar-lhe a porta por fora? Realizou-se a suspeita; o criado fechou a porta e levou a chave consigo.

É mais fácil imaginar que narrar a noite aflitiva do Dr. Antero. Os primeiros raios do sol, penetrando através das grades da janela, acharam-no vestido sobre a cama, onde só conseguira adormecer pelas quatro horas da madrugada.

Capítulo III

Ora, o nosso herói teve um sonho durante o curto espaço de tempo que dormiu. Sonhou que tendo executado o seu plano de suicídio, fora levado para a cidade das dores eternas, onde Belzebu o destinava a ser perpetuamente queimado numa imensa fogueira. O infeliz fazia as suas objeções ao anjo do reino escuro; mas este, como única resposta, reiterava a ordem dada. Quatro chanceleres infernais lançaram mão dele e o lançaram ao fogo. O doutor deu um grito e acordou.

Saía de um sonho para entrar em outro.

Levantou-se espantado; não conhecia o quarto em que se achava, nem a casa em que dormira. Mas pouco a pouco foi-lhe reproduzindo a memória todos os incidentes da véspera. O sonho tinha sido um mal imaginário; mas a realidade era um mal positivo. O rapaz teve ímpetos de gritar; reconheceu, porém, a inutilidade do recurso;
preferiu esperar.

Não esperou muito; daí alguns minutos ouviu o ruído da chave na fechadura. Entrou o criado.

Trazia na mão as folhas do dia.

— Já de pé!

— Sim, respondeu o Dr. Antero. Que horas são?

— Oito horas. Aqui tem as folhas de hoje. Olhe, ali tem um lavatório.

O doutor não havia reparado ainda no lavatório; a preocupação tinha-lhe feito esquecer a lavagem do rosto; tratou de remediar o esquecimento.

Enquanto lavava o rosto, perguntou-lhe o criado:

— A que horas almoça?

— Almoçar?

— Sim, almoçar.

— Pois eu vou ficar aqui?

— São ordens que tenho.

— Mas, enfim, estou ansioso por falar a esse major que não conheço, e que me tem preso sem que eu saiba por que motivo.

— Preso! exclamou o criado. O senhor não está preso; meu amo quer falar-lhe, e por isso é que eu o fui chamar; deu-lhe quarto, cama, dá-lhe um almoço; creio que isto não é tê-lo preso.

O doutor tinha enxugado o rosto, e sentou-se numa poltrona.

— Mas que me quer teu amo? perguntou-lhe.

— Isso não sei, respondeu o criado. A que horas quer o almoço?

— A que for do teu gosto.

— Bem, respondeu o criado. Aqui tem as folhas.

O criado fez um respeitoso cumprimento ao doutor e saiu fechando a porta.

Cada minuto que passava era para o desgraçado moço um século de angústia. O que mais o torturava eram precisamente aquelas atenções, aqueles obséquios sem explicação possível, sem presumível desfecho. Que homem seria esse major, e que lhe queria ele? O doutor fez mil vezes esta pergunta a si mesmo sem achar resposta possível.

Do criado já sabia ele que nada poderia alcançar; além de novo na casa, parecia absolutamente estúpido. Seria honesto?

O Dr. Antero fez esta última reflexão metendo a mão no bolso e tirando a carteira. Restavam-lhe ainda uns cinquenta mil-réis.

— É quanto basta, pensou ele, para conseguir deste pateta que me ponha fora daqui.

O doutor esquecia que já na véspera o criado recusara dinheiro em troca de um serviço menos importante.

Às nove horas voltou o criado trazendo numa bandeja um almoço delicado e apetitoso. Apesar da gravidade da situação, o nosso herói atacou o almoço com uma intrepidez de verdadeiro general de mesa. Dentro de vinte minutos só restavam nos pratos mortos e feridos.

Ao mesmo tempo que comia ia ele interrogando o criado.

— Dize-me cá; queres fazer-me um grande favor?

— Qual?

— Tenho aqui cinquenta mil-réis à tua disposição, e amanhã posso dar-te mais cinquenta, ou cem, ou duzentos; em troca disto peço-te que arranjes meio de me pôr fora desta casa.

— Impossível, senhor, respondeu o criado sorrindo; eu só obedeço a meu amo.

— Sim; mas teu amo nunca virá a saber que eu te dei dinheiro; tu podes dizer-lhe que a minha fuga foi devida a um descuido, e deste modo ficamos ambos salvos.

— Eu sou honrado; não posso aceitar o seu dinheiro.

O doutor ficou desanimado com a austeridade do fâmulo; bebeu o resto de borgonha que tinha no copo, e levantou-se fazendo um gesto de desespero.

O criado não se impressionou; preparou o café para o hóspede e foi oferecer-lhe. O doutor bebeu dois ou três goles e restituiu-lhe a xícara. O criado arrumou a louça na bandeja e saiu.

No fim de meia hora voltou o criado dizendo que seu amo estava pronto para receber o Dr. Antero.

Conquanto o doutor desejasse sair da situação em que se achava, e saber o fim para que o haviam mandado buscar, nem por isso o impressionou menos a ideia de ir ver enfim o terrível e desconhecido major.

Lembrou-se que podia haver algum perigo, e instintivamente apalpou a algibeira; esquecia-se de que ao deitar-se tinha posto a pistola debaixo do travesseiro. Era impossível tirá-la à vista do criado, resignou-se.

O criado fê-lo sair primeiro, fechou a porta e seguiu adiante para guiar o mísero doutor. Atravessaram o corredor por onde haviam passado na véspera; depois entraram em outro corredor que ia ter a uma pequena sala. Aí disse o criado ao doutor que esperasse enquanto ia dar parte a seu amo, e penetrando numa sala que ficava à esquerda, voltou pouco depois dizendo que o major esperava o Dr. Antero.

O doutor passou à outra sala.

Capítulo IV

Estava ao fundo, sentado numa poltrona de couro, um velho alto e magro, envolvido num largo chambre amarelo.

O doutor deu apenas alguns passos e parou; mas o velho, apontando-lhe para uma cadeira que lhe ficava defronte, convidou-o a sentar.

O doutor obedeceu imediatamente.

Houve um curto silêncio, durante o qual o Dr. Antero pôde examinar a figura que tinha diante de si.

Os cabelos do major Tomás eram completamente brancos; a tez era pálida e macilenta. Os olhos vivos, mas encovados; dissera-se a luz de uma vela prestes a extinguir-se, e soltando do fundo do castiçal os seus últimos lampejos.

Os beiços do velho eram finos e brancos; e o nariz, curvo como um bico de águia, assentado sobre um par de bigodes da cor dos cabelos; os bigodes eram a base daquela enorme coluna.

O aspecto do major poderia causar menos desagradável impressão, se não fossem as bastas e cerradas sobrancelhas, cujas pontas internas vinham ligar-se na parte superior do nariz; além disso, o velho contraía constantemente a testa, o que lhe produzia uma enorme ruga que, vista de longe, dava ares de ser uma continuação do nariz.

Independentemente das circunstâncias especiais em que o doutor se achava, a figura do major inspirava um sentimento de medo. Podia ser uma excelente pessoa; mas o seu aspecto repugnava à vista e ao coração.

O Dr. Antero não ousava romper o silêncio; e limitava-se a contemplar o homem. Este olhava alternativamente para o doutor e para as unhas. As mãos do velho pareciam garras; o Dr. Antero já as estava sentindo cravadas em si.

— Estou falando ao Dr. Antero da Silva? perguntou lentamente o major.

— Um seu criado.

— Criado de Deus, respondeu o major com um sorriso estranho.

Depois continuou:

— Doutor em medicina, não?

— Sim, senhor.

— Conheci muito seu pai; fomos companheiros no tempo da independência. Era ele mais velho do que eu dois anos. Pobre coronel! ainda hoje sinto a sua morte.

O moço respirou; a conversa levava um bom caminho; o major confessava-se amigo de seu pai, e lhe falava nele. Animou-se um pouco, e disse:

— Também eu, Sr. major.

— Bom velho! continuou o major; sincero, alegre, valente...

— É verdade.

O major levantou-se um pouco, apoiando as mãos nos braços da poltrona, e disse com voz surda:

— E mais que tudo, era obediente àqueles que têm uma origem no céu!

O doutor arregalou os olhos; não compreendera bem o sentido das últimas palavras do major. Não podia supor que aludisse aos sentimentos religiosos de seu pai, que era tido no seu tempo como um profundo materialista.

Contudo, não quis contrariar o velho, e procurou ao mesmo tempo obter uma explicação.

— É exato, disse o rapaz; meu pai era profundamente religioso.

— Religioso não basta, respondeu o major brincando com os cordões do chambre; conheço muita gente religiosa que não respeita os enviados do céu. Creio que o senhor foi educado com as mesmas ideias de seu pai, não?

— Sim, senhor, balbuciou o Dr. Antero aturdido com as palavras enigmáticas do major.

Este, depois de esfregar as mãos e torcer o bigode repetidas vezes, perguntou ao seu interlocutor:

— Diga-me, foi bem tratado em minha casa?

— Magnificamente.

— Pois aqui vai morar a seu gosto e o tempo que lhe parecer.

— Teria muita honra nisso, respondeu o doutor, se pudesse dispor do meu tempo; há de consentir, pois, que eu recuse por enquanto o seu oferecimento. Apressei-me a vir ontem por causa do bilhete que me mandou. Que me quer V. Ex.?

— Duas coisas: a sua companhia e o seu casamento; dou-lhe em troca uma fortuna.

O doutor olhou espantado para o velho, e este, compreendendo o espanto do rapaz, disse-lhe sorrindo:

— De que se admira?

— Eu...

— Do casamento, não é?

— Sim, confesso que... Não sei como mereço essa honra de ser convidado para noivo mediante uma fortuna.

— Compreendo o seu espanto; é próprio de quem foi educado lá fora; eu cá procedo de modo contrário ao que se pratica nesse mundo. Mas, vamos: aceita?

— Antes de tudo, Sr. major, responda: por que se lembrou de mim?

— Fui amigo de seu pai; quero prestar-lhe esta homenagem póstuma, dando ao senhor em casamento a minha única filha.

— Trata-se então de sua filha?

— Sim, senhor; trata-se de Celestina.

Os olhos do velho tornaram-se mais vivos que nunca ao pronunciar o nome da filha.

O Dr. Antero olhou algum tempo para o chão e respondeu:

— Bem sabe que o amor é que faz os casamentos felizes. Entregar uma moça a um rapaz a quem ela não ama é dar-lhe um suplício...

— Suplício! Ora, aí vem o senhor com a linguagem lá de fora. Minha filha ignora até o que seja amor; é um anjo na raça e na candura.

Dizendo estas últimas palavras o velho olhou para o teto e ficou assim durante algum tempo como se contemplasse alguma coisa invisível aos olhos do rapaz. Depois, abaixando outra vez os olhos, continuou:

— A sua objeção não vale nada.

— Tenho outra; é justo que aqui dentro não exista a mesma ordem de ideias que há lá fora; mas é natural que os que são lá de fora não partilhem as mesmas ideias cá de dentro. Por outros termos, eu não desejaria casar com uma moça sem amá-la.

— Aceito a objeção; estou certo que apenas a vir ficará morrendo por ela.

— É possível.

— É certo. Ora, pois, vá para o seu quarto; à hora do jantar mandá-lo-ei chamar; jantaremos os três.

O velho levantou-se e foi a um canto da sala puxar pelo cordão de uma campainha. O Dr. Antero teve ocasião de ver então a estatura do major, que era alta e até certo ponto majestosa.

Acudiu o criado, e o major deu-lhe ordem de conduzir o doutor para o quarto.

Capítulo V

Quando o doutor se achou só no quarto entrou a meditar na situação conforme se lhe desenhara ela depois da conversa com o major. O velho parecia-lhe singularmente extravagante, mas falava-lhe do pai, mostrava-se afável, e afinal de contas oferecia a filha e uma riqueza. O espírito do moço estava mais um pouco tranquilo.

É verdade que ele opusera objeções à proposta do velho, e parecera agarrar-se a todas as dificuldades, por menores que fossem. Mas eu não posso ocultar que a resistência do rapaz era talvez menos sincera do que ele próprio pensava. A perspectiva da riqueza disfarçou por algum tempo a singularidade da situação.

A questão agora era ver a moça; se fosse bonita; se tivesse uma fortuna, que mal havia em se casar ele com ela? O doutor aguardou a hora do jantar com uma impaciência a que já não eram estranhos os cálculos de ambição.

O criado tinha-lhe posto à disposição um guarda-roupa, e meia hora depois serviu-lhe um banho. Satisfeitas essas necessidades de asseio, o doutor deitou-se na cama e tirou à vontade um dos livros que se achavam sobre a mesa. Era um romance de Walter Scott. O rapaz, educado com o estilo de telegrama dos livros de Ponson du Terrail, adormeceu logo à segunda página.

Quando acordou era tarde; recorreu ao relógio, e achou-o parado; esquecera-se de lhe dar corda.

Receava que o criado o tivesse vindo chamar, e se retirasse por encontrá-lo a dormir. Era estrear mal a sua vida na casa de um homem que talvez fizesse dele aquilo de que já nem tinha esperanças.

Imagine-se, pois, a ansiedade com que ele esperou as horas.

Valia-lhe, porém, que, apesar dos receios, a sua imaginação trabalhava sempre; e era de ver o quadro que ela desenhava no futuro, os castelos que construía no ar: credores pagos, casas magníficas, salões, bailes, carros, cavalos, viagens, mulheres enfim, porque nos sonhos do Dr. Antero havia sempre uma ou duas mulheres.

O criado veio enfim chamá-lo.

A sala do jantar era pequena, mas ornada com muito gosto e simplicidade.

Quando o doutor entrou não havia ninguém; mas pouco depois entrou o major, já vestido com uma sobrecasaca preta abotoada até o pescoço e contrastando com a cor branca dos seus cabelos e bigodes e a tez pálida do rosto.

O major sentou-se à cabeceira da mesa, e o doutor à esquerda; a cadeira da direita estava reservada para a filha do major.

Mas onde estava a moça? O doutor quis fazer a pergunta ao velho; mas reparou a tempo que a pergunta seria indiscreta.

E sobre indiscreta, seria inútil, porque alguns minutos depois abriu-se uma porta que ficava fronteira ao lugar em que o doutor estava sentado, e apareceu uma criada anunciando a chegada de Celestina.

O velho e o doutor levantaram-se.

A moça apareceu.

Era uma figura delgada e franzina, nem alta nem baixa, mas extremamente airosa. Não andou, deslizou da porta à mesa; seus pés deviam ser asas de pomba.

O doutor ficou profundamente surpreendido com a aparição; até certo ponto contava com uma rapariga nem bonita nem feia, uma espécie de fardo que só podia ser carregado aos ombros de uma fortuna.

Pelo contrário, tinha diante de si uma verdadeira beleza.

Era, com efeito, um rosto angélico; transluzia-lhe no semblante
a virgindade do coração. Os olhos serenos e doces pareciam feitos para a contemplação; os cabelos louros e caídos em cachos naturais assemelhavam-se a uma auréola. A tez era alva e finíssima; todas as feições eram de uma harmonia e correção admiráveis. Rafael podia copiar dali uma das suas virgens.

Vestia de branco; uma fita azul, presa à cintura, delineava-lhe o talhe elegante e gracioso.

Celestina dirigiu-se ao pai e beijou-lhe a mão: depois cumprimentou sorrindo ao Dr. Antero, e sentou-se na cadeira que lhe estava destinada.

O doutor não tirava os olhos dela. No espírito superficial daquele homem entrava a descobrir-se uma profundidade.

Pouco depois de sentar-se, a moça voltou-se para o pai e perguntou-lhe:

— Este senhor é o que vai ser meu marido?

— É, respondeu o major.

— É bonito, disse ela sorrindo para o rapaz.

Havia tanta candura e simplicidade na pergunta e na observação da moça, que o doutor voltou instintivamente a cabeça para o major, com ímpetos de perguntar-lhe se devia acreditar nos seus ouvidos.

O velho compreendeu o espanto do rapaz, e sorriu maliciosamente. O doutor olhou outra vez para Celestina, que o contemplava com uma admiração tão natural e tão sincera, que o rapaz chegou... a corar.

Começaram a jantar.

A conversa começou tolhida e esquerda, por causa do doutor, que caminhava de espanto em espanto; mas dentro de pouco tornou-se expansiva e franca.

Celestina era a mesma afabilidade do pai, realçada pelas graças da juventude, e mais ainda por uma singeleza tão agreste, tão nova, que o doutor se julgava transportado a uma civilização desconhecida.

Quando acabaram o jantar passaram à sala da sesta. Chamava-se assim uma espécie de galeria de onde se descortinavam os arredores da casa. Celestina deu o braço ao doutor sem que este lhe oferecesse e seguiram os dois adiante do major, que ia resmungando uns salmos de Davi.

Na sala da sesta sentaram-se os três; era a hora do crepúsculo; as montanhas e o céu começavam a despir os véus da tarde para vestir os da noite. A hora era propícia aos enlevos; o Dr. Antero, posto que educado em outra ordem de sensações, sentia-se arrebatado nas asas da fantasia.

A conversa versou sobre mil coisas de nada; a moça disse ao doutor que tinha dezessete anos, e perguntou a idade dele. Depois, contou por menor todos os hábitos da sua vida, as suas prendas e seu gosto pelas flores, o seu amor às estrelas, tudo isso com uma graça que tirava um pouco da juventude e um pouco da infância.

Voltou-se ao assunto do casamento, e Celestina perguntou se o rapaz tinha dúvida em casar com ela.

— Nenhuma, disse ele; pelo contrário, tenho sumo prazer... é uma felicidade para mim.

— Que lhe disse eu? perguntou o pai de Celestina. Eu já sabia que bastava vê-la para ficá-la amando.

— Então posso contar que seja meu marido, não?

— Sem dúvida, disse o doutor sorrindo.

— Mas o que é marido? perguntou Celestina depois de alguns instantes.

A esta pergunta inesperada, o rapaz não pôde reprimir um movimento de surpresa. Olhou para o velho major; mas este, encostado na larga poltrona em que se achava sentado, começava a adormecer.

A moça repetia com os olhos a pergunta feita com os lábios. O doutor envolveu-a com um olhar de amor, talvez o primeiro que teve em sua vida; depois pegou docemente na mão de Celestina e levou-a aos lábios.

Celestina estremeceu toda e soltou um pequeno grito, que fez acordar sobressaltado o major.

— Que é? disse este.

— Foi meu marido, respondeu a moça, que tocou com a boca dele na minha mão.

O major levantou-se, olhou severamente para o rapaz, e disse à filha:

— Está bem, vai para o teu quarto.

A moça ficou um pouco surpreendida com a ordem do pai, mas obedeceu imediatamente, despedindo-se do rapaz com a mesma descuidosa simplicidade com que lhe falara pela primeira vez.

Quando os dois ficaram sós, o major pegou no braço do doutor, e disse-lhe:

— Meu caro senhor, respeite as pessoas do céu; quero um genro, não quero um tratante. Ora, cuidado!

E saiu.

O Dr. Antero ficou atônito com as palavras do major; era a terceira vez que lhe falava em pessoas ou enviados do céu. Que queria dizer com aquilo?

Pouco depois veio o criado com ordem de acompanhá-lo até o quarto; o doutor obedeceu sem fazer objeção.

Capítulo VI

A noite foi má para o Dr. Antero; acabara de assistir a cenas tão estranhas, ouvira palavras tão misteriosas, que o pobre moço perguntou a si mesmo se não era vítima de um sonho.

Infelizmente não era.

Aonde iria dar aquilo tudo? Qual o resultado da cena da tarde? O rapaz temia, mas já não ousava pensar na fuga; a ideia da moça começava a ser um vínculo.

Dormiu tarde e mal; foram-lhe agitados os sonhos.

No dia seguinte levantou-se cedo, e recebeu do criado as folhas do dia. Enquanto não vinha a hora do almoço, quis ler as notícias do mundo, do qual parecia estar separado por um abismo.

Ora, eis aqui o que encontrou no *Jornal do Commercio*:

Suicídio. – Anteontem, à noite, o Dr. Antero da Silva, depois de dizer ao seu criado que saísse e só voltasse de madrugada, encerrou-se no quarto da casa que ocupava à rua da Misericórdia, e escreveu a carta que os leitores encontrarão adiante.

Como se vê dessa carta, o Dr. Antero da Silva declarava a sua intenção de matar-se; mas a singularidade do caso é que, voltando o criado para casa de madrugada, encontrou a carta, mas não encontrou o amo.

O criado deu imediatamente parte à polícia, que empregou todas as diligências a ver se obtinha notícia do jovem doutor.

Com efeito, depois de bem combinadas providências, encontrou-se na praia de Santa Luzia um cadáver que se reconheceu ser o do infeliz moço. Parece que, apesar da declaração de que empregaria a pistola, o desgraçado procurou outro meio menos violento de morte.

Supõe-se que uma paixão amorosa o levou a cometer este ato; outros querem que fosse por fugir aos credores. A carta entretanto reza de outros motivos. Ei-la.

Aqui seguia a carta que vimos no primeiro capítulo.

A leitura da notícia produziu no Dr. Antero uma impressão singular; estaria ele morto deveras? Teria já saído do mundo da realidade para o mundo dos eternos sonhos? Era tão extravagante tudo o que lhe acontecia desde a antevéspera, que o pobre rapaz sentiu por um instante vacilar-lhe a razão.

Mas pouco a pouco voltou à realidade das coisas; interrogou a si e a tudo o que o rodeava; releu atentamente a notícia; a identidade reconhecida pela polícia, que ao princípio o impressionara, fê-lo sorrir depois; e não menos o fez sorrir um dos motivos que se dava ao suicídio, o motivo de paixão amorosa.

Quando o criado voltou, pediu-lhe o doutor notícia circunstanciada do major e de sua filha. A moça estava boa; quanto ao major, disse o criado que lhe ouvira de noite alguns soluços, e que de manhã se levantara abatido.

— Admira-me isto, acrescentou o criado, porque não sei que tivesse motivo para chorar, e além disso o amo é um velho alegre.

O doutor não respondeu; sem saber por que, atribuía-se a causa daqueles soluços do velho; foi a ocasião do seu primeiro remorso.

O criado disse-lhe que o almoço o esperava; o doutor dirigiu-se para a sala de jantar, onde achou o major realmente um pouco abatido. Foi direito a ele.

O velho não se mostrou ressentido; falou-lhe com a mesma bondade da véspera. Pouco depois chegou Celestina, bela, descuidosa, inocente como da primeira vez; beijou a testa ao pai, apertou a mão ao doutor e sentou-se no seu lugar. O almoço correu sem incidente; a conversa nada teve de notável. O major propôs que na tarde desse dia Celestina executasse ao piano alguma composição bonita, para que o doutor pudesse apreciar os seus talentos.

Entretanto a moça quis mostrar ao rapaz as suas flores, e o pai deu-lhe licença para isso; a um olhar do velho a criada de Celestina acompanhou os dois futuros noivos.

As flores de Celestina estavam todas em meia dúzia de vasos, postos sobre uma janela do seu gabinete de leitura e trabalho. Chamava ela aquilo o seu jardim. Bem pequeno era ele, e pouco tempo exigia para o exame; ainda assim, o doutor tratou de prolongá-lo o mais que pôde.

— Que me diz a estas violetas? perguntou a moça.

— São lindíssimas! respondeu o doutor.

Celestina arranja as folhas com sua mãozinha delicada; o doutor adiantou a sua mão para tocar nas folhas também; os dedos de ambos se encontraram: a moça estremeceu, e baixou os olhos; um leve rubor coloriu-lhe as faces.

O rapaz receou que daquele involuntário encontro pudesse nascer algum motivo de remorso para ele, e tratou de retirar-se. A moça despediu-se, dizendo:

— Até logo, sim?

— Até logo.

O doutor saiu do gabinete de Celestina, e já entrava a pensar como daria com o caminho para o seu quarto, quando encontrou à porta o criado, que se preparou para acompanha-lo.

— Tu pareces a minha sombra, disse-lhe o doutor sorrindo.

— Sou apenas um criado do senhor.

Entrando no quarto ia o rapaz cheio de vivas impressões; a pouco e pouco sentia-se transformado pela moça; até os receios se lhe dissipavam; parecia-lhe que ao pé dela não devia recear coisa nenhuma.

Os jornais estavam ainda em cima da mesa; perguntou ao criado se seu amo costumava a lê-los. O criado respondeu que não, que ninguém os lia em casa, e tinham sido assinados só por causa dele.

— Só por minha causa?

— Só.

Capítulo VII

O jantar e a música reuniram os três convivas durante perto de quatro horas. O doutor estava no sétimo céu; já começava a enxergar a casa como sua; a vida que levava era para ele a melhor vida deste mundo.

— Um minuto mais tarde, pensava ele, e eu tinha perdido esta felicidade.

Com efeito, pela primeira vez o rapaz amava seriamente; Celestina aparecera-lhe como a personificação da ventura terrestre e das santas efusões do coração. Contemplava-a com respeito e ternura. Podia viver ali eternamente.

Entretanto a conversa sobre o casamento não se repetiu; o major esperava que o rapaz se declarasse, e o rapaz aguardava oportunidade para fazer a sua declaração ao major.

Quanto a Celestina, apesar de seu angélico estouvamento, evitava falar do assunto. Seria recomendação do pai? O doutor chegou a supô-lo; mas a ideia varreu-se-lhe do espírito ante a consideração de que era tudo tão franco naquela casa que uma recomendação desta ordem só podia ter por causa um grande acontecimento. O ósculo na mão da moça não lhe pareceu acontecimento de tanta magnitude.

Cinco dias depois da sua estada ali, o major disse-lhe ao almoço que desejava falar-lhe, e, com efeito, apenas se acharam os dois a sós, o major tomou a palavra, e expressou-se nestes termos:

— Meu caro doutor, já deve ter percebido que eu não sou um homem vulgar; nem sou mesmo um homem. Gosto do senhor porque tem respeitado a minha origem celeste; se eu fugi ao mundo é porque ninguém me queria respeitar.

Conquanto já tivesse ouvido do major algumas palavras dúbias nesse sentido, o Dr. Antero ficou assombrado com o pequeno discurso, e não achou resposta que lhe desse.

Arregalou muito os olhos e abriu a boca; todo ele era um ponto de admiração e interrogação ao mesmo tempo.

— Eu sou, continuou o velho, eu sou o anjo Rafael, mandado pelo Senhor a este vale de lágrimas a ver se colho algumas boas almas para o céu. Não pude cumprir a minha missão, porque apenas disse quem era fui tido em conta de impostor. Não quis afrontar a ira e o sarcasmo dos homens; retirei-me a esta morada, onde espero morrer.

O major dizia tudo com uma convicção e serenidade que, dado o caso de falar a um homem menos mundano, vê-lo-ia logo ali a seus pés. Mas o Dr. Antero não viu na origem celeste do major mais do que uma monomania pacífica. Compreendeu que era inútil e perigoso contestá-lo.

— Fez bem, disse o moço, fez bem em fugir ao mundo. Que há aí no mundo que valha um sacrifício verdadeiramente grande? A humanidade já se não regenera; se Jesus aparecesse hoje é duvidoso que lhe deixassem fazer o discurso da montanha; matavam-no logo no primeiro dia.

Brilharam os olhos do major ouvindo as palavras do doutor; quando ele acabou, o velho saltou-lhe ao pescoço.

— Disse pérolas, exclamou o velho. Isso é que é ver as coisas. Bem vejo, sai a seu pai; jamais ouvi daquele amigo palavra que não fosse de veneração para mim. Tem o mesmo sangue nas veias.

O Dr. Antero correspondeu como pôde à efusão do anjo Rafael, por cujos olhos saiam chispas de fogo.

— Ora, pois, continuou o velho sentando-se outra vez, é isso mesmo o que eu desejava encontrar; um rapaz de bom caráter, que pudesse fazer de minha filha aquilo que ela merece, e não duvidasse da minha natureza nem da minha missão. Diga-me, gosta de minha filha?

— Muito! respondeu o rapaz; é um anjo...

— Pudera! atalhou o major. Que queria então que ela fosse? Há de casar com ela, não?

— Sem dúvida.

— Bom, disse o major olhando para o doutor com um olhar cheio de tão paternal ternura, que o moço sentiu-se comovido.

Nesse momento, a criada de Celestina atravessou a sala, e passando por trás da cadeira do major abanou a cabeça com ar de compaixão; o doutor apanhou o gesto que a criada fizera só para si.

— O casamento há de ser breve, continuou o major quando os dois se acharam sós, e, como lhe disse, dou-lhe uma riqueza. Quero que acredite; vou mostrar-lhe.

O Dr. Antero recusou ir ver a riqueza, mas pede a verdade que se diga que a recusa era simples formalidade. A atmosfera angélica da casa já o tinha melhorado em parte, mas havia nele ainda uma parte do homem, e do homem que passara metade da vida em dissipações de espírito e sentimento.

Como o velho insistisse, o doutor declarou-se pronto a acompanhá-lo. Passaram dali a um gabinete onde o major tinha a biblioteca; o major fechou a porta com a chave; depois disse ao doutor que tocasse uma mola que desaparecia no lombo de um livro fingido, no meio de uma estante.

O doutor obedeceu.

Toda aquela fileira de livros era simulada; ao toque do dedo do doutor abriu-se uma portinha que dava para um vão escuro onde se achavam cinco ou seis caixinhas de ferro.

— Nessas caixas, disse o major, tenho eu cem contos de réis: são seus.

Os olhos do Dr. Antero faiscaram; via diante de si uma fortuna, e só dependia dele possuí-la.

O velho mandou que fechasse outra vez o esconderijo, processo que lhe ensinou também.

— Fique sabendo, acrescentou o major, que é o primeiro a quem mostro isto. Mas é natural; já o considero como filho.

Com efeito, foram para a sala da sesta, aonde Celestina foi ter pouco depois; a vista da moça produziu no rapaz a boa impressão de fazer-lhe esquecer as caixas de ferro e mais os cem contos.

Ali mesmo se marcou o dia do casamento, que devia ser um mês depois.

O doutor estava disposto a tudo de tão boa vontade, que a reclusão forçada terminou logo; o major permitiu-lhe sair; mas o doutor declarou que não sairia dali senão depois de casado.

— Depois será mais difícil, disse o velho major.

— Pois bem, não sairei.

A intenção do rapaz era sair depois de casado, e para isso inventaria algum meio; por enquanto, não queria comprometer a sua felicidade.

Celestina estava contentíssima com o casamento; era uma diversão na monotonia de sua vida.

Separaram-se depois do jantar, e já então o doutor não encontrou o criado para o conduzir ao quarto; tinha a liberdade de ir aonde quisesse. O doutor foi direito ao quarto.

A sua situação tomava um novo aspecto; não se tratava de um crime nem de uma emboscada; tratava-se de um monomaníaco. Ora, por felicidade do moço, esse monomaníaco exigia dele exatamente aquilo que ele estava disposto a fazer; tudo bem considerado, entrava-lhe pela porta uma felicidade inesperada, que nem era lícito sonhar quando se está à beira do túmulo.

No meio de belos sonhos o rapaz adormeceu.

Capítulo VIII

O dia seguinte era um domingo.

O rapaz, depois de ler as notícias dos jornais e alguns artigos políticos, passou aos folhetins. Ora, aconteceu que um deles tratava precisamente do suicídio do Dr. Antero da Silva. A carta póstuma servia de assunto para as considerações galhofeiras do folhetinista.

Um dos períodos dizia assim:

Se não fosse o suicídio do homem, eu não tinha assunto ameno para tratar hoje.

Felizmente lembrou-se de morrer a tempo, coisa que nem sempre acontece a um marido, nem a um ministro de Estado.

Mas morrer era nada; morrer e deixar uma carta desfrutável como a que o público leu, isso é que é ter compaixão de um escritor *aux abois*.

Desculpe o leitor o termo francês; vem do assunto; eu estou convencido que o Dr. Antero (que pelo nome não perca) leu algum romance parisiense em que viu o original daquela carta.

Salvo se nos quis provar que não era simplesmente um espírito medíocre, mas também um formidável tolo.

Tudo é possível.

O doutor amarrotou o jornal quando acabou de ler o folhetim; mas depois sorriu filosoficamente; e acabou achando razão no autor do artigo.

Com efeito, aquela carta, que ele escrevera com tanta alma, e que contava fizesse impressão no público, parecia-lhe agora uma famosa tolice.

Dera talvez uma das caixas de ferro do major para não tê-la escrito.

Era tarde.

Mas o desgosto do folhetim não foi o único; adiante encontrou um convite para uma missa por sua alma. Quem convidava para a missa? os seus amigos? Não; o criado Pedro, que, ainda comovido com a dádiva dos cinquenta mil-réis, achou que cumpria um dever sufragando a alma do amo.

— Bom Pedro! disse ele.

E assim como tinha tido naquela casa o primeiro amor, e o primeiro remorso, teve ali a primeira lágrima, uma lágrima de gratidão pelo fiel criado.

Chamado para almoçar, o doutor foi ter com o major e Celestina. Já então a chave do quarto ficava com ele mesmo.

Sem saber por que, achou Celestina mais celeste que nunca, e também mais séria do que costumava. A seriedade quereria dizer que o rapaz já lhe não era indiferente? O Dr. Antero pensou que sim, e eu, na qualidade de romancista, direi que pensava bem.

Contudo a seriedade de Celestina não excluía a sua afabilidade, nem ainda o seu estouvamento; era uma seriedade intermitente, uma espécie de enlevo e cisma, a primeira aurora do amor, que enrubesce a face e cerca a fronte de uma espécie de auréola.

Como já houvesse liberdade e confiança, o doutor pediu a Celestina, no fim do almoço, que fosse tocar um pouco. A mocinha tocava deliciosamente.

Encostado ao piano, com os olhos postos na moça, e a alma embebida nas harmonias que os dedos dela desferiam do teclado, o Dr. Antero esquecia-se do resto do mundo para viver só daquela criatura que dentro de pouco tempo ia ser sua mulher.

Durante esse tempo o major passeava, com as mãos cruzadas sobre as costas, e gravemente pensativo.

O egoísmo do amor é implacável; diante da mulher que o seduzia e atraía, o moço nem tinha um olhar para aquele pobre velho demente que lhe dava mulher e fortuna.

O velho de quando em quando parava e exclamava:

— Bravo! bravo! Assim tocarás um dia nas harpas do céu!

— Gosta de me ouvir tocar? perguntou a moça ao doutor.

— Valia a pena morrer ouvindo esta música.

No fim de um quarto de hora, o major saiu, deixando os dois noivos na sala.

Era a primeira vez que ficavam a sós.

O rapaz não ousava reproduzir a cena da outra tarde; podia haver um novo grito da moça e tudo estava perdido para ele.

Mas os seus olhos, esquecidamente embebidos nos da moça, falavam melhor que todos os ósculos deste mundo. Celestina olhava para ele com essa confiança da inocência e do pudor, essa confiança de quem não suspeita o mal e só conhece o bem.

O doutor compreendeu que era amado; Celestina não compreendeu, sentiu que estava presa àquele homem por alguma coisa mais forte que a palavra do pai.

A música cessara.

O doutor sentou-se defronte da moça, e disse-lhe:

— Casa-se comigo por vontade?

— Eu? respondeu ela; certamente que sim; gosto do senhor; além disso, meu pai quer, e quando um anjo quer...

— Não zombe assim, disse o doutor; não é culpa...

— Zombar de quê?

— De seu pai.

— Ora essa!

— É um desgraçado.

— Não conheço anjos desgraçados, respondeu a moça com uma graça tão infantil e um ar de tanta convicção que o doutor franziu a testa com um gesto de espanto.

A moça continuou:

— Bem feliz que ele é; quem me dera ser anjo como ele! é verdade que filha dele devo ser também... e, na verdade, sou também angélica...

O doutor ficou pálido, e levantou-se com tanta precipitação, que Celestina não pôde reprimir um gesto de susto.

— Ah! que tem?

— Nada, disse o rapaz passando a mão pela testa; foi uma vertigem.

Nesse momento entrou o major. Antes que tivesse tempo de perguntar nada, a filha correu a ele e disse que o doutor se achava incomodado.

O moço declarou achar-se melhor; mas pai e filha foram de opinião que devia ir descansar um pouco. O doutor obedeceu.

Quando chegou ao quarto atirou-se à cama e esteve alguns minutos sem movimento, mergulhado em reflexões. As palavras incoerentes da moça diziam-lhe que não havia naquela casa só um doido; tanta graça e beleza nada valiam; a infeliz estava nas condições do pai.

— Coitada! também é louca! Mas por que singular acordo de circunstâncias ambos eles estão de acordo nesta monomania celestial?

O doutor fazia esta e mil outras perguntas a si mesmo, sem achar resposta plausível. O que havia de certo é que o edifício da sua ventura acabava de esboroar-se.

Só lhe restava um recurso; aproveitar-se da licença concedida pelo velho e sair daquela casa, que parecia encerrar uma história sombria.

Com efeito, ao jantar o Dr. Antero declarou ao major que tinha intenção de ir à cidade ver uns papéis, no dia seguinte de manhã; voltaria de tarde.

No dia seguinte, logo depois do almoço, preparou-se o rapaz para ir embora, não sem ter prometido a Celestina que voltaria o mais cedo que pudesse. A moça pedia-lhe com alma; ele hesitou por um momento; mas que fazer? era melhor fugir dali quanto antes.

Estava já pronto, quando sentiu bater-lhe à porta muito ao de leve; foi abrir; era a criada de Celestina.

Capítulo IX

Esta criada, que se chamava Antônia, representava ter quarenta anos de idade. Não era feia nem bonita; tinha umas feições comuns e irregulares. Mas bastava olhá-la para ver nela o tipo da bondade e da dedicação.

Antônia entrou precipitadamente, e ajoelhou-se aos pés do doutor.

— Não vá! Sr. doutor! não vá!

— Levante-se, Antônia, disse o rapaz.

Antônia levantou-se e repetiu as mesmas palavras.

— Que eu não vá? perguntou o doutor; mas por quê?

— Salve aquela menina!

— Pois quê! ela está em perigo?

— Não; mas é preciso salvá-la. Pensa que eu não adivinhei o seu pensamento? O senhor quer ir-se embora de uma vez.

— Não; prometo...

— Quer, e eu lhe peço que não vá... pelo menos até amanhã.

— Mas não me explicará...

— Agora, é impossível; pode vir gente; mas esta noite; olhe, à meia-noite, quando ela já estiver dormindo, eu virei aqui e lhe explicarei tudo. Mas promete que não vai?

O rapaz respondeu maquinalmente.

— Prometo. Antônia saiu precipitadamente.

No meio daquela constante alternativa de boas e más impressões, naquele desenrolar de emoções diversas, de mistérios diferentes, era de admirar que o espírito do rapaz não ficasse abalado, tão abalado como o do major. Parece que chegou a recear de si.

Logo depois que saiu Antônia, sentou-se o doutor, e entrou a conjecturar que perigo seria aquele de que era preciso salvar a pequena. Mas não atinando com ele, resolveu ir ter com ela ou com o major, e já se preparava para isso, quando o futuro sogro lhe entrou pelo quarto.

Vinha alegre e lépido.

— Ora, guarde-o Deus, disse ele ao entrar; é a primeira vez que o visito no seu quarto.

— É verdade, respondeu o doutor. Queira sentar-se.

— Mas também o motivo que me traz aqui é importante, disse o velho assentando-se.

— Ah!

— Sabe quem morreu?

— Não.

— O diabo.

Dizendo isto deu uma gargalhada nervosa que fez estremecer ao doutor; o velho continuou:

— Sim, senhor, morreu o diabo; o que é grande fortuna para mim, porque me dá a maior alegria da minha vida. Que lhe parece?

— Parece-me que é uma felicidade para nós todos, disse o Dr. Antero; mas como soube da notícia?

— Soube por carta que recebi hoje do meu amigo Bernardo, também amigo de seu pai. Não vejo o Bernardo há doze anos; chegou agora do Norte, e apressou-se a escrever-me para dar esta agradável notícia.

O velho levantou-se, passeou pelo quarto sorrindo, murmurando algumas palavras sozinho, e parando de quando em quando para contemplar o hóspede.

— Não acha, disse ele numa das vezes que parou, não acha que esta notícia é a melhor festa que posso ter por ocasião de casar minha filha?

— Com efeito, assim é, respondeu o rapaz levantando-se; mas, visto que o inimigo da luz morreu, não falemos mais nele.

— Tem muita razão; não falemos mais nele.

O doutor dirigiu a conversa para assuntos diversos; falou de campanhas, de literatura, de plantações, de tudo quanto afastasse o major dos assuntos angélicos ou diabólicos.

Finalmente saiu o major dizendo que esperava o coronel Bernardo, seu amigo, para jantar, e que teria sumo prazer em apresentar-lhe.

Mas a hora do jantar chegou sem que chegasse o coronel, de maneira que o doutor ficou convencido de que o coronel, a carta e o diabo não passavam de criações do major.

Devia estar convencido desde princípio; e se estivesse convencido estaria em erro, porque o coronel Bernardo apresentou-se em casa às ave-marias.

Era um homem cheio de corpo, robusto, vermelho, olhos vivos, falando apressadamente, um homem sem cuidados nem remorsos. Representava quarenta anos e tinha cinquenta e dois; vestia uma sobrecasaca militar.

O major abraçou o coronel com uma satisfação ruidosa, e apresentou-o ao Dr. Antero como um dos seus melhores amigos. Apresentou o doutor ao coronel declarando ao mesmo tempo que ia ser seu genro; e finalmente mandou chamar a filha, que não tardou muito a chegar à sala.

Quando o coronel pôs os olhos em Celestina arrasaram-se-lhe os olhos de lágrimas; tinha-a visto pequena e achava-a moça feita, e moça bonita. Abraçou-a paternalmente.

Durou a conversa entre os quatro uma meia hora, tempo em que o coronel, com uma volubilidade que contrastava com a frase pausada do major, contou mil e uma circunstâncias da sua vida de província.

No fim desse tempo, o coronel declarou que queria falar em particular ao major; o doutor retirou-se para o seu quarto, deixando Celestina, que poucos minutos depois retirou-se também.

O coronel e o major fecharam-se na sala; ninguém ouvia a conversa, mas o criado viu que só à meia-noite saiu da sala o coronel dirigindo-se para o quarto que lhe haviam preparado.

Quanto ao doutor, apenas entrou no quarto viu sobre a mesa uma carta, com sobrescrito para ele. Abriu e leu o seguinte:

Meu noivo, escrevo-lhe para dizer que não se esqueça de mim, que sonhe comigo, e que goste de mim como eu gosto do senhor. – Sua noiva, Celestina.

Nada mais.

Era uma cartinha de amores pouco parecida com as que se escrevem em casos tais, uma carta simples, ingênua, audaz, sincera.

O rapaz releu-a, beijou-a e levou-a ao coração.

Depois preparou-se para receber a visita de Antônia, que, como os leitores se devem lembrar, estava marcada para a meia-noite.

Para matar o tempo o rapaz abriu um dos livros que estavam sobre a mesa. Acertou de ser *Paulo e Virgínia*; o doutor nunca havia lido o celeste romance; o seu ideal e a sua educação o afastavam daquela literatura. Mas agora tinha o espírito preparado para apreciar páginas tais; sentou-se e leu rapidamente metade da obra.

Capítulo X

À meia-noite ouviu bater à porta; era Antônia.

A boa mulher entrou com preparação; receava que o menor ruído a comprometesse. O rapaz fechou a porta, e fez com que Antônia se sentasse.

— Agradeço-lhe o ter ficado, disse ela sentando-se, e vou dizer-lhe que perigo ameaça a minha pobre Celestina.

— Perigo de vida? perguntou o doutor.

— Mais do que isso.

— De honra?

— Menos que isso.

— Então...

— O perigo da razão; eu receio que a pobre moça fique louca.

— Receia? disse o doutor sorrindo tristemente; está certa de que ela já o não está?

— Estou. Mas pode vir a ficar, tão louca como o pai.

— Esse...

— Esse está perdido.

— Quem sabe?

Antônia abanou a cabeça.

— Deve estar, porque há doze anos que perdeu a razão.

— Sabe o motivo?

— Não sei. Eu vim para esta casa há cinco anos; a menina tinha dez; era, como hoje, uma criaturinha viva, alegre e boa. Mas nunca tinha saído daqui; é provável que não tenha visto em sua vida mais de dez pessoas. Ignora tudo. O pai, que já então estava convencido de que era o anjo Rafael, como ainda hoje diz, repetia-o à filha constantemente, de maneira que ela acredita firmemente ser filha de um anjo. Tentei dissuadi-la disso; mas ela foi contar ao major, e este ameaçou-me de mandar-me embora se eu inculcasse más ideias à filha. Era má ideia dizer à menina que ele não era o que dizia e simplesmente um desgraçado doido.

— E a mãe dela?

— Não conheci; perguntei por ela a Celestina; e soube que ela também a não conhecera, pela razão de que não tivera mãe. Referiu-me ter sabido, por boca de seu pai, que ela viera ao mundo por obra e graça do céu. Bem vê que a menina não está louca; mas aonde irá ter com estas ideias?

O doutor estava pensativo; compreendia agora as palavras incoerentes da moça ao piano. A narração de Antônia era verossímil. Cumpria salvar a moça levando-a para fora dali. Para isso o casamento era o melhor meio.

— Tens razão, boa Antônia, disse ele, salvaremos Celestina; descansa em mim.

— Jura?

— Juro.

Antônia beijou a mão ao rapaz, derramando algumas lágrimas de contentamento. É que Celestina era para ela mais do que ama, era uma espécie de filha criada na solidão.

Saiu a criada, e o doutor deitou-se, não só porque a hora era adiantada, como porque o seu espírito pedia algum repouso ao cabo de tantas e novas emoções.

No dia seguinte falou ao major na necessidade de abreviar o casamento, e por consequência na de arranjar os papéis.

Concordou-se que o casamento seria na capela de casa, e o major concedeu licença para que um padre os casasse; isto pela consideração de que, se Celestina, como filha de um anjo, estava acima de um padre, não acontecia o mesmo com o doutor, que era simplesmente um homem.

Quanto aos papéis, levantou-se uma dúvida relativamente à declaração do nome da mãe da moça. O major declarou peremptoriamente que Celestina não tinha mãe.

Mas o coronel, que estava presente, interveio no debate, dizendo ao major estas palavras, que o doutor não compreendeu, mas que lhe fizeram impressão:

— Tomás! lembra-te de ontem à noite.

O major calou-se imediatamente. Quanto ao coronel, voltando-se para o Dr. Antero disse-lhe:

— Tudo se há de arranjar: descanse.

A conversa ficou nisto.

Mas houve quanto bastasse para que o doutor descobrisse nas mãos do coronel Bernardo o fio daquela meada. O rapaz não hesitou em aproveitar a primeira ocasião para entender-se com o coronel a fim de o informar acerca dos mil e um pontos obscuros daquele quadro que há dias tinha diante dos olhos.

Celestina não assistira à conversa; estava na outra sala tocando piano. O doutor lá foi ter com ela, e achou-a triste. Perguntou-lhe por quê.

— Eu sei! respondeu a moça; está-me parecendo que o senhor não gosta de mim; e se me perguntar por que a gente gosta dos outros, não sei.

O moço sorriu, pegou-lhe na mão, apertou-a entre as suas, e levou-a aos lábios. Desta vez, Celestina não gritou, nem resistiu; ficou a olhar embebida para ele, pendente dos seus olhos, pode-se dizer que pendente da sua alma.

Capítulo XI

Na noite seguinte, o Dr. Antero passeava no jardim, justamente por baixo da janela de Celestina. A moça não sabia que ele se achava ali, nem o rapaz quis por modo nenhum chamar a atenção dela. Contentava-se em olhar de longe, vendo de quando em quando desenhar-se na parede a sombra daquele delicado corpo.

Havia lua e o céu estava sereno. O doutor, que até ali não conhecia nem apreciava os mistérios da noite, aprazia-se agora em conversar com o silêncio, a sombra e a solidão.

Quando se achava mais embebido com os olhos na janela, sentiu que alguém lhe batia no ombro.

Estremeceu, e voltou-se rapidamente.

Era o coronel.

— Olá, meu caro doutor, disse o coronel, faz um idílio antes do casamento?

— Estou tomando fresco, respondeu o doutor; a noite está magnífica e lá dentro está calor.

— Isto é verdade; eu também vim tomar fresco. Passeemos, se lhe não interrompo as reflexões.

— Pelo contrário, e eu até estimo...

— Ter-me encontrado?

— Justo.

— Pois então melhor.

O rumor das palavras trocadas pelos dois foi ouvido no quarto de Celestina. A moça chegou à janela e procurou ver se descobria de quem eram as vozes.

— Lá está ela, disse o coronel. Olhe!

Os dois homens aproximaram-se, e o coronel disse para Celestina:

— Somos nós, Celestina; eu e o teu noivo.

— Ah! que andam fazendo?

— Bem vês; tomando fresco.

Houve um silêncio.

— Não me diz nada, doutor? perguntou a moça.

— Contemplo-a.

— Faz bem, respondeu ela; mas como o ar pode fazer-me mal, boa noite.

— Boa noite!

Celestina entrou, e pouco depois fechou-se a janela.

Quanto aos dois homens, dirigiram-se para um banco de pau que ficava na outra extremidade do jardim.

— Diz então que estimava encontrar-me?

— É verdade, coronel; peço-lhe uma informação.

— E eu vou dar-lhe.

— Sabe o que é?

— Adivinho.

— Tanto melhor; evita-me um discurso.

— Quer saber quem é a mãe de Celestina?

— Em primeiro lugar.

— Pois que mais?

— Quero saber depois qual a razão desta loucura do major.

— Não sabe nada?

— Nada. Eu estou aqui em consequência de uma aventura singularíssima que lhe vou narrar.

O doutor repetiu ao coronel a história da carta e do recado que o chamara ali, sem ocultar que o convite do major chegara justamente na ocasião em que ele se achava disposto a romper com a vida.

O coronel ouviu atentamente a narração do moço; ouviu também a confissão de que a entrada naquela casa fizera do doutor um bom homem, quando não passava de um homem inútil e mau.

— Confissão por confissão, disse o doutor; venha a sua.

O coronel tomou a palavra.

— Fui amigo de seu pai e do major; seu pai morreu há muito; ficamos eu e o major como dois sobreviventes dos três irmãos

Horácios, nome que nos davam os homens do nosso tempo. O major era casado, eu solteiro. Um dia, por motivos que não vêm ao caso, o major suspeitou que sua mulher lhe era infiel, e expulsou-a de casa. Eu também acreditei na infidelidade de Fernanda, e aprovei, em parte, o ato do major. Digo-lhe em parte, porque a pobre mulher no dia seguinte não tinha de comer; e foi de minha mão que recebeu alguma coisa. Protestou ela por sua inocência com as lágrimas nos olhos; eu não acreditei nas lágrimas nem nos protestos. O major ficou louco, e veio então para esta casa com a filha, e nunca mais saiu. Acontecimentos imprevistos me obrigaram a ir pouco depois para o Norte, onde estive até há pouco. E não teria voltado se...

O coronel estacou.

— Que é? perguntou-lhe o doutor.

— Não vê um vulto ali?

— Aonde?

— Ali.

Com efeito encaminhava-se um vulto para os dois interlocutores; a alguns passos reconheceram ser o criado José.

— Sr. Coronel, disse o criado, ando à sua procura.

— Por quê?

— O amo quer falar-lhe.

— Bem; lá vou.

O criado retirou-se, e o coronel continuou:

— Não teria voltado se não adquirisse a certeza de que as suspeitas do major eram todas infundadas.

— Como?

— Fui encontrar, depois de tantos anos, na província em que me achava, a esposa do major servindo de criada em uma casa. Tinha tido uma vida exemplar; as informações que obtive confirmavam as asseverações dela. As suspeitas fundavam-se numa carta achada em poder dela. Ora, essa carta comprometia uma mulher, mas não era Fernanda; era outra, cujo testemunho ouvi no ato de morrer. Compreendi que era talvez o meio de chamar o major à razão vir contar-lhe isso tudo. Vim, com efeito, e expus-lhe o que sabia.

— E ele?

— Não acredita; e quando parece ir-se convencendo das minhas asseverações, volta-lhe a ideia de que ele não é casado, porque os anjos não casam; enfim, o mais que o senhor sabe.

— Então está perdido?

— Creio que sim.

— Nesse caso cumpre salvar-lhe a filha.

— Por quê?

— Porque o major educou Celestina na mais absoluta reclusão possível, e desde pequena incutiu-lhe a ideia de que anda possuído, de maneira que eu tenho medo de que a pobre moça sofra igualmente.

— Descanse; o casamento será feito quanto antes; e o senhor a levará daqui; em último caso, se não pudermos convencê-lo, sairão sem que ele o saiba.

Levantaram-se os dois, e ao chegarem perto de casa, saiu-lhes ao encontro o criado, trazendo um novo recado do major.

— Parece-me que está doente, acrescentou o criado.

— Doente?

O coronel apressou-se a ir ter com o amigo, enquanto o doutor foi para o quarto esperar notícias dele.

Capítulo XII

Quando o coronel entrou no quarto do major achou-o muito aflito. Passeava de um lado para outro, agitado, proferindo palavras incoerentes, com o olhar desvairado.

— Que tens, Tomás?

— Ainda bem que vieste, disse o velho; sinto-me mal; veio aqui há pouco um anjo buscar-me; disse-me que eu estava fazendo falta no céu. Creio que me vou embora desta vez.

— Deixa-te disso, respondeu o coronel; foi caçoada do anjo; descansa, tranquiliza-te.

O coronel conseguiu fazer com que o major se deitasse. Apalpou-lhe o pulso, e sentiu-lhe febre. Entendeu que era conveniente mandar buscar um médico, e deu ordem ao criado nesse sentido.

Acalmou-se a febre do major, que conseguiu dormir um pouco; o coronel mandou preparar uma cama no mesmo quarto, e depois de ir dar parte ao doutor do que acontecera, voltou para o quarto do major.

No dia seguinte o doente levantou-se melhor; o médico, tendo chegado sobre a madrugada, não chegou a aplicar-lhe nenhum remédio, mas lá ficou para o caso de ser preciso.

Quanto a Celestina, nada soube do que havia acontecido; e acordou alegre e viva como nunca.

Mas sobre a tarde voltou a febre ao major, e desta vez de um modo violento. Dentro de pouco tempo declarou-se a proximidade da morte.

O coronel e o doutor tiveram cuidado de afastar Celestina, que não sabia o que era morrer, e podia sofrer com a vista do pai moribundo.

O major, cercado pelos dois amigos, pedia-lhes com instância que lhe fossem buscar a filha; mas eles não consentiram nisso. Então, o pobre velho instou com o doutor que não deixasse de casar com ela, e ao mesmo tempo repetiu a declaração de que lhe deixava uma fortuna.

Enfim sucumbiu.

Ficou assentado entre o coronel e o doutor que a morte do major seria participada à filha depois de feito o enterro, e que este teria lugar com a maior discrição possível. Assim se fez.

A ausência do major ao almoço e ao jantar do dia seguinte foi explicada a Celestina como proveniente de uma conferência em que ele estava com pessoas de sua amizade.

De maneira que, ao passo que do outro lado da casa se achava o cadáver do pai, a filha ria e conversava à mesa como nos seus melhores dias.

Mas feito o enterro era preciso dizê-lo à filha.

— Celestina, disse-lhe o coronel, tu vais casar brevemente com o Dr. Antero.

— Mas quando?

— Daqui a dias.

— Dizem-me isso há que tempo!

— Pois agora é de uma vez. Teu pai...

— Que tem?

— Teu pai não volta por enquanto.

— Não volta? disse a moça. Pois onde foi ele?

— Teu pai foi para o céu.

A moça ficou pálida ouvindo a notícia; não lhe ligava nenhuma ideia fúnebre; mas o coração adivinhava que por trás daquela notícia havia uma catástrofe.

O coronel procurou distraí-la. Mas a moça, vertendo duas lágrimas, duas só, mas que valiam por cem, disse com profunda amargura:

— Papai foi para o céu e não se despediu de mim!

Depois recolheu-se ao quarto até o dia seguinte.

O coronel e o doutor passaram a noite juntos.

Declarou o doutor que a fortuna do major estava por trás de uma estante, na biblioteca, e que ele sabia o meio de abri-la. Assentaram os dois no meio de apressar o casamento de Celestina sem prejuízo dos atos da justiça.

Cumpria, porém, antes de tudo, arrancar a moça daquela casa; o coronel indicou a casa de uma parenta sua, para onde a levariam no dia seguinte. Assentados estes pormenores, o coronel perguntou ao doutor:

— Ora, diga-me; não crê agora que haja uma providência?

— Sempre acreditei.

— Não minta; se acreditasse não teria recorrido ao suicídio.

— Tem razão, coronel; dir-lhe-ei até: eu era um pouco de lodo, hoje sinto-me pérola.

— Compreendeu-me bem; eu não queria aludir à fortuna que veio encontrar aqui, mas a essa reforma de si mesmo, a essa renovação moral, que obteve com este ar e na contemplação daquela formosa Celestina.

— Diz bem, coronel. Quanto à fortuna, estou pronto a...

— A quê? a fortuna é de Celestina; não deve desfazer-se dela.

— Mas podem supor que o casamento...

— Deixe supor, meu amigo. Que lhe importa ao senhor que suponham? Não tem a sua consciência, que lhe não argue coisa nenhuma?

— É verdade; mas a opinião...

— A opinião, meu caro, não é mais do que uma opinião; não é a verdade. Acerta às vezes; outras calunia, e quer a desgraça que mais vezes calunie do que acerte.

O coronel em matéria de opinião pública era um perfeito ateu; negava-lhe a autoridade e a supremacia. Umas das suas máximas era esta: "A opinião pública é um muro em branco: aceita tudo quanto lhe escrevem em cima, quer venha da mão de um garoto, quer da de um homem de bem".

Foi difícil ao doutor e ao coronel convencer a Celestina de que deveria sair daquela casa; mas enfim alcançaram levá-la para a cidade de noite. A parenta do coronel, prevenida a tempo, recebeu-a em casa.

Arranjadas as coisas de justiça, tratou-se de realizar o casamento.

Antes porém de chegar a esse ponto tão almejado pelos dois noivos, foi preciso habituar Celestina à vida nova que começava a viver e que ela não conhecia. Educada entre as paredes de uma casa isolada, longe de todo o rumor, e sob direção de um homem enfermo da razão, Celestina entrou num mundo que jamais sonhara, nem dele tinha notícia.

Tudo para ela era objeto de curiosidade e espanto. Cada dia trazia-lhe uma emoção nova.

Admirava a todos que, apesar da singular educação que tivera, soubesse tocar tão bem; ela tivera com efeito um mestre chamado pelo major, que desejava, dizia ele, mostrar que um anjo, e principalmente o anjo Rafael, sabia fazer as coisas como os homens. Quanto à leitura e escritura, foi ele mesmo quem lhe as ensinou.

Capítulo XIII

Logo depois que voltou à cidade, o Dr. Antero teve cuidado de escrever a seguinte carta aos seus amigos:

O Dr. Antero da Silva, recentemente suicidado, tem a honra de participar a V. que voltou do outro mundo, e se acha ao seu dispor no hotel de ***.

Encheu-se-lhe a sala de gente que correra a vê-lo; alguns incrédulos supuseram simples caçoada de algum homem amigo de pregar peças aos outros. Foi um concerto de exclamações:

— Não morreste!

— Pois quê! estás vivo!

— Mas que foi isto!

— Aqui houve milagre!

— Qual milagre, respondia o doutor; foi simplesmente um meio engenhoso de ver a impressão que causaria a minha morte; já soube quanto quisera saber.

— Oh! disse um dos presentes, foi profunda; pergunta ao César.

— Quando soubemos do desastre, acudiu César, não quisemos crer; corremos à tua casa; era infelizmente verdade.

— Que marreco! exclamava um terceiro, fazer-nos chorar por ele, quando talvez se achasse perto de nós... Nunca te hei de perdoar aquelas lágrimas.

— Mas, disse o doutor, a polícia parece que chegou a reconhecer o meu cadáver.

— Disse que sim, e eu acreditei.

— Eu também.

Nesse momento entrou na sala um novo personagem; era o criado Pedro.

O doutor rompeu por entre os amigos e foi abraçar o criado, que entrou a derramar lágrimas de contentamento.

Aquela efusão em relação a um criado, comparada à frieza relativa com que o doutor os recebera, incomodou aos amigos que ali se achavam. Era eloquente. Saíram os amigos pouco depois declarando que o contentamento de vê-lo lhes inspirava a ideia de lhe dar um jantar. O doutor recusou o jantar.

No dia seguinte, os jornais declararam que o Dr. Antero da Silva, que se julgava morto, se achava vivo e aparecera; e logo nesse dia recebeu o doutor a visita dos credores, que, pela primeira vez, viam ressuscitar uma dívida já sepultada.

Quanto ao folhetinista de um dos jornais que tratara da morte do doutor e da carta que ele deixara, encabeçou o seu artigo do próximo sábado assim:

Dizem que reapareceu o autor de uma carta com que me ocupei ultimamente. Será verdade? Se voltou não é autor da carta; se é autor da carta não voltou.

A isto respondeu o ressuscitado:

Voltei do outro mundo, e apesar disso sou o autor da carta. Do mundo de que venho trago uma boa filosofia: ter em nenhuma conta a opinião dos meus contemporâneos, e em menos ainda a dos meus amigos. Trouxe mais alguma coisa, mas isso importa pouco ao público.

Capítulo XIV

Efetuou-se o casamento três meses depois.

Celestina estava outra; perdera aquele estouvamento ignorante que era o principal traço do seu caráter, e com ele as ideias extravagantes que o major lhe incutira.

O coronel assistiu ao casamento.

Um mês depois o coronel foi despedir-se dos noivos, voltava para o Norte.

— Adeus, meu amigo, disse-lhe o doutor; nunca esquecerei o que fez por mim.

— Eu não fiz nada; ajudei a boa sorte.

Celestina despediu-se do coronel com lágrimas.

— Por que choras, Celestina? disse o velho, eu volto breve.

— Sabe por que ela chora? perguntou o doutor; eu já lhe disse que sua mãe estava no Norte; ela sente não poder vê-la.

— Ve-la-á, porque eu vou buscá-la.

Quando o coronel saiu, Celestina pôs os braços à roda do pescoço do marido, e disse com um sorriso entre lágrimas:

— Ao pé de ti e de minha mãe, que mais quero eu na terra?

No ideal da felicidade da moça já não entrava o coronel. Ó amor! ó coração! ó egoísmo humano!

Penso que ha, e eis a minha opinião a esse respeito. Como já disse, a severidade do clima exige uma grande temperança; ora, o brasileiro é eminentemente sobrio, e além disso respeita em geral as leis da hygiene publica e da hygiene privada. Demais, nesse periodo do anno, evita o mais que lhe é possivel a moradia na cidade velha e é ainda Botafogo que lhe serve de refugio. A epidemia, effectivamenie, é menos rigorosa ahi e póde-se dizer que esse arrabalde fica isempto da enfermidade.

E, ao contrario, o que vemos na cidade velha, e principalmente na visinhança do porto? E' ahi que ficam o mercado, e os caes de desembarque das mercadorias, os armazens de viveres. E' ahi que se *accumulam* em casas insalubres os numerosos trabalhadores estrangeiros especialmente portuguezes, que veem para o Rio de Janeiro com a mira no ganho. Esses desgraçados, torturados pelo demonio do ganho, desprezam as mais elementares prescripções da hygiene. O seu regimem e o mais vicioso e é exclusivamente entre elles que se encontram os bebedores de alcool.

Accrescentae a isso que a cidade foi construida de um modo deploravel; que em certos logares ha absoluta falta de esgotos; que um dos meios de se verem livres de uma latrina consiste simplesmente em enchel-a e abandonal-a! Que admira pois que seja ahi que a epidemia exerça principalmente a sua devastação e appareça todas as vezes que as condições climaterias se prestam? Similhante estado de cousas, em nossas cidades européas, geraria immediatamente, não o *vomito-negro*, mas certamente uma molestia do mesmo genero, o typho ou qualquer outra.

(*Continúa*) DR. CH. CORBISIER.

LITTERATURA

O ALIENISTA

I

DE COMO ITAGUAHY GANHOU UMA CASA DE ORATES.

As chronicas da villa de Itaguahy dizem que em tempos remotos vivera alli um certo medico, o Dr. Simão Bacamarte, filho da nobreza da terra e o maior dos medicos do Brazil, de Portugal e das Hespanhas. Estudára em Coimbra e Padua. Aos trinta e quatro annos regressou ao Brazil, não podendo el-rei alcançar delle que ficasse em Coimbra, regendo a universidade, ou em Lisboa, expedindo os negocios da monarchia.

— A sciencia, disse elle a Sua Magestade, é o meu emprego unico; Itaguahy é o meu universo.

Dito isto, metteu-se em Itaguahy, e entregou-se de corpo e alma ao estudo da sciencia, alternando os livros com as molestias, e demonstrando os theoremas com cataplasmas. Aos quarenta annos casou com D. Evarista da Costa e Mascarenhas, senhora de vinte e cinco annos, viuva de um juiz de fóra, e não bonita nem sympathica. Um dos tios delle, caçador de pacas perante o Eterno, e não menos franco, admirou-se de semelhante escolha e disse-lh'o. Simão Bacamarte explicou-lhe que D. Evarista reunia condições physiologicas e anatomicas de primeira ordem, digeria com facilidade, dormia regularmente, tinha bom pulso, e excel-

Anno IX | Rio de Janeiro — Sexta-feira 30 de Março de 1883 | N. 89

GAZETA DE NOTICIAS

PAGAMENTO ADIANTADO

Escriptorio — Rua do Ouvidor n. 70
RIO DE JANEIRO

Typographia — Rua Sete de Setembro n. 72
RIO DE JANEIRO

Numero avulso 40 rs.

As assignaturas começam em qualquer dia e terminam sempre em fins de março, junho, setembro ou dezembro

Os artigos enviados á redacção não serão restituidos ainda que não sejam publicados

Numero avulso 40 rs.

Tiragem 24.000 exemp.

HYGIENE PUBLICA

[illegible]

TELEGRAMMAS

Serviço Especial da «Gazeta de Noticias»

MONTEVIDÉO, 29 de março.

Um telegramma de Santiago communica que a guerra vai entrar em novo periodo de actividade.

Uma expedição ao mando do coronel Arriaza partiu para o Perú, com o fim de bater as tropas de Caceres.

O caudilho peruano Iglesias pedia paz. Na Bolivia continuam as conferencias.

Serviço da «Havas»

Berlim, 27 de março.

Está completamente restabelecido o Imperador da Allemanha.

Messina, 27 de março.

Cessou a erupção do velcão Etna. Não houve sinistros.

Roma, 27 de março.

Foi explodida uma lata contendo forte carga de polvora.

O facto deu-se junto do ministerio da justiça.

A explosão não causou morte: a policia procedeu á detenção de diversas pessoas indigitadas como auctores do facto criminoso.

(J. do C.)

ARTIGO OITENTA

[illegible]

EXPOSIÇÃO [illegible] BRAZILEIRA

[illegible]

S. PAULO

[illegible]

CREMAÇÃO

[illegible]

GOMINUS

[illegible]

A IDÉA DE EZEQUIEL MAIA

A Idéa de Ezequiel Maia era achar um [illegible] que lhe permittisse [illegible] o véo do revolvimento illusorio que dá o aspecto material ás cousas. Ezequiel era idealista. Negava abertamente a existencia dos corpos. [illegible]

[illegible]

FOLHETIM

JOÃO FERA

POR EMILIO RICHEBOURG

PRIMEIRA PARTE

VII

[illegible]

A ideia do Ezequiel Maia[1]

A ideia do Ezequiel Maia era achar um mecanismo que lhe permitisse rasgar o véu ou revestimento ilusório que dá o aspecto material às coisas. Ezequiel era idealista. Negava abertamente a existência dos corpos. Corpo era uma ilusão do espírito, necessária aos fins práticos da vida, mas despida da menor parcela de realidade. Em vão os amigos lhe ofereciam finas viandas, mulheres deleitosas, e lhe pediam que negasse, se podia, a realidade de tão excelentes coisas. Ele lastimava, comendo, a ilusão da comida; lastimava-se a si mesmo, quando tinha ante si os braços magníficos de uma senhora. Tudo concepção do espírito; nada era nada. Esse mesmo nome de Maia não o tomou ele, senão como um símbolo. Primitivamente, chamava-se Nóbrega; mas achou que os hindus celebram uma deusa, mãe das ilusões, a que dão o nome de Maia, e tanto bastou para que trocasse por ele o apelido de família.

A opinião dos amigos e parentes era que este homem tinha o juízo a juros naquele banco invisível, que nunca paga os juros, e, quando pode, guarda o capital. Parece que sim; parece também que ele não tocou de um salto o fundo do abismo, mas escorregando, indo de uma restauração da cabala para outra da astrologia, da astrologia à quiromancia, da quiromancia à charada, da charada ao espiritismo, do espiritismo ao niilismo idealista. Era inteligente e lido; formara-se em matemáticas, e os professores desta ciência diziam que ele a conhecia como gente.

Depois de largo cogitar, achou Ezequiel um meio: abstrair-se pelo nariz. Consistia em fincar os olhos na extremidade do nariz, à maneira do faquir, embotando a sensibilidade ao ponto de perder toda a consciência do mundo exterior. Cairia então o véu ilusório das coisas; entrar-se-ia no mundo exclusivo dos espíritos. Dito

[1] Publicado em *Gazeta de Notícias* (30 de março de 1883).

e feito. Ezequiel metia-se em casa, sentava-se na poltrona, com as mãos espalmadas nos joelhos, e os olhos na ponta do nariz. Pela afirmação dele, a abstração operava-se em vinte minutos, e poderia fazer-se mais cedo, se ele não tivesse o nariz tão extenso. A inconveniência de um nariz comprido é que o olhar, desde que transpusesse uma certa linha, exercia mais facilmente a miserável função ilusória. Vinte minutos, porém, era o prazo razoável de uma boa abstração. O Ezequiel ficava horas e horas, e às vezes dias e dias, sentado, sem se mexer, sem ver nem ouvir; e a família (um irmão e duas sobrinhas) preferia deixá-lo assim, a acordá-lo; não se cansaria, ao menos, na perpétua agitação do costume.

— Uma vez abstrato, dizia ele aos parentes e familiares, liberto-me da ilusão dos sentidos. A aparência da realidade extingue-se, como se não fosse mais do que um fumo sutil, evaporado pela substância das coisas. Não há então corpos; entesto com os espíritos, penetro-os, revolvo-os, congrego-me, transfundo-me neles. Não sonhaste a noite passada comigo, Micota?

— Sonhei, titio, mentia a sobrinha.

— Não era sonho; era eu mesmo que estava contigo; por sinal que me pedias as festas, e eu prometi-te um chapéu, um bonito chapéu enfeitado de plumas...

— Isso é verdade, acudia a sobrinha.

— Tudo verdade, Micota; mas a verdade única e verdadeira. Não há outra; não pode haver verdade contra verdade, assim como não há sol contra sol.

As experiências do Ezequiel repetiram-se durante seis meses. Nos dois primeiros meses, eram simples viagens universais; percorria o globo e os planetas dentro de poucos minutos, aniquilava os séculos, abrangia tudo, absorvia tudo, difundia-se em tudo. Saciou assim a primeira sede da abstração. No terceiro mês, começou uma série de excursões analíticas. Visitou primeiramente o espírito do padeiro da esquina, de um barbeiro, de um coronel, de um magistrado, vizinhos da mesma rua; passou depois ao resto da paróquia, do distrito e da capital, e recolheu quantidade de observações interessantes. No quarto mês empreendeu um estudo que lhe comeu cinquenta e seis dias: achar a filiação das ideias, e remontar à primeira ideia do homem. Escreveu sobre este assunto uma extensa memória, em que provou a todas as luzes que a primeira ideia do homem foi o círculo, não sendo o homem simbolicamente outra coisa: – um círculo lógico, se o considerarmos na pura condição espiritual; e se o tomarmos com o invólucro material, um círculo vicioso. E exemplificava. As crianças brincam com arcos, fazem rodas umas com as outras; os legisladores parlamentares sentam-se geralmente em círculo, e as constantes alterações do poder, que tanta gente condena, não são mais do que uma necessidade fisiológica e política de fazer circular os homens. Que são a infância e a decrepitude, senão as duas pontas ligadas deste círculo da vida? Tudo isso lardeado de trechos latinos, gregos e hebraicos, verdadeiro pesadelo, fruto indigesto de uma inteligência pervertida. No sexto mês...

— Ah! meus amigos, o sexto mês é que me trouxe um achado sublime, uma solução ao problema do senso moral. Para os não cansar; restrinjo-me ao exame comparativo que fiz em dois indivíduos da nossa rua, o Neves do nº 25, e o Delgado. Sabem que eles ainda são parentes.

E aí começou o Ezequiel uma narração tão extraordinária, que os amigos não puderam ouvir sem algum interesse. Os dois vizinhos eram da mesma idade, mais ou menos, quarenta e tantos anos, casados, com filhos, sendo que o Neves liquidara o negócio desde algum tempo, e vivia das rendas, ao passo que o Delgado continuara o negócio, e justamente falira três semanas antes.

— Vocês lembram-se ter visto o Delgado entrar aqui em casa um dia muito triste?

Ninguém se lembrava, mas todos disseram que sim.

— Desconfiei do negócio, continuou o Ezequiel, abstraí-me, e fui direito a ele. Achei-lhe a consciência agitada, gemendo, contorcendo-se; perguntei-lhe o que era, se tinha praticado alguma morte, e respondeu-me que não; não praticara morte nem roubo, mas espancara a mulher, metera-lhe as mãos na cara, sem motivo, por um assomo de cólera. Cólera passageira, disse-lhe, e uma vez que façam as pazes... – Estão feitas, acudiu ele; Zeferina perdoou-me tudo, chorando; ah! doutor, é uma santa mulher! – E então? – Mas não posso esquecer que lhe dei, não me perdoo isto; sei que foi na cegueira da raiva, mas não posso perdoar-me, não posso. E a consciência tornou a doer-lhe, como a princípio, inquieta, convulsa. Dá cá aquele livro, Micota.

Micota trouxe-lhe o livro, um livro manuscrito, in folio, capa de couro escuro e lavrado. O Ezequiel abriu-o na página 140, onde o nome do Delgado estava escrito com esta nota: – "Este homem possui o senso moral". Escrevera a nota, logo depois daquele episódio; e todas as experiências futuras não vieram senão confirmar-lhe a primeira observação.

— Sim, ele tem o senso moral, continuou o Ezequiel. Vocês vão ver se me enganei. Dias depois, tendo-me abstraído, fui logo a ele, e achei-o na maior agitação. – Adivinho, disse-lhe; houve outra expansão muscular, outra correção... Não me respondeu nada; a consciência mordia-se toda, presa de um furor extraordinário. Como se apaziguasse de quando em quando, aproveitei os intervalos para teimar com ele. Disse-me então que jurara falso para salvar um amigo, ato de covardia e de impiedade. Para atenuá-lo, lembrava-se dos tormentos da véspera, da luta que sustentara antes de jazer a promessa de ir jurar falso; recordava também a amizade antiga ao interessado, os favores recebidos, uns de recomendação, outros de amparo, alguns de dinheiro; advertia na obrigação de retribuir os benefícios, na ridicularia de uma gratidão teórica, sentimental, e nada mais. Quando ele amontoava essas razões de justificação ou desculpa, é que a consciência parecia tranquila; mas, de repente, todo o castelo voava a um piparote desta palavra: "Não devias ter jurado falso". E a consciência revolvia-se, frenética, desvairada, até que a própria fadiga lhe trazia algum descanso.

Ezequiel referiu ainda outros casos. Contou que o Delgado, por sugestões de momento, faltara algumas vezes à verdade, e que, a cada mentira, a consciência raivosa dava sopapos em si mesma. Enfim, teve o desastre comercial, e faliu. O sócio, para abrandar a inclemência dos fados, propôs-lhe um arranjo de escrituração. Delgado recusou a pés juntos; era roubar os credores, não devia fazê-lo. Debalde o sócio lhe demonstrava que não era roubar os credores, mas resguardar a família, coisa diferente. Delgado abanou a cabeça. Não e não; preferia ficar pobre, miserável, mas honrado; onde houvesse um recanto de cortiço e um pedaço de carne-seca, podia viver. Demais, tinha braços. Vieram as lágrimas da mulher, que lhe não pediu nada mas trouxe as lágrimas e os filhos. Nem ao menos as crianças vieram chorando; não, senhor; vieram alegres, rindo, pulando muito, sublinhando assim a crueldade da fortuna. E o sócio, ardilosamente ao ouvido: – Ora vamos; veja você se é lícito trair a confiança destes inocentes. Veja se... Delgado afrouxou e cedeu.

— Não, nunca me há de esquecer o que então se passou naquela consciência, continuou o Ezequiel; era um tumulto, um clamor, uma convulsão diabólica, um ranger de dentes, uma coisa única. O Delgado não ficava quieto três minutos; ia de um lado para outro, atônito, fugindo a si mesmo. Não dormiu nada a primeira noite. De manhã saiu para andar à toa; pensou em matar-se; chegou a entrar em uma casa de armas, à Rua dos Ourives, para comprar um revólver, mas advertiu que não tinha dinheiro, e retirou-se. Quis deixar-se esmagar por um carro. Quis enforcar-se com o lenço. Não pensava no código; por mais que o revolvesse, não achava lá a ideia da cadeia. Era o próprio delito que o atormentava. Ouvia vozes misteriosas que lhe davam o nome de falsário, de ladrão; e a consciência dizia-lhe que sim, que ele era um ladrão e um falsário. Às vezes pensava em comprar um bilhete de Espanha, tirar a sorte grande, convocar os credores, confessar tudo, e pagar-lhes integralmente, com juro, um juro alto, muito alto, para puni-lo do crime... Mas a consciência replicava logo que era um sofisma, que os credores seriam pagos, é verdade, mas só os credores. O ato ficava intacto. Queimasse ele os livros e dispersasse as cinzas ao vento, era a mesma coisa; o crime subsistia. Assim passou três noites, três noites cruéis, até que no quarto dia, de manhã, resolveu ir ter com o Neves e revelar-lhe tudo.

— Descanse, titio, disse-lhe uma das sobrinhas, assustada com o fulgor dos olhos do Ezequiel.

Mas o Ezequiel respondeu que não estava cansado, e contaria o resto.

O resto era estupendo. O Neves lia os jornais no terraço, quando o Delgado lhe apareceu. A fisionomia daquele era tão bondosa, a palavra com que o saudou – "Anda cá, Juca!" vinha tão impregnada da velha familiaridade, que o Delgado esmoreceu. Sentou-se ao pé dele, acanhado, sem força para lhe dizer nem lhe pedir nada, um conselho, ou, quando menos, uma consolação. Em que língua narraria o delito a um homem cuja vida era um modelo, cujo nome era um exemplo? Viveram juntos; sabia que a alma do Neves era como um céu imaculado, que só interrompia o azul para cravejá-lo de estrelas. Estas eram as boas palavras que ele costumava dizer aos amigos. Nenhuma ação que o desdourasse. Não espancara a mulher, não jurara falso, não emendara a escrituração, não mentiu, não enganou ninguém.

— Que tem você? perguntou o Neves.

— Vou contar-lhe uma coisa grave, explodiu o Delgado; peço-lhe desde já que me perdoe.

Contou-lhe tudo. O Neves, que a princípio o ouvira com algum medo, por ele lhe ter pedido perdão, depressa respirou; mas não deixou de reprovar a imprudência do Delgado. Realmente, onde tinha ele a cabeça para brincar assim com a cadeia? Era negócio grave; urgia abafá-lo, e, em todo caso, estar alerta. E recordava-lhe o conceito em que sempre teve o tal sócio. – "Você defendia-o então; e aí tem a bela prenda. Um maluco!" O Delgado, que trazia consigo o remorso, sentiu incutir-se-lhe o terror; e, em vez de um remédio, levou duas doenças.

"Justos céus! exclamou consigo o Ezequiel, dar-se-á que este Neves não tenha o senso moral?"

Não o deixou mais. Esquadrinhou-lhe a vida; talvez alguma ação do passado, alguma coisa... Nada; não achou nada. As reminiscências do Neves eram todas de uma vida regular, metódica, sem catástrofes, mas sem infrações. O Ezequiel estava atônito. Não podia conciliar tanta limpeza de costumes com a absoluta ausência de senso moral. A verdade, porém, é que o contraste existia. Ezequiel ainda advertiu na sutileza do fenômeno e na conveniência de verificá-lo bem. Dispôs-se a uma longa análise. Entrou a acompanhar o Neves a toda a parte, em casa, na rua, no teatro, acordado ou dormindo, de dia ou de noite.

O resultado era sempre o mesmo. A notícia de uma atrocidade deixava-o interiormente impassível; a de uma indignidade também. Se assinava qualquer petição (e nunca recusou nenhuma) contra um ato impuro ou cruel, era por uma razão de conveniência pública, a mesma que o levava a pagar para a Escola Politécnica, embora não soubesse matemáticas. Gostava de ler romances e de ir ao teatro; mas não entendia certos lances e expressões, certos movimentos de indignação, que atribuía a excessos de estilo. Ezequiel não lhe perdia os sonhos, que eram, às vezes, extraordinários. Este, por exemplo: sonhou que herdara as riquezas de um nababo, forjando ele mesmo o testamento e matando o testador. De manhã, ainda na cama, recordou todas as peripécias do sonho, com os olhos no teto, e soltou um suspiro.

Um dia, um fâmulo do Neves, andando na rua, viu cair uma carteira do bolso de um homem, que caminhava adiante dele, apanhou-a e guardou-a. De noite, porém, surgiu-lhe este caso de consciência: – se um *caído* era o mesmo que um *achado*. Referiu o negócio ao Neves, que lhe perguntou, antes de tudo, se o homem vira cair a carteira; sabendo que não, levantou os ombros. Mas, conquanto o fâmulo fosse grande amigo dele, o Neves arrependeu-se do gesto, e, no dia seguinte, comendou-lhe a entrega da carteira; eis as circunstâncias do caso. Indo de *bond*, o condutor esqueceu-se de lhe pedir a passagem; Neves, que sabia o valor do dinheiro, saboreou mentalmente esses duzentos réis caídos; mas advertiu que algum passageiro poderia ter notado a falta, e, ostensivamente, por cima da cabeça de outros, deu a moeda ao condutor. Uma ideia traz outra; Neves lembrou-se que alguém podia ter visto cair a carteira e apanhá-la o fâmulo; foi a este, e compeliu-o a anunciar o achado. "A consideração pública, Bernardo, disse ele, é a carteira que nunca se deve perder."

Ezequiel notou que este adágio popular – ladrão que furta a ladrão tem cem anos de perdão – estava incrustado na consciência do Neves, e parecia até inventado por ele. Foi o único sentimento de horror ao crime, que lhe achou; mas, analisando-o, descobriu que não era senão um sentimento de desforra contra o segundo roubado, o aplauso do logro, uma consolação no prejuízo, um antegosto do castigo que deve receber todo aquele que mete a mão na algibeira dos outros.

Realmente, um tal contraste era de ensandecer ao homem mais ajuizado do universo. O Ezequiel fez essa mesma reflexão aos amigos e parentes; acrescentou que jurara aos seus deuses achar a razão do contraste, ou suicidar-se. Sim, ou morreria, ou daria ao mundo civilizado a explicação de um fenômeno tão estupendo como a contradição da consciência do Neves com as suas ações exteriores... Enquanto ele falava assim, os olhos chamejavam muito. Micota, a um sinal do pai, foi buscar à janela uma das quartinhas d'água, que ali estavam ao fresco, e trouxe-a a Ezequiel. Profundo Ezequiel! tudo entendeu, mas aceitou a água, bebeu dois ou três goles, e sorriu para a sobrinha. E continuou dizendo que sim, senhor, que acharia a razão, que a formularia em um livro de trezentas páginas...

— Trezentas páginas, estão ouvindo? Um livro grosso assim...

E estendia três dedos. Depois descreveu o livro. Trezentas páginas, com estampas, uma fotografia da consciência do Neves e outra das suas ações. Jurava que ia mandar o livro a todas as academias do universo, com esta conclusão em forma de epígrafe: "Há virtualmente um pequeno número de gatunos, que nunca furtaram um par de sapatos".

— Coitado! diziam os amigos descendo as escadas. Um homem de tanto talento!

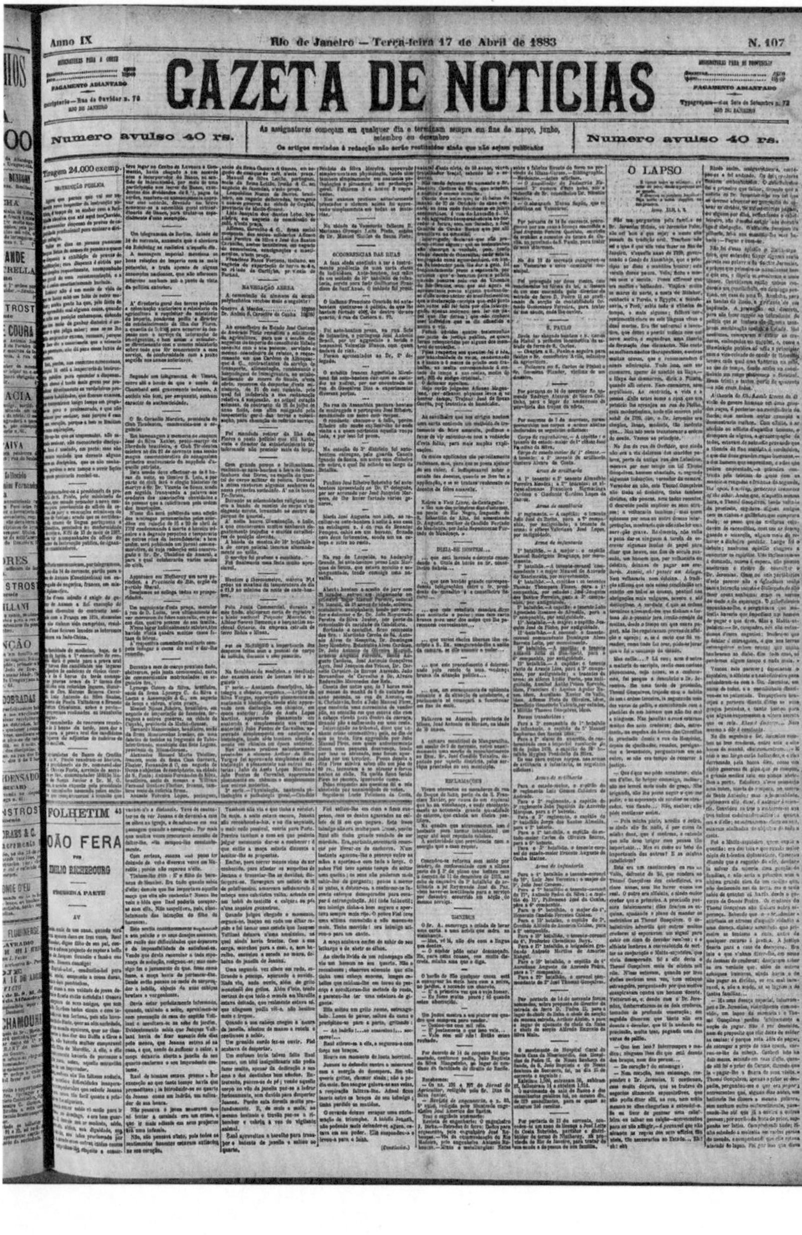

Anno IX — Rio de Janeiro — Terça-feira 17 de Abril de 1883 — N. 107

GAZETA DE NOTICIAS

Numero avulso 40 rs.

As assignaturas começam em qualquer dia e terminam sempre em fins de março, junho, setembro ou dezembro

Os artigos enviados á redacção não serão restituidos ainda que não sejam publicados

Numero avulso 40 rs.

Tiragem 24.000 exemp.

O LAPSO

O lapso[1]

E vieram todos os oficiais... e o resto do povo, desde o pequeno até ao grande.

E disseram ao profeta Jeremias: Seja aceita a nossa súplica na tua presença.

Jeremias, XLII, 1, 2.

Não me perguntem pela família do Dr. Jeremias Halma, nem o que é que ele veio fazer ao Rio de Janeiro, naquele ano de 1768, governando o Conde de Azambuja, que a princípio se disse o mandara buscar; esta versão durou pouco. Veio, ficou e morreu com o século. Posso afirmar que era médico e holandês. Viajara muito, sabia toda a química do tempo, e mais alguma; falava correntemente cinco ou seis línguas vivas e duas mortas. Era tão universal e inventivo, que dotou a poesia malaia com um novo metro, e engendrou uma teoria da formação dos diamantes. Não conto os melhoramentos terapêuticos e outras muitas coisas, que o recomendam à nossa admiração. Tudo isso, sem ser casmurro, nem orgulhoso. Ao contrário, a vida e a pessoa dele eram como a casa que um patrício lhe arranjou na Rua do Piolho, casa singelíssima, onde ele morreu pelo natal de 1799. Sim, o Dr. Jeremias era simples, lhano, modesto, tão modesto que... Mas isto seria transtornar a ordem de um conto. Vamos ao princípio.

No fim da Rua do Ouvidor, que ainda não era a via dolorosa dos maridos pobres, perto da antiga Rua dos Latoeiros, morava por esse tempo um tal Tomé Gonçalves, homem abastado, e, segundo algumas induções, vereador da Câmara. Vereador ou não, este Tomé Gonçalves não tinha só dinheiro, tinha também dívidas, não poucas, nem todas recentes. O descuido podia explicar os seus atrasos, a velhacaria também; mas quem opinasse por uma ou outra dessas interpretações, mostraria que não sabe ler uma narração grave.

[1] Publicado em *Gazeta de Notícias* (17 de abril de 1883). Reunido pelo autor em *Histórias sem data* (1884).

Realmente, não valia a pena dar-se ninguém à tarefa de escrever algumas laudas de papel para dizer que houve, nos fins do século passado, um homem que, por velhacaria ou desleixo, deixava de pagar aos credores. A tradição afirma que este nosso concidadão era exato em todas as coisas, pontual nas obrigações mais vulgares, severo e até meticuloso. A verdade é que as ordens terceiras e irmandades que tinham a fortuna de o possuir (era irmão-remido de muitas, desde o tempo em que usava pagar), não lhe regateavam provas de afeição e apreço; e, se é certo que foi vereador, como tudo faz crer, pode-se jurar que o foi a contento da cidade.

Mas então...? Lá vou; nem é outra a matéria do escrito, senão esse curioso fenômeno, cuja causa, se a conhecemos, foi porque a descobriu o Dr. Jeremias. Em uma tarde de procissão, Tomé Gonçalves, trajando com o hábito de uma ordem terceira, ia segurando uma das varas do pálio, e caminhando com a placidez de um homem que não faz mal a ninguém. Nas janelas e ruas estavam muitos dos seus credores; dois, entretanto, na esquina do Beco das Cancelas (a procissão descia a Rua do Hospício), depois de ajoelhados, rezados, persignados e levantados, perguntaram um ao outro, se não era tempo de recorrer à justiça.

— Que é que me pode acontecer? dizia um deles. Se brigar comigo, melhor; não me levará mais nada de graça. Não brigando, não lhe posso negar o que me pedir, e na esperança de receber os atrasados, vou fiando... Não, senhor; não pode continuar assim.

— Pela minha parte, acudiu o outro, se ainda não fiz nada, é por causa da minha dona, que é medrosa, e entende que não devo brigar com pessoa tão importante... Mas eu como ou bebo da importância dos outros? E as minhas cabeleiras?

Este era um cabeleireiro da Rua da Vala, defronte da Sé, que vendera ao Tomé Gonçalves dez cabeleiras, em cinco anos, sem lhe haver nunca um real. O outro era alfaiate, e ainda maior credor que o primeiro. A procissão passara inteiramente; eles ficaram na esquina, ajustando o plano de mandar os meirinhos ao Tomé Gonçalves.

O cabeleireiro advertiu que outros muitos credores só esperavam um sinal para cair em cima do devedor remisso; e o alfaiate lembrou a conveniência de meter na conjuração o Mata sapateiro, que vivia desesperado. Só a ele devia o Tomé Gonçalves mais de oitenta mil-réis. Nisso estavam, quando por trás deles ouviram uma voz, com sotaque estrangeiro, perguntando por que motivo conspiravam contra um homem doente. Voltaram-se, e, dando com o Dr. Jeremias, desbarretaram-se os dois credores, tomados de profunda veneração; em seguida disseram que tanto não era doente o devedor, que lá ia andando na procissão, muito teso, pegando uma das varas do pálio.

— Que tem isso? interrompeu o médico; ninguém lhes diz que está doente dos braços, nem das pernas...

— Do coração? do estômago?

— Nem coração, nem estômago, respondeu o Dr. Jeremias. E continuou, com muita doçura, que se tratava de negócios altamente especulativos, que não podia dizer ali, na rua, nem sabia mesmo se eles chegariam a entendê-lo. Se eu tiver de pentear uma cabeleira ou talhar um calção, – acrescentou para os não afligir, – é provável que não alcance as regras dos seus ofícios tão úteis, tão necessários ao Estado... Eh! eh! eh!

Rindo assim, amigavelmente, cortejou-os e foi andando. Os dois credores ficaram embasbacados. O cabeleireiro foi o primeiro que falou, dizendo que a notícia do Dr. Jeremias não era tal que os devesse afrouxar no propósito de cobrar as dívidas. Se até os mortos pagam, ou alguém por eles, reflexionou o cabeleireiro, não é muito exigir aos doentes igual obrigação. O alfaiate, invejoso da pilhéria, fê-la sua cosendo-lhe este babado: – Pague e cure-se.

Não foi dessa opinião o Mata sapateiro, que entendeu haver alguma razão secreta nas palavras do Dr. Jeremias, e propôs que primeiro se examinasse bem o que era, e depois se resolvesse o mais idôneo. Convidaram então outros credores a um conciliábulo, no domingo próximo, em casa de uma D. Aninha, para as bandas do Rocio, a pretexto de um batizado. A precaução era discreta, para não fazer supor ao intendente da polícia que se tratava de alguma tenebrosa maquinação contra o Estado. Mal anoiteceu, começaram a entrar os credores, embuçados em capotes, e, como iluminação pública só veio a principiar com o vice-reinado do conde de Resende, levava cada qual uma lanterna na mão, ao uso do tempo, dando assim ao conciliábulo um rasgo pinturesco e teatral. Eram trinta e tantos, perto de quarenta – e não eram todos.

A teoria de Ch. Lamb acerca da divisão do gênero humano em duas grandes raças, é posterior ao conciliábulo do Rocio; mas nenhum outro exemplo a demonstraria melhor. Com efeito, o ar abatido ou aflito daqueles homens, o desespero de alguns, a preocupação de todos, estavam de antemão provando que a teoria do fino ensaísta é verdadeira, e que das duas grandes raças humanas, – a dos homens que emprestam, e a dos que pedem emprestado, – a primeira contrasta pela tristeza do gesto com as maneiras rasgadas e francas da segunda, *the open, trusting, generous manners of the other*. Assim que, naquela mesma hora, o Tomé Gonçalves, tendo voltado da procissão, regalava alguns amigos com os vinhos e galinhas que comprara fiado; ao passo que os credores estudavam às escondidas, com um ar desenganado e amarelo, algum meio de reaver o dinheiro perdido.

Longo foi o debate; nenhuma opinião chegava a concertar os espíritos. Uns inclinavam-se à demanda, outros à espera, não poucos aceitavam o alvitre de consultar o Dr. Jeremias. Cinco ou seis partidários deste parecer não o defendiam senão com a intenção secreta e disfarçada de não fazer coisa nenhuma; eram os servos do medo e da esperança. O cabeleireiro opunha-se-lhe, e perguntava que moléstia haveria que impedisse um homem de pagar o que deve. Mas o Mata sapateiro: – "Sr. compadre, nós não entendemos desses negócios; lembre-se que o doutor é estrangeiro, e que nas terras estrangeiras sabem coisas que nunca lembraram ao diabo. Em todo caso, só perdemos algum tempo e nada mais." Venceu este parecer; deputaram o sapateiro, o alfaiate e o cabeleireiro para entenderem-se com o Dr. Jeremias, em nome de todos, e o conciliábulo dissolveu-se na patuscada. Terpsícore bracejou e perneou diante deles as suas graças jucundas, e tanto bastou para que alguns esquecessem a úlcera secreta que os roía. *Eheu! fugaces*... Nem mesmo a dor é constante.

No dia seguinte o Dr. Jeremias recebeu os três credores, entre sete e oito horas da manhã. "Entrem, entrem..." E com o seu largo carão holandês, e o riso derramado pela boca fora, como um vinho generoso de pipa que se rompeu, o grande médico veio em pessoa abrir-lhes a porta. Estudava nesse momento uma cobra, morta de véspera, no morro de Santo Antônio; mas a humanidade, costumava ele dizer, é anterior à ciência. Convidou os três a sentarem-se nas três únicas cadeiras devolutas; a quarta era a dele; as outras, umas cinco ou seis, estavam atulhadas de objetos de toda a casta.

Foi o Mata sapateiro quem expôs a questão; era dos três o que reunia maior cópia de talentos diplomáticos. Começou dizendo que o engenho do "Sr. doutor" ia salvar da miséria uma porção de famílias, e não seria a primeira nem a última grande obra de um médico que, não desfazendo nos da terra, era o mais sábio de quantos cá havia desde o governo de Gomes Freire. Os credores de Tomé Gonçalves não tinham outra esperança. Sabendo que o "Sr. doutor" atribuía os atrasos daquele cidadão a uma doença, tinham assentado que primeiro se tentasse a cura, antes de qualquer recurso à justiça. A justiça ficaria para o caso de desespero. Era isto o que vinham dizer-lhe, em nome de dezenas de credores; desejavam saber se era verdade que, além de outros achaques humanos, havia o de não pagar as dívidas, se era mal incurável, e, não o sendo, se as lágrimas de tantas famílias...

— Há uma doença especial, interrompeu o Dr. Jeremias, visivelmente comovido, um lapso da memória; o Tomé Gonçalves perdeu inteiramente a noção de pagar. Não é por descuido, nem de propósito que ele deixa de saldar as contas; é porque esta ideia de pagar, de entregar o preço de uma coisa, varreu-se lhe da cabeça.

Conheci isto há dois meses, estando em casa dele, quando ali foi o prior do Carmo, dizendo que ia "pagar-lhe a fineza de uma visita". Tomé Gonçalves, apenas o prior se despediu, perguntou-me o que era *pagar*; acrescentou que, alguns dias antes, um boticário lhe dissera a mesma palavra, sem nenhum outro esclarecimento, parecendo-lhe até que já a ouvira a outras pessoas; por ouvi-la da boca do prior, supunha ser latim. Compreendi tudo; tinha estudado a moléstia em várias partes do mundo, e compreendi que ele estava atacado do lapso. Foi por isso que disse outro dia a estes dois senhores que não demandassem um homem doente.

— Mas então, aventurou o Mata, pálido, o nosso dinheiro está completamente perdido...

— A moléstia não é incurável, disse o médico.

— Ah!

— Não é; conheço e possuo a droga curativa, e já a empreguei em dois grandes casos: – um barbeiro, que perdera a noção do espaço, e, à noite estendia a mão para arrancar as estrelas do céu, e uma senhora da Catalunha, que perdera a noção do marido. O barbeiro arriscou muitas vezes a vida, querendo sair pelas janelas mais altas das casas, como se estivesse ao rés do chão...

— Santo Deus! exclamaram os três credores.

— É o que lhes digo, continuou placidamente o médico. Quanto à dama catalã, a princípio confundia o marido com um licenciado Matias, alto e fino, quando o marido era grosso e baixo; depois com um capitão, D. Hermógenes, e, no tempo em que comecei a tratá-la, com um clérigo. Em três meses ficou boa. Chamava-se D. Agostinha.

Realmente, era uma droga miraculosa. Os três credores estavam radiantes de esperança; tudo fazia crer que o Tomé Gonçalves padecia do lapso, e, uma vez que a droga existia, e o médico a tinha em casa... Ah! mas aqui pegou o carro. O Dr. Jeremias não era familiar da casa do enfermo, embora entretivesse relações com ele; não podia ir oferecer-lhe os seus préstimos. Tomé Gonçalves não tinha parentes que tomassem a responsabilidade de convidar o médico, nem os credores podiam tomá-la a si. Mudos, perplexos, consultaram-se com os olhos. Os do alfaiate, como os do cabeleireiro, exprimiram este alvitre desesperado: cotizarem-se os credores, e, mediante uma quantia grossa e apetitosa, convidarem o Dr. Jeremias à cura; talvez o interesse... Mas o ilustre Mata viu o perigo de um tal propósito, porque o doente podia não ficar bom, e a perda seria dobrada. Grande era a angústia; tudo parecia perdido. O médico rolava entre os dedos a boceta de rapé, esperando que eles se fossem embora, não impaciente, mas risonho. Foi então que o Mata, como um capitão dos grandes dias, viu o ponto fraco do inimigo; advertiu que as suas primeiras palavras tinham comovido o médico, e tornou às lágrimas das famílias, aos filhos sem pão, porque eles não eram senão uns tristes oficiais de ofício ou mercadores de pouca fazenda, ao passo que o Tomé Gonçalves era rico. Sapatos, calções, capotes, xaropes, cabeleiras, tudo o que lhes custava dinheiro, tempo e saúde... Saúde, sim, senhor; os calos de suas mãos mostravam bem que o oficio era duro; e o alfaiate, seu amigo, que ali estava presente, e que entisicava, às noites, à luz de uma candeia, zás-que-darás, puxando a agulha...

Magnânimo Jeremias! Não o deixou acabar; tinha os olhos úmidos de lágrimas. O acanho de suas maneiras era compensado pelas expansões de um coração pio e humano. Pois, sim; ia tentar o curativo, ia pôr a ciência ao serviço de uma causa justa. Demais, a vantagem era também e principalmente do próprio Tomé Gonçalves, cuja fama andava abocanhada, por um motivo em que ele tinha tanta culpa como o doido que pratica uma iniquidade. Naturalmente, a alegria dos deputados traduziu-se em rapapés infindos e grandes louvores aos insignes merecimentos do médico. Este cortou-lhes modestamente o discurso, convidando-os a almoçar, obséquio que eles não aceitaram, mas agradeceram com palavras cordialíssimas. E, na rua, quando ele já os não podia ouvir, não se fartavam de elogiar-lhe a ciência, a bondade, a generosidade, a delicadeza, os modos tão simples! tão naturais!

Desde esse dia começou Tomé Gonçalves a notar a assiduidade do médico, e, não desejando outra coisa, porque lhe queria muito, fez tudo o que lhe lembrou por atá-lo de vez aos seus penates. O lapso do infeliz era completo; tanto a ideia de *pagar*, como as ideias correlatas de *credor*, *dívida*, *saldo*, e outras tinham-se-lhe apagado da memória, constituindo-lhe assim um largo furo no espírito. Temo que se me argua de comparações extraordinárias, mas o abismo de Pascal é o que mais prontamente vem ao bico da pena. Tomé Gonçalves tinha o abismo de Pascal, não ao lado, mas dentro de si mesmo, e tão profundo que cabiam nele mais de sessenta credores que se debatiam lá em baixo com o ranger de dentes da Escritura. Urgia extrair todos esses infelizes e entulhar o buraco.

Jeremias fez crer ao doente que andava abatido, e, para retemperá-lo, começou a aplicar-lhe a droga. Não bastava a droga; era mister um tratamento subsidiário, porque a cura operava-se de dois modos: – o modo geral e abstrato, restauração da ideia de pagar, com todas as noções correlatas – era a parte confiada à droga; e o modo particular e concreto, insinuação ou designação de uma certa dívida e de um certo credor – era a parte do médico. Suponhamos que o credor escolhido era o sapateiro. O médico levava o doente às lojas de sapatos, para assistir à compra e venda da mercadoria, e ver uma e muitas vezes a ação de pagar; falava de fabricação e venda dos sapatos no resto do mundo, cotejava os preços do calçado naquele ano de 1768 com o que tinha trinta ou quarenta anos antes; fazia com que o sapateiro fosse dez, vinte vezes à casa de Tomé Gonçalves levar a conta e pedir o dinheiro, e cem outros estratagemas. Assim com o alfaiate, o cabeleireiro, o segeiro, o boticário, um a um, levando mais tempo os primeiros, pela razão natural de estar a doença mais arraigada, e lucrando os últimos com o trabalho anterior, donde lhes vinha a compensação da demora.

Tudo foi pago. Não se descreve a alegria dos credores, não se transcrevem as bênçãos com que eles encheram o nome do Dr. Jeremias. "Sim, senhor, é um grande homem", bradavam em toda a parte. "Parece coisa de feitiçaria!", aventuravam as mulheres. Quanto ao Tomé Gonçalves, pasmado de tantas dívidas velhas, não se fartava de elogiar a longanimidade dos credores, censurando-os ao mesmo tempo pela acumulação.

— Agora, dizia-lhes, não quero contas de mais de oito dias.

— Nós é que lhe marcaremos o tempo, respondiam generosamente os credores.

Restava, entretanto, um credor. Esse era o mais recente, o próprio Dr. Jeremias, pelos honorários naquele serviço relevante. Mas, ai dele! a modéstia atou-lhe a língua. Tão expansivo era de coração, como acanhado de maneiras; e planeou três, cinco investidas, sem chegar a executar nada. E aliás era fácil: bastava insinuar-lhe a dívida pelo método usado em relação à dos outros; mas seria bonito? perguntava a si mesmo; seria decente? etc., etc. E esperava, ia esperando. Para não parecer que se lhe metia à cara, entrou a rarear as visitas; mas o Tomé Gonçalves ia ao casebre da Rua do Piolho, e trazia-o a jantar, a cear, a falar de coisas estrangeiras, em que era muito curioso. Nada de pagar. Jeremias chegou a imaginar que os credores... Mas os credores, ainda quando pudesse passar-lhes pela cabeça a ideia de ir lembrar a dívida, não chegariam a fazê-lo, porque a supunham paga antes de todas. Era o que diziam uns aos outros, entre muitas fórmulas da sabedoria popular: – Mateus, primeiro os teus – A boa justiça começa por casa – Quem é tolo pede a Deus que o mate, etc. Tudo falso; a verdade é que o Tomé Gonçalves, no dia em que falecera, tinha um só credor no mundo: – o Dr. Jeremias.

Este, nos fins do século, chegara à canonização. – "Adeus, grande homem!" dizia-lhe o Mata, ex-sapateiro, em 1798, de dentro da sege, que o levava à missa dos carmelitas. E o outro, curvo de velhice, melancolicamente, olhando para os bicos dos pés: – Grande homem, mas pobre-diabo.

Anno IX — Rio de Janeiro — Domingo 13 de Maio de 1883 — N. 133

GAZETA DE NOTICIAS

PAGAMENTO ADIANTADO
Escriptorio — Rua do Ouvidor n. 70
RIO DE JANEIRO

PAGAMENTO ADIANTADO
Typographia — Rua Sete de Setembro n. 72
RIO DE JANEIRO

Numero avulso 40 rs.

As assignaturas começam em qualquer dia e terminam sempre em fins de março, junho, setembro ou dezembro

Os artigos enviados á redacção não serão restituidos ainda que não sejam publicados

Numero avulso 40 rs.

Tiragem 24.000 exemp.

CHRONICA DA SEMANA

BOLETIM PARLAMENTAR

PARLAMENTO

DIARIO DAS CAMARAS

DILIGENCIA POLICIAL

DIZIA-SE HONTEM...

PROVINCIAS DO NORTE

S. PAULO

CONTO ALEXANDRINO

CAPITULO I

NO MAR

— O que, meu caro Stroibus? Não...

CAPITULO II

EXPERIENCIA

CAPITULO III

Conto Alexandrino[1]

Capítulo I – No mar

— O quê, meu caro Stroibus! Não, impossível. Nunca jamais ninguém acreditará que o sangue de rato, dado a beber a um homem, possa fazer do homem um ratoneiro.

— Em primeiro lugar, Pítias, tu omites uma condição: – é que o rato deve expirar debaixo do escalpelo, para que o sangue traga o seu princípio. Essa condição é essencial. Em segundo lugar, uma vez que me apontas o exemplo do rato, fica sabendo que já fiz com ele uma experiência, e cheguei a produzir um ladrão...

— Ladrão autêntico?

— Levou-me o manto, ao cabo de trinta dias, mas deixou-me a maior alegria do mundo: – a realidade da minha doutrina. Que perdi eu? um pouco de tecido grosso; e que lucrou o universo? a verdade imortal. Sim, meu caro Pítias; esta é a eterna verdade. Os elementos constitutivos do ratoneiro estão no sangue do rato, os do paciente no boi, os do arrojado na águia...

— Os do sábio na coruja, interrompeu Pítias sorrindo.

— Não; a coruja é apenas um emblema; mas a aranha, se pudéssemos transferi-la a um homem, daria a esse homem os rudimentos da geometria e o sentimento musical. Com um bando de cegonhas, andorinhas ou grous, faço-te de um caseiro um viajeiro. O princípio da fidelidade conjugal está no sangue da rola, o da enfatuação no dos pavões... Em suma, os deuses puseram nos bichos da terra, da água e do ar a essência de todos os sentimentos e capacidades humanas. Os animais são as letras soltas do alfabeto; o homem

[1] Publicado em *Gazeta de Notícias* (13 de maio de 1883). Reunido pelo autor em *Histórias sem data* (1884).

é a sintaxe. Esta é a minha filosofia recente; esta é a que vou divulgar na corte do grande Ptolomeu.

Pítias sacudiu a cabeça, e fixou os olhos no mar. O navio singrava, em direitura a Alexandria, com essa carga preciosa de dois filósofos, que iam levar àquele regaço do saber os frutos da razão esclarecida. Eram amigos, viúvos e quinquagenários. Cultivavam especialmente a metafísica, mas conheciam a física, a química, a medicina e a música; um deles, Stroibus, chegara a ser excelente anatomista, tendo lido muitas vezes os tratados do mestre Herófilo. Chipre era a pátria de ambos; mas, tão certo é que ninguém é profeta em sua terra, Chipre não dava o merecido respeito aos dois filósofos. Ao contrário, desdenhava-os; os garotos tocavam ao extremo de rir deles. Não foi esse, entretanto, o motivo que os levou a deixar a pátria. Um dia, Pítias, voltando de uma viagem, propôs ao amigo irem para Alexandria, onde as artes e as ciências eram grandemente honradas. Stroibus aderiu, e embarcaram. Só agora, depois de embarcados, é que o inventor da nova doutrina expô-la ao amigo, com todas as suas recentes cogitações e experiências.

— Está feito, disse Pítias, levantando a cabeça, não afirmo nem nego nada. Vou estudar a doutrina, e se a achar verdadeira, proponho-me a desenvolvê-la e divulgá-la.

— Viva Hélios! exclamou Stroibus. Posso contar que és meu discípulo.

Capítulo II – Experiência

Os garotos alexandrinos não trataram os dois sábios com o escárnio dos garotos cipriotas. A terra era grave como a íbis pousada numa só pata, pensativa como a esfinge, circunspecta como as múmias, dura como as pirâmides; não tinha tempo nem maneira de rir. Cidade e corte, que desde muito tinham notícia dos nossos dois amigos, fizeram-lhes um recebimento régio, mostraram conhecer os seus escritos, discutiram as suas ideias, mandaram-lhes muitos presentes, papiros, crocodilos, zebras, púrpuras. Eles, porém, recusaram tudo, com simplicidade, dizendo que a filosofia bastava ao filósofo, e que o supérfluo era um dissolvente. Tão nobre resposta encheu de admiração tanto aos sábios como aos principais e à mesma plebe. E aliás, diziam os mais sagazes, que outra coisa se podia esperar de dois homens tão sublimes, que em seus magníficos tratados...

— Temos coisa melhor do que esses tratados, interrompia Stroibus. Trago uma doutrina, que, em pouco, vai dominar o universo; cuido nada menos que em reconstituir os homens e os Estados, distribuindo os talentos e as virtudes.

— Não é esse o ofício dos deuses?, objetava um.

— Eu violei o segredo dos deuses, acudia Stroibus. O homem é a sintaxe da natureza, eu descobri as leis da gramática divina...

— Explica-te.

— Mais tarde; deixa-me experimentar primeiro. Quando a minha doutrina estiver completa, divulgá-la-ei como a maior riqueza que os homens jamais poderão receber de um homem.

Imaginem a expectação pública e a curiosidade dos outros filósofos, embora incrédulos de que a verdade recente viesse aposentar as que eles mesmos possuíam. Entretanto, esperavam todos. Os dois hóspedes eram apontados na rua até pelas crianças. Um filho meditava trocar a avareza do pai, um pai a prodigalidade do filho, uma dama a frieza de um varão, um varão os desvarios de uma dama, porque o Egito, desde os Faraós até aos Lágides, era a terra de Putifar, da mulher de Putifar, da capa de José, e do resto. Stroibus tornou-se a esperança da cidade e do mundo.

Pítias, tendo estudado a doutrina, foi ter com Stroibus, e disse-lhe:

— Metafisicamente, a tua doutrina é um despropósito; mas estou pronto a admitir uma experiência, contanto que seja decisiva. Para isto, meu caro Stroibus, há só um meio. Tu e eu, tanto pelo cultivo de razão como pela rigidez do caráter, somos o que há mais oposto ao vício do furto. Pois bem, se conseguires incutir-nos esse vício, não será preciso mais; se não conseguires nada (e podes crê-lo, porque é um absurdo) recuarás de semelhante doutrina, e tornarás às nossas velhas meditações.

Stroibus aceitou a proposta.

— O meu sacrifício é o mais penoso, disse ele, pois estou certo do resultado; mas que não merece a verdade? A verdade é imortal; o homem é um breve momento...

Os ratos egípcios, se pudessem saber de um tal acordo, teriam imitado os primitivos hebreus, aceitando a fuga para o deserto, antes do que a nova filosofia. E podemos crer que seria um desastre. A ciência, como a guerra, tem necessidades imperiosas; e desde que a ignorância dos ratos, a sua fraqueza, a superioridade mental e física dos dois filósofos eram outras tantas vantagens na experiência que ia começar, cumpria não perder tão boa ocasião de saber se efetivamente o princípio das paixões e das virtudes humanas estava distribuído pelas várias espécies de animais, e se era possível transmiti-lo.

Stroibus engaiolava os ratos; depois, um a um, ia-os sujeitando ao ferro. Primeiro, atava uma tira de pano ao focinho do paciente; em seguida, os pés; finalmente, cingia com um cordel as pernas e o pescoço do animal à tábua da operação. Isto feito, dava o primeiro talho no peito, com vagar, e com vagar ia enterrando o ferro até tocar o coração, porque era opinião dele que a morte instantânea corrompia o sangue e retirava-lhe o princípio. Hábil anatomista, operava com uma firmeza digna do propósito científico. Outro, menos destro, interromperia muita vez a tarefa, porque as contorções de dor e de agonia tornavam difícil o meneio do escalpelo; mas essa era justamente a superioridade de Stroibus: tinha o pulso magistral e prático.

Ao lado dele, Pítias aparava o sangue e ajudava a obra, já contendo os movimentos convulsivos do paciente, já espiando-lhe nos olhos o progresso da agonia. As observações que ambos faziam eram notadas em folhas de papiro; e assim ganhava a ciência de duas maneiras. Às vezes, por divergência de apreciação, eram obrigados a escalpelar maior número de ratos do que o necessário; mas não perdiam com isso, porque o sangue dos excedentes era conservado e ingerido depois. Um só desses casos mostrará a consciência com que eles procediam. Pítias observara que a retina do rato agonizante mudava de cor até chegar ao azul claro, ao passo que a observação de Stroibus dava a cor de canela como o tom final da morte. Estavam na última operação do dia; mas o ponto valia a pena, e, não obstante o cansaço, fizeram sucessivamente dezenove experiências sem resultado definitivo; Pítias insistia pela cor azul, e Stroibus pela cor de canela. O vigésimo rato esteve prestes a pô-los de acordo, mas Stroibus advertiu, com muita sagacidade, que a sua posição era agora diferente, retificou-a e escalpelaram mais vinte e cinco. Destes, o primeiro ainda os deixou em dúvida; mas os outros vinte e quatro provaram-lhes que a cor final não era canela nem azul, mas um lírio roxo, tirando a claro.

A descrição exagerada das experimentações deu rebate à porção sentimental da cidade, e excitou a loquela de alguns sofistas; mas o grave Stroibus (com brandura, para não agravar uma disposição própria da alma humana) respondeu que a verdade valia todos os ratos do universo, e não só os ratos, como os pavões, as cabras, os cães, os rouxinóis, etc.; que, em relação aos ratos, além de ganhar a ciência, ganhava a cidade, vendo diminuída a praga de um animal tão daninho; e, se a mesma consideração não se dava com outros animais, como, por exemplo, as rolas e os cães, que eles iam escalpelar daí a tempos, nem por isso os direitos da verdade eram menos imprescritíveis. A natureza não há de ser só a mesa de jantar, concluía em forma de aforismo, mas também a mesa da ciência.

E continuavam a extrair o sangue e a bebê-lo. Não o bebiam puro, mas diluído em um cozimento de cinamomo, suco de acácia e bálsamo, que lhe tirava todo o sabor primitivo. As doses eram diárias e diminutas; tinham, portanto, de aguardar um longo prazo antes de produzido o efeito. Pítias, impaciente e incrédulo, mofava do amigo.

— Então? nada?

— Espera, dizia o outro, espera. Não se incute um vício como se cose um par de sandálias.

Capítulo III – Vitória

Enfim, venceu Stroibus! A experiência provou a doutrina. E Pítias foi o primeiro que deu mostras da realidade do efeito, atribuindo-se umas três ideias ouvidas ao próprio Stroibus; este, em compensação, furtou-lhe quatro comparações e uma teoria dos ventos. Nada mais científico do que essas estreias. As ideias alheias, por isso mesmo que não foram compradas na esquina, trazem um certo ar comum; e é muito natural começar por elas antes de passar aos livros emprestados, às galinhas, aos papéis falsos, às províncias, etc. A própria denominação de plágio é um indício de que os homens compreendem a dificuldade de confundir esse embrião da ladroeira com a ladroeira formal.

Duro é dizê-lo; mas a verdade é que eles deitaram ao Nilo a bagagem metafísica, e dentro de pouco estavam larápios acabados. Concertavam-se de véspera, e iam aos mantos, aos bronzes, às ânforas de vinho, às mercadorias do porto, às boas dracmas. Como furtassem sem estrépito, ninguém dava por eles; mas, ainda mesmo que os suspeitassem, como fazê-lo crer aos outros? Já então Ptolomeu coligira na biblioteca muitas riquezas e raridades; e, porque conviesse ordená-las, designou para isso cinco gramáticos e cinco filósofos, entre estes os nossos dois amigos. Estes últimos trabalharam com singular ardor, sendo os primeiros que entravam e os últimos que saíam, e ficando ali muitas noites, ao clarão da lâmpada, decifrando, coligindo, classificando. Ptolomeu, entusiasmado, meditava para eles os mais altos destinos.

Ao cabo de algum tempo, começaram a notar-se faltas graves: – um exemplar de Homero, três rolos de manuscritos persas, dois de samaritanos, uma soberba coleção de cartas originais de Alexandre, cópias de leis atenienses, o 2º e o 3º livros da *República* de Platão, etc., etc. A autoridade pôs-se à espreita; mas a esperteza do rato, transferida a um organismo superior, era naturalmente maior, e os dois ilustres gatunos zombavam de espias e guardas. Chegaram ao ponto de estabelecer este preceito filosófico de não sair dali com as mãos vazias; traziam sempre alguma coisa, uma fábula, quando menos. Enfim, estando a sair um navio para Chipre, pediram licença a Ptolomeu, com promessa de voltar, coseram os livros dentro de couros de hipopótamo, puseram-lhes rótulos falsos, e trataram de fugir. Mas a inveja de outros filósofos não dormia; deu rebate às suspeitas dos magistrados, e descobriu-se o roubo. Stroibus e Pítias foram tidos por aventureiros, mascarados com os nomes daqueles dois varões ilustres; Ptolomeu entregou-os à justiça com ordem de os passar logo ao carrasco. Foi então que interveio Herófilo, inventor da anatomia.

Capítulo IV – Plus Ultra!

— Senhor, disse ele a Ptolomeu, tenho-me limitado até agora a escalpelar cadáveres. Mas o cadáver dá-me a estrutura, não me dá a vida; dá-me os órgãos, não me dá as funções. Eu preciso das funções e da vida.

— Que me dizes? redarguiu Ptolomeu. Queres estripar os ratos de Stroibus?

— Não, senhor; não quero estripar os ratos.

— Os cães? os gansos? as lebres?...

— Nada; peço alguns homens vivos.

— Vivos? não é possível...

— Vou demonstrar que não só é possível, mas até legítimo e necessário. As prisões egípcias estão cheias de criminosos, e os criminosos ocupam, na escala humana, um grau muito inferior. Já não são cidadãos, nem mesmo se podem dizer homens, porque a razão e a virtude, que são os dois principais característicos humanos, eles os perderam, infringindo a lei e a moral. Além disso, uma vez que têm de expiar com a morte os seus crimes, não é justo que prestem algum serviço à verdade e à ciência? A verdade é imortal; ela vale não só todos os ratos, como todos os delinquentes do universo.

Ptolomeu achou o raciocínio exato, e ordenou que os criminosos fossem entregues a Herófilo e seus discípulos. O grande anatomista agradeceu tão insigne obséquio, e começou a escalpelar os réus. Grande foi o assombro do povo; mas, salvo alguns pedidos verbais, não houve nenhuma manifestação contra a medida. Herófilo repetia o que dissera a Ptolomeu, acrescentando que a sujeição dos réus à experiência anatômica era até um modo indireto de servir à moral, visto que o terror do escalpelo impediria a prática de muitos crimes.

Nenhum dos criminosos, ao deixar a prisão, suspeitava o destino científico que o esperava. Saíam um por um; às vezes dois a dois, ou três a três. Muitos deles, estendidos e atados à mesa da operação, não chegavam a desconfiar nada; imaginavam que era um novo gênero de execução sumária. Só quando os anatomistas definiam o objeto do estudo do dia, alçavam os ferros e davam os primeiros talhos, é que os desgraçados adquiriam a consciência da situação. Os que se lembravam de ter visto as experiências dos ratos, padeciam em dobro, porque a imaginação juntava à dor presente o espetáculo passado.

Para conciliar os interesses da ciência com os impulsos da piedade, os réus não eram escalpelados à vista uns dos outros, mas sucessivamente. Quando vinham aos dois ou aos três, não ficavam em lugar donde os que esperavam pudessem ouvir os gritos do paciente, embora os gritos fossem muitas vezes abafados por meio de aparelhos; mas se eram abafados, não eram suprimidos, e em certos casos, o próprio objeto da experiência exigia que a emissão da voz fosse franca. Às vezes as operações eram simultâneas; mas então faziam-se em lugares distanciados.

Tinham sido escalpelados cerca de cinquenta réus, quando chegou a vez de Stroibus e Pítias. Vieram buscá-los; eles supuseram que era para a morte judiciária, e encomendaram-se aos deuses. De caminho, furtaram uns figos, e explicaram o caso alegando que era um impulso da fome; adiante, porém, subtraíram uma flauta, e essa outra ação não a puderam explicar satisfatoriamente. Todavia, a astúcia do larápio é infinita, e Stroibus, para justificar a ação, tentou extrair algumas notas do instrumento, enchendo de compaixão as pessoas que os viam passar, e não ignoravam a sorte que iam ter. A notícia desses dois novos delitos foi narrada por Herófilo, e abalou a todos os seus discípulos.

— Realmente, disse mestre, é um caso extraordinário, um caso lindíssimo. Antes do principal, examinemos aqui o outro ponto...

O ponto era saber se o nervo do latrocínio residia na palma da mão ou na extremidade dos dedos; problema esse sugerido por um dos discípulos. Stroibus foi o primeiro sujeito à operação. Compreendeu tudo, desde que entrou na sala; e, como a natureza humana tem uma parte ínfima, pediu-lhes humildemente que poupassem a vida a um filósofo. Mas Herófilo, com um grande poder de dialética, disse-lhe mais ou menos isto: – Ou és um aventureiro ou o verdadeiro Stroibus; no primeiro caso, tens aqui o único meio para resgatar o crime de iludir a um príncipe esclarecido, presta-te ao escalpelo; no segundo caso, não deves ignorar que a obrigação do filósofo é servir à filosofia, e que o corpo é nada em comparação com o entendimento.

Dito isto, começaram pela experiência das mãos, que produziu ótimos resultados, coligidos em livros, que se perderam com a queda dos Ptolomeus. Também as mãos de Pítias foram rasgadas e minuciosamente examinadas. Os infelizes berravam, choravam, suplicavam; mas Herófilo dizia-lhes pacificamente que a obrigação do filósofo era servir à filosofia, e que para os fins da ciência, eles valiam ainda mais que os ratos, pois era melhor concluir do homem para o homem, e não do rato para o homem. E continuou a rasgá-los fibra por fibra, durante oito dias. No terceiro dia arrancaram-lhes os olhos, para desmentir praticamente uma teoria sobre a conformação interior do órgão. Não falo da extração do estômago de ambos, por se tratar de problemas relativamente secundários, e em todo caso estudados e resolvidos em cinco ou seis indivíduos escalpelados antes deles.

Diziam os alexandrinos que os ratos celebraram esse caso aflitivo e doloroso com danças e festas, a que convidaram alguns cães, rolas, pavões e outros animais ameaçados de igual destino, e outrossim, que nenhum dos convidados aceitou o convite, por sugestão de um cachorro, que lhes disse melancolicamente: – "Século virá em que a mesma coisa nos aconteça". Ao que retorquiu um rato: – "Mas até lá, riamos!"

Anno X — Rio de Janeiro — Terça-feira 24 de Junho de 1884 — N. 176

GAZETA DE NOTICIAS

Assignaturas para a Côrte — Semestre — Anno — Pagamento adiantado — Numero avulso 40 rs. — Escriptorio — Rua do Ouvidor n. 70 — Rio de Janeiro

Assignaturas para as provincias — Semestre — Anno — Pagamento adiantado — Tiragem 24.000 exemp. — Typographia — Rua Sete de Setembro n. 72 — Rio de Janeiro

As assignaturas começam em qualquer dia e terminam sempre em fins de março, junho, setembro ou dezembro

Stereotypada e impressa nas machinas rotativas de Marinoni, na typographia da «Gazeta de Noticias», de propriedade de ARAUJO & MENDES, rua Sete de Setembro n. 72

Os artigos enviados á redacção não serão restituidos ainda que não sejam publicados

EXPEDIENTE

Aos Srs. assignantes que quizerem continuar com as suas assignaturas pedimos que as reformem em tempo para não haver interrupção na remessa da folha.

BOLETIM PARLAMENTAR

NOTAS À MARGEM

PARLAMENTO

EVOLUÇÃO

FOLHETIM

O FILHO DE ANTONY

POR ALEXIS BOUVIER

PRIMEIRA PARTE

CONSEQUENCIAS DE UMA FALTA

PROLOGO

CAPITULO QUINTO

Evolução[1]

Chamo-me Inácio; ele, Benedito. Não digo o resto dos nossos nomes por um sentimento de compostura, que toda a gente discreta apreciará. Inácio basta. Contentem-se com Benedito. Não é muito, mas é alguma coisa, e está com a filosofia de Julieta: "Que valem nomes? perguntava ela ao namorado. A rosa, como quer que se lhe chame, terá sempre o mesmo cheiro." Vamos ao cheiro do Benedito.

E desde logo assentemos que ele era o menos Romeu deste mundo. Tinha quarenta e cinco anos, quando o conheci; não declaro em que tempo, porque tudo neste conto há de ser misterioso e truncado. Quarenta e cinco anos, e muitos cabelos pretos; para os que o não eram, usava um processo químico, tão eficaz que não se lhe distinguiam os pretos dos outros – salvo ao levantar da cama; mas ao levantar da cama não aparecia a ninguém. Tudo mais era natural, pernas, braços, cabeça, olhos, roupa, sapatos, corrente do relógio e bengala. O próprio alfinete de diamante, que trazia na gravata, um dos mais lindos que tenho visto, era natural e legítimo; custou-lhe bom dinheiro; eu mesmo o vi comprar na casa do... lá me ia escapando o nome do joalheiro; – fiquemos na Rua do Ouvidor.

Moralmente, era ele mesmo. Ninguém muda de caráter, e o do Benedito era bom, – ou para melhor dizer, pacato. Mas, intelectualmente, é que ele era menos original. Podemos compará-lo a uma hospedaria bem afreguesada, aonde iam ter ideias de toda parte e de toda sorte, que se sentavam à mesa com a família da casa. Às vezes, acontecia acharem-se ali duas pessoas inimigas, ou simplesmente antipáticas; ninguém brigava, o dono da casa impunha aos hóspedes a indulgência recíproca. Era assim que ele conseguia ajustar uma espécie de ateísmo vago com duas irmandades

[1] Publicado em *Gazeta de Notícias* (24 de junho de 1884). Reunido pelo autor em *Relíquias de casa velha* (1906).

que fundou, não sei se na Gávea, na Tijuca ou no Engenho Velho. Usava assim, promiscuamente, a devoção, a irreligião e as meias de seda. Nunca lhe vi as meias, note-se; mas ele não tinha segredos para os amigos.

Conhecemo-nos em viagem para Vassouras. Tínhamos deixado o trem e entrado na diligência que nos ia levar da estação à cidade. Trocamos algumas palavras, e não tardou conversarmos francamente, ao sabor das circunstâncias que nos impunham a convivência, antes mesmo de saber quem éramos.

Naturalmente, o primeiro objeto foi o progresso que nos traziam as estradas de ferro. Benedito lembrava-se do tempo em que toda a jornada era feita às costas de burro. Contamos então algumas anedotas, falamos de alguns nomes, e ficamos de acordo em que as estradas de ferro eram uma condição de progresso do país. Quem nunca viajou não sabe o valor que tem uma dessas banalidades graves e sólidas para dissipar os tédios do caminho. O espírito areja-se, os próprios músculos recebem uma comunicação agradável, o sangue não salta, fica-se em paz com Deus e os homens.

— Não serão os nossos filhos que verão todo este país cortado de estradas, disse ele.

— Não, decerto. O senhor tem filhos?

— Nenhum.

— Nem eu. Não será ainda em cinquenta anos; e, entretanto, é a nossa primeira necessidade. Eu comparo o Brasil a uma criança que está engatinhando; só começará a andar quando tiver muitas estradas de ferro.

— Bonita ideia! exclamou Benedito faiscando-lhe os olhos.

— Importa-me pouco que seja bonita, contanto que seja justa.

— Bonita e justa, redarguiu ele com amabilidade. Sim, senhor, tem razão: – o Brasil está engatinhando; só começará a andar quando tiver muitas estradas de ferro.

Chegamos a Vassouras; eu fui para a casa do juiz municipal, camarada antigo; ele demorou-se um dia e seguiu para o interior. Oito dias depois voltei ao Rio de Janeiro, mas sozinho. Uma semana mais tarde, voltou ele; encontramo-nos no teatro, conversamos muito e trocamos notícias; Benedito acabou convidando-me a ir almoçar com ele no dia seguinte. Fui; deu-me um almoço de príncipe, bons charutos e palestra animada. Notei que a conversa dele fazia mais efeito no meio da viagem – arejando o espírito e deixando a gente em paz com Deus e os homens; mas devo dizer que o almoço pode ter prejudicado o resto. Realmente era magnífico; e seria impertinência histórica pôr a mesa de Lúculo na casa de Platão. Entre o café e o conhaque, disse-me ele, apoiando o cotovelo na borda da mesa, e olhando para o charuto que ardia:

— Na minha viagem agora, achei ocasião de ver como o senhor tem razão com aquela ideia do Brasil engatinhando.

— Ah?

— Sim, senhor; é justamente o que o *senhor dizia* na diligência de Vassouras. Só começaremos a andar quando tivermos muitas estradas de ferro. Não imagina como isso é verdade.

E referiu muita coisa, observações relativas aos costumes do interior, dificuldades da vida, atraso, concordando, porém, nos bons sentimentos da população e nas aspirações de progresso. Infelizmente, o governo não correspondia às necessidades da pátria; parecia até interessado em mantê-la atrás das outras nações americanas. Mas era indispensável que nos persuadíssemos de que os princípios são tudo e os homens nada. Não se fazem os povos para os governos, mas os governos para os povos; e *abyssus abyssum invocat*. Depois foi mostrar-me outras salas. Eram todas alfaiadas com apuro. Mostrou-me as coleções de quadros, de moedas, de livros antigos, de selos, de armas; tinha espadas e floretes, mas confessou que não sabia esgrimir. Entre os quadros vi um lindo retrato de mulher; perguntei-lhe quem era. Benedito sorriu.

— Não irei adiante, disse eu sorrindo também.

— Não, não há que negar, acudiu ele; foi uma moça de quem gostei muito. Bonita, não? Não imagina a beleza que era. Os lábios eram mesmo de carmim e as faces de rosa; tinha os olhos negros, cor da noite. E que dentes! verdadeiras pérolas. Um mimo da natureza.

Em seguida, passamos ao gabinete. Era vasto, elegante, um pouco trivial, mas não lhe faltava nada. Tinha duas estantes, cheias de livros muito bem encadernados, um mapa-múndi, dois mapas do Brasil. A secretária era de ébano, obra fina; sobre ela, casualmente aberto, um almanaque de Laemmert. O tinteiro era de cristal, – "cristal de rocha", disse-me ele, explicando o tinteiro, como explicava as outras coisas. Na sala contígua havia um órgão. Tocava órgão, e gostava muito de música, falou dela com entusiasmo, citando as óperas, os trechos melhores, e noticiou-me que, em pequeno, começara a aprender flauta; abandonou-a logo, – o que foi pena, concluiu, porque é, na verdade, um instrumento muito saudoso. Mostrou-me ainda outras salas, fomos ao jardim, que era esplêndido, tanto ajudava a arte à natureza, e tanto a natureza coroava a arte. Em rosas, por exemplo, (não há negar, disse-me ele, que é a rainha das flores) em rosas, tinha-as de toda casta e de todas as regiões.

Saí encantado. Encontramo-nos algumas vezes, na rua, no teatro, em casa de amigos comuns, tive ocasião de apreciá-lo. Quatro meses depois fui à Europa, negócio que me obrigava à ausência de um ano; ele ficou cuidando da eleição; queria ser deputado. Fui eu mesmo que o induzi a isso, sem a menor intenção política, mas com o único fim de lhe ser agradável; mal comparando, era como se lhe elogiasse o corte do colete. Ele pegou da ideia, e apresentou-se. Um dia, atravessando uma rua de Paris, dei subitamente com o Benedito.

— Que é isto? exclamei.

— Perdi a eleição, disse ele, e vim passear à Europa.

Não me deixou mais; viajamos juntos o resto do tempo. Confessou-me que a perda da eleição não lhe tirara a ideia de entrar no parlamento. Ao contrário, incitara-o mais. Falou-me de um grande plano.

— Quero vê-lo ministro, disse-lhe.

Benedito não contava com esta palavra, o rosto iluminou-se-lhe; mas disfarçou depressa.

— Não digo isso, respondeu. Quando, porém, seja ministro, creia que serei tão-somente ministro industrial. Estamos fartos de partidos; precisamos desenvolver as forças vivas do país, os seus grandes recursos. Lembra-se do que *nós dizíamos* na diligência de Vassouras? O Brasil está engatinhando; só andará com estradas de ferro.

— Tem razão, concordei um pouco espantado. E por que é que eu mesmo vim à Europa? Vim cuidar de uma estrada de ferro. Deixo as coisas arranjadas em Londres.

— Sim?

— Perfeitamente.

Mostrei-lhe os papéis; ele viu-os deslumbrado. Como eu tivesse então recolhido alguns apontamentos, dados estatísticos, folhetos, relatórios, cópias de contratos, tudo referente a matérias industriais, e lhos mostrasse, Benedito declarou-me que ia também coligir algumas coisas daquelas. E, na verdade, vi-o andar por ministérios, bancos, associações, pedindo muitas notas e opúsculos, que amontoava nas malas; mas o ardor com que o fez, se foi intenso, foi curto; era de empréstimo. Benedito recolheu com muito mais gosto os anexins políticos e fórmulas parlamentares. Tinha na cabeça um vasto arsenal deles. Nas conversas comigo repetia-os muita vez, à laia de experiência; achava neles grande prestígio e valor inestimável. Muitos eram de tradição inglesa, e ele os preferia aos outros, como trazendo em si um pouco da Câmara dos Comuns. Saboreava-os tanto que eu não sei se ele aceitaria jamais a liberdade real sem aquele aparelho verbal; creio que não. Creio até que, se tivesse de optar, optaria por essas formas curtas, tão cômodas, algumas lindas, outras sonoras, todas axiomáticas, que não forçam a reflexão, preenchem os vazios, e deixam a gente em paz com Deus e os homens.

Regressamos juntos; mas eu fiquei em Pernambuco, e tornei mais tarde a Londres, donde vim ao Rio de Janeiro, um ano depois.

Já então Benedito era deputado. Fui visitá-lo; achei-o preparando o discurso de estreia. Mostrou-me alguns apontamentos, trechos de relatórios, livros de economia política, alguns com páginas marcadas, por meio de tiras de papel rubricadas assim: – *Câmbio*, *Taxa das terras*, *Questão dos cereais em Inglaterra*, *Opinião de Stuart Mill*, *Erro de Thiers sobre caminhos de ferro*, etc. Era sincero, minucioso e cálido. Falava-me daquelas coisas, como se acabasse de as descobrir, expondo-me tudo, *ab ovo*; tinha a peito mostrar aos homens práticos da Câmara que também ele era prático. Em seguida, perguntou-me pela empresa; disse-lhe o que havia.

— Dentro de dois anos conto inaugurar o primeiro trecho da estrada.

— E os capitalistas ingleses?

— Que têm?

— Estão contentes, esperançados?

— Muito; não imagina.

Contei-lhe algumas particularidades técnicas, que ele ouviu distraidamente, – ou porque a minha narração fosse em extremo complicada, ou por outro motivo. Quando acabei, disse-me que estimava ver-me entregue ao movimento industrial; era dele que precisávamos, e a este propósito fez-me o favor de ler o exórdio do discurso que devia proferir dali a dias.

— Está ainda em borrão, explicou-me; mas as ideias capitais ficam. E começou:

> No meio da agitação crescente dos espíritos, do alarido partidário que encobre as vozes dos legítimos interesses, permiti que alguém faça ouvir uma súplica da nação. Senhores, é tempo de cuidar, exclusivamente, – notai que digo exclusivamente, – dos melhoramentos materiais do país. Não desconheço o que se me pode replicar; dir-me-eis que uma nação não se compõe só de estômago para digerir, mas de cabeça para pensar e de coração para sen-

> tir. Respondo-vos que tudo isso não valerá nada ou pouco, se ela não tiver pernas para caminhar; e aqui repetirei o que, há alguns anos, *dizia eu* a um amigo, em viagem pelo interior: o Brasil é uma criança que engatinha; só começará a andar quando estiver cortado de estradas de ferro...

Não pude ouvir mais nada e fiquei pensativo. Mais que pensativo, fiquei assombrado, desvairado diante do abismo que a psicologia rasgava aos meus pés. Este homem é sincero, pensei comigo, está persuadido do que escreveu. E fui por aí abaixo até ver se achava a explicação dos trâmites por que passou aquela recordação da diligência de Vassouras. Achei (perdoem-me se há nisto enfatuação), achei ali mais um efeito da lei da evolução, tal como a definiu Spencer. Spencer ou Benedito, um deles.

Filosofia

Na Arca – Três capítulos inéditos do Gênesis (1878)

O segredo do bonzo (Capítulo inédito de Fernão Mendes Pinto) (1882)

História comum (1883)

A igreja do diabo (1883)

Adão e Eva (1885)

Como se inventaram os almanaques (1889)

O sermão do diabo (1892)

Filosofia: perguntas sem resposta

João Cezar de Castro Rocha

O tópico “a filosofia de Machado de Assis” deu origem a um número pouco prudente de equívocos bem-intencionados – e involuntariamente divertidos. Tudo se passa como se o autor de *Dom Casmurro* tivesse desenvolvido algo próximo a uma doutrina filosófica, com sua estrutura conceitual coerente e visão de mundo coesa.

A consequência dessa perspectiva para a análise da obra machadiana costuma ser funesta.

(Carrego nas tintas para chamar sua atenção.)

Ora, se imagino que a filosofia machadiana é cética; sua visão de mundo, pessimista; seu caráter, o de um misantropo; então, naturalmente, minha leitura dos textos de Machado tenderá a reduzir sua característica ambiguidade a um conjunto de ideias, digamos, “filosóficas”.

(*Ideias recebidas*? Não quero ser injusto.)

Mas, como sempre, devagar com o andor.

Seria igualmente apressado ignorar que Machado de Assis elaborou um entendimento singular das relações humanas, da tradição literária e das circunstâncias brasileiras. Ao fim e ao cabo, a aposta desta nova antologia defende precisamente a recorrência em sua obra de temas-chave, definidores duma concepção propriamente machadiana.

Contudo, esse entendimento é literário e não filosófico! Ou seja, não se compromete com coerência argumentativa, tampouco se empenha na formulação de uma trama conceitual que se fundamente a si mesma, na autorreferência própria de sistemas de pensamento. O título de um poema de Machado esclarece a diferença decisiva entre as duas ordens de discurso, "Perguntas sem resposta". Os versos finais evocam o dilema de *Quincas Borba*:

> Vênus, porém, Vênus brilhante e bela
> Que nada ouvia, nada respondia,
> Deixa rir ou chorar numa janela
> Pálida Maria.[1]

Você certamente se recorda do último capítulo do romance. Não? Tudo certo: transcrevo-o na íntegra:

> Queria dizer aqui o fim do Quincas Borba, que adoeceu também, ganiu infinitamente, fugiu desvairado em busca do dono, e amanheceu morto na rua, três dias depois. Mas, vendo a morte do cão narrada em capítulo especial, é provável que me perguntes se ele, se o seu defunto homônimo é que dá o título ao livro, e por que antes um que outro, – questão prenhe de questões, que nos levariam longe... Eia! chora os dois recentes mortos, se tens lágrimas. Se só tens riso, ri-te! É a mesma coisa. O Cruzeiro, que a linda Sofia não quis fitar, como lhe pedia Rubião, está assaz alto para não discernir os risos e as lágrimas dos homens.[2]

[1] Machado de Assis. "Perguntas sem resposta". *Ocidentais*. In: *Poesias completas*. Rio de Janeiro/Paris: H. Garnier, 1901, p. 309.

[2] Machado de Assis. *Quincas Borba*. Rio de Janeiro: B. L. Garnier, 1891, p. 432-433.

A marca-d'água machadiana consiste em propor questões que não podem senão engendrar formas novas de colocar problemas e de inventar perguntas. E, por que não?, um autor pode mudar de posição conforme a demanda de um gênero literário específico ou obedecendo ao ritmo deste ou daquele texto em particular. A ressalva de Albert Camus ilumina retrospectivamente a opção de Machado de Assis: um escritor pensa mais com palavras do que com ideias. Preserva-se assim o direito inalienável à incoerência, ao câmbio radical de perspectiva e à experimentação literária.

Aliás, os contos "Na Arca – três capítulos inéditos do Gênesis" (1878), "O segredo do bonzo (Capítulo inédito de Fernão Mendes Pinto)" (1882) e "O sermão do diabo" (1892) oferecem paródias deliciosas de gêneros consagrados: o texto bíblico, o relato de viagem, o Sermão da Montanha.

Se insistimos, e com toda razão, na imagem de um Machado/Shakespeare, enfatizando a centralidade da leitura da obra do inglês na fatura literária do brasileiro, podemos também supor outro paralelo?[3] No caso, precisamos imaginar o perfil de um Machado/Luciano. O autor de Samósata se notabilizou pela maestria na emulação paródica dos gêneros consagrados na Grécia clássica. Em sua escrita, Luciano esclareceu a potência da experiência literária como discurso segundo, isto é, texto em palimpsesto, ou seja, texto derivado de outros textos. Luciano é o modelo acabado do autor-leitor e, nessa qualidade, revela-se fundamental para a poética da emulação machadiana.

"A igreja do diabo" (1883) e "Adão e Eva" (1885) levam adiante a reunião tipicamente machadiana de níveis não somente heteróclitos como também potencialmente contraditórios: partindo de outra apropriação, agora não do discurso mas de temas religiosos, Machado ata as pontas de traços antropológicos. Isto é, a insatisfação

[3] Reconhecimento necessário: José Guilherme Merquior e Enylton de Sá Rego destacaram com agudeza esse paralelo.

permanente e a curiosidade são duas faces da mesma humanidade. Não há exatamente ceticismo nessa observação, porém uma perspectiva de longa duração e largo alcance.

Perspectiva e alcance que norteiam "História comum" (1883) e "Como se inventaram os almanaques" (1889). De um lado, o projeto de um surpreendente perspectivismo machadiano, que pode ser colocado em diálogo com o perspectivismo nietzschiano; de outro, a consciência da finitude, alegoricamente apresentada, como motivo filosófico e circunstância existencial.

Eis um Machado de Assis que ainda não foi devidamente apreciado. Hora, portanto, de reler sua obra com olhos livres.

Vamos?

Anno 1° 5 de Novembro 1897 Numero 9.

REVISTA MODERNA

Magazine Quinzenal Illustrado Director : M. Botelho

Revista Moderna

Artes e Lettras

Summario :

O MARQUEZINHO DE BLANDFORD
Eça de Queiroz

A VIAGEM DOS REIS DE PORTUGAL AO ALGARVE
Arnaldo Fonseca

MACHADO DE ASSIS
Majalhaes de Azeredo

LIVROS NOVOS
E. P.

JOSÉ FRALDÃO
Trindade Coelho

A QUINZENA POLITICA
M. Botelho

O ANNEL DOS DORIAS
Robert

NOTICIARIO ILLUSTRADO

SPORT

O presente numero é acompanhado de um hors texte :

O Retrato de MACHADO DE ASSIZ

E DE UM

SUPPLEMENTO DE MODAS

Redacção e Administração : 48, Rue de Laborde – PARIS

O CRUZEIRO

PROPRIEDADE DE UMA SOCIEDADE COMMANDITARIA SOB A RAZÃO SOCIAL DE G. VIANNA & C.

ANNO I. — RIO DE JANEIRO, TERÇA-FEIRA 14 DE MAIO DE 1878 — N. 133

O CRUZEIRO

[illegible]

BOLETIM

[illegible]

TENTATIVA DE SUICIDIO

[illegible]

TRANSPORTE «MADEIRA»

[illegible]

LEILÕES HOJE

[illegible]

DESASTRE

[illegible]

MANIFESTAÇÃO POLITICA

[illegible]

THEATROS

[illegible]

FOLHETIM DO CRUZEIRO

NA ARCA

[illegible]

CAPITULO A

[illegible]

CAPITULO B

[illegible]

CAPITULO C

[illegible]

Na Arca – Três capítulos inéditos do Gênesis[1]

Capítulo A

1. – Então Noé disse a seus filhos Jafé, Sem e Cam: – "Vamos sair da arca, segundo a vontade do Senhor, nós, e nossas mulheres, e todos os animais. A arca tem de parar no cabeço de uma montanha; desceremos a ela.

2. – "Porque o Senhor cumpriu a sua promessa, quando me disse: Resolvi dar cabo de toda a carne; o mal domina a terra, quero fazer perecer os homens. Faze uma arca de madeira; entra nela tu, tua mulher e teus filhos.

3. – "E as mulheres de teus filhos, e um casal de todos os animais.

4. – "Agora, pois, se cumpriu a promessa do Senhor, e todos os homens pereceram, e fecharam-se as cataratas do céu; tornaremos a descer à terra, e a viver no seio da paz e da concórdia."

5. – Isto disse Noé, e os filhos de Noé muito se alegraram de ouvir as palavras de seu pai; e Noé os deixou sós, retirando-se a uma das câmaras da arca.

6. – Então Jafé levantou a voz e disse: – "Aprazível vida vai ser a nossa. A figueira nos dará o fruto, a ovelha a lã, a vaca o leite, o sol a claridade e a noite a tenda.

7. – "Porquanto seremos únicos na terra, e toda a terra será nossa, e ninguém perturbará a paz de uma família, poupada do castigo que feriu a todos os homens.

8. – "Para todo o sempre." Então Sem, ouvindo falar o irmão, disse: – "Tenho uma ideia". Ao que Jafé e Cam responderam: – "Vejamos a tua ideia, Sem."

[1] Publicado em *O Cruzeiro* (14 de maio de 1878). Reunido pelo autor em *Papéis avulsos* (1882).

9. – E Sem falou a voz de seu coração, dizendo: "Meu pai tem a sua família; cada um de nós tem a sua família; a terra é de sobra; podíamos viver em tendas separadas. Cada um de nós fará o que lhe parecer melhor: e plantará, caçará, ou lavrará a madeira, ou fiará o linho."

10. – E respondeu Jafé: – "Acho bem lembrada a ideia de Sem; podemos viver em tendas separadas. A arca vai descer ao cabeço de uma montanha; meu pai e Cam descerão para o lado do nascente; eu e Sem para o lado do poente. Sem ocupará duzentos côvados de terra, eu outros duzentos."

11. – Mas dizendo Sem: – "Acho pouco duzentos côvados" –, retorquiu Jafé: "Pois sejam quinhentos cada um. Entre a minha terra e a tua haverá um rio, que as divida no meio, para se não confundir a propriedade. Eu fico na margem esquerda e tu na margem direita;

12. – "E a minha terra se chamará a terra de Jafé, e a tua se chamará a terra de Sem; e iremos às tendas um do outro, e partiremos o pão da alegria e da concórdia."

13. – E tendo Sem aprovado a divisão, perguntou a Jafé: "Mas o rio? a quem pertencerá a água do rio, a corrente?

14. – "Porque nós possuímos as margens, e não estatuímos nada a respeito da corrente." E respondeu Jafé, que podiam pescar de um e outro lado; mas, divergindo o irmão, propôs dividir o rio em duas partes, fincando um pau no meio. Jafé, porém, disse que a corrente levaria o pau.

15. – E tendo Jafé respondido assim, acudiu o irmão: – "Pois que te não serve o pau, fico eu com o rio, e as duas margens; e para que não haja conflito, podes levantar um muro, dez ou doze côvados, para lá da tua margem antiga.

16. – "E se com isto perdes alguma coisa, nem é grande a diferença, nem deixa de ser acertado, para que nunca jamais se turbe a concórdia entre nós, segundo é a vontade do Senhor."

17. – Jafé porém replicou: – "Vai bugiar! Com que direito me tiras a margem, que é minha, e me roubas um pedaço de terra? Porventura és melhor do que eu,

18. – “Ou mais belo, ou mais querido de meu pai? Que direito tens de violar assim tão escandalosamente a propriedade alheia?

19. – “Pois agora te digo que o rio ficará do meu lado, com ambas as margens, e que se te atreveres a entrar na minha terra, matar-te-ei como Caim matou a seu irmão.”

20. – Ouvindo isto, Cam atemorizou-se muito e começou a aquietar os dois irmãos,

21. – Os quais tinham os olhos do tamanho de figos e cor de brasa, e olhavam-se cheios de cólera e desprezo.

22. – A arca, porém, boiava sobre as águas do abismo.

Capítulo B

1. – Ora, Jafé, tendo curtido a cólera, começou a espumar pela boca, e Cam falou-lhe palavras de brandura,

2. – Dizendo: – “Vejamos um meio de conciliar tudo; vou chamar tua mulher e a mulher de Sem.”

3. – Um e outro, porém, recusaram dizendo que o caso era de direito e não de persuasão.

4. – E Sem propôs a Jafé que compensasse os dez côvados perdidos, medindo outros tantos nos fundos da terra dele. Mas Jafé respondeu:

5. – “Por que não me mandas logo para os confins do mundo? Já te não contentas com quinhentos côvados; queres quinhentos e dez, e eu que fique com quatrocentos e noventa.

6. – “Tu não tens sentimentos morais? não sabes o que é justiça? não vês que me esbulhas descaradamente? e não percebes que eu saberei defender o que é meu, ainda com risco de vida?

7. – “E que, se é preciso correr sangue, o sangue há de correr já e já,

8. – “Para te castigar a soberba e lavar a tua iniquidade?”

9. – Então Sem avançou para Jafé; mas Cam interpôs-se, pondo uma das mãos no peito de cada um;

10. – Enquanto o lobo e o cordeiro, que durante os dias do dilúvio, tinham vivido na mais doce concórdia, ouvindo o rumor das vozes, vieram espreitar a briga dos dois irmãos, e começaram a vigiar-se um ao outro.

11. – E disse Cam: – "Ora, pois, tenho uma ideia maravilhosa, que há de acomodar tudo;

12. – "A qual me é inspirada pelo amor, que tenho a meus irmãos. Sacrificarei pois a terra que me couber ao lado de meu pai, e ficarei com o rio e as duas margens, dando-me vós uns vinte côvados cada um."

13. – E Sem e Jafé riram com desprezo e sarcasmo, dizendo: "Vai plantar tâmaras! Guarda a tua ideia para os dias da velhice." E puxaram as orelhas e o nariz de Cam; e Jafé, metendo dois dedos na boca, imitou o silvo da serpente, em ar de surriada.

14. – Ora, Cam, envergonhado e irritado, espalmou a mão dizendo: – "Deixa estar!" e foi dali ter com o pai e as mulheres dos dois irmãos.

15. – Jafé porém disse a Sem: – "Agora que estamos sós, vamos decidir este grave caso, ou seja de língua ou de punho. Ou tu me cedes as duas margens, ou eu te quebro uma costela."

16. – Dizendo isto, Jafé ameaçou a Sem com os punhos fechados, enquanto Sem, derreando o corpo, disse com voz irada: "Não te cedo nada, gatuno!"

17. – Ao que Jafé retorquiu irado: "Gatuno és tu!"

18. – Isto dito, avançaram um para o outro e atracaram-se. Jafé tinha o braço rijo e adestrado; Sem era forte na resistência. Então Jafé, segurando o irmão pela cinta, apertou-o fortemente, bradando: "De quem é o rio?"

19. – E respondendo Sem: – "É meu!" Jafé fez um gesto para derrubá-lo; mas Sem, que era forte, sacudiu o corpo e atirou o irmão para longe; Jafé, porém, espumando de cólera, tornou a apertar o irmão, e os dois lutaram braço a braço,

20. – Suando e bufando como touros.

21. – Na luta, caíram e rolaram, esmurrando-se um ao outro; o sangue saía dos narizes, dos beiços, das faces; ora vencia Jafé,

22. – Ora vencia Sem; porque a raiva animava-os igualmente, e eles lutavam com as mãos, os pés, os dentes e as unhas; e a arca estremecia como se de novo se houvessem aberto as cataratas do céu.

23. – Então as vozes e brados chegaram aos ouvidos de Noé, ao mesmo tempo que seu filho Cam, que lhe apareceu clamando: "Meu pai, meu pai, se de Caim se tomará vingança sete vezes, e de Lamech setenta vezes sete, o que será de Jafé e Sem?"

24. – E pedindo Noé que explicasse o dito, Cam referiu a discórdia dos dois irmãos, e a ira que os animava, e disse: – "Correi a aquietá-los." Noé disse: – "Vamos."

25. – A arca, porém, boiava sobre as águas do abismo.

Capítulo C

1. – Eis aqui chegou Noé ao lugar onde lutavam os dois filhos,

2. – E achou-os ainda agarrados um ao outro, e Sem debaixo do joelho de Jafé, que com o punho cerrado lhe batia na cara, a qual estava roxa e sangrenta.

3. – Entretanto, Sem, alçando as mãos, conseguiu apertar o pescoço do irmão, e este começou a bradar: "Larga-me, larga-me!"

4. – Ouvindo os brados, às mulheres de Jafé e Sem acudiram também ao lugar da luta, e, vendo-os assim, entraram a soluçar e a dizer: "O que será de nós? A maldição caiu sobre nós e nossos maridos."

5. – Noé, porém, lhes disse: "Calai-vos, mulheres de meus filhos, eu verei de que se trata, e ordenarei o que for justo." E caminhando para os dois combatentes,

6. – Bradou: "Cessai a briga. Eu, Noé, vosso pai, o ordeno e mando." E ouvindo os dois irmãos o pai, detiveram-se subitamente, e

ficaram longo tempo atalhados e mudos, não se levantando nenhum deles.

7. – Noé continuou: "Erguei-vos, homens indignos da salvação e merecedores do castigo que feriu os outros homens."

8. – Jafé e Sem ergueram-se. Ambos tinham feridos o rosto, o pescoço e as mãos, e as roupas salpicadas de sangue, porque tinham lutado com unhas e dentes, instigados de ódio mortal.

9. – O chão também estava alagado de sangue, e as sandálias de um e outro, e os cabelos de um e outro,

10. – Como se o pecado os quisera marcar com o selo da iniquidade.

11. – As duas mulheres, porém, chegaram-se a eles, chorando e acariciando-os, e via-se-lhes a dor do coração. Jafé e Sem não atendiam a nada, e estavam com os olhos no chão, medrosos de encarar seu pai.

12. – O qual disse: "Ora, pois, quero saber o motivo da briga."

13. – Esta palavra acendeu o ódio no coração de ambos. Jafé, porém, foi o primeiro que falou e disse:

14. – "Sem invadiu a minha terra, a terra que eu havia escolhido para levantar a minha tenda, quando as águas houverem desaparecido e a arca descer, segundo a promessa do Senhor;

15. – "E eu, que não tolero o esbulho, disse a meu irmão: "Não te contentas com quinhentos côvados e queres mais dez?" E ele me respondeu: "Quero mais dez e as duas margens do rio que há de dividir a minha terra da tua terra."

16. – Noé, ouvindo o filho, tinha os olhos em Sem; e acabando Jafé, perguntou ao irmão: "Que respondes?"

17. – E Sem disse: – "Jafé mente, porque eu só lhe tomei os dez côvados de terra, depois que ele recusou dividir o rio em duas partes; e propondo-lhe ficar com as duas margens, ainda consenti que ele medisse outros dez côvados nos fundos das terras dele,

18. – "Para compensar o que perdia; mas a iniquidade de Caim falou nele, e ele me feriu a cabeça, a cara e as mãos."

19. – E Jafé interrompeu-o dizendo: "Porventura não me feriste também? Não estou ensanguentado como tu? Olha a minha cara e o meu pescoço; olha as minhas faces, que rasgaste com as tuas unhas de tigre."

20. – Indo Noé falar, notou que os dois filhos de novo pareciam desafiar-se com os olhos. Então disse: "Ouvi!" Mas os dois irmãos, cegos de raiva, outra vez se engalfinharam, bradando: – "De quem é o rio?" – "O rio é meu."

21. – E só a muito custo puderam Noé, Cam e as mulheres de Sem e Jafé, conter os dois combatentes, cujo sangue entrou a jorrar em grande cópia.

22. – Noé, porém, alçando a voz, bradou: – "Maldito seja o que me não obedecer. Ele será maldito, não sete vezes, não setenta vezes sete, mas setecentas vezes setenta.

23. – "Ora, pois, vos digo que, antes de descer a arca, não quero nenhum ajuste a respeito do lugar em que levantareis as tendas."

24. – Depois ficou meditabundo.

25. – E alçando os olhos ao céu, porque a portinhola do teto estava levantada, bradou com tristeza:

26. – "Eles ainda não possuem a terra e já estão brigando por causa dos limites. O que será quando vierem a Turquia e a Rússia?"

27. – E nenhum dos filhos de Noé pôde entender esta palavra de seu pai.

28. – A arca, porém, continuava a boiar sobre as águas do abismo.

Anno VIII

Rio de Janeiro — Domingo 30 de Abril de 1882

N. 118

GAZETA DE NOTICIAS

PAGAMENTO ADIANTADO

Numero avulso 40 rs.

As assignaturas começam em qualquer dia e terminam sempre em fins de março, junho, setembro ou dezembro

Os artigos enviados á redacção não serão restituidos ainda que não sejam publicados

Numero avulso 40 rs.

Tiragem 24,000 exemp.

ASSUMPTOS DO DIA

BOLETIM PARLAMENTAR

NAVEGAÇÃO AEREA

PARLAMENTO

CENTRO DA LAVOURA E COMMERCIO

DIARIO DAS CAMARAS

NOTICIAS ESPECIAES

CENTENARIO DO MARQUEZ DE POMBAL

HISPANO-AMERICA

FOLHETIM

UM CAPITULO INEDITO

DE

FERNÃO MENDES PINTO

O segredo do bonzo

Capítulo inédito de Fernão Mendes Pinto[I]

Atrás deixei narrado o que se passou nesta cidade Fuchéu, capital do reino de Bungo, com o padre-mestre Francisco, e de como el-rei se houve com o Fucarandono e outros bonzos, que tiveram por acertado disputar ao padre as primazias da nossa santa religião. Agora direi de uma doutrina não menos curiosa que saudável ao espírito, e digna de ser divulgada a todas as repúblicas da cristandade.

Um dia, andando a passeio com Diogo Meireles, nesta mesma cidade Fuchéu, naquele ano de 1552, sucedeu deparar-se-nos um ajuntamento de povo, à esquina de uma rua, em torno a um homem da terra, que discorria com grande abundância de gestos e vozes. O povo, segundo o esmo mais baixo, seria passante de cem pessoas, varões somente, e todos embasbacados. Diogo Meireles, que melhor conhecia a língua da terra, pois ali estivera muitos meses, quando andou com bandeira de veniaga (agora ocupava-se no exercício da medicina, que estudara convenientemente, e em que era exímio) ia-me repetindo pelo nosso idioma o que ouvia ao orador, e que, em resumo, era o seguinte: – Que ele não queria outra coisa mais do que afirmar a origem dos grilos, os quais procediam do ar e das folhas de coqueiro, na conjunção da lua nova; que este descobrimento, impossível a quem não fosse, como ele, matemático, físico e filósofo, era fruto de dilatados anos de aplicação, experiência e estudo, trabalhos e até perigos de vida; mas enfim, estava feito, e todo redundava em glória do reino de Bungo, e especialmente da cidade Fuchéu, cuja

[I] Publicado em *Gazeta de Notícias* (30 de abril de 1882). Reunido pelo autor em *Papéis avulsos* (1882).

filho era; e, se por ter aventado tão sublime verdade, fosse necessário aceitar a morte, ele a aceitaria ali mesmo, tão certo era que a ciência valia mais do que a vida e seus deleites.

A multidão, tanto que ele acabou, levantou um tumulto de aclamações, que esteve a ponto de ensurdecer-nos, e alçou nos braços o homem, bradando: Patimau, Patimau, viva Patimau que descobriu a origem dos grilos! E todos se foram com ele ao alpendre de um mercador, onde lhe deram refrescos e lhe fizeram muitas saudações e reverências, à maneira deste gentio, que é em extremo obsequioso e cortesão.

Desandando o caminho, vínhamos nós, Diogo Meireles e eu, falando do singular achado da origem dos grilos, quando, a pouca distância daquele alpendre, obra de seis credos, não mais, achamos outra multidão de gente, em outra esquina, escutando a outro homem. Ficamos espantados com a semelhança do caso, e Diogo Meireles, visto que também este falava apressado, repetiu--me na mesma maneira o teor da oração. E dizia este outro, com grande admiração e aplauso da gente que o cercava, que enfim descobrira o princípio da vida futura, quando a terra houvesse de ser inteiramente destruída, e era nada menos que uma certa gota de sangue de vaca; daí provinha a excelência da vaca para habitação das almas humanas, e o ardor com que esse distinto animal era procurado por muitos homens à hora de morrer; descobrimento que ele podia afirmar com fé e verdade, por ser obra de experiências repetidas e profunda cogitação, não desejando nem pedindo outro galardão mais que dar glória ao reino de Bungo e receber dele a estimação que os bons filhos merecem. O povo, que escutara esta fala com muita veneração, fez o mesmo alarido e levou o homem ao dito alpendre, com a diferença que o trepou a uma charola; ali chegando, foi regalado com obséquios iguais aos que faziam a Patimau, não havendo nenhuma distinção entre eles, nem outra competência nos banqueteadores, que não fosse a de dar graças a ambos os banqueteados.

Ficamos sem saber nada daquilo, porque nem nos parecia casual a semelhança exata dos dois encontros, nem racional ou crível a origem dos grilos, dada por Patimau, ou o princípio da vida futura, descoberto por Languru, que assim se chamava o outro. Sucedeu, porém, costearmos a casa de um certo Titané, alparqueiro, o qual correu a falar a Diogo Meireles, de quem era amigo. E, feitos os cumprimentos, em que o alparqueiro chamou as mais galantes coisas a Diogo Meireles, tais como – ouro da verdade e sol do pensamento, – contou-lhe este o que víramos e ouvíramos pouco antes. Ao que Titané acudiu com grande alvoroço: – Pode ser que eles andem cumprindo uma nova doutrina, dizem que inventada por um bonzo de muito saber, morador em umas casas pegadas ao monte Coral. E porque ficássemos cobiçosos de ter alguma notícia da doutrina, consentiu Titané em ir conosco no dia seguinte às casas do bonzo, e acrescentou: – Dizem que ele não a confia a nenhuma pessoa, senão às que de coração se quiserem filiar a ela; e, sendo assim, podemos simular que o queremos unicamente com o fim de a ouvir; e se for boa, chegaremos a praticá-la à nossa vontade.

No dia seguinte, ao modo concertado, fomos às casas do dito bonzo, por nome Pomada, um ancião de cento e oito anos, muito lido e sabido nas letras divinas e humanas, e grandemente aceito a toda aquela gentilidade, e por isso mesmo malvisto de outros bonzos, que se finavam de puro ciúme. E tendo ouvido o dito bonzo a Titané quem éramos e o que queríamos, iniciou-nos primeiro com várias cerimônias e bugiarias necessárias à recepção da doutrina, e só depois dela é que alçou a voz para confiá-la e explicá-la.

— Haveis de entender, começou ele, que a virtude e o saber, têm duas existências paralelas, uma no sujeito que as possui, outra no espírito dos que o ouvem ou contemplam. Se puserdes as mais sublimes virtudes e os mais profundos conhecimentos em um sujeito solitário, remoto de todo contato com outros homens, é como se eles não existissem. Os frutos de uma laranjeira, se ninguém os gostar, valem tanto como as urzes e plantas bravias, e, se ninguém os vir, não valem nada; ou, por outras palavras mais enérgicas, não há espetáculo sem espectador. Um dia, estando a cuidar nestas coisas, considerei que, para o fim de alumiar um pouco o entendimento, tinha consumido os meus longos anos, e, aliás, nada chegaria a valer sem a existência de outros homens que me vissem e honrassem; então cogitei se não haveria um modo de obter o mesmo efeito, poupando tais trabalhos, e esse dia posso agora dizer que foi o da regeneração dos homens, pois me deu a doutrina salvadora.

Neste ponto, afiamos os ouvidos e ficamos pendurados da boca do bonzo, o qual, como lhe dissesse Diogo Meireles que a língua da terra me não era familiar, ia falando com grande pausa, porque eu nada perdesse. E continuou dizendo: – Mal podeis adivinhar o que me deu ideia da nova doutrina; foi nada menos que a pedra da lua, essa insigne pedra tão luminosa que, posta no cabeço de uma montanha ou no píncaro de uma torre, dá claridade a uma campina inteira, ainda a mais dilatada. Uma tal pedra, com tais quilates de luz, não existiu nunca, e ninguém jamais a viu; mas muita gente crê que existe e mais de um dirá que a viu com os seus próprios olhos. Considerei o caso, e entendi que, se uma coisa pode existir na opinião, sem existir na realidade, e existir na realidade, sem existir na opinião, a conclusão é que das duas existências paralelas a única necessária é a da opinião, não a da realidade, que é apenas conveniente. Tão depressa fiz este achado especulativo, como dei graças a Deus do favor especial, e determinei-me a verificá-lo por experiências; o que alcancei, em mais de um caso, que não relato, por vos não tomar o tempo. Para compreender a eficácia do meu sistema, basta advertir que os grilos não podem nascer do ar e das folhas de coqueiro, na conjunção da lua nova, e por outro lado, o princípio da vida futura não está em uma certa gota de sangue de vaca; mas Patimau e Languru, varões astutos, com tal arte souberam meter estas duas ideias no ânimo da multidão, que hoje desfrutam a nomeada de grandes físicos e maiores filósofos, e têm consigo pessoas capazes de dar a vida por eles.

Não sabíamos em que maneira déssemos ao bonzo, as mostras do nosso vivo contentamento e admiração. Ele interrogou-nos ainda algum tempo, compridamente, acerca da doutrina e dos fundamentos dela, e depois de reconhecer que a entendíamos, incitou-nos a praticá-la, a divulgá-la cautelosamente, não porque houvesse nada contrário às leis divinas ou humanas, mas porque a má compreensão dela podia daná-la e perdê-la em seus primeiros passos; enfim, despediu-se de nós com a certeza (são palavras suas) de que abalávamos dali com a verdadeira alma de pomadistas; denominação esta que, por se derivar do nome dele, lhe era em extremo agradável.

Com efeito, antes de cair a tarde, tínhamos os três combinado em pôr por obra uma ideia tão judiciosa quão lucrativa, pois não é só lucro o que se pode haver em moeda, senão também o que traz consideração e louvor, que é outra e melhor espécie de moeda, conquanto não dê para comprar damascos ou chaparias de ouro. Combinamos, pois, à guisa de experiência, meter cada um de nós, no ânimo da cidade Fuchéu, uma certa convicção, mediante a qual houvéssemos os mesmos benefícios que desfrutavam Patimau e Languru; mas, tão certo é que o homem não olvida o seu interesse, entendeu Titané que lhe cumpria lucrar de duas maneiras, cobrando da experiência ambas as moedas, isto é, vendendo também as suas alparcas: ao que nos não opusemos, por nos parecer que nada tinha isso com o essencial da doutrina.

Consistiu a experiência de Titané em uma coisa que não sei como diga para que a entendam. Usam neste reino de Bungo, e em outros destas remotas partes, um papel feito de casca de canela moída e goma, obra mui prima, que eles talham depois em pedaços de dois palmos de comprimento, e meio de largura, nos quais desenham com vivas e variadas cores, e pela língua do país, as notícias da semana, políticas, religiosas, mercantis e outras, as novas leis do reino, os nomes das fustas, lancharas, balões e toda a casta de barcos que navegam estes mares, ou em guerra, que a há frequente, ou de veniaga. E digo as notícias da semana, porque as ditas folhas são feitas de oito em oito dias, em grande cópia, e distribuídas ao gentio da terra, a troco de uma espórtula, que cada um dá de bom grado para ter as notícias primeiro que os demais moradores. Ora, o nosso Titané não quis melhor esquina que este papel, chamado pela nossa língua *Vida e claridade das coisas mundanas e celestes*, título expressivo, ainda que um tanto derramado. E, pois, fez inserir no dito papel que acabavam de chegar notícias frescas de toda a costa de Malabar e da China, conforme as quais não havia outro cuidado que não fossem as famosas alparcas dele Titané; que estas alparcas eram chamadas as primeiras do mundo, por serem mui sólidas e graciosas; que nada menos de vinte e dois mandarins iam requerer ao imperador para que, em vista do esplendor das famosas alparcas de Titané, as primeiras do universo, fosse criado o título honorífico de "alparca do Estado", para recompensa dos que se distinguissem em qualquer disciplina do entendimento; que eram grossíssimas as encomendas feitas de todas as partes, às quais ele Titané ia acudir, menos por amor ao lucro do que pela glória que dali provinha à nação; não recuando, todavia, do propósito em que estava e ficava de dar de graça aos pobres do reino umas cinquenta corjas das ditas alparcas, conforme já fizera declarar a el-rei e o repetia agora; enfim, que apesar da primazia no fabrico das alparcas assim reconhecida em toda a terra, ele sabia os deveres da moderação, e nunca se julgaria mais do que um obreiro diligente e amigo da glória do reino de Bungo.

A leitura desta notícia comoveu naturalmente a toda a cidade Fuchéu, não se falando em outra coisa durante toda aquela semana. As alparcas de Titané, apenas estimadas, começaram de ser buscadas com muita curiosidade e ardor, e ainda mais nas semanas seguintes, pois não deixou ele de entreter a cidade, durante algum tempo, com muitas e extraordinárias anedotas acerca da sua mercadoria.

E dizia-nos com muita graça: – Vede que obedeço ao principal da nossa doutrina, pois não estou persuadido da superioridade das tais alparcas, antes as tenho por obra vulgar, mas fi-lo crer ao povo, que as vem comprar agora, pelo preço que lhes taxo. – Não me parece, atalhei, que tenhais cumprido a doutrina em seu rigor e substância, pois não nos cabe inculcar aos outros uma opinião que não temos, e sim a opinião de uma qualidade que não possuímos; este é, ao certo, o essencial dela.

Dito isto, assentaram os dois que era a minha vez de tentar a experiência, o que imediatamente fiz; mas deixo de a relatar em todas as suas partes, por não demorar a narração da experiência de Diogo Meireles, que foi a mais decisiva das três, e a melhor prova desta deliciosa invenção do bonzo. Direi somente que, por algumas luzes que tinha de música e charamela, em que aliás era mediano, lembrou-me congregar os principais de Fuchéu para que me ouvissem tanger o instrumento; os quais vieram, escutaram e foram-se repetindo que nunca antes tinham ouvido coisa tão extraordinária.
E confesso que alcancei um tal resultado com o só recurso dos ademanes, da graça em arquear os braços para tomar a charamela, que me foi trazida em uma bandeja de prata, da rigidez do busto, da unção com que alcei os olhos ao ar, e do desdém e ufania com que os baixei à mesma Assembleia, a qual neste ponto rompeu em um tal concerto de vozes e exclamações de entusiasmo, que quase me persuadiu do meu merecimento.

Mas, como digo, a mais engenhosa de todas as nossas experiências, foi a de Diogo Meireles. Lavrava então na cidade uma singular doença, que consistia em fazer inchar os narizes, tanto e tanto, que tomavam metade e mais da cara ao paciente, e não só a punham horrenda, senão que era molesto carregar tamanho peso. Conquanto os físicos da terra propusessem extrair os narizes inchados, para alívio e melhoria dos enfermos, nenhum destes consentia em prestar-se ao curativo, preferindo o excesso à lacuna, e tendo por mais aborrecível que nenhuma outra coisa a ausência daquele órgão. Neste apertado lance, mais de um recorria à morte voluntária, como um remédio, e a tristeza era muita em toda a cidade Fuchéu. Diogo Meireles, que desde algum tempo praticava a medicina, segundo ficou dito atrás, estudou a moléstia e reconheceu que não havia perigo em desnarigar os doentes, antes era vantajoso por lhes levar o mal, sem trazer fealdade, pois tanto valia um nariz disforme e pesado como nenhum; não alcançou, todavia, persuadir os infelizes ao sacrifício. Então ocorreu-lhe uma graciosa invenção. Assim foi que, reunindo muitos físicos, filósofos, bonzos, autoridades e povo, comunicou-lhes que tinha um segredo para eliminar o órgão; e esse segredo era nada menos que substituir o nariz achacado por um nariz são, mas de pura natureza metafísica, isto é, inacessível aos sentidos humanos, e contudo tão verdadeiro ou ainda mais do que o cortado; cura esta praticada por ele em várias partes, e muito aceita aos físicos de Malabar. O assombro da Assembleia foi imenso, e não menor a incredulidade de alguns, não digo de todos, sendo que a maioria não sabia que acreditasse, pois se lhe repugnava a metafísica do nariz, cedia entretanto à energia das palavras de Diogo Meireles, ao tom alto e convencido com que ele expôs e definiu o seu remédio. Foi então que alguns filósofos, ali presentes, um tanto envergonhados do saber de Diogo Meireles, não quiseram ficar-lhe atrás, e declararam que havia bons fundamentos para uma tal invenção, visto não ser o homem todo outra coisa mais do que um produto da idealidade transcendental; donde resultava que podia trazer, com toda a verossimilhança, um nariz metafísico, e juravam ao povo que o efeito era o mesmo.

A Assembleia aclamou a Diogo Meireles; e os doentes começaram de buscá-lo, em tanta cópia, que ele não tinha mãos a medir. Diogo Meireles desnarigava-os com muitíssima arte; depois estendia delicadamente os dedos a uma caixa, onde fingia ter os narizes substitutos, colhia um e aplicava-o ao lugar vazio. Os enfermos, assim curados e supridos, olhavam uns para os outros, e não viam nada no lugar do órgão cortado; mas, certos e certíssimos de que ali estava o órgão substituto, e que este era inacessível aos sentidos humanos, não se davam por defraudados, e tornavam aos seus ofícios. Nenhuma outra prova quero da eficácia da doutrina e do fruto dessa experiência, senão o fato de que todos os desnarigados de Diogo Meireles continuaram a prover-se dos mesmos lenços de assoar. O que tudo deixo relatado para glória do bonzo e benefício do mundo.

LITTERATURA

HISTORIA COMMUM

... Cai na copa do chapéu de um homem que passava... Perdoem-me este começo; é um modo de ser épico. Entro em plena acção. Já o leitor sabe que cai, e cai na copa do chapéu de um homem que passava; resta dizer d'onde cai e porque cai.

Quanto á minha qualidade de alfinete, não é preciso insistir nella. Sou um simples alfinete villão, modesto, não alfinete de adorno, mas de uzo, desses com que as mulheres do povo pregam os lenços de chita, e as damas de sociedade os *fichús*, ou as flôres, ou isto, ou aquillo. Apparentemente vale pouco um alfinete; mas, na realidade, póde exceder ao proprio vestido. Não exemplifico; o papel é pouco, não ha senão o espaço de contar a minha aventura.

Tinha-me comprado uma triste mucama. O dono do armarinho vendeu-me, com mais onze irmãos, uma duzia, por não sei quantos reis; cousa de nada. Que destino! Uma triste mucama. Felicidade, — este é o seu nome, — pegou no papel em que estavamos pregados, e metteu-o no bahú. Não sei quanto tempo alli estive; sahi um dia de manhã para pregar o lenço de chita que a mucama trazia ao pescoço. Como o lenço era nôvo, não fiquei grandemente desconsolado. E depois a mucama era asseiada e estimada, vivia nos quartos das moças, era confidente dos seus namoros e arrufos; emfim, não era um destino principesco, mas tambem não era um destino ignobil.

Entre o peito da Felicidade e o recanto de uma mesa velha, que ella tinha na alcova, gastei uns cinco ou seis dias. De noite, era despregado e mettido n'uma caixinha de papelão, ao canto da mesa; de manhã, ia da caixinha ao lenço. Monotono, é verdade; mas a vida dos alfinetes, não é outra. Na vespera do dia em que se deu a minha aventura, ouvi fallar de um baile no dia seguinte, em casa de um desembargador que fazia annos. As senhoras preparavam-se com esmero e affinco, cuidavam das rendas, sedas, luvas, flôres, brilhantes, leques, sapatos; não se pensava em outra cousa se não no baile do desembargador. Bem quizera eu saber o que era um baile, e ir a elle; mas uma tal ambição podia nascer na cabeça de um alfinete, que não sahia do lenço de uma triste mucama? — Certamente que não. O remedio era ficar em casa.

— Felicidade, diziam as moças, á noite, no quarto, dá cá o vestido. Felicidade, aperta o vestido. Felicidade, onde estão as outras meias?

— Que meias, nhanhã?

— As que estavam na cadeira...

— Uê! nhanhã! Estão aqui mesmo.

E Felicidade ia de um lado para outro, solicita, obediente, meiga, sorrindo a todas, abotoando uma, puxando as saias de outra, compondo a cauda desta, concertando o diadema daquella, tudo com um amôr de mãe, tão feliz como se fossem suas filhas. E eu vendo tudo. O que me mettia inveja eram os outros alfinetes. Quando os via ir da bôca da mucama, que os tirava da *toilette*, para o corpo das moças, dizia commigo, que era bem bom ser alfinete de damas, e damas bonitas que iam a festas.

— Meninas, são horas!

— Lá vou, mamãe! disseram todas.

E foram, uma a uma, primeiro a mais velha, depois a mais moça, depois a do meio. Esta, por nome Clarinha, ficou arranjando uma rosa no peito, uma linda rosa; pregou-a e sorriu para a mucama.

— Hum! hum! resmungou esta. Seu Florencio hoje fica de queixo cahido...

Clarinha olhou para o espelho, e repetio comsigo a prophecia da mucama. Digo isto, não só porque me pareceu vel-o no sorriso da moça, como porque ella voltou-se pouco depois para a mucama, e respondeu sorrindo: — Pode ser.

— Pode ser? Vae ficar mesmo.

— Clarinha, só se espera por você.

— Prompta, mamãe!

Tinha prendido a rosa, ás pressas, e saiu. Na sala estava a familia, dous carros á porta; desceram emfim, e Felicidade com ellas, até á porta da rua. Clarinha foi com a mãe no segundo carro; no primeiro foi o pae com as outras duas filhas. Clarinha calçava as luvas, a mãe dizia que era tarde; entraram; mas, ao entrar caiu a rosa do peito da moça. Consternação desta; teima da mãe que era tarde, que não valia a pena gastar tempo em pregar a rosa outra vez. Mas Clarinha pedia que se demorasse um instante, um instante só, e diria á mucama que fosse buscar um alfinete.

— Não é preciso, sinhá; aqui está um.

Um era eu. Que alegria a de Clarinha! Com que alvoroço me tomou entre os dedinhos, e me metteu entre os dentes, emquanto descalçava as luvas. Descalçou-as; pregou commigo a rosa, e o carro partiu. Lá me vou no peito de uma linda moça, prendendo uma bella rosa, com destino ao baile de um desembargador. Façam-me o favor de dizer se Bonaparte teve mais rapida ascensão. Não ha dois minutos toda a minha prosperidade era o lenço pobre de uma pobre mucama. Agora, peito de moça bonita, vestido de seda, carro, baile, lacaio que abre a portinhola, cavalheiro que dá o braço á moça, que a leva escada acima, uma escada suada de tapetes, lavada de luzes, aromada de flôres... Ah! emfim! eis-me no meu lugar.

Estamos na terceira valsa. O par de Clarinha é o Dr. Florencio, um rapaz bonito, bigode negro, que a aperta muito e anda á roda como um louco. Acabada a valsa, fomos passear os tres, elle murmurando-lhe coisas meigas, ella arfando de cansaço e commoção, e eu fixo, teso, orgulhoso. Seguimos para a janella. O Dr. Florencio declarou que era tempo de autorisal-o a pedil-a.

— Não se vexe; não é preciso que me diga nada; basta que me aperte a mão.

Clarinha apertou-lhe a mão; elle levou-a á bôca e beijou-a; ella olhou assustada para dentro.

— Ninguem vê, continuou o Dr. Florencio; amanhã mesmo escreverei a seu pae.

Conversaram ainda uns dez minutos, suspirando cousas deliciosas, com as mãos presas. O coração della batia! Eu, que lhe ficava em cima, é que sentia as pancadas do pobre coração. Pudera! Noiva entre duas valsas. Afinal, como era mister voltar á sala, elle pediu-lhe um penhor, a rosa que trazia ao peito.

— Tome...

E despregando a rosa, deu-a ao namorado, atirando-me, com a maior indifferença, á rua... Cai na copa do chapeu de um homem que passava e...

MACHADO DE ASSIS.

POESIA

GROPPO

(A MANOEL DE MELLO)

Figura graciosa e encantadora
De uma creança no kaolim talhada,
Vêdes nos braços de gentil senhora
Alli no banco do jardim sentada.

Como a cabeça é grande comparada
Com todo o corpo!.. e que cabello o doura!
Rasga-lhe a fronte crystallina estrada,
Onde brinca em nudez a manhan loura.

Na attidude da mãe, e na do filho
Desce do sol, que vae morrendo um brilho,
Que enche de um riso timido o vergel.

Parece o grupo esplendido e tranquillo
Feito de uma das Virgens de Murillo,
Tendo ao collo um Jesus de Raphael.

LUIZ DELFINO.
(Conchas e perolas)

BIBLIOGRAPHIA

Não será talvez estranho ás leitoras o nome do Sr. Carlos Moraes, que nos dá agora, colligidas n'um elegante volume, sob o titulo *Canções ridentes*, algumas composições poeticas a que de certo não faltam nem talento, nem graça.

O autor deste livro não se nos apresenta nem como inovador nem como enviado de qualquer seita litteraria; é um poeta que canta por conta propria e que visivelmente obedece aos impulsos do tempo. Acceita a vida tal como ella é e sem rebuço exclama:

Si esta vida é uma comedia,
Levemos a vida a rir:
P'ra que dar vida á tragedia,
Si esta vida é uma comedia!...
Não haja condição media
Entre o chorar e o sorrir:
Si esta vida é uma comedia,
Levemos a vida a rir.

Isto não é só um *triolet* bem feito: é tambem um programma, e um programma que tem ainda o merito de o não parecer.

AS NOSSAS GRAVURAS

EDWIN BOTH

Edwin Both membro de uma familia toda de artistas dramaticos, pois que teve seu pai e quatro irmãos actores (sendo um destes o assassino do infeliz presidente Lincoln) é hoje uma grande celebridade como tragico e principalmente como interprete do grande Shakespeare.

A sua carreira artistica começou de modo singular. Um dia, em 1851, tendo elle 15 annos e indo com seu pai para o theatro, na hora do espectaculo, em que este ia representar o papel de Ricardo III, Both pai volta-se para seu filho e com tom que não admittia replica diz-lhe: — Não posso hoje representar, e como não desejo prejudicar a direcção, vais tomar o meu logar. Edwin effectivamente foi só para o theatro, vestiu-se e imitou por tal fórma o modo por que o pai costumava representar o personagem que, no fim do espectaculo, sabendo o publico da verdade, fez-lhe uma estrondosa ovação. Desde essa época o seu gosto e talento foi se desenvolvendo por tal fórma que é hoje o primeiro tragico americano, conhecido e apreciado em toda a extensão da União, na Australia e agora na Europa.

RAPARIGA DE SCHEVENINGEN

Scheveningen é uma das cidades de banho da Hollanda, bastante frequentada no verão, principalmente pelos artistas em razão da pittoresca belleza das suas praias. O que, porem, nella ha de mais caracteristico são os habitantes, que conservam em toda a pureza os habitos e costumes tradicionaes da antiga Batavia. Certamente, ao vêr-se esse lindo rosto oval, esses olhos grandes e bellos labios, muitos não reconhecerão a idéa que geralmente existe sobre as mulheres neerlandezas, a quem antigas historias deram fama de pesadas e prosaicas. Com mais razão reconhecer-se-ha que fez bem Henri Heine cantando, nas suas poesias, os encantos da hollandeza.

História comum[1]

...Caí na copa do chapéu de um homem que passava... Perdoe-me este começo; é um modo de ser épico. Entro em plena ação. Já o leitor sabe que caí, e caí na copa do chapéu de um homem que passava – resta dizer donde caí e por que caí.

Quanto à minha qualidade de alfinete, não é preciso insistir nela. Sou um simples alfinete vilão, modesto, não alfinete de adorno, mas de uso, desses com que as mulheres do povo pregam os lenços de chita, e as damas de sociedade os *fichus*, ou as flores, ou isto, ou aquilo. Aparentemente vale pouco um alfinete; mas, na realidade, pode exceder ao próprio vestido. Não exemplifico; o papel é pouco, não há senão o espaço de contar a minha aventura.

Tinha-me comprado uma triste mucama. O dono do armarinho vendeu-me, com mais onze irmãos, uma dúzia, por não sei quantos réis; coisa de nada. Que destino! Uma triste mucama. Felicidade, – este é o seu nome,— pegou no papel em que estávamos pregados, e meteu-o no baú. Não sei quanto tempo ali estive; saí um dia de manhã para pregar o lenço de chita que a mucama trazia ao pescoço. Como o lenço era novo, não fiquei grandemente desconsolado. E depois a mucama era asseada e estimada, vivia nos quartos das moças, era confidente dos seus namoros e arrufos; enfim, não era um destino principesco, mas também não era um destino ignóbil.

Entre o peito da Felicidade e o recanto de uma mesa velha, que ela tinha na alcova, gastei uns cinco ou seis dias. De noite, era despregado e metido numa caixinha de papelão, ao canto da mesa; de manhã, ia da caixinha ao lenço. Monótono, é verdade; mas a vida dos alfinetes, não é outra. Na véspera do dia em que se deu a minha aventura, ouvi falar de um baile no dia seguinte, em casa de um desembargador que fazia anos. As senhoras preparavam-se com

[1] Publicado em *A Estação* (15 de abril de 1883).

esmero e afinco, cuidavam das rendas, sedas, luvas, flores, brilhantes, leques, sapatos; não se pensava em outra coisa senão no baile do desembargador. Bem quisera eu saber o que era um baile, e ir a ele, mas uma tal ambição podia nascer na cabeça de um alfinete, que não saía do lenço de uma triste mucama? – Certamente que não. O remédio era ficar em casa.

— Felicidade, diziam as moças, à noite, no quarto, dá cá o vestido. Felicidade, aperta o vestido. Felicidade, onde estão as outras meias?

— Que meias, nhanhã?

— As que estavam na cadeira...

— Uê! nhanhã! Estão aqui mesmo.

E Felicidade ia de um lado para outro, solícita, obediente, meiga, sorrindo a todas, abotoando uma, puxando as saias de outra, com pondo a cauda desta, concertando o diadema daquela, tudo com um amor de mãe, tão feliz como se fossem suas filhas. E eu vendo tudo. O que me metia inveja eram os outros alfinetes. Quando os via ir da boca da mucama, que os tirava da *toilette*, para o corpo das moças, dizia comigo, que era bem bom ser alfinete de damas, e damas bonitas que iam a festas.

— Meninas, são horas!

— Lá vou, mamãe! disseram todas.

E foram, uma a uma, primeiro a mais velha, depois a mais moça depois a do meio. Esta, por nome Clarinha, ficou arranjando uma rosa no peito, uma linda rosa; pregou-a e sorriu para a mucama.

— Hum! hum! resmungou esta. Seu Florêncio hoje fica de queixo caído....

Clarinha olhou para o espelho, e repetiu consigo a profecia da mucama. Digo isto, não só porque me pareceu vê-lo no sorriso da moça, como porque ela voltou-se pouco depois para a mucama, e respondeu sorrindo:

— Pode ser.

— Pode ser? Vai ficar mesmo.

— Clarinha, só se espera por você.

— Pronta, mamãe!

Tinha prendido a rosa, às pressas, e saiu.

Na sala estava a família, dois carros à porta; desceram enfim, e Felicidade com elas, até à porta da rua. Clarinha foi com a mãe no segundo carro; no primeiro foi o pai com as outras duas filhas. Clarinha calçava as luvas, a mãe dizia que era tarde, entraram, mas ao entrar caiu a rosa do peito da moça. Consternação desta; teima da mãe que era tarde, que não valia a pena gastar tempo em pregar a rosa outra vez. Mas Clarinha pedia que se demorasse um instante, um instante só, e diria à mucama que fosse buscar um alfinete.

— Não é preciso, sinhá aqui está um.

Um era eu. Que alegria a de Clarinha! Com que alvoroço me tomou entre os dedinhos, e me meteu entre os dentes, enquanto descalçava as luvas. Descalçou-as: pregou comigo a rosa, e o carro partiu. Lá me vou no peito de uma linda moça, prendendo uma bela rosa, com destino ao baile de um desembargador. Façam-me o favor de dizer se Bonaparte teve mais rápida ascensão. Não há dois minutos toda a minha prosperidade era o lenço pobre de uma pobre mucama. Agora, peito de moça bonita, vestido de seda, carro, baile, lacaio que abre a portinhola, cavalheiro que dá o braço à moça, que a leva escada acima; uma escada suada de tapetes, lavada de luzes, aromada de flores... Ah! enfim! eis-me no meu lugar.

Estamos na terceira valsa. O par de Clarinha é o Dr. Florêncio, um rapaz bonito, bigode negro, que a aperta muito e anda à roda como um louco. Acabada a valsa, fomos passear os três, ele murmurando-lhe coisas meigas, ela arfando de cansaço e comoção, e eu fixo, teso, orgulhoso. Seguimos para a janela. O Dr. Florêncio declarou que era tempo de autorizá-lo a pedi-la.

— Não se vexe; não é preciso que me diga nada; basta que me aperte a mão.

Clarinha apertou-lhe a mão; ele levou-a à boca e beijou-a; ela olhou assustada para dentro.

— Ninguém vê, continuou o Dr. Florêncio; amanhã mesmo escreverei a seu pai.

Conversaram ainda uns dez minutos, suspirando coisas deliciosas, com as mãos presas. O coração dela batia! Eu, que lhe ficava em cima, é que sentia as pancadas do pobre coração. Pudera! Noiva entre duas valsas. Afinal, como era mister voltar à sala, ele pediu-lhe um penhor, a rosa que trazia ao peito.

— Tome...

E despregando a rosa, deu-a ao namorado, atirando-me, com a maior indiferença, à rua... Caí na copa do chapéu de um homem que passava e...

REVISTA DA SEMANA

Edição semanal illustrada do JORNAL DO BRASIL

Anno XIII — N. 438 DOMINGO, 4 DE OUTUBRO Numero: 300 réis

MACHADO DE ASSIS

Humilde typographo e revisor de provas, não tardou que elle se revelasse, em toda pujança de seu talento, o jornalista de chronicas deliciosas, o poeta de simplicidade encantadora, o romancista de paginas admiraveis, que lhe valeram a gloria de ser considerado o mestre da litteratura nacional, nos ultimos tempos.

Realmente o era. Se cultivando as musas elle sabia, como ninguem, ser impeccavel na rima e no metro, como prosador o seu estylo se revestia dessa originalidade attrahente de quem conhece todas as subtilezas da nossa lingua, descobrindo a musica dos vocabulos, architectando periodos que se enfechavam entre a doçura da linguagem e a severidade irreprehensivel do vernaculo.

Com a morte de Machado de Assis, o Brasil perde um dos seus grandes homens, e se a litteratura nacional se reveste de luto menos certo é que de luto está revestido o coração dos seus numerosos amigos e admiradores.

∴

Era director geral da secretaria do Ministerio da Industria, Viação e Obras Publicas e Presidente da Academia de Letras.

Succumbiu a penosa enfermidade, na madrugada de terça-feira ultima, em sua residencia do Cosme Velho, sendo o seu corpo embalsamado pelos Drs. Afranio Peixoto e Alfredo Andrade e á noite transportado para a séde da Academia de Letras, no Syllogêo, cujo salão de honra fôra transformado em camara ardente para recebel-o.

O enterro realizou-se quinta-feira, no cemiterio de S. João Baptista e foi solemnissimo, feito a expensas do Estado. O Presidente da Republica fez-se representar e enviou soberba corôa; compareceram alguns ministros e o tocante discurso de despedida, do derradeiro adeus ao Mestre foi pronunciado á beira do tumulo, em nome da Academia, pelo Sr. Conselheiro Ruy Barbosa, fallando em nome do governo o Ministro do Interior, Dr. Tavares da Lyra.

A Academia de Letras recebeu numerosas manifestações de pezar pela morte do presidente querido, entre ellas telegrammas dos Srs. Conselheiro Affonso Penna, Barão do Rio Branco e Dr. Joaquim Nabuco, Embaixador em Washington.

As duas casas do Congresso Nacional e o Conselho Municipal inseriram em suas actas votos de pezar, o mesmo fazendo as differentes secções do Congresso de Assistencia, actualmente reunido nesta capital.

Anno IX — Rio de Janeiro — Sabbado 17 de Fevereiro de 1883 — N. 48

GAZETA DE NOTICIAS

PAGAMENTO ADIANTADO

Escriptorio — Rua do Ouvidor n. 70 — RIO DE JANEIRO

Typographia — Rua Sete de Setembro n. 72 — RIO DE JANEIRO

Numero avulso 40 rs.

As assignaturas começam em qualquer dia e terminam sempre em fins de março, junho, setembro ou dezembro

Os artigos enviados á redacção não serão restituidos ainda que não sejem publicados

Numero avulso 40 rs.

Tiragem 24.000 exemp.

HYGIENE PUBLICA

[illegible]

TELEGRAMMAS

Serviço da «Havas»

Paris, 11 de fevereiro.

[illegible]

A IGREJA DO DIABO

HISTORIA SEM DATA

CAPITULO I

DE UMA IDÉA MIRIFICA

[illegible]

CAPITULO II

ENTRE DEUS E O DIABO

[illegible]

CAPITULO III

A BOA NOVA AOS HOMENS

[illegible]

CAPITULO IV

FRANJAS E FRANJAS

[illegible]

FOLHETIM 54

O SEGREDO DO JESUITA

POR

EUGÈNE MORET

TERCEIRA PARTE

O SEGREDO

IX

(Continuação)

[illegible]

A igreja do diabo[1]

Capítulo I – De uma ideia mirífica

Conta um velho manuscrito beneditino que o Diabo, em certo dia, teve a ideia de fundar uma igreja. Embora os seus lucros fossem contínuos e grandes, sentia-se humilhado com o papel avulso que exercia desde séculos, sem organização, sem regras, sem cânones, sem ritual, sem nada. Vivia, por assim dizer, dos remanescentes divinos, dos descuidos e obséquios humanos. Nada fixo, nada regular. Por que não teria ele a sua igreja? Uma igreja do Diabo era o meio eficaz de combater as outras religiões, e destruí-las de uma vez.

— Vá, pois, uma igreja, concluiu ele. Escritura contra Escritura, breviário contra breviário. Terei a minha missa, com vinho e pão à farta, as minhas prédicas, bulas, novenas e todo o demais aparelho eclesiástico. O meu credo será o núcleo universal dos espíritos, a minha igreja uma tenda de Abraão. E depois, enquanto as outras religiões se combatem e se dividem, a minha igreja será única; não acharei diante de mim, nem Maomé, nem Lutero. Há muitos modos de afirmar; há só um de negar tudo.

Dizendo isto, o Diabo sacudiu a cabeça e estendeu os braços, com um gesto magnífico e varonil. Em seguida, lembrou-se de ir ter com Deus para comunicar-lhe a ideia, e desafiá-lo; levantou os olhos, acesos de ódio, ásperos de vingança, e disse consigo: – Vamos, é tempo. E rápido, batendo as asas, com tal estrondo que abalou todas as províncias do abismo, arrancou da sombra para o infinito azul.

[1] Publicado pelo autor em *Gazeta de Notícias* (17 de fevereiro de 1883). Reunido pelo autor em *Histórias sem data* (1884).

Capítulo II – Entre Deus e o Diabo

Deus recolhia um ancião, quando o Diabo chegou ao céu. Os serafins que engrinaldavam o recém-chegado, detiveram-se logo, e o Diabo deixou-se estar à entrada com os olhos no Senhor.

— Que me queres tu? perguntou este.

— Não venho pelo vosso servo Fausto, respondeu o Diabo rindo, mas por todos os Faustos do século e dos séculos.

— Explica-te.

— Senhor, a explicação é fácil; mas permiti que vos diga: recolhei primeiro esse bom velho; dai-lhe o melhor lugar, mandai que as mais afinadas cítaras e alaúdes o recebam com os mais divinos coros...

— Sabes o que ele fez? perguntou o Senhor, com os olhos cheios de doçura.

— Não, mas provavelmente é dos últimos que virão ter convosco. Não tarda muito que o céu fique semelhante a uma casa vazia, por causa do preço, que é alto. Vou edificar uma hospedaria barata; em duas palavras, vou fundar uma igreja. Estou cansado da minha desorganização, do meu reinado casual e adventício. É tempo de obter a vitória final e completa. E então vim dizer-vos isto, com lealdade, para que me não acuseis de dissimulação... Boa ideia, não vos parece?

— Vieste dizê-la, não legitimá-la, advertiu o Senhor.

— Tendes razão, acudiu o Diabo; mas o amor-próprio gosta de ouvir o aplauso dos mestres. Verdade é que neste caso seria o aplauso de um mestre vencido, e uma tal exigência... Senhor, desço à terra; vou lançar a minha pedra fundamental.

— Vai.

— Quereis que venha anunciar-vos o remate da obra?

— Não é preciso; basta que me digas desde já por que motivo, cansado há tanto da tua desorganização, só agora pensaste em fundar uma igreja?

O Diabo sorriu com certo ar de escárnio e triunfo. Tinha alguma ideia cruel no espírito, algum reparo picante no alforje de memória, qualquer coisa que, nesse breve instante da eternidade, o fazia crer superior ao próprio Deus. Mas recolheu o riso, e disse:

— Só agora concluí uma observação, começada desde alguns séculos, e é que as virtudes, filhas do céu, são em grande número comparáveis a rainhas, cujo manto de veludo rematasse em franjas de algodão. Ora, eu proponho-me a puxá-las por essa franja, e trazê-las todas para minha igreja; atrás delas virão as de seda pura...

— Velho retórico! murmurou o Senhor.

— Olhai bem. Muitos corpos que ajoelham aos vossos pés, nos templos do mundo, trazem as anquinhas da sala e da rua, os rostos tingem-se do mesmo pó, os lenços cheiram aos mesmos cheiros, as pupilas centelham de curiosidade e devoção entre o livro santo e o bigode do pecado. Vede o ardor, – a indiferença, ao menos, – com que esse cavalheiro põe em letras públicas os benefícios que liberalmente espalha, – ou sejam roupas ou botas, ou moedas, ou quaisquer dessas matérias necessárias à vida... Mas não quero parecer que me detenho em coisas miúdas; não falo, por exemplo, da placidez com que este juiz de irmandade, nas procissões, carrega piedosamente ao peito o vosso amor e uma comenda... Vou a negócios mais altos...

Nisto os serafins agitaram as asas pesadas de fastio e sono. Miguel e Gabriel fitaram no Senhor um olhar de súplica. Deus interrompeu o Diabo.

— Tu és vulgar, que é o pior que pode acontecer a um espírito da tua espécie, replicou-lhe o Senhor. Tudo o que dizes ou digas está dito e redito pelos moralistas do mundo. É assunto gasto; e se não tens força, nem originalidade para renovar um assunto gasto, melhor é que te cales e te retires. Olha; todas as minhas legiões mostram no rosto os sinais vivos do tédio que lhes dás. Esse mesmo ancião parece enjoado; e sabes tu o que ele fez?

— Já vos disse que não.

— Depois de uma vida honesta, teve uma morte sublime. Colhido em um naufrágio, ia salvar-se numa tábua; mas viu um casal de noivos, na flor da vida, que se debatiam já com a morte; deu-lhes a tábua de salvação e mergulhou na eternidade. Nenhum público: a água e o céu por cima. Onde achas aí a franja de algodão?

— Senhor, eu sou, como sabeis, o espírito que nega.

— Negas esta morte?

— Nego tudo. A misantropia pode tomar aspecto de caridade; deixar a vida aos outros, para um misantropo, é realmente aborrecê-los...

— Retórico e sutil! exclamou o Senhor. Vai, vai, funda a tua igreja; chama todas as virtudes, recolhe todas as franjas, convoca todos os homens... Mas, vai! vai!

Debalde o Diabo tentou proferir alguma coisa mais. Deus impusera-lhe silêncio; os serafins, a um sinal divino, encheram o céu com as harmonias de seus cânticos. O Diabo sentiu, de repente, que se achava no ar; dobrou as asas, e, como um raio, caiu na terra.

Capítulo III – A boa nova aos homens

Uma vez na terra, o Diabo não perdeu um minuto. Deu-se pressa em enfiar a cogula beneditina, como hábito de boa fama, e entrou a espalhar uma doutrina nova e extraordinária, com uma voz que reboava nas entranhas do século. Ele prometia aos seus discípulos e fiéis as delícias da terra, todas as glórias, os deleites mais íntimos. Confessava que era o Diabo; mas confessava-o para retificar a noção que os homens tinham dele e desmentir as histórias que a seu respeito contavam as velhas beatas.

— Sim, sou o Diabo, repetia ele; não o Diabo das noites sulfúreas, dos contos soníferos, terror das crianças, mas o Diabo verdadeiro e único, o próprio gênio da natureza, a que se deu aquele nome para arredá-lo do coração dos homens. Vede-me gentil e airoso. Sou o vosso verdadeiro pai. Vamos lá: tomai daquele nome, inventado para meu desdouro, fazei dele um troféu e um lábaro, e eu vos darei tudo, tudo, tudo, tudo, tudo, tudo...

Era assim que falava, a princípio, para excitar o entusiasmo, espertar os indiferentes, congregar, em suma, as multidões ao pé de si. E elas vieram; e logo que vieram, o Diabo passou a definir a doutrina. A doutrina era a que podia ser na boca de um espírito de negação. Isso quanto à substância, porque, acerca da forma, era umas vezes sutil, outras cínica e deslavada.

Clamava ele que as virtudes aceitas deviam ser substituídas por outras, que eram as naturais e legítimas. A soberba, a luxúria, a preguiça foram reabilitadas, e assim também a avareza, que declarou não ser mais do que a mãe da economia, com a diferença que a mãe era robusta, e a filha uma esgalgada. A ira tinha a melhor defesa na existência de Homero; sem o furor de Aquiles, não haveria a *Ilíada*: "Musa, canta a cólera de Aquiles, filho de Peleu..." O mesmo disse da gula, que produziu as melhores páginas de Rabelais, e muitos bons versos de *Hissope*; virtude tão superior, que ninguém se lembra das batalhas de Lúculo, mas das suas ceias; foi a gula que realmente o fez imortal. Mas, ainda pondo de lado essas razões de ordem literária ou histórica, para só mostrar o valor intrínseco daquela virtude, quem negaria que era muito melhor sentir na boca e no ventre os bons manjares, em grande cópia, do que os maus bocados, ou a saliva do jejum? Pela sua parte o Diabo prometia substituir a vinha do Senhor, expressão metafórica, pela vinha do Diabo, locução direta e verdadeira, pois não faltaria nunca aos seus com o fruto das mais belas cepas do mundo. Quanto à inveja, pregou friamente que era a virtude principal, origem de prosperidades infinitas; virtude preciosa, que chegava a suprir todas as outras, e ao próprio talento.

As turbas corriam atrás dele entusiasmadas. O Diabo incutia-lhes, a grandes golpes de eloquência, toda a nova ordem de coisas, trocando a noção delas, fazendo amar as perversas e detestar as sãs.

Nada mais curioso, por exemplo, do que a definição que ele dava da fraude. Chamava-lhe o braço esquerdo do homem; o braço direito era a força; e concluía: Muitos homens são canhotos, eis tudo. Ora, ele não exigia que todos fossem canhotos; não era exclusivista. Que uns fossem canhotos, outros destros; aceitava a todos, menos os que não fossem nada. A demonstração, porém, mais rigorosa e profunda, foi a da venalidade. Um casuísta do tempo chegou a confessar que era um monumento de lógica. A venalidade, disse o Diabo, era o exercício de um direito superior a todos os direitos. Se tu podes vender a tua casa, o teu boi, o teu sapato, o teu chapéu, coisas que são tuas por uma razão jurídica e legal, mas que, em todo caso, estão fora de ti, como é que não podes vender a tua opinião, o teu voto, a tua palavra, a tua fé, coisas que são mais do que tuas, porque são a tua própria consciência, isto é, tu mesmo? Negá-lo é cair no absurdo e no contraditório. Pois não há mulheres que vendem os cabelos? não pode um homem vender uma parte do seu sangue para transfundi-lo a outro homem anêmico? e o sangue e os cabelos, partes físicas, terão um privilégio que se nega ao caráter, à porção moral do homem? Demonstrando assim o princípio, o Diabo não se demorou em expor as vantagens de ordem temporal ou pecuniária; depois, mostrou ainda que, à vista do preconceito social, conviria dissimular o exercício de um direito tão legítimo, o que era exercer ao mesmo tempo a venalidade e a hipocrisia, isto é, merecer duplicadamente.

E descia, e subia, examinava tudo, retificava tudo. Está claro que combateu o perdão das injúrias e outras máximas de brandura e cordialidade. Não proibiu formalmente a calúnia gratuita, mas induziu a exercê-la mediante retribuição, ou pecuniária, ou de outra espécie; nos casos, porém, em que ela fosse uma expansão imperiosa da força imaginativa, e nada mais, proibia receber nenhum salário, pois equivalia a fazer pagar a transpiração. Todas as formas de respeito foram condenadas por ele, como elementos possíveis de um certo decoro social e pessoal; salva, todavia, a única exceção do interesse. Mas essa mesma exceção foi logo eliminada, pela consideração de que o interesse, convertendo o respeito em simples adulação, era este o sentimento aplicado e não aquele.

Para rematar a obra, entendeu o Diabo que lhe cumpria cortar por toda a solidariedade humana. Com efeito, o amor do próximo era um obstáculo grave à nova instituição. Ele mostrou que essa regra era uma simples invenção de parasitas e negociantes insolváveis; não se devia dar ao próximo senão indiferença; em alguns casos, ódio ou desprezo. Chegou mesmo à demonstração de que a noção de próximo era errada, e citava esta frase de um padre de Nápoles, aquele fino e letrado Galiani, que escrevia a uma das marquesas do antigo regime: "Leve a breca o próximo! Não há próximo!" A única hipótese em que ele permitia amar ao próximo era quando se tratasse de amar as damas alheias, porque essa espécie de amor tinha a particularidade de não ser outra coisa mais do que o amor do indivíduo a si mesmo. E como alguns discípulos achassem que uma tal explicação, por metafísica, escapava à compreensão das turbas, o Diabo recorreu a um apólogo: – Cem pessoas tomam ações de um banco, para as operações comuns; mas cada acionista não cuida realmente senão nos seus dividendos: é o que acontece aos adúlteros. Este apólogo foi incluído no livro da sabedoria.

Capítulo IV – Franjas e franjas

A previsão do Diabo verificou-se. Todas as virtudes cuja capa de veludo acabava em franja de algodão, uma vez puxadas pela franja, deitavam a capa às urtigas e vinham alistar-se na igreja nova. Atrás foram chegando as outras, e o tempo abençoou a instituição. A igreja fundara-se; a doutrina propagava-se; não havia uma região do globo que não a conhecesse, uma língua que não a traduzisse, uma raça que não a amasse. O Diabo alçou brados de triunfo.

Um dia, porém, longos anos depois notou o Diabo que muitos dos seus fiéis, às escondidas, praticavam as antigas virtudes. Não as praticavam todas, nem integralmente, mas algumas, por partes, e, como digo, às ocultas. Certos glutões recolhiam-se a comer frugalmente três ou quatro vezes por ano, justamente em dias de preceito católico; muitos avaros davam esmolas, à noite, ou nas ruas mal povoadas; vários dilapidadores do erário restituíam-lhe pequenas quantias; os fraudulentos falavam, uma ou outra vez, com o coração nas mãos, mas com o mesmo rosto dissimulado, para fazer crer que estavam embaçando os outros.

A descoberta assombrou o Diabo. Meteu-se a conhecer mais diretamente o mal, e viu que lavrava muito. Alguns casos eram até incompreensíveis, como o de um droguista do Levante, que envenenara longamente uma geração inteira, e, com o produto das drogas, socorria os filhos das vítimas. No Cairo achou um perfeito ladrão de camelos, que tapava a cara para ir às mesquitas. O Diabo deu com ele à entrada de uma, lançou-lhe em rosto o procedimento; ele negou, dizendo que ia ali roubar o camelo de um *drogman*; roubou-o, com efeito, à vista do Diabo e foi dá-lo de presente a um muezim, que rezou por ele a Alá. O manuscrito beneditino cita muitas outras descobertas extraordinárias, entre elas esta, que desorientou completamente o Diabo. Um dos seus melhores apóstolos era um calabrês, varão de cinquenta anos, insigne falsificador de documentos, que possuía uma bela casa na campanha romana, telas, estátuas, biblioteca, etc. Era a fraude em pessoa; chegava a meter-se na cama para não confessar que estava são. Pois esse homem, não só não furtava ao jogo, como ainda dava gratificações aos criados. Tendo angariado a amizade de um cônego, ia todas as semanas confessar-se com ele, numa capela solitária; e, conquanto não lhe desvendasse nenhuma das suas ações secretas, benzia-se duas vezes, ao ajoelhar-se, e ao levantar-se. O Diabo mal pôde crer tamanha aleivosia. Mas não havia que duvidar; o caso era verdadeiro.

Não se deteve um instante. O pasmo não lhe deu tempo de refletir, comparar e concluir do espetáculo presente alguma coisa análoga ao passado. Voou de novo ao céu, trêmulo de raiva, ansioso de conhecer a causa secreta de tão singular fenômeno. Deus ouviu-o com infinita complacência; não o interrompeu, não o repreendeu, não triunfou, sequer, daquela agonia satânica. Pôs os olhos nele, e disse-lhe:

— Que queres tu, meu pobre Diabo? As capas de algodão têm agora franjas de seda, como as de veludo tiveram franjas de algodão. Que queres tu? É a eterna contradição humana.

Anno XI — Rio de Janeiro — Domingo 1 de Março de 1885 — N. 60

GAZETA DE NOTICIAS

ASSIGNATURAS PARA A CORTE — PAGAMENTO ADIANTADO — NUMERO AVULSO 40 RS. — Escriptorio — Rua do Ouvidor n. 70 — RIO DE JANEIRO

ASSIGNATURAS PARA AS PROVINCIAS — PAGAMENTO ADIANTADO — TIRAGEM 24,000 EXEMP. — Typographia — Rua Sete de Setembro n. 72 — RIO DE JANEIRO

As assignaturas começam em qualquer dia e terminam sempre em fins de março, junho, setembro ou dezembro

Stereotypada e impressa em machinas rotativas de Marinoni, na typographia da «Gazeta de Noticias», de propriedade de ARAUJO & MENDES, rua Sete de Setembro n. 72

Os artigos enviados á redacção não serão restituidos ainda que não sejam publicados

TELEGRAMMAS

CHRONICA DA SEMANA

BOLETIM PARLAMENTAR

A POLITICA DO VELHO MUNDO

TERREMOTOS EM ANDALUZIA

TRES APOLOGOS

I

A AGULHA E A LINHA

Era uma vez uma agulha, que disse a um novello de linha:

Adão e Eva[1]

Uma senhora de engenho, na Bahia, pelos anos de mil setecentos e tantos, tendo algumas pessoas íntimas à mesa, anunciou a um dos convivas, grande lambareiro, um certo doce particular. Ele quis logo saber o que era; a dona da casa chamou-lhe curioso. Não foi preciso mais; daí a pouco estavam todos discutindo a curiosidade, se era masculina ou feminina, e se a responsabilidade da perda do paraíso devia caber a Eva ou a Adão. As senhoras diziam que a Adão, os homens que a Eva, menos o juiz de fora, que não dizia nada, e Frei Bento, carmelita, que interrogado pela dona da casa, D. Leonor:

— Eu, senhora minha, toco viola, respondeu sorrindo; e não mentia, porque era insigne na viola e na harpa, não menos que na teologia. Consultado, o juiz de fora respondeu que não havia matéria para opinião; porque as coisas no paraíso terrestre passaram-se de modo diferente do que está contado no primeiro livro do Pentateuco, que é apócrifo. Espanto geral, riso do carmelita que conhecia o juiz de fora como um dos mais piedosos sujeitos da cidade, e sabia que era também jovial e inventivo, e até amigo da pulha, uma vez que fosse curial e delicada; nas coisas graves, era gravíssimo.

— Frei Bento, disse-lhe D. Leonor, faça calar o Sr. Veloso.

— Não o faço calar, acudiu o frade, porque sei que de sua boca há de sair tudo com boa significação. – Mas a Escritura... ia dizendo o mestre-de-campo João Barbosa.

— Deixemos em paz a Escritura, interrompeu o carmelita. Naturalmente, o Sr. Veloso conhece outros livros...

— Conheço o autêntico, insistiu o juiz de fora, recebendo o prato de doce que D. Leonor lhe oferecia, e estou pronto a dizer o que sei, se não mandam o contrário.

[1] Publicado em *Gazeta de Notícias* (1 de março de 1885). Reunido pelo autor em *Várias histórias* (1896).

— Vá lá, diga.

— Aqui está como as coisas se passaram. Em primeiro lugar, não foi Deus que criou o mundo, foi o Diabo...

— Cruz! exclamaram as senhoras.

— Não diga esse nome, pediu D. Leonor.

— Sim, parece que... ia intervindo frei Bento.

— Seja o Tinhoso. Foi o Tinhoso que criou o mundo; mas Deus, que lhe leu no pensamento, deixou-lhe as mãos livres, cuidando somente de corrigir ou atenuar a obra, a fim de que ao próprio mal não ficasse a desesperança da salvação ou do benefício. E a ação divina mostrou-se logo porque, tendo o Tinhoso criado as trevas, Deus criou a luz, e assim se fez o primeiro dia. No segundo dia, em que foram criadas as águas, nasceram as tempestades e os furacões; mas as brisas da tarde baixaram do pensamento divino. No terceiro dia foi feita a terra, e brotaram dela os vegetais, mas só os vegetais sem fruto nem flor, os espinhosos, as ervas que matam como a cicuta; Deus, porém, criou as árvores frutíferas e os vegetais que nutrem ou encantam. E tendo o Tinhoso cavado abismos e cavernas na terra, Deus fez o sol, a lua e as estrelas; tal foi a obra do quarto dia. No quinto foram criados os animais da terra, da água e do ar. Chegamos ao sexto dia, e aqui peço que redobrem de atenção.

Não era preciso pedi-lo; toda a mesa olhava para ele, curiosa.

Veloso continuou dizendo que no sexto dia foi criado o homem, e logo depois a mulher; ambos belos, mas sem alma, que o Tinhoso não podia dar, e só com ruins instintos. Deus infundiu-lhes a alma, com um sopro, e com outro os sentimentos nobres, puros e grandes. Nem parou nisso a misericórdia divina; fez brotar um jardim de delícias, e para ali os conduziu, investindo-os na posse de tudo. Um e outro caíram aos pés do Senhor, derramando lágrimas de gratidão. "Vivereis aqui", disse-lhe o Senhor, "e comereis de todos os frutos, menos o desta árvore, que é a da ciência do Bem e do Mal."

Adão e Eva ouviram submissos; e ficando sós, olharam um para o outro, admirados; não pareciam os mesmos. Eva, antes que Deus lhe infundisse os bons sentimentos, cogitava de armar um laço a Adão, e Adão tinha ímpetos de espancá-la. Agora, porém, embebiam-se na contemplação um do outro, ou na vista da natureza, que era esplêndida. Nunca até então viram ares tão puros, nem águas tão frescas, nem flores tão lindas e cheirosas, nem o sol tinha para nenhuma outra parte as mesmas torrentes de claridade. E dando as mãos percorreram tudo, a rir muito, nos primeiros dias, porque até então não sabiam rir. Não tinham a sensação do tempo. Não sentiam o peso da ociosidade; viviam da contemplação. De tarde iam ver morrer o sol e nascer a lua, e contar as estrelas, e raramente chegavam a mil, dava-lhes o sono e dormiam como dois anjos.

Naturalmente, o Tinhoso ficou danado quando soube do caso. Não podia ir ao paraíso, onde tudo lhe era avesso, nem chegaria a lutar com o Senhor; mas ouvindo um rumor no chão entre folhas secas, olhou e viu que era a serpente. Chamou-a alvoroçado.

— Vem cá, serpe, fel rasteiro, peçonha das peçonhas, queres tu ser a embaixatriz de teu pai, para reaver as obras de teu pai?

A serpente fez com a cauda um gesto vago, que parecia afirmativo; mas o Tinhoso deu-lhe a fala, e ela respondeu que sim, que iria onde ele a mandasse, – às estrelas, se lhe desse as asas da águia – ao mar, se lhe confiasse o segredo de respirar na água – ao fundo da terra, se lhe ensinasse o talento da formiga. E falava a maligna, falava à toa, sem parar, contente e pródiga da língua; mas o diabo interrompeu-a:

— Nada disso, nem ao ar, nem ao mar, nem à terra, mas tão-somente ao jardim de delícias, onde estão vivendo Adão e Eva.

— Adão e Eva?

— Sim, Adão e Eva.

— Duas belas criaturas que vimos andar há tempos, altas e direitas como palmeiras?

— Justamente.

— Oh! detesto-os. Adão e Eva? Não, não, manda-me a outro lugar. Detesto-os! Só a vista deles faz-me padecer muito. Não hás de querer que lhes faça mal...

— É justamente para isso.

— Deveras? Então vou; farei tudo o que quiseres, meu senhor e pai. Anda, dize depressa o que queres que faça. Que morda o calcanhar de Eva? Morderei...

— Não, interrompeu o Tinhoso. Quero justamente o contrário. Há no jardim uma árvore, que é a da ciência do Bem e do Mal; eles não devem tocar nela, nem comer-lhe os frutos. Vai, entra, enrosca-te na árvore, e quando um deles ali passar, chama-o de mansinho, tira uma fruta e oferece-lhe, dizendo que é a mais saborosa fruta do mundo; se te responder que não, tu insistirás, dizendo que é bastante comê-la para conhecer o próprio segredo da vida. Vai, vai...

— Vou; mas não falarei a Adão, falarei a Eva. Vou, vou. Que é o próprio segredo da vida, não?

— Sim, o próprio segredo da vida. Vai, serpe das minhas entranhas, flor do mal, e se te saíres bem, juro que terás a melhor parte na criação, que é a parte humana, porque terás muito calcanhar de Eva que morder, muito sangue de Adão em que deitar o vírus do mal... Vai, vai, não te esqueças...

Esquecer? Já levava tudo de cor. Foi, penetrou no paraíso, rastejou até a árvore do Bem e do Mal, enroscou-se e esperou. Eva apareceu daí a pouco, caminhando sozinha, esbelta, com a segurança de uma rainha que sabe que ninguém lhe arrancará a coroa. A serpente, mordida de inveja, ia chamar a peçonha à língua, mas advertiu que estava ali às ordens do Tinhoso, e, com a voz de mel, chamou-a. Eva estremeceu.

— Quem me chama?

— Sou eu, estou comendo desta fruta...

— Desgraçada, é a árvore do Bem e do Mal!

— Justamente. Conheço agora tudo, a origem das coisas e o enigma da vida. Anda, come e terás um grande poder na terra.

— Não, pérfida!

— Néscia! Para que recusas o resplendor dos tempos? Escuta-me, faze o que te digo, e serás legião, fundarás cidades, e chamar-te-ás Cleópatra, Dido, Semíramis; darás heróis do teu ventre, e serás Cornélia; ouvirás a voz do céu, e serás Débora; cantarás e serás Safo. E um dia, se Deus quiser descer à terra, escolherá as tuas entranhas, e chamar-te-ás Maria de Nazaré. Que mais queres tu? Realeza, poesia, divindade, tudo trocas por uma estulta obediência. Nem será só isso. Toda a natureza te fará bela e mais bela. Cores das folhas verdes, cores do céu azul, vivas ou pálidas, cores da noite, hão de refletir nos teus olhos. A mesma noite, de porfia com o sol, virá brincar nos teus cabelos. Os filhos do teu seio tecerão para ti as melhores vestiduras, comporão os mais finos aromas, e as aves te darão as suas plumas, e a terra as suas flores, tudo, tudo, tudo...

Eva escutava impassível; Adão chegou, ouviu-os e confirmou a resposta de Eva; nada valia a perda do paraíso, nem a ciência, nem o poder, nenhuma outra ilusão da terra. Dizendo isto, deram as mãos um ao outro, e deixaram a serpente, que saiu pressurosa para dar conta ao Tinhoso.

Deus, que ouvira tudo, disse a Gabriel:

— Vai, arcanjo meu, desce ao paraíso terrestre, onde vivem Adão e Eva, e traze-os para a eterna bem-aventurança, que mereceram pela repulsa às instigações do Tinhoso. E logo o arcanjo, pondo na cabeça o elmo de diamante, que rutila como um milhar de sóis, rasgou instantaneamente os ares, chegou a Adão e Eva, e disse-lhes:

— Salve, Adão e Eva. Vinde comigo para o paraíso, que merecestes pela repulsa às instigações do Tinhoso.

Um e outro, atônitos e confusos, curvaram o colo em sinal de obediência; então Gabriel deu as mãos a ambos, e os três subiram até à estância eterna, onde miríades de anjos os esperavam, cantando:

— Entrai, entrai. A terra que deixastes, fica entregue às obras do Tinhoso, aos animais ferozes e maléficos, às plantas daninhas e peçonhentas, ao ar impuro, à vida dos pântanos. Reinará nela a serpente que rasteja, babuja e morde, nenhuma criatura igual a vós porá entre tanta abominação a nota da esperança e da piedade.

E foi assim que Adão e Eva entraram no céu, ao som de todas as cítaras, que uniam as suas notas em um hino aos dois egressos da criação...

... Tendo acabado de falar, o juiz de fora estendeu o prato a D. Leonor para que lhe desse mais doce, enquanto os outros convivas olhavam uns para os outros, embasbacados; em vez de explicação, ouviam uma narração enigmática, ou, pelo menos, sem sentido aparente. D. Leonor foi a primeira que falou:

— Bem dizia eu que o Sr. Veloso estava logrando a gente. Não foi isso que lhe pedimos, nem nada disso aconteceu, não é, frei Bento?

— Lá o saberá o Sr. Juiz, respondeu o carmelita sorrindo.

E o juiz de fora, levando à boca uma colher de doce:

— Pensando bem, creio que nada disso aconteceu; mas também, D. Leonor, se tivesse acontecido, não estaríamos aqui saboreando este doce, que está, na verdade, uma coisa primorosa. É ainda aquela sua antiga doceira de Itapagipe?

1

Rio, 30 Octobre 99

Monsieur H. Garnier,
(Paris)

Monsieur,

J'ai l'honneur d'accuser réception de votre lettre du 8 Octobre par laquelle vous répondez à la mienne du 5 septembre dernier. Je vous remercie, Monsieur, d'accepter mes remarques et mes demandes à propos de Paginas Recolhidas e de Dom Casmurro. J'attends ce volume. Quant à celui de Contos Fluminenses, je vous fait remettre un exemplaire, selon votre désir,
avec de petites corrections […]
chaine édition. Je n'ai […]
style ni la composition, […]
doit garder la marque d[…]
celui de Contos Fluminen[…]
premier dans ce genre. […]

Maintenant, Monsie[…]
chose à vous ~~demander~~ […]
gardé à peu près un […]
derniers vers qui ont […]

2

dans des revues et ailleurs, et que je n'ai jamais collectionés. On me demande d'autre part de faire un seul livre des trois recueils de vers que j'ai publié chez votre regretté père et mon ami, et qui font partie de notre traité: Chrysalidas, Phalenas, Americanas. Mon dernier recueil aura (si je ne trouve pas d'autre titre), celui de Occidentaes. Je crois que ces quatre recueils pourront faire un seul gros volume, où tout mon bagage poétique sera unifié, ~~…~~ tout en gardant ses dates. Qu'en ~~trouvez vous~~ pensez-vous? Dites-le-moi pourque je recueille et corrige à temps.

Autre chose. Je vous prie, quand vous aurez à réimprimer Memorias Posthumas de Braz Cubas e Quincas Borba, de me le faire dire, car j'aurai une petite declaration à mettre dans ces deux volumes.

M. de A.

COMO SE INVENTARAM OS ALMANACHS

Sume-te, bibliographo! Não tenho nada comtigo. Nem comtigo, curioso de historias poentas. Sumam-se todos; o que vou contar interessa a outras pessoas menos especiaes e muito menos aborrecidas. Vou dizer como se inventaram os almanachs.

Sabem que o Tempo é, desde que nasceu, um velho de barbas brancas. Os poetas não lhe dão outro nome: o velho Tempo. Ninguem o pintou de outra maneira. E como ha quem tome liberdades com os velhos, uns batem-lhe na bar-

Como se inventaram os almanaques[1]

Some-te, bibliógrafo! Não tenho nada contigo. Nem contigo, curioso de histórias poentas. Sumam-se todos; o que vou contar interessa a outras pessoas menos especiais e muito menos aborrecidas. Vou dizer como se inventaram os almanaques.

Sabem que o Tempo é, desde que nasceu, um velho de barbas brancas. Os poetas não lhe dão outro nome: o velho Tempo. Ninguém o pintou de outra maneira. E como há quem tome liberdades com os velhos, uns batem-lhe na barriga (são os patuscos), outros chegam a desafiá-lo; outros lutam com ele, mas o diabo vence-os a todos; é de regra.

Entretanto, uma coisa é barba, outra é coração. As barbas podem ser velhas e os corações novos; e vice-versa: há corações velhos com barbas recentes. Não é regra, mas dá-se. Deu-se com o Tempo. Um dia o Tempo viu uma menina de quinze anos, bela como a tarde, risonha como a manhã, sossegada como a noite, um composto de graças raras e finas, e sentiu que alguma coisa lhe batia do lado esquerdo. Olhou para ela e as pancadas cresceram. Os olhos da menina, verdadeiros fogos, faziam arder os dele só com fitá-los.

— Que é isto? murmurou o velho.

E os beiços do Tempo entraram a tremer e o sangue andava mais depressa, como cavalo chicoteado, e todo ele era outro. Sentiu que era amor; mas olhou para o oceano, vasto espelho, e achou-se velho. Amaria aquela menina a um varão tão idoso? Deixou o mar, deixou a bela, e foi pensar na batalha de Salamina.

As batalhas velhas eram para ele como para nós os velhos sapatos. Que lhe importava Salamina? Repetiu-a de memória, e por desgraça dele, viu a mesma donzela entre os combatentes, ao lado

[1] Publicado em *Almanaque das Fluminenses* (1889) e republicado na edição do ano seguinte.

de Temístocles. Dias depois trepou a um píncaro, o Chimborazo; desceu ao deserto de Sinai; morou no Sol, morou na Lua; em toda parte lhe aparecia a figura de bela menina de quinze anos. Afinal ousou ir ter com ela.

— Como te chamas, linda criatura?

— Esperança é o meu nome.

— Queres amar-me?

— Tu estás carregado de anos, respondeu ela; eu estou na flor deles. O casamento é impossível. Como te chamas?

— Não te importe o meu nome; basta saber que te posso dar todas as pérolas de Golconda...

— Adeus!

— Os diamantes de Ofir...

— Adeus!

— As rosas de Saarão...

— Adeus! adeus!

— As vinhas de Engaddi...

— Adeus! adeus! adeus! Tudo isso há de ser meu um dia; um dia breve ou longe, um dia...

Esperança fugiu. O Tempo ficou a olhar, calado, até que a perdeu de todo. Abriu a boca para amaldiçoá-la, mas as palavras que lhe saíam eram todas de bênção; quis cuspir no lugar em que a donzela pousara os pés, mas não pôde impedir-se de beijá-lo.

Foi por essa ocasião que lhe acudiu a ideia do almanaque. Não se usavam almanaques. Vivia-se sem eles; negociava-se, adoecia-se, morria-se, sem se consultar tais livros. Conhecia-se a marcha do sol e da lua; contavam-se os meses e os anos; era, ao cabo, a mesma coisa; mas não ficava escrito, não se numeravam anos e semanas, não se nomeavam dias nem meses, nada; tudo ia correndo, como passarada que não deixa vestígios no ar.

— Se eu achar um modo de trazer presente aos olhos os dias e os meses, e o reproduzir todos os anos, para que ela veja palpavelmente ir-se-lhe a mocidade...

Raciocínio de velho, mas tudo se perdoa ao amor, ainda quando ele brota de ruínas. O Tempo inventou o almanaque; compôs um simples livro, seco, sem margens, sem nada; tão-somente os dias, as semanas, os meses e os anos. Um dia, ao amanhecer, toda a terra viu cair do céu uma chuva de folhetos; creram a princípio que era geada de nova espécie, depois, vendo que não, correram todos assustados; afinal, um mais animoso pegou de um dos folhetos, outros fizeram a mesma coisa, leram e entenderam. O almanaque trazia a língua das cidades e dos campos em que caía. Assim toda a terra possuiu, no mesmo instante, os primeiros almanaques. Se muitos povos os não têm ainda hoje, se outros morreram sem os ler, é porque vieram depois dos acontecimentos que estou narrando. Naquela ocasião o dilúvio foi universal.

— Agora, sim, disse Esperança pegando no folheto que achou na horta; agora já me não engano nos dias das amigas. Irei jantar ou passar a noite com elas, marcando aqui nas folhas, com sinais de cor os dias escolhidos.

Todas tinham almanaques. Nem só elas, mas também as matronas, e os velhos e os rapazes, juizes, sacerdotes, comerciantes, governadores, fâmulos; era moda trazer o almanaque na algibeira. Um poeta compôs um poema atribuindo a invenção da obra às Estações, por ordem de seus pais, o Sol e a Lua; um astrônomo, ao contrário, provou que os almanaques eram destroços de um astro onde desde a origem dos séculos estavam escritas as línguas faladas na terra e provavelmente nos outros planetas. A explicação dos teólogos foi outra. Um grande físico entendeu que os almanaques eram obra da própria terra, cujas palavras, acumuladas no ar, formaram-se em ordem, imprimiram-se no próprio ar, convertido em folhas de papel, graças... Não continuou; tantas e tais eram as sentenças, que a de Esperança foi a mais aceita do povo.

— Eu creio que o almanaque é o almanaque, dizia ela rindo.

Quando chegou o fim do ano, toda a gente, que trazia o almanaque com mil cuidados, para consultá-lo no ano seguinte, ficou espantada de ver cair à noite outra chuva de almanaques. Toda a terra amanheceu alastrada deles; eram os do ano novo. Guardaram naturalmente os velhos. Ano findo, outro almanaque; assim foram eles vindo, até que Esperança contou vinte e cinco anos, ou, como então se dizia, vinte e cinco almanaques.

Nunca os dias pareceram correr tão depressa. Voavam as semanas, com elas os meses, e, mal o ano começava, estava logo findo. Esse efeito entristeceu a terra. A própria Esperança, vendo que os dias passavam tão velozes, e não achando marido, pareceu desanimada; mas foi só um instante. Nesse mesmo instante apareceu-lhe o Tempo.

— Aqui estou, não deixes que te chegue a velhice... Ama-me...

Esperança respondeu-lhe com duas gaifonas, e deixou-se estar solteira. Há de vir o noivo, pensou ela.

Olhando-se ao espelho, viu que mui pouco mudara. Os vinte e cinco almanaques quase lhe não apagaram a frescura dos quinze. Era a mesma linda e jovem Esperança. O velho Tempo, cada vez mais afogueado em paixão, ia deixando cair os almanaques, ano por ano, até que ela chegou aos trinta e daí aos trinta e cinco.

Eram já vinte almanaques; toda a gente começava a odiá-los, menos Esperança, que era a mesma menina das quinze primaveras. Trinta almanaques, quarenta, cinquenta, sessenta, cem almanaques; velhices rápidas, mortes sobre mortes, recordações amargas e duras. A própria Esperança, indo ao espelho, descobriu um fio de cabelo branco e uma ruga.

— Uma ruga! uma só!

Outras vieram, à medida dos almanaques. Afinal a cabeça de Esperança ficou sendo um pico de neve, a cara um mapa de linhas. Só o coração era verde como acontecia ao Tempo; verdes ambos, eternamente verdes. Os almanaques iam sempre caindo. Um dia, o Tempo desceu a ver a bela Esperança; achou-a anciã, mas forte, com um perpétuo riso nos lábios.

— Ainda assim te amo, e te peço... disse ele.

Esperança abanou a cabeça; mas, logo depois, estendeu-lhe a mão.

— Vá lá, disse ela; ambos velhos, não será longo o consórcio.

— Pode ser indefinido.

— Como assim?

O velho Tempo pegou da noiva e foi com ela para um espaço azul e sem termos, onde a alma de um deu à alma de outro o beijo da eternidade. Toda a criação estremeceu deliciosamente. A verdura dos corações ficou ainda mais verde.

Esperança, daí em diante, colaborou nos almanaques. Cada ano, em cada almanaque, atava Esperança uma fita verde. Então a tristeza dos almanaques era assim alegrada por ela; e nunca o Tempo dobrou uma semana que a esposa não pusesse um mistério na semana seguinte. Deste modo todas elas foram passando, vazias ou cheias, mas sempre acenando com alguma coisa que enchia a alma dos homens de paciência e de vida.

Assim as semanas, assim os meses, assim os anos. E choviam almanaques, muitos deles entremeados e adornados de figuras, de versos, de contos, de anedotas, de mil coisas recreativas. E choviam. E chovem. E hão de chover almanaques. O Tempo os imprime, Esperança os brocha; é toda a oficina da vida.

Anno XVIII Rio de Janeiro — Domingo 4 de Setembro de 1892 N. 247

GAZETA DE NOTICIAS

ASSIGNATURAS PARA A CAPITAL — PAGAMENTO ADIANTADO — ESCRIPTORIO 70 RUA DO OUVIDOR 70

ASSIGNATURAS PARA OS ESTADOS — PAGAMENTO ADIANTADO — TYPOGRAPHIA 70 RUA SETE DE SETEMBRO 70

NUMERO AVULSO 60 RS.

Stereotypada e impressa nas machinas rotativas de Marinoni, na typographia da sociedade anonyma «Gazeta de Noticias»

NUMERO AVULSO 60 RS.

Tiragem 40.000 exemplares

A SEMANA

Curiosidades americanas

OS PINKERTONS

NOVIDADES SCIENTIFICAS E INDUSTRIAES

ACTUALIDADES EUROPÊAS

A CASCATA

CHOLERA

Washington, 3

Paris, 3

Montevidéo, 3

PERNAMBUCO

Recife, 3

ESTADOS

AMAZONAS

PARÁ

MARANHÃO

PIAUHY

CEARÁ

RIO DE JANEIRO

S. PAULO

RIO GRANDE DO SUL

FOLHETIM 110

CORAÇÃO DE BRONZE

Quarta parte

ALMANAK DA «GAZETA DE NOTICIAS» Para 1893 (4º anno)

O sermão do diabo[1]

Nem sempre respondo por papéis velhos; mas aqui está um que parece autêntico; e, se o não é, vale pelo texto, que é substancial. É um pedaço do evangelho do Diabo, justamente um sermão da montanha, à maneira de S. Mateus. Não se apavorem as almas católicas. Já Santo Agostinho dizia que "a igreja do Diabo imita a igreja de Deus". Daí a semelhança entre os dois evangelhos. Lá vai o do Diabo:

"1. E vendo o Diabo a grande multidão de povo, subiu a um monte, por nome Corcovado, e, depois de se ter sentado, vieram a ele os seus discípulos.

"2. E ele, abrindo a boca, ensinou dizendo as palavras seguintes.

"3. Bem-aventurados aqueles que embaçam, porque eles não serão embaçados.

"4. Bem-aventurados os afoitos, porque eles possuirão a terra.

"5. Bem-aventurados os limpos das algibeiras, porque eles andarão mais leves.

"6. Bem-aventurados os que nascem finos, porque eles morrerão grossos.

"7. Bem-aventurados sois, quando vos injuriarem e disserem todo o mal, por meu respeito.

"8. Folgai e exultai, porque o vosso galardão é copioso na terra.

"9. Vós sois o sal do *money market*. E se o sal perder a força, com que outra coisase há de salgar?

"10. Vós sois a luz do mundo. Não se põe uma vela acesa debaixo de um chapéu, pois assim se perdem o chapéu e a vela.

[1] Publicado em *Gazeta de Notícias* (4 de setembro de 1892). Reunido pelo autor em *Páginas recolhidas* (1899).

"11. Não julgueis que vim destruir as obras imperfeitas, mas refazer as desfeitas.

"12. Não acrediteis em sociedades arrebentadas. Em verdade vos digo que todas se consertam, e se não for com remendo da mesma cor, será com remendo de outra cor.

"13. Ouvistes que foi dito aos homens: Amai-vos uns aos outros. Pois eu digo-vos: Comei-vos uns aos outros; melhor é comer que ser comido; o lombo alheio é muito mais nutritivo que o próprio.

"14. Também foi dito aos homens: Não matareis a vosso irmão, nem a vosso inimigo, para que não sejais castigados. Eu digo-vos que não é preciso matar a vosso irmão para ganhardes o reino da terra; basta arrancar-lhe a última camisa.

"15. Assim, se estiveres fazendo as tuas contas, e te lembrar que teu irmão anda meio desconfiado de ti, interrompe as contas, sai de casa, vai ao encontro de teu irmão na rua, restitui-lhe a confiança, e tira-lhe o que ele ainda levar consigo.

"16. Igualmente ouvistes que foi dito aos homens: Não jurareis falso, mas cumpri ao Senhor os teus juramentos.

"17. Eu, porém, vos digo que não jureis nunca a verdade, porque a verdade nua e crua, além de indecente, é dura de roer; mas jurai sempre e a propósito de tudo, porque os homens foram feitos para crer antes nos que juram falso, do que nos que não juram nada. Se disseres que o sol acabou, todos acenderão velas.

"18. Não façais as vossas obras diante de pessoas que possam ir contá-lo à polícia.

"19. Quando, pois, quiserdes tapar um buraco, entendei-vos com algum sujeito hábil, que faça treze de cinco e cinco.

"20. Não queirais guardar para vós tesouros na terra, onde a ferrugem e a traça os consomem, e donde os ladrões os tiram e levam.

"21. Mas remetei os vossos tesouros para algum banco de Londres, onde a ferrugem, nem a traça os consomem, nem os ladrões os roubam, e onde ireis vê-los no dia do juízo.

"22. Não vos fieis uns nos outros. Em verdade vos digo, que cada um de vós é capaz de comer o seu vizinho, e boa cara não quer dizer bom negócio.

"23. Vendei gato por lebre, e concessões ordinárias por excelentes, a fim de que a terra se não despovoe das lebres, nem as más concessões pereçam nas vossas mãos.

"24. Não queirais julgar para que não sejais julgados; não examineis os papéis do próximo para que ele não examine os vossos, e não resulte irem os dois para a cadeia, quando é melhor não ir nenhum.

"25. Não tenhais medo às Assembleias de acionistas, e afagai-as de preferência às simples comissões, porque as comissões amam a vanglória e as Assembleias as boas palavras.

"26. As porcentagens são as primeiras flores do capital; cortai-as logo, para que as outras flores brotem mais viçosas e lindas.

"27. Não deis conta das contas passadas, porque passadas são as contas contadas, e perpétuas as contas que se não contam.

"28. Deixai falar os acionistas prognósticos; uma vez aliviados, assinam de boa vontade.

"29. Podeis excepcionalmente amar a um homem que vos arranjou um bom negócio; mas não até o ponto de o não deixar com as cartas na mão, se jogardes juntos.

"30. Todo aquele que ouve estas minhas palavras, e as observa, será comparado ao homem sábio, que edificou sobre a rocha e resistiu aos ventos; ao contrário do homem sem consideração, que edificou sobre a areia, e fica a ver navios..."

Aqui acaba o manuscrito que me foi trazido pelo próprio Diabo, ou alguém por ele; mas eu creio que era o próprio. Alto, magro, barbícula ao queixo, ar de Mefistófeles. Fiz-lhe uma cruz com os dedos e ele sumiu-se. Apesar de tudo, não respondo pelo papel, nem pelas doutrinas, nem pelos erros de cópia.

Posfácios

INSLEY PACHECO
Rua dos Ourives 38
Rio de Janeiro

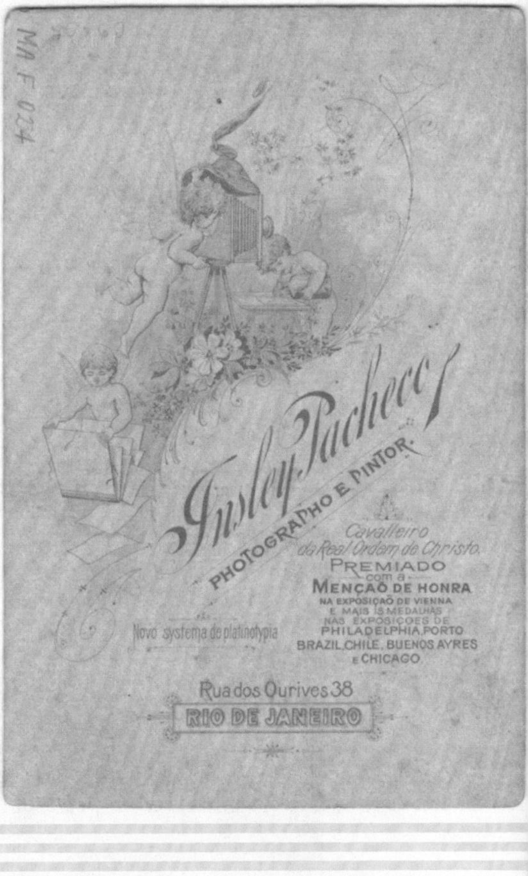
MA F 034
Insley Pacheco
PHOTOGRAPHO E PINTOR
Cavalleiro
da Real Ordem de Christo.
PREMIADO
com a
MENÇAÕ DE HONRA
NA EXPOSIÇAÕ DE VIENNA
E MAIS 15 MEDALHAS
NAS EXPOSIÇOES DE
PHILADELPHIA, PORTO
BRAZIL, CHILE, BUENOS AYRES
E CHICAGO
Novo systema de platinotypia
Rua dos Ourives 38
RIO DE JANEIRO

APOTHEOSE AO MESTRE DA LITTERATURA BRAZILEIRA

O feretro de Machado de Assis no salão de honra da Academia de Lettras transformado em camara ardente—O sahimento do feretro pela porta principal do Sillogeu—Aspectos do prestito funebre na Avenida da Lapa, em caminho para a necropole de S. João Baptista.

Os (in) esquecíveis contos de Machado de Assis: da circulação à recepção

Valdiney Valente Lobato de Castro[1]

Como toda grande personalidade, Machado de Assis granjeia em torno de seu nome numerosas pesquisas, publicações e eventos. Esses trabalhos, que se avolumam a cada ano, surgem em virtude de ele ser considerado, desde os últimos anos do século XIX, o chefe das letras nacionais com produções, por mais de cinco décadas, em gêneros variados: teatro, poesia, crônica, romance e conto.

Mesmo Machado tendo começado tardiamente no romance, somente em 1872 sai *Ressurreição*, quando ele já escrevia há mais de uma década, não se pode dizer que ele não revigora o gênero. Ao contrário. *Memórias póstumas de Brás Cubas*, saído a princípio em 1880, é tido como um divisor de águas não só na obra do ficcionista como na história do romance no Brasil. Se Machado revitaliza esse gênero, com apenas nove romances, no gênero conto, então, que ele produziu mais de duas centenas, é possível afirmar que ele não só praticamente introduz as histórias curtas no cenário nacional, como também as amadurece.

[1] Valdiney Valente Lobato de Castro possui Doutorado em Letras pela Universidade Federal do Pará com sanduíche na Universidade de Lisboa. Para sua tese de doutorado pesquisou nos jornais cariocas oitocentistas a recepção dos contos de Machado de Assis. Atualmente, faz pós-doutorado na Universidade do Estado do Rio de Janeiro com pesquisa sobre a presença de Machado de Assis e sua obra em jornais oitocentistas para além do eixo Rio-São Paulo.

É preciso destacar que essa grande quantidade de narrativas é publicada em todo o percurso literário do prosador, isto é, de todos os gêneros em que ele produziu, o conto foi o que Machado nunca deixou a pena descansar. Uma rápida análise nas datas das publicações originais dessas histórias revelará que a produção, além de extensa, é intensa, por isso a (necessária) leitura de contos variados de diversas décadas permite compreender como o autor foi, aos poucos, ampliando seu potencial sobre as narrativas curtas.

Por mais que Machado já tivesse estreado como contista, nos jornais *A Marmota*, de Paula Brito, e *O Futuro*, de Faustino Xavier de Novaes, foi a partir do *Jornal das Famílias*, de Baptiste Louis Garnier, que ele se dedicou com afinco a essas narrativas. Essa folha tinha periodicidade mensal e de 1864 a 1878, quase todo o período de duração desse jornal, Machado foi um assíduo colaborador, o que resultou em mais de 80 histórias. Esse impresso do editor francês tinha uma proposta moralizante, ensinando às gentis leitoras a tornarem-se esposas e mães adequadas às necessidades da sociedade carioca em efervescência com as requintadas novidades europeias. Para atender especificamente a esse mercado, o jornal continha muitas páginas destinadas a conselhos de como atender o marido e dedicar-se ao lar, além de páginas produzidas na França sobre as novidades no mundo das modas. Apesar de, obviamente, ser um suporte caro, tanto pela quantidade de páginas quanto pelas ilustrações importadas, ele foi um sucesso: além da Cidade da Corte circulava em várias províncias, ajudando a projetar a imagem de Machado no cenário nacional.

A seção de grande destaque era a de "Romances e Novelas" e por elas desfilaram os primeiros personagens da ficção machadiana. Nesses escritos, mesmo em um jornal moralizante, o casamento por amor, destituído de pretensões materiais e sociais, raramente estava presente. Os enlaces amorosos que culminam com o casamento, apesar de serem muito recorrentes, muitas vezes são compostos como uma obrigação inevitável, ou marcados pela infidelidade tanto do marido quanto da esposa, ou, ainda, constituídos para destacar o interesse material e, quando isso ocorre, as jovens e ricas viúvas são as vítimas por excelência.

Além das complicações amorosas, ainda que de modo modesto, é possível encontrar contos que abordam o desejo sexual, inferioridade social, narrativas tenebrosas e fantásticas e, muito raramente, alguns momentos em que os personagens deixam seus lares e aventuram-se pelas ruas da cidade, quando se desenha um esboço da questão social, política e econômica da sociedade oitocentista; preocupação que, alguns anos mais tarde, tornou-se um dos grandes diferenciais de *Memórias póstumas de Brás Cubas*.

Nos anos finais em que Machado publicou seus contos no periódico de Garnier, saíram também algumas narrativas dele em outros jornais como *A Época* e *O Cruzeiro*. Nesse último saiu, ainda, seu quarto romance, *Iaiá Garcia*, em 1878. Somente em 1879, após viagem a Nova Friburgo para convalescer de sua doença, que ele começou a publicar n'*A Estação*, onde deixou uma expressiva contribuição: mais de trinta narrativas foram lançadas, com colaboração até 1898, além do romance *Quincas Borba*.

A folha editada pela tipografia Lombaerts tinha periodicidade quinzenal e abocanhou, em 1879, o público feminino da folha do Garnier, extinta no ano anterior. As novidades das modas europeias apresentadas em boa parte do periódico garantiam o sucesso do jornal que, por várias décadas, manteve-se no mercado editorial. Ao contrário do *Jornal das Famílias* em que as narrativas percorriam as primeiras folhas do periódico, n'*A Estação* as últimas páginas é que eram destinadas à literatura.

As histórias de Machado, nessa nova empreitada, atingem novas experimentações, os temas do amor ainda estão presentes, mas percebe-se o quanto, aos poucos, o autor vai distanciando-se desse tema e dos ambientes caseiros. Alguns personagens são apresentados dentro de um cenário político, outros caminham pelas noites da Cidade da Corte, e nesses casos já há uma maior complexidade psicológica, desafiando o leitor a ler na entrelinha das narrativas. De igual modo, o tamanho dos textos ora alonga-se, como nos célebres "O Alienista" e "Casa Velha", ora apequena-se, como em "História Comum". É o domínio da pena que se aperfeiçoa. O tamanho do texto vai até aquilo que se pretende causar no leitor.

No final de 1881, paralelamente à colaboração n'*A Estação*, Machado começa a publicar suas histórias breves também na *Gazeta de Notícias*, onde circulam mais de cinquenta narrativas suas, além de poemas, críticas e cerca de quatrocentas e oitenta crônicas. Essa folha era de uma sociedade que tinha entre seus editores Francisco Ramos Paz e Ferreira de Araújo, amigos do escritor. Segundo as cartas do autor, organizadas por Sérgio Rouanet e publicadas pela Academia Brasileira de Letras, Machado já tinha sido convidado para escrever na folha desde 1876, mas declinou por estar ocupado com muitos trabalhos, provavelmente devido colaborar, nessa época, com o folhetim de Garnier, trabalhar como funcionário público e, ainda, produzir seus primeiros romances.

A *Gazeta de Notícias*, ao contrário do *Jornal das Famílias* e d'*A Estação* era um jornal com menor número de páginas, com a coluna folhetim sendo apresentada, quase sempre, na primeira folha. Além disso, também era destinado a um público mais amplo, distanciando-se dos interesses de moda, como os anteriores. Somam-se a essas discrepâncias, as diversas condições de venda do suporte que podia ser adquirido por assinatura e por vendas avulsas em pontos específicos da cidade ou por meninos-jornaleiros. Sendo o suporte mais popular e mais acessível ao público, e tendo Machado experiência há mais de duas décadas no gênero, é fácil compreender como os contos deste jornal se diferenciam.

É, seguramente, um outro Machado, mais maduro, com mais domínio sobre o gênero, manipulando a narrativa para atender a seu interesse. Isto é evidente. Nos primeiros contos, produzidos nos anos iniciais, vê-se uma obediência à estrutura narrativa, um ficcionista preocupado em apresentar minuciosamente a história que trata de temas amenos, por mais que já se percebam alguns traços de ironia, leves investigações psicológicas e notas de pessimismo. Nos contos posteriores, saídos na *Gazeta*, a preocupação com a composição do enredo se apequena, e o tema, a que o autor se propõe a desenvolver, ganha o grande destaque.

Universo bíblico, antiguidade clássica, elementos da mitologia começam a fazer parte das narrativas. Aspectos que antes eram apresentados muito modestamente passam a ganhar um grande vigor, os personagens pluralizam-se: não são mais apenas as jovens mocinhas casadouras com seus dilemas amorosos, desfilam pelas páginas dos impressos pássaros, crianças de escola, faraós, jovens endividados, e até mesmo, santos. Personagens que, até então, não tinham lugar na prosa de ficção nacional são resgatados de diferentes espaços, realidades e épocas para compor as narrativas, pois são convidados a representar os conflitos do homem oitocentista.

De igual modo, os temas, alguns deles já apresentados, amadurecem. As relações amorosas, quando presentes, são tangenciadas não mais pela conquista, infidelidade ou infelicidade, os dilemas são outros: o egoísmo, a pobreza, e o tempo são notas que corroem as relações. As questões que promovem a desconstrução da felicidade entre os apaixonados, antes limitadas apenas aos percalços amorosos, passam a ser corrompidas por problemas que independem dos amantes.

Voltam à baila temas como a perfeição artística, as cenas tenebrosas e a preocupação material, mas muito mais explorados, destrinchados até: os personagens saem de sua zona de conforto e os dilemas, que os põem a prova, ao mesmo tempo que revelam suas verdadeiras ambições pessoais e construções sociais, fazem isso por meio de investigações psicológicas, um verdadeiro desnudar do caráter de cada um deles. Esse conflito que os desestabiliza, vale acrescentar, não é distante dos problemas cotidianos da vida real, e exatamente por isso essas narrativas tornam-se muito mais interessantes aos leitores.

Os interesses materiais, também, saem das relações matrimoniais e atingem herdeiros, políticos, pedintes. Não se vê o tema tratado dentro de uma esfera menor. No desvelamento das máscaras sociais, todos são atingidos. O conflito do eu, antes minimizado pelas preocupações com a composição do enredo, ganha o palco principal da narrativa. E aí Machado opera como um gênio. É quando se sente o pleno domínio do escritor sobre o gênero. A título de exemplo: nas primeiras histórias os temas assustadores eram dissolvidos no final da leitura, quando se descobria que tudo não passava de um sonho. Nas narrativas mais maduras, ao contrário, ele não só mantém os aspectos tenebrosos, como os aprofunda com descrições minuciosas e investigações psicológicas dos personagens.

Nas histórias que se passam centradas na sociedade carioca, os personagens não estão presos aos ambientes de seus lares, fogem até mesmo dele, percorrem as ruas, percebem as mudanças sociais espalhados no cotidiano da cidade, mesclam-se com as questões políticas e econômicas. As discussões agora são outras. As relações matrimoniais cedem lugar às relações sociais, mas quase sempre para ir em busca de uma análise do indivíduo, que ao mesmo tempo pode revelar aspectos de comicidade e de pessimismo. Nessas imersões às identidades revelam-se as ambições e representações sociais em que se polemizam as noções de essência e aparência, as quais muitas vezes promovem um questionamento do próprio personagem em busca de sua individualidade.

Ainda é preciso lembrar que ao longo dos anos, não há apenas um aprofundamento nos temas, o gênero e a estrutura narrativa aperfeiçoam-se. Há textos organizados apenas em diálogos, ou como cartas, versículos da Bíblia, contos de fadas, narrativas históricas, fábulas, entre outros. Essa pluralidade que revela o quanto o autor revitaliza o gênero também se percebe na composição das narrativas, alguns textos iniciam com o conflito já em andamento, em outros os narradores não são confiáveis, ou seja, o conto foi, para Machado, um verdadeiro aprendizado no processo de contar histórias.

Isso se deve, também, pela quantidade de narrativas por ele produzidas. Há volumes do *Jornal das Famílias* em que há três histórias dele simultaneamente, o que demonstra sua intensa dedicação a essa composição, visto que ele tinha um extremo cuidado com o que escrevia. Basta observar os manuscritos de Machado ainda disponíveis para perceber o quanto ele corrigia seus escritos, não apenas quanto à estrutura sintática e organização das ideias, mas também no tocante ao acréscimo ou retirada de informações, daí porque, em seus textos, nada deve ser desprezado pelo leitor.

Essa volumosa produção circula, além desses três jornais, em outros com colaborações menores, como *A Gazeta Literária, A Quinzena, Almanaque das Fluminenses, Almanaque Gazeta de Notícias, Revista Brasileira* e *A Semana*. Como são muitas narrativas sendo construídas, há contos com mais de uma versão, outros com o mesmo texto, mas títulos diferentes, e ainda outras histórias reaproveitadas de um periódico para o outro, tudo se modifica para atender às exigências de um público leitor que acompanha assiduamente as narrativas que saem nas gazetas.

Esses leitores não se limitam apenas aos da Cidade da Corte. Graças às estradas de ferro e aos navios a vapor, os jornais eram vendidos não apenas no eixo Rio de Janeiro e São Paulo, como também em outras províncias. Pará, Pernambuco, Ceará, Paraíba, Rio Grande do Norte, Maranhão, Sergipe, Paraná e Espírito Santo são alguns estados por onde circulam, com bastante frequência, os contos do escritor no século XIX.

Alguns deles são copiados no mesmo período em que saem nos jornais cariocas com um interstício temporal muito curto entre a primeira publicação na Cidade da Corte e a das demais províncias e disputam, juntamente com as notícias sobre a vida do autor e de suas obras, o interesse dos leitores. Essa circulação projeta o nome do escritor em esfera nacional, ajudando, por meio dos contos e dos jornais, a consagrar Machado de Assis como chefe das letras nacionais, o que não é, de modo algum, comum à época. Raramente um homem das letras ganhava popularidade por meio do texto literário, os poucos escritores com grande notoriedade tornaram-se célebres por meio da política.

Os contos, nessas folhas de outros estados, saem dos modos mais distintos: em algumas há uma grande quantidade dessas narrativas disponibilizadas nas colunas folhetins, o que mostra a prioridade dada ao prosador. Em outras, as histórias saem espalhadas em meio a assuntos econômicos ou anúncios de produtos diversos. Há contos que aparecem insistentemente em diversos estados, outros com raras publicações, ou seja, possivelmente os movimentos de circulação entre os periódicos impactavam na seleção feita pelos editores daquelas narrativas que iam figurar nas páginas dos jornais impressos das demais províncias. Assim, esses jornais multiplicavam as informações, não apenas literárias, em todas as províncias do país e dilatavam as transformações sociais que ocorriam no Rio de Janeiro.

Compreender isso é entender como toda uma sociedade que, a partir da metade do século, respira os ares de capital afrancesada, ávida pelos interesses europeus e engatinhando nas transformações econômicas e sociais ocorridas desde a chegada da família real, passa a mudança da Monarquia para a República e vê a nação se construir independentemente e democraticamente.

Se os contos, exatamente pelo seu caráter ficcional, não se preocuparam em retratar fielmente as questões políticas e sociais dessas transformações, os personagens da ficção em nada devem a essa representação. Mesmo abordando temas diversificados como o adultério, a loucura, o dinheiro e a representação social, nas páginas dos contos machadianos, estão desenhados a esposa que teve seu marido mandado para ocupar cargos em outras províncias devido às exigências da República; os jovens estudantes que iam para a Corte em busca de formação tendo um consultor financeiro responsável em repassar o dinheiro da família; os negociantes que iam e vinham de outros países, muitas vezes por articulações financeiras; as belas e afortunadas viúvas dos maridos mortos em batalhas, entre outros. Todos esses representam um Rio de Janeiro em ebulição com uma massa significativa de imigrantes e crescendo afrontosamente.

A partir de 1869, Machado passou a compilar as narrativas lançadas nos jornais em antologias. A primeira delas, *Contos fluminenses*, sai timidamente, ele reúne seis histórias do *Jornal das Famílias*, acrescenta uma nova e vende a edição ao Garnier, em maio. Nesse mesmo ano, em setembro, ele assina novo contrato com o francês vendendo *Histórias da meia-noite*, que só vem a público em 1873. É bem provável que a venda muito antecipada tenha ocorrido devido aos gastos financeiros com o casamento que ocorre no ano seguinte. A primeira coleção foi um sucesso, divulgada em muitos jornais de todo o país. Talvez por isso, na segunda, Machado teve mais cuidado: não só selecionou seis contos do periódico do francês, mas também os modificou e acrescentou, ainda, uma advertência.

Na década de 1880, Machado lançou duas coletâneas, *Papéis avulsos*, em 1882, com doze narrativas, retiradas, na maioria, da *Gazeta de Notícias*; e *Histórias sem data*, em 1884, com um expressivo número de dezoito histórias, quase todas também coletadas do mesmo jornal. Essas duas antologias, lançadas cerca de uma década depois das anteriores, revelam como o ficcionista já acreditava mais no sucesso do gênero, perceptível na quantidade de histórias selecionadas e nos prefácios que antecedem os textos. Nessas duas apresentações Machado se preocupa em explicar o título das antologias para o leitor, com quem demonstra grande cuidado.

Várias histórias, de 1896, compila dezesseis contos, todos reunidos da *Gazeta de Notícias*, e *Páginas recolhidas*, de 1899, oito narrativas, cinco delas também da *Gazeta*. Nessa última antologia, Machado incorpora textos de outros gêneros, crônicas, discurso e peça. O escritor, nesse momento, já tem certeza do sucesso das coletâneas e aproveita o veículo para publicar textos dispersos, que ainda possam interessar aos leitores, o que ele mesmo afirma no prefácio. Nessas introduções é evidente o cuidado do autor com a antologia, conclama os versos de Diderot e Montagne para iniciar os textos e, muito cortesmente, conduz o leitor na apresentação do livro.

Nessa década é quando se inaugura a Academia Brasileira de Letras e o autor tem consciência da perpetuação de sua obra e da excelente recepção de suas antologias, por isso encaminha cópias dos volumes a seus amigos Magalhães de Azeredo e Miguel de Novais, seu cunhado, que lhe escrevem agradecendo o mimo. Além disso, o escritor troca cartas com Julien Lansac, gerente de François Hippolyte Garnier, com quem passou a publicar seus escritos após a morte do irmão, Baptiste Louis Garnier. Nessas detalhadas missivas, Machado reclama dos erros tipográficos presentes na segunda edição de *Várias histórias* e esclarece que a obra havia sido adotada nas escolas e criticada nos jornais, o que faz o autor escrever detalhando aspectos que lhe desagradam no volume.

A última coletânea saída em 1906, *Relíquias de casa velha*, dois anos antes do falecimento do escritor, reúne nove contos, duas peças, um discurso e uma crítica, com prefácio esclarecendo que a obra é uma reunião de textos dispersos há algum tempo, ou seja, o escritor aproveitou o volume para publicá-los, o que demonstra a certeza dele do sucesso da obra, a ponto de incluir textos de outros gêneros.

Ao mesmo tempo em que essas antologias eram publicadas, os jornais da época divulgavam os lançamentos, com notas valorosas que destacavam aspectos peculiares dessas narrativas ajudando a divulgar os volumes e a consagrá-los na memória nacional. A divulgação do lançamento do livro era seguida por artigos de críticos especializados da época que, na sua maioria, enalteciam os contos do autor, o que legitima tanto o gênero quanto o escritor. A partir daí, nesses mesmos jornais, essas antologias eram divulgadas à venda, informando o local de aquisição e o valor da obra, o que por meses circulava nas páginas das gazetas. Todas essas publicações: notícias de lançamento, críticas e divulgação de venda ajudavam a pulverizar não apenas na Cidade da Corte, mas em todo país, o volume de contos, tornando as narrativas conhecidas pelos leitores em esfera nacional.

As recepções das antologias são diferentes umas das outras. As que saem a partir da década de 1880, quando essas prosas de ficção deixam de ser consideradas obras produzidas enquanto o autor estava descansando a pena de poeta, recebem notas mais atentas e detalhadas: não havia mais como a crítica menosprezar o conto. Esses livros eram sucesso de venda. As tiragens esgotavam-se. Os leitores cativos que acompanhavam as narrativas nos jornais, muitas vezes, aguardando por meses o final, mantiveram-se fiéis na aquisição das coleções.

Em outubro de 1893 o jornal *A Semana* organizou um plebiscito literário para que os leitores escolhessem os melhores contos. Para facilitar a votação, a folha divulgou uma relação com alguns livros de contos e ainda lembrava que podiam ser citados os textos não publicados em volumes. No resultado, apresentado em janeiro do ano seguinte, várias histórias lançadas apenas nas gazetas foram lembradas, até mesmo narrativas saídas há dez anos. Obviamente que o poder do jornal no panorama literário da época e o nome do autor, também muito presente, contribuem para a lembrança desses escritos.

Isso demonstra não apenas a consagração do gênero e do autor, mas ainda a importância do conto para o leitor oitocentista, que não ajudou a entronizar Machado como contista apenas pelas narrativas recolhidas, mas também por aquelas que saíram nos jornais e que ele não publicou em volume. Apesar de terem sido lançadas sete antologias, essas coleções reúnem apenas 76 narrativas das mais de duas centenas escritas pelo ficcionista. Cerca de cento e cinquenta histórias saídas nas folhas públicas não foram organizadas por ele para compor as edições em livro.

Com essa reduzida quantidade de narrativas saídas em volume, atualmente, mesmo os profissionais graduados em letras, se questionados acerca dos contos do autor, conhecem, quando muito, umas duas dúzias dos que mais comumente são apresentados nas faculdades, os quais, certamente, pertencem aos recolhidos nas antologias. É dessa pequena quantidade conhecida pelos professores que são selecionadas as histórias breves do escritor presentes nas escolas e reproduzidas amplamente na memória nacional. Esse não é todo o problema. A existência das outras narrativas que repousam nas páginas dos jornais oitocentistas não é sequer mencionada, na maior parte das vezes, nas salas de aula da educação básica e superior. Muitas vezes o tempo é escasso para dedicar-se às obras do autor e o que sobra é destinado aos romances, gênero muito mais privilegiado pela crítica especializada.

Quando as histórias literárias começaram a incluir as obras de Machado de Assis em suas páginas, nenhum dos compiladores, que posteriormente recolheriam as narrativas espalhadas nas folhas dos jornais, tinham trazido à luz essas histórias. Desse modo, construiu-se, desde o início uma predileção pelos contos saídos nas antologias publicadas pelo escritor. Algumas das histórias literárias posteriores, após a recolha das narrativas dos jornais, começaram a incluir apreciações acerca desses outros contos, mas ainda muito timidamente.

Dentre as ficções esquecidas nas folhas públicas, as primeiras, escritas nos primeiros anos, são as mais desprezadas, pois foram as menos compiladas pelo escritor, e costumeiramente apreciadas pela crítica especializada como inferiores aos demais, bem como todas as outras histórias não recolhidas. Esse nocivo julgamento contaminou acentuadamente as pesquisas sobre as obras machadianas. Qualquer busca realizada nos principais eventos e publicações acerca dos contos do autor restringem-se a um número muito reduzido, uma perspectiva muito pequena diante da pluralidade de narrativas produzidas pelo autor ao longo de muitas décadas.

Mesmo os trabalhos preocupados com os contos célebres analisam essas obras desprezando os suportes por onde eles primeiramente foram veiculados, os jornais, que podem revelar como essas narrativas foram aceitas no momento em que foram lançados, em que cidades circularam, que versão da narrativa foi reproduzida nos jornais, entre outras questões que podem ajudar a desenhar o cenário literário oitocentista. Acrescenta-se à necessidade da análise das folhas públicas, a pesquisa a outras fontes primárias como cartas, manuscritos, primeiras edições, contratos, que, certamente, ampliam a compreensão acerca da produção dos contos, assim como a recepção "no calor da hora".

Os prefácios das antologias, as cartas de Machado reclamando acerca da edição e as publicações que saem nos diferentes jornais do país demonstram a atenção com o leitor, principal preocupação do autor na recepção de suas obras. Nos anos finais do século XIX, o escritor vendeu ao editor francês a propriedade inteira e perpétua de seus escritos para que seus livros ficassem sob a posse de um único dono, tudo porque ele, já chefe da Academia Brasileira de Letras, tinha certeza da perpetuação de seus textos e queria garantir edições bem cuidadas de suas obras. No entanto, mesmo as narrativas saídas em coletâneas, hoje em dia, ainda são pouco visitadas pelos leitores, e edições que resgatem essas histórias aparecem raramente no mercado editorial, tão necessitado de perspectivas mais amplas acerca dos contos machadianos.

A pesquisa enquanto revisão bibliográfica de Machado de Assis

Felipe Pereira Rissato[1]

Não é sem razão que Machado de Assis é considerado o maior de nossos escritores. Neste conceito, amplíssimo, mas cuja definição é absolutamente simplista, o *bruxo* do Cosme Velho está inserido tanto pelo caráter prolífico de sua criação literária, quanto, e sobretudo, pela inegável qualidade desta.

Ao longo de 54 anos ininterruptos na atividade de escritor, Machado foi poeta, tradutor, dramaturgo, cronista, crítico e romancista (de narrativas curtas e longas) da melhor estirpe.

A fecunda produtividade em versos, bem como a verve dramatúrgica, gêneros literários predominantes na pena do jovem Machado em seus primeiros dez anos como homem de letras, logo deram lugar ao exímio novelista que, provavelmente por conta da predominância de seus contos e romances em sua fase madura, dá margem à crítica reputá-lo um poeta *inferior*.

Machado, como muitos dos escritores de seu tempo, era um homem de imprensa, não só por escrever editoriais e artigos, mas porque sua produção literária era, principalmente, distribuída pelas

[1] Graduado em Comunicação Social: Publicidade e Propaganda (FEAPA) e pesquisador independente. Autor de *Iconografia de Euclides da Cunha* (2011), organizou, em parceria com Leopoldo Bernucci e Francisco Foot Hardman, *Euclides da Cunha*: ensaios e inéditos (2018) e *À margem da história* (2019), ambos pela Editora Unesp.

folhas diárias e em inúmeras publicações com periodicidade diversa. No decorrer dos anos, a sistematização com que o escritor passou a coligir essa sua produção dispersa claramente denota a predileção por suas narrativas. Assim, o destaque dado a esses textos por ele próprio, naturalmente por serem mais bem elaborados que suas criações da juventude, em sua maioria poemas, permitem que a crítica rasa tente tisná-lo por conta dos versos, em virtude da prosa inatacável.

Seu primeiro livro de poesias, *Crisálidas*, editado em 1864, traz 28 poemas. Praticamente apenas um quarto de toda a produção poética do autor até então, sendo que metade dos poemas (14) eram inéditos. Dos 28 poemas, apenas um, "Monte Alverne", é datado de 1858. Todos os demais são de 1860 em diante. Por razões que somente o autor poderia dar, ele acabou deixando no passado três quartos de seus versos, provavelmente levado por duas tentativas anteriores de lançá-los em livro e que se frustraram.

Em 1858 foi anunciada a preparação do *Livro dos vinte anos*, primeira reunião de seus poemas. Em 1860 a obra chegou a ser anunciada à venda, com a informação imprecisa do volume conter 200 a 240 páginas. Levando-se em conta a paginação de *Crisálidas*, se o *Livro dos vinte anos* tivesse a mesma tipagem, bem como uma semelhante mancha tipográfica, o número de poemas nele contido ficaria entre 40 e 50, compatível com a sua bibliografia à época. A edição, porém, aparentemente não foi concluída e nada mais se sabe dela.

Em 1862 nova tentativa não se concretizou. Seria editada dentro da coleção "Biblioteca Brasileira", cujo diretor era Quintino Bocaiúva, e levaria o título de *Poesias*. Da mesma forma que o *Livro dos vinte anos*, ficou apenas nos anúncios dos jornais.

Antes, porém, de *Crisálidas*, Machado de Assis já havia publicado pelo menos cinco obras com peças teatrais: *Queda que as mulheres têm para os tolos* (tradução de *De l'amour des femmes pour les sots*, de Victor Hénaux), *Desencantos* e *As bodas de Joaninha*, todas em 1861. A indicação de que esta última havia sido publicada foi retirada da apresentação do volume T*eatro* (1910), coligido por Mário de Alencar, informando que dela não havia encontrado exemplar. Infelizmente, é uma peça perdida até hoje. Completando as cinco obras acima apontadas, em 1863 Machado publicou o volume *O Teatro*, reunindo os dramas *O caminho da porta* e *O protocolo*; e provavelmente em 1864, *Quase ministro*, encenada em novembro de 1863 e cujo volume não traz data em sua folha de rosto.

Voltando à seara da poesia, em 1870 aparece *Falenas*, com 35 poemas, sendo pelo menos 29 deles inéditos. Não se conhece publicação anterior de "Uma ode de Anacreonte", mas, em carta datada de 23 de abril de 1869, Machado agradece a Antonio Feliciano de Castilho (autor da *Lírica de Anacreonte*, 1866) pelos elogios recebidos por carta (perdida) a propósito de sua "Ode". Assim, ou Castilho leu o original de Machado em manuscrito, ou o leu publicado em opúsculo ou na imprensa, antes da sua inserção em *Falenas*.

Americanas surgiu em 1875 e foi o último livro de Machado em que todos os poemas que o compõem eram inéditos em livro. Dos 13 poemas nele contidos, 10 eram inteiramente inéditos. A partir daí, por um quarto de século o autor passará a publicar seus versos somente pela imprensa e de forma muito espaçada.

No período decorrido entre a publicação de *Crisálidas* e *Americanas*, Machado publicará o drama teatral *Os deuses de casaca* e a tradução *Os trabalhadores do mar* (*Les Travailleurs de la mer*, de Victor Hugo), ambos em 1866; em 1870 há a primeira reunião de contos em livro, no volume que levou o título de *Contos fluminenses*, com sete trabalhos; uma segunda reunião de contos virá com *Histórias da meia-noite*, de 1873, com seis narrativas; no ano anterior, Machado estreará no romance com *Ressurreição*, dando ao público, dois anos mais tarde, em 1874, *A mão e a luva*.

Da fase romântica de Machado por assim dizer sairão ainda dois livros: *Helena* e *Iaiá Garcia*, de 1876 e 1878, respectivamente. A fase realista, considerada pela crítica como o ápice da obra machadiana, terá início em 1881, com *Memórias póstumas de Brás Cubas*, publicado no ano anterior nos fascículos da *Revista Brasileira*. No tocante aos romances, seguirão a ele: *Quincas Borba* (1891), *Dom Casmurro* (1900), *Esaú e Jacó* (1904) e *Memorial de Aires* (1908).

Até o fim do século XIX, Machado terá publicado apenas três livros de poemas, sem que neles esteja reunida a maior parte de sua poesia. Como dissemos, quando da publicação de *Crisálidas*, a bibliografia machadiana contava já pouco mais de uma centena de poemas. Esse número é praticamente a metade da produção poética de toda a sua vida, que conta com cerca de 240 trabalhos (incluindo pelo menos uma dúzia de peças ainda perdidas). *Crisálidas*, *Falenas* e *Americanas* compreendem 76, sendo que a produção contida nos dois últimos (48) não entra na contagem daquela primeira centena anterior e contemporânea à *Crisálidas*.

No que diz respeito aos contos ocorre cuidado diverso e ao mesmo tempo semelhante. Expliquemos o paradoxo: no caminho inverso do que foi dado à coleção dos poemas, Machado publicou somente no século XIX nada menos que o dobro de volumes (seis) reunindo suas narrativas fantásticas: *Contos fluminenses* e *Histórias da meia-noite*, já aludidos; *Papéis avulsos* (1882), *Histórias sem data* (1884), *Várias histórias* (1896) e *Páginas recolhidas* (1899); com 12, 18, 16 e 8 contos, respectivamente. Seu último trabalho reunindo contos foi *Relíquias de casa velha* (1906), publicado dois anos antes de morrer, trazendo nove contos, seu derradeiro poema ("À Carolina"), dedicado à mulher, falecida em 1904 e outros trabalhos de gêneros diversos.

Ainda no caminho contrário à curadoria dos poemas, Machado não evita trazer a público narrativas *antigas*. A algumas, inclusive, troca-lhes os títulos e dá-lhes nova redação, sem, entretanto, comprometer o enredo anteriormente criado.

A incrível semelhança entre contos e poemas é verificada no quantitativo de trabalhos reunidos em livro. Se os três livros de poemas trazem 76 obras, os sete livros de contos dão a mesma contagem de narrativas. Sendo que a bibliografia machadiana igualmente passa de 200 produções de ambos os gêneros.

A primeira "reunião" dos versos machadianos, foi feita por ele mesmo, em 1901, na obra que intitulou *Poesias completas*. Eis aí o Machado crítico, censor de si próprio, trazendo em suas "poesias completas", mesmo com a inserção de 30 novos poemas, apenas 80 trabalhos... Como seria possível? Sejamos francos, o volume nada tem de completo. Os três livros anteriores estavam há muito esgotados e reunindo-lhes apenas parcialmente, Machado deixava no limbo outras produções da juventude, tanto é que *Crisálidas*, seu primeiro livro, foi quem mais sofreu com os cortes: dos 28 poemas originais, apenas 12 reapareceram em 1901. *Falenas* perdeu nove dos 35 poemas, ficando com 26. *Americanas* teve apenas um poema cortado, dos 13. Assim, dos 76 poemas publicados em livro entre 1864 e 1875, voltaram em 1901 apenas 50, dois terços do total. É preciso notar, também, que muitos dos poemas mantidos tiveram, ainda, supressão de versos. Somados os 50 poemas "sobreviventes" aos 30 coligidos a partir de 1878, o volume apresenta apenas 80 poemas; muito longe da completude. Apenas dois eram inteiramente inéditos: "Antonio José" e "A Felício dos Santos". Acreditava-se que "Lindoia" e "José de Anchieta" fossem também inéditos, mas em pesquisas recentes, descobrimos publicação anterior ao volume.

Em 1910, apenas dois anos depois de ter falecido Machado, seus confrades da Academia Brasileira de Letras fizeram publicar três volumes coligidos pelo discípulo Mário de Alencar, reunindo parte de sua obra ainda dispersa: *Teatro*, *Crítica* e *Outras relíquias*. Neste último e ainda aí, coincidentemente, temos seis contos e seis poemas.

Alfredo Pujol, grande admirador de Machado, profere e publica n'*O Estado de S.Paulo*, entre 1915 e 1917, sete conferências sobre a vida e a obra do *bruxo* do Cosme Velho. Ainda em 1917, as conferências são lançadas em volume, constituindo na primeira grande biografia do nosso maior expoente das letras. Nesse mesmo ano, Pujol é eleito para a Academia Brasileira de Letras. A retomada aos estudos em torno da vida e da obra de Machado de Assis, ganham fôlego com a proximidade do centenário de seu nascimento, ostensiva e justamente comemorado em 1939. Cinco anos antes, as conferências de Pujol ganham uma segunda edição, mas é em 1936 que um estudo biográfico absolutamente aprofundado vem a lume, quando Lúcia

Miguel Pereira publica o seu *Machado de Assis*; que em menos de vinte anos teve cinco edições, sempre revisadas pela autora.

No ano seguinte, a W. M. Jackson edita a primeira *encarnação* das "Obras Completas" de Machado de Assis em 31 volumes, coligindo muito do que havia ainda disperso, mas com questionável rigor no que tange à fidedignidade da transcrição dos textos, desmerecendo consideravelmente o valor dessa coleção.

Na década de 50 dois pesquisadores machadianos de primeira linha trazem ao público inúmeros trabalhos que jaziam nas páginas de jornais e revistas, enriquecendo ainda mais a já vastíssima bibliografia de Machado de Assis: José Galante de Sousa e Raimundo Magalhães Júnior. Durante o ano de 1956, Magalhães Júnior divulga nada menos que 71 contos de Machado distribuídos em cinco volumes: *Contos avulsos*, *Contos esparsos*, *Contos esquecidos*, *Contos recolhidos* e *Contos sem data*. Galante de Sousa, por sua vez, além da colossal e indispensável *Bibliografia de Machado de Assis* (1955), que decorridos mais de 60 anos merece uma reedição atualizada, lança *Poesia e prosa* (1957), com 20 poemas inéditos em livro e 28 textos em prosa, divididos entre crônicas, cartas abertas e homenagens diversas.

Em *Poesia e prosa* resgatou-se pela primeira vez em livro o primeiro trabalho literário de Machado considerado até então: o poema "A Palmeira", datado de 6 de janeiro de 1855 e estampado na *Marmota Fluminense* em sua edição de 16 do mesmo mês. Não era, entretanto, o primeiro poema a ser publicado. Essa primazia cabia a "Ela", que apareceu na mesma gazeta quatro dias antes (12), também coligido por Galante.

Essa atribuição de primeiro trabalho, bem como outras afirmações bibliográficas ganham contornos pétreos e, infelizmente, mesmo quando revisados, dificilmente são retificados com a presteza que lhes deveria ser justa. Machado de Assis é um dos nossos autores mais lidos e relidos, estudado, debatido e esmiuçado à exaustão, e é comum, um artigo, uma tese, um livro trazerem informações tanto biográficas quanto bibliográficas já defasadas, sem se levar em conta trabalhos que, provavelmente devido à sua contemporaneidade recíproca, passam despercebidos e indevidamente ignorados.

Voltando ao primeiro trabalho literário, o próprio Galante de Sousa retifica o que foi afirmado em *Poesia e prosa* quando, em 1972, no *Jornal do Brasil*, divulga o primeiro soneto de Machado, então recentemente descoberto por ele. Trata-se de "À Ilma. Sra. D. P. J. A.", publicado no *Periódico dos Pobres* em 3 de outubro de 1854. Contudo, de 1972 pra cá, alguns trabalhos continuam a dar "A Palmeira" como a estreia de Machado nas letras...

Um fato anedótico, mas ao mesmo tempo digno de apreensão, foi a divulgação na década de 70 da entrada da milésima peça ao acervo do Arquivo-Museu da Literatura Brasileira, da Fundação Casa de Rui Barbosa, inaugurado e dirigido pelo bibliófilo Plínio Doyle. A imprensa classificou como *inédito* o manuscrito do poema "Pássaros", de 1868, publicado desde 1870 em *Falenas*, republicado em 1901 nas *Poesias completas* e nas demais transcrições dos poemas de Machado ao longo dos anos. Mais grave que isso, porém, reputamos a não inclusão de diversos trabalhos comprovadamente saídos da pena de Machado e há muito divulgados que não integram edições recentes e ditas "completas", dificultando irresponsavelmente a revisão da bibliografia do escritor.

Voltando à década de 50, Magalhães Júnior também publica vários estudos biográficos sobre Machado, escrevendo sua biografia definitiva em 1981. Ainda nos anos 60, um outro diligente pesquisador se acerca dos textos desconhecidos de Machado. É o francês Jean-Michel Massa que em 1965 apresenta nos *Dispersos de Machado de Assis* nada menos que 150 textos! Seus estudos aprofundam-se no jovem Machado, publicando em 1969 *A juventude de Machado de Assis*, em francês, traduzido para o português em 1971. Tanto Massa quanto Magalhães Júnior volta e meia também publicavam pela imprensa seus eventuais achados.

Passando a tempos mais recentes, em 1991 veio a público o último conto de Machado que se considerava perdido: "Terpsícore", publicado na *Gazeta de Notícias* em 1886. Procurado em vão por Galante de Sousa, não teve êxito em encontrá-lo na coleção do jornal depositada na Biblioteca Nacional, na qual faltava o suplemento em que fora publicado. Encontrá-lo só foi possível porque a biblioteca do Senado Federal, em 1982, doou à Biblioteca Nacional a sua coleção do jornal, e nela felizmente havia o suplemento com o conto.

A propósito dos suplementos, em 1880 Machado de Assis homenageou o tricentenário de Camões com cinco sonetos publicados separadamente no *Jornal do Commercio*, na *Gazeta de Notícias,* n'*A Estação*, na *Revista Brasileira* e no suplemento da *Revista Illustrada.* Nas *Poesias completas* em 1901 há a reunião de quatro desses sonetos, ficando de fora o do suplemento. Fato é que o poema ficou perdido por quase 130 anos, visto que o suplemento não se encontra nas coleções da *Revista Illustrada* na Biblioteca Nacional, na Fundação Casa de Rui Barbosa, no Museu Imperial e outras instituições, sendo descoberto por Ubiratan Machado em 2008, nas mãos do bibliófilo Manoel Portinari Leão, em cuja coleção figura um exemplar do suplemento.

Manoel Portinari Leão é detentor de algumas raridades interessantíssimas de Machado. Dentre elas, o manuscrito do poema *Desculpas*, escrito no álbum de Adelaide Moraes Amoedo, esposa do pintor Rodolfo Amoedo. Datado de 1893, pensava-se que era inédito até meados de 2016, quando o encontramos na primeira página d'*O Commercio de São Paulo* de 22 de julho de 1894, em crônica de Coelho Netto, que estando com o álbum em mãos para escrever algum pensamento, tomou a liberdade em divulgar alguns poemas dos literatos que ali exprimiram suas ideias. Como e por que passou tanto tempo despercebido dos pesquisadores é algo a se investigar. As pesquisas às vezes se concentram nas folhas do Rio de Janeiro; tendo o poema sido publicado em São Paulo, talvez esteja aí a resposta, apesar da importância daquele órgão da imprensa paulista.

No tocante a trabalhos de Machado sabidamente perdidos e mesmo os inteiramente ignorados a lista é incrivelmente numerosa e cresce à medida em que se aprofundam as pesquisas. Alguns dramas teatrais que se encontram nessa situação são os seguintes: *A ópera das janelas, As bodas de Joaninha, Montjoye, Pipelet, A família Benoiton, O caminho do mal, O pomo de discórdia, O barbeiro de Sevilha* e *Os demandistas*. Este último seria encenado em 1876, mas não passou de uma desastrosa primeira leitura dramática, feita pelo autor com a audiência dos atores. Negativamente criticado, Machado teria rasgado o texto da tradução feita por ele em versos alexandrinos da obra *Les Plaideurs*, de Jean Racine.

Com relação aos poemas, as obras sabidamente perdidas são: um poema de cinco estrofes recitado pela atriz Gabriela da Cunha em fevereiro de 1862 em homenagem ao escritor Manuel Antonio de Almeida, então recentemente falecido; "Nostalgia", recitado pelo próprio Machado em julho de 1862; poema declamado em outubro de 1862 por Gabriela da Cunha em récita à devoção da Piedade; poema recitado em junho de 1863 pelo ator Miguel do Sacramento em homenagem às Marinhas portuguesa e brasileira; dois poemas declamados por Machado de Assis em setembro de 1865 na comemoração ao centenário de nascimento de Bocage; "Cantata da Arcádia", recitada por um coral em novembro de 1865; poema recitado em setembro de 1866 pela atriz Antonina Marquelou em evento homenageando a data natalícia do príncipe português D. Carlos; "Um neto de Don Juan", recitado pelo menino Monclair em dezembro de 1866; poema recitado pela atriz Leolinda Amoedo em janeiro de 1870 na inauguração do Theatro S. Luiz, em homenagem a Furtado Coelho. Temos aí nada menos que dez poemas.

Recentes pesquisas, porém, permitiram que encontrássemos referências de outros poemas perdidos e dos quais nada havia se falado até então: "Estrela do Sul", declamado pela atriz Antonina Marquelou em fevereiro de 1869 em Santa Catarina; e o poema recitado por José Gonçalves de Andrade nas comemorações da Independência em 1889, dedicado à Imperatriz Thereza Cristina. Havíamos também descoberto que no mês de outubro de 1877 e 1883, foram recitados em Belém, no Pará, os poemas "Nação e Rei" e "À Portugal", respectivamente, em homenagem à data natalícia do rei de Portugal, D. Luís. Eis que o pesquisador João Paulo Papassoni encontrou, publicado no *Diário de Belém* de 31 de outubro de 1874, o poema "À Portugal", assinado por *M. de A.* Cremos que não há dúvidas de que se trata do mesmo "À Portugal" declamado nove anos mais tarde e, também, do mesmo "Nação e Rei", declamado em 1877, haja vista que a expressão exata encontra-se no corpo do poema, renomeado e reaproveitado pela comunidade portuguesa daquela capital do norte do país nessas ocasiões festivas.

Com efeito, nem só de referências vive uma pesquisa! De 2015 para cá, a produção poética de Machado de Assis avançou consideravelmente. Wilton Marques, professor da UFSCar, encontrou no *Correio Mercantil* em 1856 o primeiro poema de Machado ali publicado: "O grito do Ipiranga". De quebra, adiantou em dois anos a estreia de Machado naquele jornal. Por nosso lado, encontramos a crônica anônima "Lembranças de minha mãe", estampada no segundo número da *Revista Luso-Brasileira*, de 31 de julho de 1860. Também descobrimos algumas resenhas e homenagens, seguindo pistas dadas pelo próprio Machado e seus interlocutores nas correspondências trocadas entre si. A propósito, temos já número suficiente de cartas para compor um eventual sexto tomo à monumental *Correspondência de Machado de Assis*, editada em cinco volumes pela Academia Brasileira de Letras entre 2008 e 2015.

Mas é no campo da poesia que centramos as nossas principais descobertas. Além do já mencionado "Desculpas", tivemos a incomensurável satisfação de encontrar outras sete obras jamais referenciadas na bibliografia do *bruxo*: o poema sem título, em nove quadras, iniciado pelo verso "Vem! penetra no templo das artes!", publicado no jornal *A Pátria*, de 5-6 de julho de 1858; o poema que a imprensa catarinense denominou "Hino Nacional", escrito em homenagem à data natalícia de D. Pedro II e declamado em dezembro de 1867 em Desterro, Santa Catarina, publicado no jornal *O Constitucional*, de 11 de dezembro de 1867; "Adeus", recitado pelo ator Valle em novembro de 1873 em sua despedida dos palcos brasileiros, publicado no *Jornal da Noite*, de Lisboa, em 18-19 de dezembro daquele ano; "Cáritas", datado de 1875 e publicado no *Almanach Brazileiro Illustrado para o anno de 1877*; "Jó (Caps. XXXVIII, XXXIX)", datado de 1876 e publicado no *Almanach Brazileiro Illustrado [para o] anno de 1878*, (em 1881, no jornal maranhense *Civilisação*, Machado publicará nova paráfrase ao capítulo 38 do livro de Jó); o soneto "22 de Julho de 1890", data natalícia de Ernesto Cibrão, amigo de Machado a quem o poema é dedicado, chegando até nós inédito em junho de 2019, por intermédio da infinda generosidade do acadêmico Antonio Carlos Secchin, sendo dois meses mais tarde leiloado a uma coleção incógnita.. O sétimo poema, até agora inédito, deixaremos para o final desse texto.

Aproveitamos o espaço e a oportunidade para retificar alguns dados:

O poema sem título, em cinco oitavas, iniciado pelo verso "Daqui, deste âmbito estreito", recitado em 23 de fevereiro de 1870 pela atriz Ismênia dos Santos em favor das vítimas da seca na então província das Alagoas e sabidamente publicado no *Jornal do Commercio* de 26 daquele mês, teve a sua primeira publicação no bem menos famoso *Dezesseis de Julho* de 25 de fevereiro de 1870.

A sexta parte do poema que compõe os "Versos a Corina" teve a sua primeira publicação no Brasil no *Diário Official do Império do Brasil* de 18 de setembro de 1864, simultânea ao lançamento de *Crisálidas*, que em nota a indica como inédita. Era sabido, porém, que uma "folha do Porto" a publicara anteriormente. Eis a referência, divulgada pela primeira vez: *O Jornal do Porto*, de 8 de agosto de 1864. A epígrafe aí utilizada foi parcialmente aproveitada na terceira parte do poema, quando reunido em livro. Sendo que esta terceira parte, em jornal, não apresenta epígrafe. A sexta parte, por sua vez, recebeu nova epígrafe em *Crisálidas*.

Outra reparação bibliográfica diz respeito ao soneto "Velho Tema", datado de 1895 e publicado em *O Theatro*, em outubro de 1911. Descoberto e divulgado em 1961 por Magalhães Júnior com um erro de transcrição que persiste até hoje: o primeiro verso do primeiro terceto é assim apresentado: "Se não acudir alguém", quando o correto é: "Se não acudir ninguém". A revista era dirigida por Nazareth Menezes, e Magalhães Júnior questiona quem teria cedido o original de Machado para que fosse publicado. A resposta: existe publicação anterior do soneto, inclusive quando Machado ainda vivia, sendo, salvo engano, seu último trabalho aparecido na *imprensa* ainda em vida do autor, apesar de datado de 1895. Foi publicado numa primeira fase da revista *O Theatro*, em número especial em comemoração ao sexto aniversário do periódico, em maio de 1908. O título, porém, era outro: "Velha Cantiga", que nos remete ao título do conto "Cantiga Velha", publicado n'*A Estação* em 1883. Nessa primeira publicação não há indicação de data, mas temos a resposta à indagação de Magalhães Júnior: o poema foi inscrito no álbum do próprio Nazareth Menezes. Curioso detalhe é que essa descoberta retifica, ainda, um outro erro de transcrição, que, por sua vez, persiste desde 1911: o segundo verso do segundo quarteto, em sua redação original e correta assim se apresenta: "No peito, ao lado", enquanto que nas transcrições estampam um truncado: "Do peito ao lado". Massa, em seus *Dispersos*, tentou emendar para "De peito ao lado", melhorando o sentido, mas ainda incorrendo em erro. É notável o que uma única descoberta pode nos trazer de revisão e retificação à bibliografia de Machado de Assis!

Para finalizar, apresentamos um poema até então inteiramente inédito! Em carta datada de 28 de outubro de 1904, Júlio Moutinho lembra a Machado que no álbum de sua mãe, a atriz Ludovina Moutinho, filha de Gabriela da Cunha e esposa de Antonio Moutinho de Sousa, havia versos de Machado a ela escritos e outros dirigidos a ele, Júlio. Os versos à Ludovina foram publicados n'*A Primavera* em março de 1861. Há ainda um poema de 1860, encontrado por Jean-Michel Massa no álbum de Antonio Moutinho de Sousa, arquivado na Biblioteca Pública Municipal do Porto. Intitulado "Ao casal Moutinho" celebra o nascimento de Júlio, tendo sido divulgado por Massa em 1971. Pensava-se que este poema seria o que Júlio estava se referindo na carta a Machado, porém, na Coleção Paulo Tacla da seção de manuscritos da Biblioteca Nacional, no Rio de Janeiro, há um fac-símile de um poema diretamente escrito a Júlio. Aliás, a mesma coleção guarda também os fac-símiles dos outros dois poemas acima mencionados, livrando da simples atribuição os versos dirigidos à Ludovina, publicados apenas sob as iniciais *M. A.* Eis o terceiro poema, inédito:

Ao Júlio
em 30 de maio de 1863

Abres-te, flor; verdejas, esperança;
Trazes ao lar um novo paraíso.
A ventura, o amor, a luz e o riso
Tua presença à tua casa traz.
Leio nos tempos do futuro e vejo
Pelo correr de mais compridos dias,
Tu – uma fonte eterna de alegrias,
Os teus – felizes na perpétua paz.

Machado de Assis

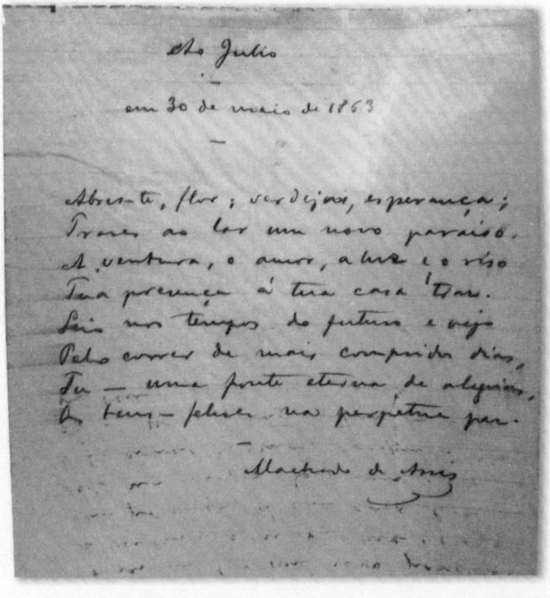

Ao Julio

em 30 de maio de 1863

Abres-te, flor; verdejas, esperança;
Trazes ao lar um novo paraíso.
A ventura, o amor, a luz e o riso
Tua presença á tua casa traz.
Leio nos tempos do futuro e vejo
Pelo correr de mais compridos dias,
Tu — uma fonte eterna de alegrias,
Os teus — felizes na perpétua paz.

Machado de Assis

Índice das ilustrações

Todas as ilustrações de jornais e revistas, com exceção da revista *Pena & Lápis* e do *Almanaque das Fluminenses*, pertencem à Hemeroteca Digital da Biblioteca Nacional.

P. 1: Machado de Assis aos 67 anos, por L[uiz] Musso & Cia., Rio de Janeiro, [fevereiro], 1907. Coleção Ruy Souza e Silva.

P. 7: Machado de Assis aos 45 anos, por Marc Ferrez, Rio de Janeiro, [julho], 1884. Coleção Gilberto Ferrez, Instituto Moreira Salles.

PREFÁCIO

P. 9: Uma das reuniões da *Panelinha*, Rio de Janeiro, 3 de maio de 1901. Arquivo do Centro de Memória da Academia Brasileira de Letras.

P. 23: Problema de xadrez proposto por Machado de Assis. *Ilustração Brasileira*, Rio de Janeiro, ano I, n. 24, 15 jun. 1877, p. 383.

MÚSICA E LITERATURA

P. 25: Machado de Assis entre os 57/58 anos, Atelier Daguerre, Rio de Janeiro, [1896/97]. Arquivo do Centro de Memória da Academia Brasileira de Letras.

P. 31: Contrato para a venda da "primeira edição como de todas as seguintes" de *Contos fluminenses e Falenas*, assinado com Baptiste Louis Garnier, 11/05/1869

P. 32: "O machete". *Jornal das Famílias*, Rio de Janeiro, ano XVI, n. 2, fev. 1878, p. 38.

P. 46: "O anel de Polícrates". *Gazeta de Notícias*, Rio de Janeiro, 2/7/1882, p. 1.

P. 56: "O programa". *A Estação*, Rio de Janeiro, 31 dez. 1882, ano XI, n. 24, 31 dez. 1882, p. 277.

P. 80: "Cantiga de esponsais". *A Estação*, Rio de Janeiro, ano XII, n. 9, 15 maio 1883, p. 97.

P. 86: "Habilidoso". *Gazeta de Notícias*, Rio de Janeiro, 6/9/1885, p. 1.

P. 94: "Trio em lá menor". *Pacotilha*, Maranhão, 19/2/1886, p. 2.

P. 104: "Um homem célebre". *Gazeta de Notícias*, Rio de Janeiro, 29/6/1888, p. 1.

P. 116: "Um erradio". *A Estação*, Rio de Janeiro, ano XXIII, n. 17, 15 set. 1894, p. 89.

POLÍTICA E ESCRAVIDÃO

P. 137: Machado de Assis aos 40 anos, por Insley Pacheco, Rio de Janeiro, [1880]. Coleção Ruy Souza e Silva.

P. 138: "Lei do ventre livre" (1871). Manuscrito. Biblioteca do Senado Federal.

P. 144: "Virginius (Narrativa de um advogado)". *Jornal das Famílias*, Rio de Janeiro, ano II, n. 7, jul. 1864, p. 192.

P. 162: "Mariana". *Jornal das Famílias*, Rio de Janeiro, ano IX, n. 1, jan. 1871, p. 1.

P. 182: "Tempo de crise". *Jornal das Famílias*, Rio de Janeiro, ano XI, n. 4, abr. 1873, p. 105.

P. 197: Contrato para a venda "inteira e perpétua" dos direitos de *Várias histórias*, assinado com Hippolyte Garnier, 27/05/1902

P. 198: "A sereníssima República (conferência do cônego Vargas)". *Gazeta de Notícias*, Rio de Janeiro, 20/8/1882, p. 1.

P. 208: "O caso da vara". *Gazeta de Notícias*, Rio de Janeiro, 1º/2/1891, p. 1.

P. 217: *Pena & Lápis*, Rio de Janeiro, ano I, n. 2, 10 jun. 1880.

P. 218: "Canção de piratas". *Gazeta de Notícias*, Rio de Janeiro, 22/7/1894, p. 1.
P. 222: "Pai contra mãe". *Relíquias de casa velha*. Rio de Janeiro/Paris: H. Garnier, 1906. p. 3.
P. 234: "Suje-se gordo!". *Relíquias de casa velha*. Rio de Janeiro/Paris: H. Garnier, 1906. p. 81.

DESRAZÃO

P. 241: Machado de Assis posando no ateliê dos irmãos Henrique e Rodolfo Bernardelli, Rio de Janeiro, [agosto], 1905. Fundação Biblioteca Nacional.
P. 247: *A Semana*, Rio de Janeiro, ano II, n. 93, 9 out. 1886.
P. 248: "Três tesouros perdidos". *A Marmota*, Rio de Janeiro, n. 914, 5/1/1858, p. 2.
P. 252: "Frei Simão". *Jornal das Famílias*, Rio de Janeiro, ano II, n. 6, jun. 1864, p. 161.
P. 262: "O Anjo Rafael". *Jornal das Famílias*, Rio de Janeiro, ano VII, n. 10, out. 1869, p. 293.
P. 309: "O Alienista". *A Estação*, Rio de Janeiro, 15/10/1881, ano X, n. 19, p. 231.
P. 310: "A ideia do Ezequiel Maia". *Gazeta de Notícias*, Rio de Janeiro, 30/3/1883, p. 1.
P. 320: "O lapso". *Gazeta de Notícias*, Rio de Janeiro, 17/4/1883, p. 1.
P. 330: "Conto Alexandrino". *Gazeta de Notícias*, Rio de Janeiro, 13/5/1883, p. 1.
P. 340: "Evolução". *Gazeta de Notícias*, Rio de Janeiro, 24/6/1884, p. 1.

FILOSOFIA

P. 349: Machado de Assis aos 25 anos, por Insley Pacheco, Rio de Janeiro, [1864]. Coleção Ruy Souza e Silva.
P. 355: *Revista Moderna*, Rio de Janeiro, ano I, n. 9, 5 nov. 1897.
P. 356: "Na Arca – Três capítulos inéditos do Gênesis". *O Cruzeiro*, Rio de Janeiro, 14/5/1878, p. 1.
P. 364: "O segredo do bonzo (Capítulo inédito de Fernão Mendes Pinto)". *Gazeta de Notícias*, Rio de Janeiro, 30/4/1882, p. 1.
P. 374: "História comum". *A Estação*, Rio de Janeiro, ano XII, n. 7, 15 abr. 1883, p. 73.
p. 379: *Revista da Semana*, Rio de Janeiro, ano XIII [sic], n. 438, 4 out. 1908.
P. 380: "A igreja do diabo". *Gazeta de Notícias*, Rio de Janeiro, 17/2/1883, p. 1.
P. 390: "Adão e Eva". *Gazeta de Notícias*, Rio de Janeiro, 1º/3/1885, p. 1.
P. 397: Carta de Machado de Assis, em francês, para Hippolyte Garnier, datada de 30/10/1899. Arquivo do Centro de Memória da Academia Brasileira de Letras.
P. 398: "Como se inventaram os almanaques". *Almanaque das Fluminenses*, Rio de Janeiro, ano I, 1889, p. 23. Coleção Plínio Doyle. Fundação Casa de Rui Barbosa.
P. 404: "O sermão do diabo". *Gazeta de Notícias*, Rio de Janeiro, 4/9/1892, p. 1.

POSFÁCIOS

P. 409: Machado de Assis aos 55 anos, por Insley Pacheco, Rio de Janeiro, [1894]. Arquivo do Centro de Memória da Academia Brasileira de Letras.
p. 410: *O Malho*, Rio de Janeiro, ano VII, n. 317, 10 out. 1908.
P. 424: Machado de Assis aos 68 anos, em sua última fotografia conhecida. Rio de Janeiro, [set. 1907 – jan. 1908].
P. 437: "Ao Júlio". Manuscrito. Coleção Paulo Tacla. Fundação Biblioteca Nacional.

P. 440: Machado de Assis aos 53 anos, por Juan Gutierrez, Rio de Janeiro, [1892]. Fundação Biblioteca Nacional.

MA
CHA
DO
DE ASSIS